LA VIDA ES RIO

BANCO

por Henri Charrière

PLAZA & JANÉS, S. A.
EDITORES

Título original:
BANCO

Traducción de
RAMON IZABAL

Portada de
ALVARO

Primera edición: Febrero, 1973
Segunda edición: Marzo, 1973

Printed in Spain — Impreso en España
ISBN: 84-01-34024-1 — Depósito Legal: B. 8.788 - 1973

ÍNDICE

ESTE LIBRO ESTA DEDICADO

al recuerdo del doctor Alex Guibert-Germain,
a Madame Alex Guibert-Germain,
a los venezolanos, mis compatriotas,
a los miles de amigos franceses, españoles, suizos, belgas,
italianos, yugoslavos, alemanes, ingleses, griegos, americanos,
turcos, finlandeses, japoneses, israelíes, suecos, checoslovacos,
daneses, argentinos, colombianos, brasileños y a todos aquellos de quienes no me acuerdo, a todos aquellos amigos para
mí sin rostro que me han hecho el honor de escribirme:

«¿Quién era usted, Papillon? ¿Y qué ha hecho usted
para, desde su último presidio, llegar a nuestras manos en
forma de libro?»

«Lo que piensas de ti mismo es más importante que lo que piensan los demás.»

(Autor desconocido de *Papillon*)

LOS PRIMEROS PASOS DE LA LIBERTAD

—¡Buena suerte, *francés*![1] A partir de este momento sois libres. *¡Adiós!* [2]

El oficial del presidio de El Dorado nos dio la espalda después de habernos hecho un ademán con la mano.

Y así, con esta facilidad, se abandonan las cadenas que uno ha arrastrado durante trece años. Sujetando a Picolino por el brazo, dimos algunos pasos sobre el repecho que, desde la orilla del río donde nos había dejado el oficial, subía hasta el pueblo de El Dorado. Y en mi vieja casa de España, en 1971, exactamente durante la noche del 18 de agosto, vuelvo a verme con increíble precisión en el camino de guijarros, y no sólo la voz del oficial resuena del mismo modo, grave y clara a mis oídos, sino que hago el mismo gesto de veintisiete años atrás: vuelvo la cabeza.

Es medianoche, fuera está oscuro. Pero no. Para mí, para mí solo, brilla el sol; son las diez de la mañana y estoy mirando los más bellos hombres, la más bella espalda de mi vida: la de mi carcelero que se aleja, simbolizando con ello el fin de una vigilancia que durante días, noches, minutos, segundos, en el espacio de trece años, no ha dejado jamás de ejercerse a fin de espiarme.

Última mirada al río, última mirada por encima de los

1. En español en el original. (*N. del T.*)
2. En español en el original. (*N. del T.*)

hombros de mi carcelero hacia la isla del presidio venezolano en medio del río, última mirada al horrible pasado que se había prolongado durante trece años, trece años durante los cuales me habían pateado, envilecido, triturado.

Rápidamente, sobre el río, en el velo de vapor que se elevaba del agua recalentada por el sol de los trópicos, parecía que querían formarse imágenes dispuestas a desfilar como sobre una pantalla con objeto de que volviera a ver el camino recorrido. Me negué a asistir a la representación de semejante filme, cogí a Picolino por el brazo, volviéndome de espaldas a aquella extraña tela y lo arrastré con paso vivo después de encogerme de hombros para quitarme de encima, definitivamente, el barro del pasado.

¿La libertad? ¿Pero dónde? En un rincón del mundo, en el corazón de las mesetas de la Guayana venezolana, en un pueblecito administrativo perdido en la más exuberante selva virgen que pudiera imaginarse. Era el extremo sureste de Venezuela, cerca de la frontera brasileña, un inmenso océano verde sólo atravesado aquí y allá por los saltos de agua de los ríos y riachuelos que por allí discurrían y donde, esparcidas, vivían, de un modo y en un espíritu dignos de los tiempos bíblicos, pequeñas comunidades agrupadas alrededor de una capilla en la que el sacerdote no tenía que predicar el amor y la sencillez entre los hombres, pues eran sentimientos que existían allí en estado natural y permanente. A menudo estos *pueblitos*[1] no estaban unidos con otros, tan perdidos como ellos, más que por uno o dos camiones sobre los que uno se preguntaba cómo habían podido llegar hasta allá. Y en su forma de vivir, de pensar, de amar, aquellas personas sencillas y poéticas vivían al estilo de siglos y siglos atrás: puros, sin contaminar por todas las miasmas de la civilización.

Después de haber recorrido el repecho y antes de avanzar por la meseta donde empezaba el pueblo de El Dorado, nos detuvimos, para reanudar nuestra marcha en seguida con gran lentitud. Oía respirar a Picolino y, como él, también yo respiraba muy profundamente, aspirando el aire hasta llenar mis pulmones, para expelerlo poco a poco, como si tuviera miedo de vivir demasiado aprisa aquellos maravillosos minutos, *los primeros de la libertad.*

1. En español en el original. (*N. del T.*)

La gran meseta se abría ante nosotros con, a derecha e izquierda, sus casitas muy limpias, con flores en las ventanas.

Unos chiquillos, que sabían de dónde veníamos, nos habían visto. Sin actitud hostil, antes bien muy gentilmente, se acercaron y caminaron en silencio a nuestro lado. Parecía que comprendían la importancia del momento y lo respetaban.

Frente a la primera casa, una mujer gorda, negra, vendía sobre una mesita de madera café y tortas de maíz, arepas.

—Buenos días, señora.

—*¡Buenos días, hombres!* [1]

—Dos cafés, por favor.

—*Sí, señores.*

Y la buena mujer gruesa nos sirvió dos deliciosos cafés que bebimos de pie, porque no había sillas.

—¿Cuánto le debo?

—Nada.

—¿Por qué?

—Porque quiero ofrecerles el primer café de la libertad.

—Gracias. ¿A qué hora hay autobús?

—Hoy, como es fiesta, no hay autobús, pero a las once hay un camión.

—¡Ah! Gracias.

Una joven de ojos negros y de piel muy ligeramente morena, salió de la casa.

—Entrad a sentaros en la casa —nos dijo con una bonita sonrisa.

Entramos y nos sentamos junto a una decena de personas que estaban bebiendo ron.

—¿Por qué saca la lengua su amigo?

—Está enfermo.

—¿Se puede hacer algo por él?

—No, nada, ha quedado paralítico. Es preciso que entre en un hospital.

—¿Quién le dará de comer?

—Yo.

—¿Es hermano tuyo?

—No, amigo.

---

1. En español en el original. (*N. del T.*)

—¿Tienes dinero, francés?

—Muy poco. ¿Cómo sabes que soy francés?

—Aquí todo se sabe en seguida. Ayer supimos que iban a ponerte en libertad. También sabemos que te evadiste de la Isla del Diablo, y que la Policía francesa te quiere capturar otra vez para volver a enviarte allá. Pero no vendrán a buscarte aquí, porque aquí ellos no mandan. Nosotros te protegeremos.

—¿Por qué?

—Porque...

—¿Qué quieres decir?

—Toma, bebe un trago de ron, y dale también a tu amigo.

Una mujer de unos treinta años, casi negra, tomó la palabra. Me preguntó si estaba casado. No. Si mis padres todavía vivían. Sólo mi padre.

—Estará contento al saber que estás en Venezuela.

—En cuanto a esto, sí.

Un blanco, alto y seco, con grandes y simpáticos ojos, dijo a su vez:

—Mi pariente no ha sabido decirte por qué te protegeremos. Pues bien, voy a decírtelo yo. Porque salvo en el caso de que esté rabioso, y entonces ya no se puede hacer nada, un hombre puede arrepentirse y ser bueno, si se le ayuda. Por esto te verás protegido en Venezuela: porque amamos al hombre y, con la ayuda de Dios, creemos en él.

—¿Por qué razón supones que estaba prisionero en Diablo?

—Ciertamente, por algo muy grave. Acaso por haber matado, o por haber hecho un robo muy importante. ¿A cuántos años te condenaron?

—A cadena perpetua.

—Aquí, la pena máxima es de treinta años. ¿Cuántos has cumplido?

—Trece. Pero soy libre.

—Olvida, hombre. Olvida lo más aprisa posible lo que sufriste en las cárceles francesas y aquí, en El Dorado. Olvídalo, porque si piensas demasiado en ello tendrás que guardar rencor a los hombres y, acaso, llegarás a odiarlos. Sólo el olvido te permitirá volverlos a amar y vivir entre ellos. Cásate cuanto antes. Las mujeres de este país son ardientes y el amor que te dará la que habrás escogido te ayudará, gracias a la felicidad y a los hijos, a olvidar lo que hayas podido sufrir en el pasado.

Llegó el camión. Di las gracias a aquellas buenas gentes y salí sosteniendo a Picolino por el brazo. Unos diez pasajeros estaban sentados en los bancos situados detrás de la cabina del camión. Con gran amabilidad, aquellas humildes personas del pueblo nos cedieron las dos mejores plazas en la cabina, al lado del chófer.

Mientras viajábamos a toda velocidad en el camión, que saltaba como un loco sobre la pésima carretera llena de baches y de protuberancias, pensé en el curioso pueblo venezolano. No tenían instrucción ni los pescadores del golfo de Paria, ni los soldados rasos de El Dorado, ni aquel sencillo hombre del pueblo que me habló en el interior de aquella casa de paja y de tierra. Apenas sí sabían leer y escribir. Entonces, ¿cómo podían poseer tal sentido de la caridad cristiana, tal nobleza de alma que les permitía perdonar a los hombres que han delinquido? ¿Cómo podían dar con las palabras de aliento delicadamente apropiadas, ofrecerse a ayudar al ex presidiario con sus consejos y con lo poco que poseían? ¿Cuál era la razón de que los jefes del penal de El Dorado, personas instruidas, tanto los oficiales como el director, coincidieran con el pueblo en las mismas ideas: dar una oportunidad a un hombre perdido, quienquiera que fuera, y sin tener en cuenta la importancia de su delito? Estas cualidades no las pudieron haber heredado de los europeos; por tanto, les venían de los indios. Como sea, debes sentir el mayor respeto hacia ellos, *Papillon*.

Llegamos al Callao. Una gran plaza, música. Era el 5 de julio, claro: fiesta nacional. Una abigarrada muchedumbre endomingada característica de los trópicos, donde se mezclan toda clase de colores: negro, amarillo, blanco y el cobrizo de los indios, cuya raza destaca siempre en los ojos un poco rasgados y en la piel, que tiende ya a aclararse. Picolino y yo, así como algunos otros pasajeros, bajamos de la plataforma. Una muchacha que había bajado del camión se me acercó y me dijo:

—No pagues, ya está liquidado.

El chófer nos deseó buena suerte y el camión volvió a

ponerse en marcha. Con uno de mis pequeños paquetes en una mano y Picolino que me sostenía el otro con los tres dedos que le quedaban en la mano izquierda, reflexioné en lo que íbamos a hacer. Poseía libras inglesas de las Antillas y algunos centenares de bolívares, obsequio de mis escasos alumnos de matemáticas en el presidio de El Dorado. Tenía asimismo algunos diamantes en bruto, encontrados en las tomateras del huerto que yo había trabajado.

La muchacha que nos había dicho que no pagáramos me preguntó a dónde iba y le respondí que buscaba una pequeña pensión.

—Ven primero a mi casa, luego verás.

La seguimos, atravesamos la plaza y a menos de doscientos metros llegamos a una calle sin pavimentar, de casas bajas, todas de arcilla, con techos de paja, de chapa o de zinc. Nos detuvimos ante una de ellas.

—Entrad, estáis en vuestra casa —dijo la muchacha, que aparentaba unos dieciocho años.

Nos hizo pasar primero. Entramos en una sala limpia, con el suelo de tierra batida; en ella se encontraba una mesa redonda, algunas sillas, y un hombre de unos cuarenta años, de cabellos negros y lisos, talla mediana y del mismo color que su hija, ladrillo claro, ojos de indio. Había también tres muchachas de alrededor de catorce, quince y dieciséis años.

—Papá, hermanas mías, he aquí a unos extranjeros que traigo a casa. Salen de la cárcel de El Dorado y no saben adónde ir. Os pido que los recibáis bien.

—Sed bien venidos —dijo el padre, repitiendo la fórmula consagrada—: «Ésta es vuestra casa. Sentaos a la mesa. ¿Tenéis hambre? ¿Queréis café, ron?»

No quise ofenderle rechazando y acepté tomar café. La casa estaba limpia, pero por la sencillez de su mobiliario vi que eran pobres.

—María, que os ha traído aquí, es mi hija mayor. Remplaza a su madre, que hace cinco años nos dejó, para irse con un buscador de oro. Prefiero decíroslo antes que lo sepáis por otros.

María nos sirvió el café. Entonces pude mirarla más atentamente porque fue a sentarse al lado de su padre, justo frente a mí. De pie, tras ella, estaban las tres hermanas. Tam-

bién me observaban. María era hija de los trópicos. Tenía
unos grandes ojos negros, ligeramente rasgados. Sus cabellos
rizados, de un negro de azabache, partidos por una raya en
medio, le llegaban a los hombros. Sus rasgos eran finos, y
aunque se advirtiera, por el color de su piel mate y cobriza,
la presencia de una gota de sangre india, no tenía ningún ras-
go mongólico. Su boca era sensual y en ella lucían unos dientes magníficos. A veces sacaba la punta de su lengua, enteramente rosada. Vestía una blusa blanca con flores, cuyo
amplio escote descubría los hombros y el nacimiento de los
pechos apretados bajo un sostén que se adivinaba bajo la
blusa. Aquella blusa, una pequeña falda negra y zapatos de
tacones bajos eran sus galas en aquel día de fiesta. Los labios de María eran rojos, de vivo carmín, y dos toques de
lápiz en las esquinas de los ojos subrayaban más su inmen-
sidad.

—Ésta es Esmeralda —dijo, presentando a la más joven
de sus hermanas—. La llamamos así a causa de sus ojos
verdes. Ésta es Conchita, y la otra Rosita, porque se parece
a una rosa. Su tez es mucho más clara que la nuestra y sus
mejillas enrojecen al menor motivo. Ahora conoce usted a la
familia. Mi padre se llama José. Los cinco no somos más
que uno, porque nuestros corazones laten siempre al unísono.
Y usted, ¿cómo se llama?

—Enrique.

—¿Ha estado usted mucho tiempo en la cárcel?

—Trece años.

—¡Pobre, cómo debe usted de haber sufrido!

—Sí, mucho.

—Papá, ¿qué podrá hacer Enrique aquí?

—No lo sé. ¿Tiene usted un oficio?

—No.

—Entonces, vaya a la mina de oro, allí le darán trabajo.

—Y usted, José, ¿qué hace?

—¿Yo? Nada. No trabajo porque pagan muy mal.

¡Aquello sí que era bueno! En realidad pobres, pero iban
vestidos muy limpiamente. De todos modos, no podía preguntarle de qué vivía, ¡si robaba en lugar de trabajar! Había
que esperar.

—Enrique, dormirá usted aquí esta noche —me dijo Ma-

ría—. Tenemos una habitación donde antes dormía el hermano de mi padre. Él se marchó; usted ocupará su lugar. Nosotros cuidaremos del enfermo cuando vaya usted a trabajar.
No nos dé las gracias, porque no le damos nada. No se trata
más que de una habitación desocupada.

No sabía qué decir. Dejé que se ocupasen de mi pequeño
paquete. María se levantó y las demás la siguieron hacia una
puerta. María había mentido: la habitación estaba ocupada
porque sacaron de ella cosas de mujeres y las pusieron en
otro sitio. Hice como si no hubiera visto nada. No había
cama, aunque sí algo mejor, como la mayor parte de las
veces en los trópicos: dos buenas hamacas de lana. Una gran
ventana daba sobre un huerto lleno de plátanos.

Mecido en la hamaca, no acertaba a concretar lo que me
pasaba. ¡Cuán fácil había sido el primer día de libertad! Demasiado fácil. Tenía una habitación gratuita y, para cuidar
de Picolino, cuatro muchachas jóvenes y encantadoras. ¿Por
qué me dejaba llevar así, como un niño? ¿Por qué? Estaba
en un rincón del mundo, era verdad, pero, sobre todo, creí
que si me dejaba llevar era porque había estado encarcelado
durante tanto tiempo que no sabía más que obedecer. Y entonces que, libre, debía tomar las decisiones por mí mismo,
me dejaba llevar. Exactamente como un pájaro al que acaban
de abrir la puerta de la jaula, y que ya no sabe volar. Tiene
que volver a aprender.

Me dormí sin querer pensar en el pasado, como me había
aconsejado el hombre humilde de El Dorado. Antes de dor-
mirme sólo tuve un pensamiento: la hospitalidad de aquellas
gentes era una cosa desconcertante y maravillosa.

Acabé de desayunar dos huevos fritos, dos bananas fritas
cubiertas de margarina y pan moreno. María estaba en la
habitación lavando a Picolino. En el umbral de la puerta
apareció un hombre. De su cinturón, a un lado, colgaba un
machete, arma corta de un solo filo.

—¡Gentes de paz! —dijo, según el modo de presentarse
los amigos.

—¿Qué quieres? —preguntó José, que había desayunado
conmigo.

—El jefe civil, jefe de la Policía local, quiere ver a los de
Cayena.

—No debes llamarlos así. Llámalos por sus nombres.

—¡Bueno, José! ¿Cómo se llaman?

—Enrique y Picolino.

—Señor Enrique, venga usted conmigo. Soy policía, el jefe me envía.

—¿Qué quieren de ellos? —dijo María, que salió de la habitación—. Voy con él. Esperad a que me vista.

En pocos minutos María estaba dispuesta. En seguida, al salir a la calle, me cogió del brazo. Sorprendido, la miré y ella me sonrió. En poco tiempo llegamos a la pequeña comisaría. Había otros policías, todos de paisano, menos dos que iban de uniforme, con el machete en el cinto. En una sala llena de fusiles, había un negro que llevaba una gorra con galones. Me preguntó:

—¿Es usted el francés?

—Sí.

—¿Y el otro?

—Está enfermo —respondió María.

—Soy el comandante de la Policía, estoy a su servicio para ayudarle en caso de necesidad. Me llamo Alfonso —me alargó la mano.

—Gracias. Me llamo Enrique.

—Enrique, el jefe civil quiere verte. Tú no puedes entrar, María —añadió al ver que ella quería seguirme.

Entré en la habitación contigua.

—Buenos días, francés. Soy el jefe civil. Siéntate. Como que estás en residencia forzosa aquí, en Callao, te he hecho venir para conocerte. Estás bajo mi responsabilidad.

Me preguntó lo que iba a hacer, dónde deseaba trabajar. Hablamos un poco y luego me dijo:

—Ven a verme, para lo que sea, te ayudaré a organizar tu vida de la mejor manera posible.

—Muchas gracias.

—¡Ah!, una cosa. Debo advertirte que vives en casa de unas muchachas muy amables y muy honestas, pero que su padre, José, es un pirata. Adiós.

María se había quedado fuera, en la puerta de la comisaría, en la actitud de los indios cuando esperan, inmóvil, sin moverse ni hablar con nadie. Sin embargo, María no era india. A pesar de todo, debido a la pequeña cantidad de sangre que tenía, la raza autóctona se manifestaba. Del brazo, ambos atravesamos el pueblo entero, porque tomamos por otro camino para volver a la casa.

—¿Qué quería de ti el jefe civil? —me preguntó María que, por vez primera, me tuteó.

—Nada. Me dijo que podía contar con él para ayudarme a encontrar trabajo, y en el caso de que tuviera dificultades.

—Enrique, ahora ni tú ni tu amigo tenéis necesidad de nadie.

—Gracias, María.

Pasamos ante la mesa de un vendedor ambulante que ofrecía fantasías para mujeres: collares, brazaletes, pendientes, broches, etc.

—Ven, mira estas cosas.

—Son bonitas.

La llevé hasta la mesa y escogí el collar más bonito junto con unos pendientes, y tres collares, más modestos, para sus hermanas. Aquellas fantasías de pacotilla me costaron treinta bolívares y pagué con un billete de cien. Inmediatamente, se puso los pendientes y el collar. Sus grandes ojos negros brillaban de alegría y me daban las gracias, como si se hubiera tratado de joyas preciosas.

Volvimos a la casa. Las tres muchachas chillaban de alegría ante mi regalo. Las dejé y fui a mi habitación. Necesitaba reflexionar solo. Aquella familia me había ofrecido hospitalidad con rara nobleza. A pesar de todo, ¿debía aceptar? Tenía un poco de dinero venezolano y unos dólares, sin contar los diamantes. Con todo aquello podía vivir más de cuatro meses sin preocupaciones y hacer que cuidaran a Picolino.

Aquellas muchachas eran muy bellas y, como las flores de los trópicos, de seguro ardientes, sensuales, prontas a darse con demasiada facilidad, sin cálculo, sin reflexionar demasiado. Acababa de observar cómo María me miraba casi igual que una enamorada. ¿Por qué resistir tantas tentaciones? Lo mejor iba a ser que me marchara de aquella casa demasiado acogedora, porque no quería, por debilidad, acarrearles preocupaciones y sufrimientos. Por otra parte, tenía treinta y siete años, pronto cumpliría treinta y ocho, y aunque aparentaba ser más joven, los años no pasaban en balde. María no había cumplido dieciocho y sus hermanas eran más jóvenes todavía. Consideré que debía marcharme. Lo mejor iba a ser dejar a Picolino a su cuidado, pasándoles un tanto, claro está.

—Señor José, quiero hablarle a solas. ¿Le apetece que vayamos a beber un ron en el café de la plaza?

—Sí, pero no me llames señor. Llámame José y yo te llamaré Enrique. Vamos. ¡María! Nos vamos un momento a la plaza.

—Cámbiese de camisa, Enrique —me dijo María—. La que lleva está algo sucia.

Me fui a la habitación a cambiarme de camisa. Antes de marcharme, María me dijo:

—No esté allí demasiado tiempo, Enrique, y sobre todo no beba demasiado.

Y antes de que, sorprendido, tuviese tiempo de retirarme, me dio un beso en la mejilla.

El padre se rió y afirmó:

—María está ya enamorada de ti.

De camino hacia el bar, empecé con mis explicaciones.

—José, usted y su familia me han alojado en este primer día de libertad, y se lo agradezco infinito. Tengo casi la edad de usted, y no quisiera pagarle mal su hospitalidad. Usted, como hombre, debe comprender que viviendo junto a su hijas sería difícil no enamorarme de una de ellas. Ahora bien, mi edad dobla la de la mayor y estoy casado legalmente en Francia. Así, pues, vamos a beber uno o dos vasos y luego me acompañará a una pequeña pensión que no sea cara. Tengo con qué pagar.

—Francés, eres todo un hombre —me dijo José, mirándome a los ojos—. Dame la mano, que te la apriete fuerte, como a un hermano, para darte las gracias por lo que acabas de decir a un pobre hombre como yo. Mira, aquí acaso las cosas no ocurren como en tu país. Casi nadie está casado legítimamente. Se gustan, se hacen el amor, y si viene un hijo, fundan un hogar. La gente se une con tanta facilidad como se separa. En nuestro país hace mucho calor, y por ello, nuestras mujeres son ardientes. Tienen sed de amor, del placer de la carne. Son precoces. María es una excepción, pues no ha tenido todavía ninguna aventura, aunque tenga ya dieciocho años. Creo que la moral de tu país es mejor que la nuestra, porque hay aquí muchas mujeres con hijos sin padre, y esto es un problema muy grave. Pero, ¿qué vamos a hacer? ¡Dios ha dicho que nos amáramos y tuviéramos hijos! Las mujeres de este país no son calculadoras, no buscan una posición social al darse a un hombre. Quieren amar y ser amadas, así, con naturalidad, sin más. Son fieles, mientras las plazcas sexualmente. De lo contrario, es otra cosa. Y, sin embargo, son madres ejemplares que se sacrifican por sus pequeños, hasta el extremo de mantenerlos cuando ya podrían trabajar. Por tanto, aunque reconozca que estarás sujeto a tentaciones constantes, quédate en casa, te lo pido una vez más. Estoy contento de tener un hombre como tú en casa.

Entramos en el bar antes que yo pudiera replicar. Era, a la vez, bar y colmado. Había una decena de hombres sentados. Bebían cubalibres, una mezcla de ron y de «Coca-Cola». Entraron varias personas a estrecharme la mano y darme la bienvenida a su pueblo. Cada vez, José me presentaba como un amigo que vivía en su casa. Bebimos bastante. Cuando pedí la cuenta, José casi se molestó porque estaba empeñado en pagar. Sin embargo, conseguí que el dueño rechazara su dinero y cogiera el mío.

Me tocaron en el hombro: era María.

—Ven a casa, es hora de comer. No bebas más, me has prometido no beber demasiado.

Ya me tuteaba.

José estaba discutiendo con otro hombre, ella no le dijo nada, pero me tomó por el brazo y me arrastró afuera.

—¿Y tu padre?

—Déjalo. No puedo decirle nada cuando bebe, y no vengo nunca a buscarlo al café. Por otra parte, no lo aceptaría.

—Entonces, ¿por qué has venido a buscarme?

—Lo tuyo es distinto. Sé bueno, Enrique, y sígueme.

Su mirada era tan brillante y me había dicho aquello con tanta sencillez que volví con ella a la casa.

—Te mereces un beso —me dijo al llegar, aplicando sus labios sobre mi mejilla, demasiado cerca de la boca.

José volvió cuando ya habíamos comido todos alrededor de la mesa redonda. A Picolino le ayudó a comer la más joven de las hermanas, que le daba los alimentos en pequeñas cantidades.

José se sentó a la mesa solo. Estaba un poco trompa, y habló sin reflexionar.

—¡Enrique os tiene miedo, hijas mías! Tanto miedo, que quiere marcharse de casa. Le he dicho que, a mi parecer, puede quedarse, y que mis hijas son lo bastante mayores para saber lo que hacen.

María me miró. Había asombro en su cara, acaso decepción.

—Papá, si quiere marcharse, ¡que se vaya! Pero no creo que esté mejor en otro sitio que en casa, donde ya todos lo queremos —y volviéndose hacia mí, añadió—: Enrique, no seas cobarde. Si una de nosotras te gusta y tú le gustas, ¿por qué huirías de ella?

—Es que está casado en Francia —explicó el padre.

—¿Cuánto tiempo llevas sin ver a tu mujer?

—Trece años.

—Nosotras no amamos a alguien para casarnos obligatoriamente. Si nos damos a un hombre es para amarlo, sin más. Pero has hecho bien al decir a nuestro padre que estás casado, así no puedes prometer nada a una de nosotras, sino, sencillamente, amarla.

Y me dijo que me quedara, sin compromiso, con ellos. Cuidarían a Picolino y yo estaría más libre para trabajar. Incluso aceptarían, para que me sintiera más cómodo, que pagara una pequeña cantidad, como si estuviese en una pensión. ¿Debía aceptar?

No tuve tiempo de reflexionar. ¡Todo era tan nuevo, tan rápido, después de trece años de vida de presidio!

—De acuerdo, María. Está bien así —convine.

—¿Quieres que te acompañe esta tarde a la mina de oro, para pedirles trabajo? Si quieres, iremos a las cinco, cuando el sol baja. Hay tres kilómetros del pueblo a la mina.

—De acuerdo.

Por sus gestos y su cara, Picolino manifestó su alegría de quedarnos. Las atenciones y los cuidados de las muchachas lo habían conquistado. Si me quedé, fue sobre todo por él. Estaba seguro de que iba a tener una aventura al cabo de poco tiempo. Dudaba acerca de la conveniencia de mi acto.

Por los bonitos ojos de una muchacha no iba a detenerme

tan pronto y quedarme en un pueblo situado en un extremo del mundo, después de haber pasado trece años sin poder dormir, pensando en lo que debía hacer. Me esperaba un largo camino y las paradas tenían que ser cortas. Justo el tiempo de respirar un poco, y ¡adelante! Porque, si llevaba trece años luchando por mi libertad, si la había ganado, era por una razón: *la venganza*. El fiscal, el falso testigo, el policía, ¡tenía que saldar cuentas con ellos! Y aquello era preciso no olvidarlo. Nunca.

Fui a la plaza del pueblo. Había descubierto una tienda que llevaba el nombre de Prosperi. No podía ser más que un corso o un italiano. En efecto, el pequeño colmado pertenecía a un descendiente de Córcega. El señor Prosperi hablaba muy bien francés. Me propuso amablemente darme una carta para el director de «La Mocupia», compañía francesa que explotaba la mina de oro de Caratal. Aquel hombre excelente me ofreció incluso dinero para ayudarme. Le di las gracias por todo y me marché.

—¿Qué haces aquí, *Papillon*? ¿De dónde diablos sales? ¿De la Luna? ¿En paracaídas? ¡Dame un abrazo, hombre!

Un buen mozo, tostado por el sol, tocado con un inmenso sombrero de paja, se apeó del pequeño asno sobre el que viajaba.

—¿No me reconoces? —se quitó el sombrero al preguntarme.

—¡El Gran Charlot! ¡Vamos!

¡El Gran Charlot, el autor del robo de la caja fuerte del cine «Gaumont», plaza Clichy, y de la caja de la estación de Batignolles, en París! Nos abrazamos como dos hermanos. A causa de la emoción se nos llenaron los ojos de lágrimas. Nos miramos.

—¡Aquí estamos lejos de la plaza Blanche y del penal, camarada! ¿No? ¿Pero de dónde diablo vienes? Vas vestido como un milord, y estás mucho menos envejecido que yo.

—He salido de El Dorado.

—¿Cuánto tiempo has pasado allí?

—Más de un año.

—¿Y por qué no me lo hiciste saber? Yo te hubiese hecho

salir en seguida firmando un papel haciéndome responsable
de ti. ¡Por Dios! Sabía que había hombres *duros* en El Dorado, pero nunca hubiese imaginado que tú estabas entre
ellos, ¡tú, un camarada!

—¡Es un verdadero milagro habernos encontrado!

—¡Y que lo digas, *Papi*! Toda la Guayana venezolana de
Ciudad Bolívar al Callao, está llena de *duros* o de confina-
dos. Desde el golfo de Paria hasta aquí, al ser la primera
tierra de Venezuela que se presenta a los evadidos, no es
milagro encontrarse con no importa quién, puesto que todos,
sin excepción, pasaron por allí. Los que no reventaron por
el camino, claro está. ¿Dónde vives?

—En casa de un hombre estupendo que se llama José.
Tiene cuatro hijas.

—Sí, ya sé. Es un buen hombre, un pirata. Vamos a buscar tus cosas porque, sin discusión, te vienes a casa.

—No estoy solo. Tengo un amigo paralítico, que está a
mi cargo.

—No hay inconveniente. Voy a buscar un asno para él.
La casa es grande, y hay una negrita que lo cuidará como una
madre.

Después de habernos procurado un segundo asno, fuimos
a la casa de las muchachas. Separarnos de aquellas buenas
personas fue un verdadero drama. Sólo prometiéndoles que
iríamos a verlas y que ellas podrían venir a visitarnos en
Caratal, conseguimos, al fin, que se calmasen un poco. No re-
petiré nunca lo bastante cuán extraordinaria es la hospitalidad de las gentes de la Guayana venezolana. Al marcharme,
casi tenía vergüenza de mí mismo.

Dos horas después, estábamos en el «castillo» de Charlot,
como él lo llamaba. Era una casa grande, clara y espaciosa
que se elevaba sobre un promontorio que dominaba todo el
valle que baja desde Caratal, una aldea, casi hasta Callao.
A la derecha de aquel maravilloso panorama de selva virgen,
se hallaba la mina de oro de «La Mocupia». La casa de Charlot estaba hecha de troncos extraídos de los matorrales;
tenía tres habitaciones, un bonito comedor y una cocina, dos
duchas en el interior más otra al aire libre, en el huerto impecablemente cuidado. Todas las hortalizas crecían allí con
vigor. Un gallinero con más de quinientas gallinas, conejos,

conejillos de Indias, un cerdo y dos cabras constituían la fortuna y la alegría actuales de Charlot, antiguo *duro*, ex especialista en cajas fuertes y en robos importantes, bien cronometrados.

—Bueno, *Papi*, ¿te gusta mi choza? Hace siete años que estoy aquí. Como te decía en Callao, ¡estamos lejos de Montmartre y de los *duros*! ¿Quién hubiese creído que un día iba a bastarme esta vida tan tranquila y quieta? ¿Qué dices, compadre?

—No sé, Charlot. Hace demasiado poco que estoy en libertad. No he tenido tiempo para formarme una opinión. Porque, no hay duda, somos aventureros, y nuestra juventud ha sido muy agitada. En consecuencia... es un poco desconcertante verte feliz y tranquilo en esta aldea perdida. Sin embargo, de verdad lo has hecho todo por ti mismo y me doy perfecta cuenta de que ello representa una rara dosis de energía y de sacrificios. En cuanto a mí, oye, por ahora no me siento todavía capaz.

Cuando estuvimos sentados a la mesa, saboreando un ponche a la martiniquesa, el Gran Charlot continuó:

—Sí, *Papillon*, comprendo que te asombres. Has comprendido en seguida que vivo de mi trabajo. Con dieciocho bolívares al día, se lleva una vida modesta pero que tiene también sus alegrías. Una gallina que me da muchos polluelos, una coneja que me da una buena camada, un cabrito que nace, unos tomates espléndidos... Estas naderías que despreciamos durante tantos años forman un todo que me da muchas satisfacciones. ¡Toma!, aquí está mi negrita. ¡Conchita! Unos amigos. Éste está enfermo, tendrás que cuidarlo. Este otro se llama Enrique o *Papillon*. Es un amigo de Francia, un amigo de siempre.

—Bien venidos a esta casa —dijo la joven negra—. No te preocupes, Charlot, tus amigos estarán bien cuidados, estarás contento. Voy a prepararles su habitación.

Charlot me contó sin tapujos su historia. Salido de Saint-Laurent-du-Maroni donde había estado a su llegada con los *duros*, se evadió a los seis meses con uno de sus compatriotas corsos, Simon, y un liberado en pena de reincidencia:

—Tuvimos la suerte de llegar a Venezuela algunos meses después de la muerte del dictador Gómez. Este pueblo generoso nos ayudó a rehacer nuestra existencia. En residencia forzosa en Callao por dos años, aquí me he quedado. Mira, poco a poco esta vida sencilla me ha conquistado. Perdí una primera mujer en un parto, junto con una hijita. Y esta negrita que has visto, Conchita, ha sabido consolarme y hacerme feliz gracias a la comprensión de un verdadero amor. ¿Y tú, *Papi*? Tu lucha ha debido de ser dura, porque trece años es mucho. Cuenta.

Hablé durante más de dos horas, relatando ante aquel viejo amigo todo lo que aquellos años pasados habían dejado sobre mi corazón. Fue una velada maravillosa, al poder hablar los dos de nuestros recuerdos. Cosa extraña: ni palabra de Montmartre, nada del *faubourg*, ninguna mención de los antiguos golpes dados con éxito o fracasados, ninguna evocación de los hombres del hampa que seguían en libertad. Como si la vida, para nosotros, hubiese empezado al embarcarnos en *La Martinière*, yo, en 1933, él, en 1935.

Una buena ensalada, un pollo a la brasa, un queso de leche de cabra y un delicioso mango, todo regado con un buen «Chianti» y servido con jovialidad por Conchita. Charlot estaba contento de recibirme bien en su casa. Me propuso bajar a la aldea a beber algo. Le dije que lo pasaba demasiado bien allí para querer salir.

—¡Gracias, camarada! —exclamó aquel corso que, a menudo, tenía un acento parisiense—. Es verdad que aquí se está bien. Conchita, tendrás que buscar una «novia» para mi amigo.

—Sí, Enrique, le presentaré a mis amigas, que son más bonitas que yo.

—¡Tú eres la más bonita! —protestó Charlot.

—Sí, pero soy negra.

—¡Por eso eres tan bonita, mi Conchita! Porque eres pura sangre de tu raza.

Los grandes ojos de Conchita brillaron de contento y de amor. No costaba adivinar que Charlot era su dios.

Acostado en una buena y gran cama, escuché con el volumen bajo las noticias que daba la *B. B. C.* de Londres en la radio de la casa. Volver a encontrarme sumergido en la vida del mundo me desconcertaba un poco. No estaba acostumbrado. Di vueltas al botón. La música que seguía era del Caribe, se trataba de una emisora de Caracas. No quería oír la llamada de la vida de las grandes ciudades. Al menos aquella noche. Rápidamente cerré el aparato y pensé en todo lo que acababa de vivir.

¿Lo habíamos hecho adrede al no hablar de los años vividos juntos en París? No. ¿Habíamos dejado voluntariamente de evocar a los hombres de nuestro ambiente que habían tenido la suerte de no caer? Tampoco. Entonces, ¿es que, para los *duros*, lo que pasó ante las salas de lo criminal no tenía ya importancia?

Di vueltas y más vueltas en aquella gran cama. Hacía calor, no resistía más, salí al jardín. Me senté en una gran piedra. Desde donde estaba, dominaba el valle y la mina de oro. Abajo, todo estaba iluminado. Se veían los carros, vacíos o llenos, ir y venir.

El oro, en lingotes o transformado en billetes, el oro que salía de las entrañas de aquella tierra, servía, si se tenía mucho, para tenerlo todo. Aquel motor del mundo que costaba tan poco de extraer porque pagaban a los obreros miserablemente, era el factor indispensable para vivir bien. Y Charlot, que perdió su libertad por querer poseer mucho, ni hablaba de él. No me había dicho si la mina era rica o no en oro. Su felicidad actual era su negrita, su casa, sus animales, sus hortalizas. El dinero ni lo mencionaba. Se había convertido en un hombre prudente. Estaba perplejo.

Recordaba que había sido vendido por un tal Petit Louis y que no cesaba de jurar, en nuestras breves conversaciones en la *Santé*, que a la primera ocasión lo haría pedazos. Durante toda la velada ni lo había mencionado. Y yo —¡vamos, es asombroso!— no había hablado ni de los polis, ni de Goldstein, ni del fiscal. ¡Por Dios, hubiese tenido que hablar de ellos! ¡No me había evadido para acabar convertido en mitad obrero mitad jardinero!

Me había prometido respetar aquel país y estaba dispuesto a mantener mi palabra. De acuerdo. Pero no por eso había renunciado a mi venganza. Me dije: «Papi, no olvides que si estás aquí, hoy, no es sólo porque esta idea de venganza te ha sostenido durante trece años en los calabozos, sino también porque ha sido tu única religión, y que esta religión no debes abandonarla nunca.»

Su negrita era linda de verdad, pero me pregunté si, a

pesar de todo, el Gran Charlot no hubiera estado mejor en una gran ciudad que en aquellos campos del fin del mundo. O bien es que era un idiota y todavía no había comprendido que la vida de mi amigo tenía su encanto. O bien, ¿tendría miedo de las responsabilidades que la vida moderna de las ciudades, como no podía ser de otro modo, iba a imponerle? Había que verlo y estudiarlo.

Charlot tenía cuarenta y cinco años; por tanto, no era un hombre viejo. Muy alto, muy fuerte, con una complexión de sano campesino corso bien nutrido durante toda su juventud. Curtido por el sol del país, cuando llevaba puesto su inmenso sombrero de paja, con los bordes levantados por los lados, tenía en realidad una buena estampa. Era el tipo exacto de los pioneros de aquellas regiones vírgenes, y se había asimilado tanto a las gentes y al país, que no desentonaba en medio de ellos. Más aún, formaba parte de aquel pueblo.

¡Ya llevaba siete años allí el que hasta hacía poco había sido ladrón en Montmartre! Seguro que tuvo que trabajar durante más de dos años para limpiar aquel extremo de meseta y construir su casa. Tuvo que meterse en la selva, seleccionar la madera, cortarla, transportarla, ajustarla. Cada viga de su casa era de la más dura madera, la madera más pesada del mundo, llamada «madera de hierro». Había invertido todo lo ganado en la mina, estaba seguro, porque tuvo que hacerse ayudar y pagar la mano de obra, el cemento (la casa estaba cimentada), el pozo, la bomba para subir el agua al depósito.

Aquella joven negrita bien hecha, con sus bellos ojos amorosos, debía de ser la compañera perfecta para aquel viejo lobo de mar en descanso. Vi una máquina de coser en la habitación grande. Sus trajecitos le sentaban muy bien; los debía de hacer ella misma. Con toda probabilidad, Charlot no pagaba a menudo facturas de modista.

Sí, si no había ido a las ciudades, acaso era porque no estaba seguro de sí mismo, y en aquel lugar disfrutaba de una existencia sin problemas. ¡Charlot, eras un gran tipo! Eras la imagen de lo que se puede llegar a hacer de un truhán. Te felicité, pero también felicité a quienes te habían ayudado a cambiar no sólo de vida, sino hasta el modo de considerar lo que puede o debe ser una vida.

Sin embargo, aquellos venezolanos eran peligrosos con su acogida calurosa. Estar rodeado constantemente de afabilidad y de cordialidad humanas, pronto os convertía en prisionero si uno se dejaba atrapar. ¡Yo era libre, libre, libre y quería serlo siempre!

¡Cuidado, *Papi*! ¡Debías tener cuidado! ¡Sobre todo, nada de fundar un hogar! Se tiene necesidad de amor cuando uno se ha visto privado de él durante mucho tiempo. Felizmente, ya tuve mi primera explosión en Georgetown. No hacía de ella aún dos años. Fue con Indara, la hindú. Por tanto, el *shock* fue menor por este lado que si hubiera llegado directamente de la tierra de los *duros*, lo que se produjo en el caso de Charlot. Y, sin embargo, Indara era bella, yo era feliz, pero no me instalé en Georgetown, quedándome a vivir en los campos de algodón. Además, la vida tranquila, incluso feliz, en el caso de ser demasiado quieta no estaba hecha para mí, me daba cuenta.

¡La aventura, compadre, la aventura para sentirse vivir, vivir plenamente! Por eso me marché de Georgetown y me hallaba atascado en El Dorado. Pero también por la misma razón estaba allí en aquella tierra, en aquel momento.

Bueno. Allí las muchachas eran bonitas, ardientes y cautivadoras y, ciertamente, yo no podía vivir sin amor. Tenía que evitar las complicaciones. Debía prometerme quedarme un año allí, porque estaba obligado a ello. Cuanto menos poseyera, más fácilmente podría alejarme de aquel país y de sus gentes demasiado embrujadoras. Era un aventurero, sí, aunque con una diferencia: tenía que ganar dinero honradamente, al menos sin hacer mal a nadie. Mi objetivo: París, un día, para presentar la factura a quienes me habían hecho sufrir tanto.

Satisfecho, mis ojos se llenaron todavía de la luna declinante que desaparecería en la selva virgen, mar de cimas negras, con sus olas a distintos niveles, pero que no se movían. Volví a mi habitación y me estiré cuan largo era en la gran cama. ¡París, París!, estabas muy lejos todavía, pero no tan lejos como para que un día no volviera a pisar el asfalto de tus calles.

Capítulo II

LA MINA

Gracias a la carta de recomendación de Prosperi, el tendero corso, ocho días después me contrataron en la mina «La Mocupia». Me encargaron del funcionamiento de las bombas que aspiraban el agua de las galerías.

Aquella mina de oro se parecía a una mina de carbón. Iguales galerías bajo tierra, etc. No había vetas de oro, muy pocas pepitas. El metal precioso estaba amalgamado en las rocas de piedra dura. Se las hacía saltar con dinamita, luego se rompían con el mazo los bloques demasiado grandes. Los trozos iban a los carros que subían a la superficie en montacargas. Unas trituradoras reducían la piedra a un polvo más fino que la arena. Mezclado con agua, producía un barro líquido que unas bombas repelían hacia inmensos tanques tan grandes como los depósitos de una refinería de petróleo, y que contenían cianuro. El oro se disolvía en un líquido más pesado que los demás, que iba al fondo. Se caldeaba, el cianuro se evaporaba arrastrando las partículas de oro que se solidificaban y que al pasar las retenían unos filtros, como auténticos peines. Recogido, convertido en barras, su calidad de 24 quilates era cuidadosamente controlada y se colocaba en un almacén celosamente custodiado. ¿Pero custodiado por quién? ¡No me reponía de mi asombro! Nada menos que por un *duro* del hampa, por Simon, el compañero de avatares del Gran Charlot.

Después de mi trabajo, iba a disfrutar de aquel espectáculo: ver, en el depósito, un enorme montón de lingotes de oro perfectamente alineados gracias a Simon, ¡un antiguo *duro*! No había ni caja fuerte, sólo una sala de cemento, unas paredes más espesas que las normales y una puerta de madera.

—¿La cosa marcha, Simon?

—Marcha. ¿Y tú, *Papi*? ¿Estás contento en casa de Charlot?

—Sí, estoy bien allí.

—No sabía que estuvieras en El Dorado, de otro modo hubiese ido a buscarte.

—Muy amable. ¿Eres feliz aquí?

—¿Sabes?, tengo una casa, no tan grande como la de Charlot, pero la mía es de ladrillo y cemento. Yo mismo la construí. Tengo una mujer joven y muy amable. Tenemos dos hijitas. Ven a verme cuando quieras, mi casa está a tu disposición. Charlot me ha dicho que tu amigo está enfermo. Como que mi mujer sabe poner inyecciones, si la necesitas ven sin cumplidos.

Hablamos. Él también era plenamente feliz. Él tampoco mencionaba ni Francia ni Montmartre, donde vivió. Igual que Charlot. El pasado no existía, sólo contaba el presente, la mujer, las chicas, la casa. Me dijo que ganaba veinte bolívares al día. Por suerte, hacían las tortillas con los huevos de sus gallinas y los pollos los vendían directamente. Con los veinte bolívares, Simon y su familia no podían ir muy lejos.

Contemplé aquella masa de oro almacenada allí, con tanta negligencia, detrás de aquella puerta de madera y de aquellas cuatro paredes de treinta centímetros de espesor. Una puerta que, con dos tirones de palanqueta, se hubiera abierto sin ruido. Aquel montón de oro, a tres bolívares cincuenta el gramo o a treinta y cinco dólares la onza, debía de llegar, en conjunto, a los tres millones quinientos mil bolívares, o un millón de dólares. ¡Y aquella fantástica fortuna estaba al alcance de la mano! Apoderarse de ella era casi un juego de niños.

—Es algo hermoso este montón de lingotes bien alineados, ¿verdad, *Papillon*?

—Lo sería más desarreglado y a cubierto. ¡Qué fortuna!

—Acaso, pero no es nuestra. Es una cosa sagrada porque me la han confiado.

—Confiado a ti, pero no a mí. Confiesa que es tentador ver abandonado un tinglado semejante.

—No está abandonado, puesto que yo lo guardo.

—Es posible, pero tú no estás aquí las veinticuatro horas del día.

—No, sólo de las seis de la tarde a las seis de la mañana. Durante el día hay otro guardia que tú quizá conozcas. Es Alexandre, el del asunto de los falsos giros postales.

—¡Ah, sí!, le conozco. Bueno, hasta otra, Simon. Saluda a tu familia.

—¿Vendrás a vernos?

—Con mucho gusto. ¡Chao!

Me marché aprisa, lo más aprisa posible de aquel lugar de tentación. ¡Era increíble! Se diría que los tipos de la mina querían que les robaran. Un almacén ridículo y, por añadidura, ¡dos antiguos truhanes de categoría para guardar aquel tesoro! Sí, había visto de todo en mi vida de aventurero.

Lentamente, volví a subir por el camino en zigzag que llevaba a la aldea. Tenía que atravesarla por entero antes de llegar al promontorio donde estaba el «castillo» de Charlot. Arrastraba un poco la pierna, porque aquella jornada de ocho horas había sido dura. En la segunda galería bajo tierra, a pesar de los ventiladores el aire estaba bastante enrarecido, húmedo y caliente. Mis bombas se descebaron tres o cuatro veces, y había sido preciso volver a ponerlas en marcha. Eran las ocho y media y había entrado bajo tierra a mediodía. Había ganado dieciocho bolívares. Si hubiera tenido espíritu de obrero, el asunto no era malo. La carne valía 2'50 bolívares el kilo; el azúcar, 0'70; el café, 2 bolívares. Las legumbres tampoco eran caras: 0'50 el kilo de arroz; el mismo precio las alubias. La vida estaba barata, era verdad. Pero, ¿iba a ser yo lo bastante cuerdo para aceptar semejante vida?

A pesar mío, al tiempo que subía por aquel camino pedregoso por donde andaba con facilidad gracias a los grandes zapatos de clavos que me habían dado en la mina, aunque hiciera todo lo posible para no pensar en ello, volví a ver aquel millón de dólares en barras de oro que no pedía más que una cosa: que un hombre audaz se apoderara de él. No podía ser difícil, sobre todo de noche, sorprender a Simon y, sin dar tiempo a que me hubiera reconocido, cloroformizarlo. Y el asunto en el bolsillo, porque extremaban la irresponsabilidad hasta dejarle la llave del almacén para que se refugiara allá dentro cuando llovía. ¡Un caso de inconsciencia! Quedaba el transportar los doscientos lingotes fuera de la mina y cargarlos en un vehículo cualquiera, camión o carro. Era preciso tener preparados varios escondrijos en la maleza, a lo largo del camino, donde ocultar los lingotes por pequeños lotes de cien kilos. Si se trataba de un camión, una vez descargado se debía continuar hasta lo más lejos posible, escoger un lugar muy profundo del río y precipitarlo dentro. ¿Un carro? Había muchos en la plaza del pueblo. El caballo era más difícil de encontrar, pero no imposible. Entre las ocho de la tarde y las seis de la mañana, una noche de lluvia torrencial ofrecería todo el tiempo necesario para efectuar la operación y dejaría incluso la posibilidad de volver a casa, a dormir con toda tranquilidad.

Al entrar bajo las luces de la pequeña plaza del pueblo me vi, habiendo tenido éxito el golpe, deslizándome bajo las ropas de la gran cama de Charlot.

—¡Buenas noches, francés! —me gritó un grupo de hombres sentados frente al bar del pueblo.

—¡Buenas noches! ¡Buenas noches a todos, hombres!

—Siéntate un momento con nosotros. ¿Quieres tomar una cerveza muy fresca? Nos agradaría.

Rechazar la invitación habría sido descortés. Acepté. Me encontré sentado en medio de aquellas buenas personas, la mayoría mineros. Querían saber si estaba bien, si había encontrado una mujer, si Conchita cuidaba bien de Picolino, si necesitaba dinero para medicamentos o para negocios. Aquellos ofrecimientos generosos, espontáneos, me devolvieron a la realidad. Un buscador de oro me propuso ir con él, si la mina no me gustaba y no quería trabajar más que cuando lo deseara.

—Es duro, pero se gana más. Y, luego, uno puede hacerse rico en un día.

Les di las gracias a todos y quise ofrecerles una ronda.

—No, francés, eres nuestro invitado. Otro día, cuando seas rico. ¡Que Dios te guarde!

Volví al camino del «castillo». Sí, era fácil convertirse en un hombre humilde y honrado en medio de aquellas gentes que vivían con poco, eran felices con nada y amparaban a un hombre sin preocuparse de dónde venía ni de lo que había sido.

Conchita me acogió. Estaba sola. Charlot estaba en la mina. Cuando yo salía, él entraba. Conchita era toda alegría y atenciones. Me dio unas chancletas para que descansara de los gruesos zapatos.

—Tu amigo duerme. Ha comido bien y he echado al correo una carta pidiendo que lo admitan en el hospital de una pequeña ciudad no lejos de aquí, más importante, Tumereno.

Le di las gracias y comí la cena caliente que me esperaba. Aquella acogida tan familiar, tan sencilla y alegre, me serenó y me trajo la paz que necesitaba después de la tentación de la tonelada de oro. La puerta se abrió.

—¡Buenas noches a todo el mundo!

Dos muchachas entraron sin cumplidos en la sala.

—Buenas noches —dijo Conchita—. He aquí a dos amigas, *Papillon*.

Una era morena y esbelta; se llamaba Graciela. Tenía un tipo gitano acusado porque su padre era español. La otra se llamaba Mercedes: su abuelo era alemán, lo que explicaba su piel blanca y sus cabellos rubios, muy finos. Graciela tenía los ojos negros de una andaluza, y Mercedes, unos ojos verdes que, de pronto, me recordaron a Lali, la india guajira. Lali... Lali y su hermana, Zoraima, ¿qué habría sido de ellas? ¿No intentaría, puesto que había regresado a Venezuela, volver a encontrarlas? Estábamos en 1945, habían pasado doce años. Quedaba lejos, pero a pesar de aquellos años se me volcaba el corazón al recordar a aquellas dos criaturas, tan hermosas. Desde entonces, habían debido rehacer su vida con un hombre de su raza. No, para ser honrado, no tenía derecho de ir a turbarlas en su nueva vida.

—¡Tus amigas son magníficas, Conchita! Te doy las gracias por habérmelas presentado.

Comprendí que eran libres las dos y que no tenían novio. La velada pasó aprisa en aquella buena compañía. Conchita y yo las acompañamos hasta la entrada de la aldea, y comprobé que se apoyaban muy bien en mis brazos. En el camino de vuelta, Conchita me dijo que había gustado tanto a una como a otra:

—¿Cuál te gusta? —me preguntó.

—Las dos son encantadoras, Conchita, pero no quiero complicaciones.

—¿Llamas complicaciones a esto, a hacer el amor? El amor es como comer y beber. ¿Puedes vivir sin comer ni beber? Yo, cuando no hago el amor estoy enferma, y ya tengo veintidós años. Date cuenta de lo que es para ellas, que tienen dieciséis y diecisiete años. Si no disfrutan de sus cuerpos, morirán.

—¿Y sus padres?

Ella volvió a decirme lo que me había dicho José, que las hijas del pueblo, allí, amaban para ser amadas. Espontáneamente, por entero, se daban al hombre que les gustaba sin pedirle otra cosa a cambio más que hacerlas vibrar.

—Lo comprendo, hermosa Conchita. No deseo más que hacer el amor por el amor. Ahora bien, advierte a tus amigas que una aventura conmigo no puede comprometerme a nada. Advertido esto, ya es otra cosa.

¡Dios mío! No iba a ser fácil escapar de semejante ambiente. Charlot, Simon, Alexandre, otros sin duda, habían sido literalmente hechizados. Comprendí por qué eran plenamente felices en el seno de aquella raza generosa y alegre, tan distinta de la nuestra. Y me fui a dormir.

—¡Levántate, *Papi*, son las diez! Tienes una visita.

—Buenos días, señor.

Un hombre de unos cincuenta años, entrecano, sin sombrero, alto, con unos ojos francos coronados por unas espesas cejas, me alargó la mano.

—Soy el doctor Bougrat [1]. He venido porque me han dicho que uno de ustedes dos está enfermo. He visto a su amigo. No hay nada que hacer si no se le hospitaliza en Caracas. Y será difícil curarlo.

—¿Come usted con nosotros, doctor? —preguntó Charlot—. Sin cumplidos.

1. Héroe de un célebre proceso criminal en Marsella, en los años 30. Un hombre fue encontrado muerto en un armario de su consultorio médico. Falta profesional en la dosis de una inyección, argumentó Bougrat. Asesinato, sostuvo el tribunal. Condenado a cadena perpetua, se evadió rápidamente de Cayena y lleva una vida muy digna en Venezuela.

—Con mucho gusto, gracias.

Sirvieron el *pastis* y, mientras saboreaba la bebida, Bougrat me interrogó.

—Bueno, *Papillon*, ¿qué me cuentas?

—Pues bien, doctor, estoy dando mis primeros pasos en la vida. Me parece como si acabara de nacer. O mejor dicho que, como un adolescente, estoy desorientado. No veo muy claro qué camino debo seguir.

—El camino es sencillo. Mira a tu alrededor y lo verás. Con sólo una o dos excepciones, todos nuestros antiguos camaradas han escogido el camino recto. Estoy en Venezuela desde 1928. Ninguno de los *duros* que he conocido ha cometido delito alguno aquí. Casi todos se han casado, tienen hijos y viven honradamente. Son aceptados por la sociedad. Han olvidado el pasado, hasta el extremo de que algunos no serían capaces de contarte con precisión cuál fue la causa de su condena. Queda vago, muy lejos, inmerso en un pasado brumoso, sin importancia.

—En cuanto a mí, acaso sea distinto, doctor. Tengo que presentar una factura muy larga a quienes me hicieron condenar injustamente: trece años de luchas y de sufrimientos. Para hacer pagar la factura es preciso que vuelva a Francia y para ello necesito mucho dinero. Trabajando como obrero no reuniré lo suficiente para el viaje de ida y vuelta, si hay vuelta, sin contar los gastos de ejecución de mi plan. Y luego, acabar mi vida en uno de esos pequeños campos perdidos... Caracas me atrae.

—¿Y crees que eres el único de nosotros que tiene cuentas por liquidar? Escucha la historia de un chico que conozco: se llama George Dubois. Era un chiquillo de los barrios bajos de la Villette. Un padre alcohólico, a menudo internado por *delirium tremens;* una madre con seis hijos exhibiendo su miseria por los bares árabes del barrio. Desde la edad de ocho años, *Jojo*, como lo habían apodado, salía de una casa de reeducación para entrar en una casa de corrección. Había cometido el crimen de robar varias veces fruta en algunas tiendas. Primero, varias estancias en el patronato del reverendo Rollet; luego, a los doce años, encierro en reformatorio más severo. Será inútil decirte que, cuando a los catorce años, se encontró mezclado con los mayores, de dieciocho años, tuvo que defender su trasero. Al ser más bien enclenque, sólo tenía un recurso para defenderse: un arma. Una puñalada en el vientre de uno de aquellos pequeños cabecillas depravados y la Administración lo envió al reformatorio más severo, el de los incorregibles, Esse. ¡A los veintiún años! ¿Te das cuenta? En resumen, habiendo entrado a los ocho años en el circuito, de todos modos fue puesto en libertad a los diecinueve años, pero con su hoja de ruta para incorporarse inmediatamente a los terribles batallones disciplinarios de África. Porque, con su pasado, no tenía derecho a ir al Ejército regular. ¡Le dan su pequeño peculio y arréglate como puedas! Por desgracia, el chico tiene un alma. Acaso su corazón se ha endurecido, pero todavía le quedan rincones sensibles. En la estación, ve un cartel en un tren: PARÍS. Es como si se disparara un resorte. Salta al tren y llega a París. Cuando sale de la estación, llueve. Se refugia bajo una marquesina para reflexionar sobre el modo de ir a la Villette. Bajo la misma marquesina hay una muchacha que también se abriga de la lluvia. Ella lo mira amablemente. Todo lo que sabe de las mujeres no va más allá de la gorda abuela del guardián-jefe de Esse y lo que le han contado, más o menos verídico, los mayores del correccional. Nadie lo había mirado nunca como aquella chica, y empiezan a hablar.

»—¿De dónde vienes?

»—De provincias.

»—Me gustas. ¿Por qué no vamos al hotel? Seré complaciente y estaremos calientes.

»*Jojo* está conmovido. La chiquilla le parece una cosa maravillosa y, además, apoya su dulce mano sobre la suya. Para él, el descubrimiento del amor es un deslumbramiento. La chica es joven y apasionada. Cuando, saciados de amor, se sientan en la cama para fumar un cigarrillo, la chiquilla lo interroga:

»—¿Es la primera vez que te acuestas con una mujer?

»—Sí —confiesa.

»—¿Por qué has esperado tanto tiempo?

»—Estaba en la cárcel de jóvenes.

»—¿Mucho tiempo?

»—Mucho tiempo.

»—Yo también estuve en un patronato. Me escapé.

»—¿Cuántos años tienes? —preguntó *Jojo*.

»—Dieciséis.

»—¿De dónde?

»—De la Villette.

»—¿De qué calle?

»—Calle de Rouen.

»*Jojo* también. Tiene miedo de comprender.

»—¿Cómo te llamas? —gritó.

»—Ginette Dubois.

»Era su hermana. Están consternados, y lloran juntos de vergüenza y de miseria. Luego cada uno cuenta su calvario. Ginette y sus hermanas han conocido la misma vida que él: patronatos y reformatorios. La madre acaba de salir del sanatorio. La hermana mayor trabaja en un burdel para árabes, de la Villette. Deciden ir a verla.

»Nada más salir a la calle, un policía de uniforme interpela a la chiquilla:

»—Bueno, putita, ¿no te he dicho que no anduvieras por mi zona? Sucia y pequeña basura, ¡esta vez te la doy!

»Es demasiado para *Jojo*. Después de lo que acaba de pasar, no sabe lo que hace. Saca un gran cuchillo, que había comprado para el regimiento, y lo introduce en el pecho del guardián de la paz. Detenido, condenado a muerte por doce jurados «competentes», es indultado por el presidente de la República y enviado a presidio.

»Y bien, *Papillon*, se evadió y ahora vive, casado, en un puerto bastante importante, Cumaná. Es zapatero y tiene nueve hijos, bien cuidados; todos van a la escuela. Incluso uno de los mayores desde el año pasado va a la Universidad. Siempre que paso por Cumaná voy a verlos. Es un bonito ejemplo, ¿no? Y, créeme, él también tenía malditas cuentas que saldar con la sociedad. Como ves, *Papillon*, no eres una excepción. Varios de los nuestros tenían motivos para vengarse. Ninguno, que yo sepa, ha abandonado este país para hacerlo. Tengo confianza en ti, *Papillon*. Puesto que Caracas te atrae, ve allá, pero espero que sabrás vivir esta vida moderna sin caer en sus trampas.

Bougrat se marchó muy avanzada la tarde. Su visita me había trastornado. ¿Por qué me había impresionado tanto?

Era fácil comprenderlo. En aquellos primeros días de libertad, me había encontrado con *duros* felices, readaptados. Sin
embargo, su vida no tenía nada de extraordinario. Mejor di-
ríamos que era un final cuerdo y muy modesto. Seguían en
la humilde situación de obreros-campesinos. En cuanto a él,
Bougrat, no era lo mismo. Por primera vez acababa de encontrarme con un ex presidiario que era un caballero. Eso
fue lo que había turbado mi corazón. Y yo, ¿iba a ser también un caballero? ¿Podría llegar a serlo? Para él, médico, la
cosa fue relativamente fácil. Para mí sería mucho más difícil. Pero aun cuando todavía no sabía cómo, de lo que estaba seguro era de que un día yo también sería un caballero.

Sentado en mi banco, al fondo de la galería n.º 11, vigilaba mis bombas, que aquel día marchaban sin tropiezos. Al
ritmo del motor, me repetía las palabras de Bougrat: «Tengo
confianza en ti, *Papillon*. Desconfía de las trampas de la ciudad.» Las había, con seguridad, y no era fácil cambiar de
mentalidad. La prueba: el mismo día anterior, la vista del
depósito de oro me había trastornado literalmente. Sólo llevaba quince días en libertad y ya, subiendo por el camino,
deslumbrado por aquella fortuna al alcance de la mano, calculaba los medios de apoderarme de ella. En mi interior
tenía la firme intención de no dejar en paz aquellos lingotes de oro.

Los pensamientos se atropellaban en mi mente. «Tengo
confianza en ti, *Papillon*.» Pero, ¿podría aceptar vivir como
mis camaradas? Creía que no. Después de todo, había muchos
otros medios honestos para ganar bastante dinero. No estaba
obligado a aceptar aquella vida demasiado pequeña para mí.
Podía continuar la aventura, hacerme buscador de oro, de
diamantes, irme a la estepa para volver un día con una suma
lo bastante importante para labrarme una posición aceptable.

Sí, me daba cuenta, no iba a ser fácil abandonar la aventura y los golpes arriesgados. Sin embargo, a pesar de la
provocación que significaba aquel montón de oro, si refle-
xionaba cuerdamente, no debía hacerlo, no podía hacerlo, no
tenía derecho a hacerlo. Un millón de dólares... «¿Te das
cuenta, *Papi*? Sobre todo, es como si ya fuesen tuyos. No es

necesario estudiar un plan, es cosa hecha antes de empezar, no puede fallar.» Era algo tentador, de verdad. ¡Por Dios!, no había derecho a poner bajo la nariz de un truhán una montaña de oro casi abandonada y decirle: «No la toques.» Con la décima parte de aquel oro me bastaba para conseguirlo todo, venganza comprendida, para dar cuerpo a todo lo que había soñado hacer en el curso de los millares de horas en las que estuve enterrado.

A las ocho, el montacargas me devolvió a la superficie. Di una pequeña vuelta para no pasar cerca del depósito. Consideré que era preferible verlo lo menos posible. Subí rápidamente hacia la casa, atravesé el pueblo saludando a las gentes, pidiendo excusas a los que querían detenerme, bajo pretexto de que tenía prisa. Conchita me esperaba, siempre tan negra y tan alegre.

—Bueno, *Papillon*, ¿cómo van las cosas? Charlot me ha dicho que te sirva un buen *pastis* antes de cenar. Dice que le has dado la impresión de tener problemas. ¿Qué ocurre, *Papi*? Puedes decírmelo, a mí, la mujer de tu amigo. ¿Quieres que te haga venir a Graciela, o a Mercedes, si lo prefieres? ¿No crees que sería algo bueno?

—Conchita, pequeña perla negra de Callao, eres maravillosa y comprendo que Charlot te adore. Acaso tengas razón, para equilibrarme necesitaría tener una mujer a mi lado.

—Seguro. A menos que Charlot tenga razón.

—Explícate.

—Verás. Yo digo que lo que te conviene es amar y ser amado. Charlot me dice que espere antes de poner una muchacha en tu cama, que quizás es otra cosa.

—¿Qué otra cosa?

Dudó un momento, y luego dijo de pronto:

—Tanto peor si lo repites a Charlot, porque me dará un par de bofetones.

—Te prometo que no le diré nada.

—Pues bien, Charlot dice que tú no estás hecho para vivir la misma vida que él y los demás franceses de aquí.

—¿Y qué más? Vamos, dímelo todo, Conchita.

—Dice también que debes pensar que hay demasiado oro inútil en la mina, y que tú le encontrarías un empleo mejor. Eso dice. Añade que eres un tipo que no puede vivir sin gastar mucho, y también dice que tienes una venganza que no puedes abandonar y que para todo esto necesitas mucho dinero.

La miré al fondo de los ojos.

—Pues bien, Conchita, tu Charlot está equivocado. Eres tú la que lleva razón. Mi futuro no me plantea problema alguno. Lo has adivinado, necesito amar a una mujer. No me atrevía a decírtelo porque soy algo tímido.

—¡Esto no lo creo, *Papillon*!

—Bueno. ¡Vete a buscar a la rubia y verás si estaré contento cuando tenga un amor!

—Voy en seguida —entró en su habitación para vestirse con una ropa más ligera—. ¡Qué contenta estará Mercedes! —me dijo gritando y, al volver, llamaron a la puerta—. ¡Adelante! —exclamó Conchita.

Se abrió la puerta y vi entrar a María con cierta timidez.

—¿Eres tú, María, a estas horas? ¡Qué agradable sorpresa! Conchita, te presento a María, la muchacha que me acogió en su casa cuando Picolino y yo llegamos a Callao.

—Deja que te abrace —le dijo Conchita—. Eres tan bonita como me había dicho *Papillon*.

—¿Quién es *Papillon*?

—Soy yo. Enrique o *Papillon*, es lo mismo. Siéntate a mi lado sobre el diván y cuenta.

—Creo que ya no vale la pena de que salga —dijo Conchita, riéndose maliciosamente.

María se quedó toda la noche en la casa. Demostró ser una amante todavía tímida, pero vibraba a las menores caricias. Fui su primer hombre. La vi dormir satisfecha. Dos velas, que sustituyeron a la luz demasiado intensa de la lámpara eléctrica, acabaron de consumirse. Su discreto fulgor hizo resaltar todavía más la belleza de aquel cuerpo joven y de sus pechos todavía con huellas de nuestros abrazos. Sin hacer ruido, me levanté para calentarme un poco de café y mirar la hora. Eran las cuatro. Tropecé con una cacerola, que se cayó y despertó a Conchita. Salió de su habitación en bata.

—¿Quieres café?

—Sí.

—Para ti solo, supongo, porque ella debe de estar durmiendo con los ángeles que le has dado a conocer.

—Eres experta, Conchita.

—Mi raza tiene fuego en las venas. Has debido de darte cuenta esta noche. Porque María tiene una pizca de negro, dos pizcas de indio y el resto de español. ¡Si con esta mezcla no eres completamente feliz, suicídate! —añadió riendo.

Un sol espléndido y ya muy alto saludó el despertar de María. Le llevé café a la cama. Una pregunta me quemaba en los labios:

—En tu casa, ¿no se inquietarán por tu ausencia?

—Mis hermanas sabían que venía aquí; por tanto, mi padre lo supo una hora después. ¿No irás a despedirme hoy?

—No, querida. Te dije que no quería fundar un hogar, pero de esto a despedirte... Si puedes quedarte sin inconveniente para ti, es otra cosa. Quédate cuanto quieras.

Era cerca de mediodía, y tenía que irme a la mina. María decidió regresar a su casa, subiéndose a un camión, y volver por la noche.

—¡Bueno, tunante!, tú solo has dado con la chiquilla que te faltaba. ¡Es algo selecto, te felicito, camarada!

Charlot, en pijama, me habló en francés desde el umbral de la puerta. Añadió que, como el día siguiente sería domingo, podríamos festejar el matrimonio. De acuerdo.

—María, di a tu padre y a tus hermanas que vengan a pasar el domingo con nosotros para celebrar esto. Y tú, vuelve cuando quieras. Estás en tu casa. ¡Bueno, que tengas un buen día, *Papi*! Ten cuidado con la bomba n.º 3 y, al salir del trabajo, no estás obligado a ir a saludar a Simon. ¡Cuanto menos se ve lo que se guarda tan mal, menos añoranza se tiene!

—¡Bah, viejo truhán! No, no iré a ver a Simon. Puedes estar tranquilo, camarada. ¡Chao!

María y yo atravesamos el pueblo muy apretados uno contra otro, para que las chicas de la aldea se dieran cuenta de que era mi mujer.

Las bombas funcionaban de maravilla, incluso la n.º 3. Pero ni el aire caliente y húmedo, ni el tac-tac-tac del motor me impedían pensar en Charlot. Había comprendido por qué estaba pensativo. Como el viejo truhán que era, no había tardado en descubrir que el montón de oro era el responsable. También Simon, seguro, que le había hablado de nuestra conversación. ¡Excelentes amigos! Estaban muy contentos de que tuviera una mujer. Confiaban que con aquel magnífico regalo de Dios olvidara el montón de dólares-oro.

A fuerza de darle vueltas a todo aquello en mi cabeza, mis ideas sobre la situación se aclararon. Aquellos hombres, en la actualidad, eran escrupulosamente honrados y llevaban una vida irreprochable. Pero, a pesar de aquella vida de verdaderas catacumbas, no habían perdido la mentalidad de hombres del hampa y eran incapaces de entregar a nadie a la Policía, incluso si adivinaban sus proyectos y estaban seguros de que iban a traerles grandes molestias. Los dos que quedarían más al descubierto, en caso de un golpe, serían Simon y Alexandre, los guardianes del tesoro. Charlot también, por otra parte, tendría sus molestias, porque todos los antiguos *duros*, sin excepción, serían detenidos. Y entonces se acabaría la tranquilidad, la casa, el huerto, la mujer, los chiquillos, las gallinas, cabras y cerdos. Y entonces me di perfecta cuenta de que aquellos antiguos truhanes se habían estremecido, no por ellos mismos, sino por su hogar, pensando que yo, por mi acción, iba a echarlo todo por tierra: «Mientras no nos complique la vida», debieron decirse. Me los imaginaba celebrando un pequeño consejo de guerra. Me gustaría saber cómo habían atacado y resuelto el problema.

Mi decisión estaba tomada. Aquella noche iría a casa de Simon para invitarlo junto con su familia a la fiesta del día siguiente, y le diría que invitara a Alexandre, si podía acudir. Tenía que hacer sentir a todos que tener una muchacha como María era para mí lo mejor del mundo.

El ascensor me devolvió al aire libre. Me encontré con Charlot, que iba a bajar, y le dije:

—¿Persistes en dar la fiesta, camarada?

—Claro que sí, *Papillon*. Más que nunca.

—Voy a invitar a Simon y su familia. Y a Alexandre, si puede venir.

El viejo Charlot era un pícaro. Me miró a los ojos, y luego dijo, un poco guasón:

—¡Mira, ésta es una buena idea!

Sin esperar más, se metió en el montacargas, que le bajó a donde yo acababa de salir. Di la vuelta por el depósito de oro y saludé a Simon:

—¿Todo marcha?

—Todo marcha.

—He venido a saludarte, en primer término, y luego a invitarte a venir a comer con nosotros mañana domingo. Tú y tu familia, claro está.

—Con mucho gusto. ¿Qué celebras? ¿Tu libertad?

—No, mi matrimonio. He encontrado una mujer, María, de Callao, la hija de José.

—Sinceramente, te felicito. Sé feliz, compadre, te lo deseo con todo el corazón.

Me apretó muy fuerte la mano y me fui. A mitad de camino del sendero tropecé con María, que había venido a mi encuentro y, cogidos por el talle, subimos hacia el «castillo». Su padre y sus hermanas iban a llegar al día siguiente hacia las diez, para ayudar a preparar la comida.

—Tanto mejor, porque seremos más numerosos de lo previsto. ¿Y qué te ha dicho tu padre?

—Me ha dicho: «Sé feliz, hija mía, pero no te hagas ilusiones en cuanto al porvenir. Conozco los hombres sólo con mirarles. El hombre que has escogido es bueno, pero no se quedará aquí. No es hombre para contentarse con una vida sencilla como la nuestra.»

—¿Qué has respondido?

—Que lo haré todo para tenerte a mi lado el mayor tiempo posible.

—Deja que te bese, María, porque tienes un alma hermosa. Vivamos el presente, el futuro decidirá el resto.

Después de haber comido algo, fuimos a acostarnos, porque al día siguiente sería preciso levantarnos temprano para ayudar a Conchita a matar los conejos, a hacer el gran pastel, a ir a buscar el vino, etc. Aquella noche fue todavía más hermosa, más apasionada, más fascinante que la primera. Verdaderamente, María tenía fuego en las venas. Muy pronto supo provocar y aumentar el placer que le habían hecho conocer. Hicimos tanto el amor, con tanta intensidad, que nos hundimos en el sueño pegados uno a otro.

Al día siguiente, domingo, la fiesta fue un éxito maravilloso. José nos felicitó de que nos quisiéramos, y las hermanas de María le cuchicheaban preguntas que adiviné llenas de curiosidad. Simon estaba presente con su familia. También Alexandre, porque había podido hacerse remplazar para la custodia del tesoro. Su familia era amable, un chico y una chiquilla, bien vestidos, lo acompañaban. Los conejos estaban deliciosos, y el inmenso pastel, en forma de corazón, quedó liquidado en un santiamén. Incluso se bailó con ayuda de la radio, de un fonógrafo y de un viejo presidiario que tocó al acordeón todos los aires *musette* de veinte años atrás: *Bal d'Oiseaux*, etc.

Después de varios cafés, ataqué en francés a los truhanes:

—¿Qué habíais pensado? ¿Creísteis, de verdad, que me proponía hacer algo?

—Sí, camarada —dijo Charlot—. No te hubiésemos hablado de ello si tú no pones el problema sobre la mesa. Pero que se te haya ocurrido la idea de llevarte esta tonelada de oro, esto es seguro y cierto, ¿no? Responde francamente, *Papillon*.

—Sabéis que llevo trece años pensando en una venganza. Multiplicad esos trece años por trescientos senta y cinco días, luego por veinticuatro horas y cada hora por sesenta minutos, y todavía no tendréis el número de veces que me prometí hacer pagar la nota de mis sufrimientos. Así, pues, al ver esa masa de oro en un lugar semejante, es verdad, pensé en planificar un trabajo.

—¿Y luego? —preguntó Simon.

—Luego, examiné la situación bajo todos sus ángulos y me dio vergüenza. Arriesgaba destruir la felicidad de todos vosotros. Acaso iba a hacer saltar por los aires todo lo que habéis construido. Esta felicidad que tenéis, y que espero conseguir un día, he comprendido que valía mucho más que ser rico. Así, pues, la tentación de llevarme este oro ha volado muy lejos. Estad seguros de ello, os doy mi palabra, no haré nada aquí.

—¡Muy bien! —exclamó Charlot, contento—. Podemos dormir en paz y tranquilos. No será un truhán de los nuestros quien sucumbirá a la tentación. ¡Viva *Papillon*! ¡Viva María! ¡Viva el amor y la libertad! ¡Y viva la cordura! Éramos truhanes, truhanes seguimos siendo, pero sólo para con los polis. Ahora todos estamos de acuerdo, *Papillon* comprendido.

Se cumplieron seis meses de mi estancia en aquel lugar. Charlot tenía razón. El día de la fiesta gané la primera batalla contra la tentación del mal golpe. De modo seguro iba alejándome, después de haberme evadido de él, del «camino de la podredumbre». Gracias al ejemplo de mis amigos, conseguí una gran victoria sobre mí mismo: renunciar a apropiarme de aquel millón de dólares. Lo que había conseguido, indiscutiblemente, era que no sería fácil, en el futuro, dejarme tentar por la posibilidad de dar un golpe. Después de haber renunciado a una fortuna semejante, sería muy difícil que algo me hiciera cambiar de idea. Sin embargo, no estaba completamente en paz conmigo mismo. Tendría que ganar dinero de otro modo distinto a robar, de acuerdo, pero era preciso que consiguiera tener bastante para ir a París a presentar la factura. ¡Y aquello me iba a costar un montón de billetes!

¡Bum-ban, bum-ban, bum-ban! Las bombas aspiraban sin parar el agua que invadía las galerías. El calor era más fuerte que nunca. Cada día pasaba ocho horas en las entrañas de la mina. En aquel momento, cumplí el turno de las cuatro de la mañana a mediodía. Aquel día, al salir, tenía que ir a casa de María, en Callao. Hacía un mes que Picolino estaba allí, porque así el doctor podía verlo todos los días. Seguía un tratamiento y estaba admirablemente atendido por María y sus hermanas. Iría para hacer el amor con María, porque llevaba ocho días sin verla y tenía necesidad de ella, física y moralmente. Encontré un camión que me llevó.

Llovía a cántaros cuando empujé la puerta de la casa, hacia la una. Estaban todos sentados a la mesa, excepto María, que parecía estar de pie cerca de la puerta, esperando.

—¿Por qué no has venido antes? ¡Ocho días es mucho! Estás empapado. Ven a cambiarte primero.

Me llevó a su habitación, me desnudó y me secó con una gran toalla.

—Échate en la cama —me dijo.

Nos amamos allí, detrás de aquella puerta que nos separaba de los que nos esperaban, sin preocuparnos de ellos ni de su impaciencia. Nos dormimos. Esmeralda, la hermana de los ojos verdes, ya muy avanzada la tarde, casi a la entrada de la noche, nos despertó quedamente.

Después de una cena en familia, José *el Pirata* me propuso ir a dar una vuelta.

—Enrique, has escrito al jefe civil para que pida a Caracas el fin de tu confinamiento, ¿verdad?

—Sí, José.

—Ha recibido la respuesta de Caracas.

—¿Buena o mala?

—Buena. Tu confinamiento ha terminado.

—¿María lo sabía?

—Sí.

—¿Qué dice?

—Que siempre le has dicho que no podías quedarte en Callao. ¿Cuándo piensas marcharte? —me preguntó al cabo de un instante.

Aunque estaba muy emocionado por la noticia, reflexioné y dije en seguida:

—Mañana. El camión que me ha traído me ha dicho que continuaba mañana hacia Ciudad Bolívar.

José bajó la cabeza.

—Amigo mío, ¿estás molesto conmigo?

—No, Enrique. Siempre has dicho que no te quedarías. Pero, ¡pobre María y pobre de mí también!

—Te dejo para ir a hablar con el chófer, si lo encuentro.

Vi al camionero; saldríamos al día siguiente a las nueve. Como que tenía un pasajero, Picolino viajaría en la cabina y yo sobre los barriles de hierro vacíos que transportaba. Corrí a casa del jefe civil, quien me entregó mis papeles y, como hombre excelente que era, me dio algunos consejos y me deseó buena suerte. Luego fui a ver a todos los que había conocido en aquel lugar y que me habían brindado su amistad y su ayuda.

Primero a Caratal, donde recogí mis cosas. Charlot y yo nos abrazamos emocionados. Su negrita lloró. Les di las gracias por su maravillosa hospitalidad.

—¡No es nada, camarada! Tú hubieses hecho lo mismo por mí. ¡Buena suerte! Y si vas a Panamá, saluda a Montmartre.

—Escribiré.

Luego, los antiguos *duros*, Simon, Alexandre, Marcel, André. De regreso en Callao, saludé a todos los mineros, bus-

cadores de oro o de diamantes, compañeros de la mina. En
su totalidad, hombres y mujeres tuvieron palabras que les
salían del corazón para desearme buena suerte. Estaba muy
emocionado, y comprendía aún mejor que si me hubiese puesto a vivir con María, como Charlot y los demás, no me hubiesen podido arrancar nunca de aquel Edén.

Lo más difícil fue María.

Nuestra última noche de amor, mezcla de placer y de lágrimas, fue de una violencia sin par. Incluso nuestras caricias nos desgarraron. El drama residía en que era preciso
hacerle comprender que no debía alimentar ninguna esperanza de que yo volviera. ¿Quién sabía qué destino me reser-
vaba la ejecución de mis proyectos?

Me despertó un rayo de sol. Miré el reloj: las ocho. No
tenía ánimos de quedarme en la sala, ni por unos instantes,
para tomar café. Picolino, sentado en una silla, lloriqueaba
sin parar. Esmeralda lo había vestido y lavado. Busqué a
las hermanas de María y no las encontré. Se habían escondido para no verme marchar. Sólo José está en el umbral
de la puerta. Con un abrazo a la venezolana me estrechó contra él. No dije nada, y él pronunció una sola frase:

—No nos olvides, porque nosotros no te olvidaremos.
¡Adiós, que Dios te guarde!

Picolino, con sus cosas muy limpias dispuestas en un ha-
tillo, lloraba desconsolado, y por su agitación y los sonidos
roncos que emitía, se comprendía que estaba desesperado al
no poder expresar la enorme gratitud que rebosaba su corazón. Me lo llevé.

Llegamos a la casa del camionero con nuestros dos equipajes. ¡Para la gran marcha hacia la ciudad, era un éxito!
Su camión estaba averiado; aquel día no íbamos a poder
salir. Teníamos que esperar un nuevo carburador. No quedaba otra solución. Regresé con Picolino a casa de María. Es
fácil imaginar los gritos cuando nos vieron volver.

—¡Dios es bueno al haber estropeado el camión, Enrique!
Deja a Picolino aquí, y mientras preparo la comida vete a dar
una vuelta por el pueblo. Es curioso —añadió—; se diría que
tu destino no es Caracas.

Me fui, y pensé en aquella observación de María. Estaba
turbado. Caracas, la gran ciudad colonial, aún no la conocía,

pero me la imaginaba porque me habían hablado de ella. Me atraía, es cierto, pero una vez allí, ¿qué haría, y cómo?

Anduve despacio por la plaza de Callao, con las manos en la espalda. Caía un sol de plomo. Me acerqué a un almendrón, inmenso árbol de follaje espeso, para protegerme de aquel sol despiadado. A la sombra había atados dos mulos que un hombre pequeño estaba cargando. Vi tamices de buscadores de diamantes, aparejos de buscadores de oro, una especie de sombrero chino que servía para lavar el barro aurífero. Mirando aquellos objetos, todavía nuevos para mí, seguía soñando. Ante aquel cuadro bíblico de una vida tranquila y apacible, sin otros ruidos que los de la naturaleza o de una vida patriarcal, evoqué lo que debía ser aquel mismo instante en Caracas, bulliciosa capital que me llamaba. Todas las descripciones que de ella me han hecho se transformaban en imágenes exactas. De todos modos, ¡hacía catorce años que no había visto una gran ciudad! No había duda, puesto que ya podía hacer lo que quisiera, iba a ir allá, lo antes posible.

Capítulo III

JOJO LA PASSE

¡Canastos! Cantaban en francés. Era el viejecito. Escuché.

Ya los viejos tiburones están allá
Han olido la sangre humana
Uno casca un brazo como una manzana
El otro el tronco, y tra-la-la.
Para el más listo, el más diestro,
¡Adiós, forzado, viva la justicia!

Quedé petrificado. Lo había cantado lentamente, como un réquiem. El «tra-la-la», con una alegría irónica, y el «viva la justicia», con la guasa de los suburbios de París, como una verdad indiscutible. Pero había que estar allí para captar toda la ironía que encerraba.

Miré al sujeto. Era casi un enano, exactamente 1,55 m, según pude saber después. Uno de los más pintorescos antiguos *duros* jamás existentes. Tenía los cabellos completamente blancos, unas patillas largas, cortadas en bisel, y más grises. Llevaba un pantalón vaquero, un gran cinturón de cuero muy ancho; asimismo, en el lado derecho de la cintura llevaba un garrote curvado hasta la altura de la ingle. Me acerqué a él. Como no llevaba sombrero (estaba en el suelo), pude distinguir bien su ancha frente salpicada de manchas todavía más rojas que su tez de viejo bucanero tostado por el sol. Sus cejas eran tan largas y espesas que, ciertamente, debía tener que peinárselos; debajo de ellas, unos ojos de color acero verdegris me examinaron rápidamente. No había dado cuatro pasos cuando me dijo:

—Vienes del penal, tan seguro como yo me llano *La Passe*.

—Exacto. Me llamo *Papillon*.

—Yo, *Jojo La Passe*.

Me alargó la mano y apretó la mía con franqueza, sin hacer demasiada fuerza, como debe ser entre hombres, ni demasiado fuerte, aplastándonos los dedos, como los presuntuosos, ni demasiado flojo, como los hipócritas o los débiles. Le dije:

—¿Vamos a echar un trago al bar? Invito.

—No, ven a mi casa, aquí enfrente, la casa blanca. Se llama «Belleville», mi barrio de chiquillo. Ahí podremos charlar más tranquilos.

El interior era muy limpio. Era propiedad de su mujer, que era joven, muy joven, acaso veinticinco años. Él, ¡vaya usted a saber!, al menos tenía sesenta. Ella se llamaba Lola, una venezolana de tez mate.

—Sea usted bien venido —me dijo con una amable sonrisa.

—Gracias.

—Dos *pastis* —pidió *Jojo*—. Un corso me trajo doscientos saquitos de Francia. Verás si está bueno.

Lola nos sirvió y *Jojo* se tragó de un golpe las tres cuartas partes de su vaso.

—¿Y qué? —me dijo, mirándome a los ojos.

—¿Qué, de qué? ¿No pensarás que vaya a contarte mi vida?

—Bueno, camarada. Pero, *Jojo La Passe*, ¿no te dice esto nada?

—No.

—¡Qué aprisa se olvida! Sin embargo, entre los *duros* yo era alguien. No había otro como yo para hacer siete y once con dados apenas limados, pero no emplomados, eso no. No son cosas de ayer, es verdad, pero, en fin, somos hombres que dejamos huella, leyendas. Y todo esto, por lo que veo, ha quedado olvidado en pocos años. ¿De verdad que ni un solo camarada te habló de mí?

Estaba escandalizado.

—No, francamente.

De nuevo la mirada penetrante me escudriñó hasta las entrañas.

—Tú estuviste poco tiempo entre los *duros*, casi ni tienes su aspecto.

—Trece años en total con el presidio de El Dorado, ¿crees que es poco?

—No es posible. Apenas estás arañado y sólo otro *duro* puede descubrir que vienes de allá. Y uno que fuera poco fisonomista podría engañarse. Te diste la buena vida entre los *duros*, ¿no?

—No fue tan fácil: las Islas, la Reclusión.

—¡Humo de pajas, camarada, humo de pajas! ¿Las Islas? Una colonia de vacaciones, ¡un truco donde no falta más que un casino! Lo he comprendido, señor. Para vosotros, el penal fue como viento de popa, los langostinos, la pesca, sin mosquitos y, de vez en cuando, un verdadero postre: ¡una mujer en celo, el culo o lo otro de una mujer un tanto descuidada por el imbécil de su marido!

—Sin embargo, tú sabes...

—¡Venga, venga, no insistas! Conozco aquello. No estuve en las Islas, pero me han contado.

Acaso aquel sujeto fuera pintoresco, pero aquello empezaba a ponerse mal para él porque noté que se me subía la mosca a la nariz. Continuó:

—Los *duros*, los auténticos, estaban en el kilómetro 24. ¿Esto no te dice nada? No, seguro que no. ¡Con la facha que presentas, no habrás metido nunca la nariz allí! Pues bien, yo, camarada, yo sí estuve. Cien hombres, todos con la enfermedad en el vientre. Hay los que están de pie, los que están acostados, los que gimen como perros. Los matorrales están allí, ante ellos, como un muro. Pero ellos no derribarán el muro, será el muro quien dará cuenta de ellos. No es un campo de trabajadores. Como dice la Administración Penitenciaria, es una cubeta bien oculta en la selva de la Guayana donde se echa a unos hombres que nunca más volverán a salir. ¡Venga, *Papillon*, no insistas, camarada! Conmigo no hay por qué disimular. No tienes ni la mirada de un pobre perro apaleado en exceso, ni las mejillas hundidas de un muerto de hambre a perpetuidad, ni la máscara de aquellos andrajos escapados por milagro de aquel infierno, como si hubiesen burilado sus morros para pegar máscaras de viejos sobre seres todavía jóvenes. De todo esto, tú no tienes nada. Así, pues, mi diagnóstico no tiene error posible: presidio, para ti, es igual a vacaciones al sol.

Aquel pájaro insistía. Me pregunté cómo iba a terminar aquel encuentro.

—Para mí, ya te lo he dicho, es la cubeta de donde nadie vuelve, la podredumbre de las amebas, la inmundicia que te destruye poco a poco. ¡Pobre de ti, *Papillon*! Te lo repito: no has sabido lo que eran los *duros*. Camarada, esta descripción tan verídicamente exacta, no podría hacerla yo mismo, pero he leído a Albert Londres y él la ha descrito exactamente como acabo de decirte.

Miré atentamente a aquel hombrecito con exceso de energías, al tiempo que calculaba el mejor ángulo para meterle el puño en los hocicos cuando, de pronto, cambié de parecer y decidí hacerme amigo de él. No valía la pena excitarse, podía llegar a necesitarlo.

—Tienes razón, *Jojo*. No hay que fanfarronear de estos años duros, porque estoy tan en forma que es preciso ser un buen perito como tú para descubrir de dónde vengo.

—Bueno, en esto estamos de acuerdo. ¿Y qué haces en este momento?

—Trabajo en la mina de oro de «La Mocupia». Dieciocho bolívares al día, pero estoy autorizado para ir a donde quiera. Mi confinamiento ha terminado.

—Apuesto a que quieres ir a Caracas y volver a la aventura.

—Es verdad, tengo ganas.

—Pero Caracas es una gran ciudad, y allí la aventura es de nuevo el golpe arriesgado. ¿Acabas de salir y quieres volver?

—Tengo una factura que me interesa mucho presentar a quienes me enviaron al penal: polis, testigos, fiscal. Trece años por un delito no cometido, las Islas, pienses lo que sea de aquello; con la Reclusión de San José, donde he vivido los más horribles tormentos que un sistema pueda inventar. No hay que olvidar que caí a los veinticuatro años.

—¡Qué asco! Te han robado toda tu juventud. ¿Inocente

de verdad de verdad, o me camelas todavía?

—Inocente, *Jojo*. Por el recuerdo de mi madre.

—¡Esto es tremendo! Comprendo que no sea fácil de digerir. Pero si necesitas pasta para arreglar tus asuntos, no tienes por qué ir a Caracas, ven conmigo.

—¿A dónde?

—A los diamantes, camarada. ¡Los diamantes! Aquí el Estado es generoso. Éste es el único país del mundo donde puedes ir libremente a buscar oro o diamantes en las entrañas de la tierra. Sólo una condición: no emplear ningún medio mecánico. Sólo los útiles aceptados: pala, pico y tamiz.

—¿Y dónde está ese auténtico El Dorado? No aquel de donde salgo, claro está.

—Lejos, bastante lejos, en la selva. A varios días de mulo, de piragua; luego andando, con el material a la espalda.

—¡No está al alcance de la mano!

—De todos modos, *Papillon*, es el único medio de coger un buen paquete. Si descubres un filón, ya eres rico. Entonces podrán ser tuyas las mujeres que desees. O tendrás el medio de ir a presentar tu factura.

Y, a partir de aquel momento, *Jojo* ya no se detuvo. Sus ojos brillaban, estaba excitado y apasionado. Me explicó que un filón, cosa que ya supe en la mina, era una pequeña superficie de tierra, no mayor que un pañuelo de campesino, donde, no se sabía por qué misterio de la naturaleza, se encontraban agrupados cien, doscientos, quinientos, hasta mil quilates de diamantes. Si un buscador descubría un filón en un rincón solitario, ya estaba salvado. Como si hubieran sido advertidos por un sistema telegráfico sobrenatural, pronto llegaban hombres de los cuatro puntos cardinales. Una decena, que pronto se transformaba en centena, luego en millar. Olfateaban el oro y los diamantes como un perro hambriento husmea un hueso o un pedazo de carne. Bastaba con que un camarada hubiera encontrado más diamantes que de costumbre.

Entonces llegaban del Norte, del Sur, del Oeste, del Este, de todas las nacionalidades. Primero los venezolanos. Hombres rudos y sin oficio, que estaban hartos de ganar doce bolívares al día abriendo zanjas para no importa quién. Entonces escuchaban el canto de sirena de la selva. No querían que su familia viviera más en una conejera, y sabiendo muy bien que iban a trabajar, de sol a sol, en un clima y en una atmósfera espantosos, se condenaban a sí mismos a varios años de infierno. Pero su mujer, con lo que le enviaran, tendría una casita clara y espaciosa, los niños estarían bien alimentados y bien vestidos, podrían ir a la escuela e, incluso, seguir estudios.

—¿Con el producto de un filón?

—¡No jorobes, *Papillon*! El que descubre un filón no vuelve más a la mina. Es rico para el resto de sus días, a menos que la alegría no le vuelva loco hasta dar a su mula billetes de cien bolívares mojados en *kummel* o en anís. No, el trabajador de quien te hablo, este hombre del pueblo, cada día encontrará pequeños diamantes, aunque sean minúsculos. Pero este poco representa diez o quince veces la paga del pueblo. Por si fuera poco, para vivir se priva hasta de lo esencial, porque allí todo se paga en oro o en diamantes. Pero haciéndolo así podrá hacer vivir a todos los suyos mucho mejor que antes.

—¿Y los demás?

—De todas las razas. Brasileños, de la Guayana inglesa, camaradas de Trinidad, huidos todos de su vergonzosa explotación en las fábricas o en plantaciones de algodón, o donde sea. Y luego están los verdaderos aventureros, los que no respiran más que en horizontes sin límites, que ponen toda la carne en el asador en busca del gran golpe de fortuna: italianos, ingleses, españoles, franceses, portugueses, tipos de todas partes, ¡qué quieres! Mierda, no puedes saber la fauna que puede abatirse sobre estas tierras prometidas, donde Dios, si ha metido pirañas, anacondas, mosquitos, la malaria y la fiebre amarilla, también ha sembrado oro, diamantes, topacios, esmeraldas y compañía a ras de tierra. Es un auténtico desfile de aventureros del mundo entero que, en hoyos con agua hasta el vientre, con una energía tal que no les molesta el sol, ni los mosquitos, ni el hambre, ni la sed, excavan, arrancan, trituran esta tierra viscosa para lavarla, volverla a lavar, pasarla incansablemente por el tamiz, y así encontrar diamantes. Además, las fronteras de Venezuela son inmensas y en la selva no encuentras a nadie que te pida los papeles. Existe, además de la atracción de los diamantes, la seguridad de estar verdaderamente tranquilo con relación a los polis. Lugar soñado para respirar un poco cuando uno se ve perseguido.

Jojo se detuvo. No había olvidado nada, lo sabía todo. Un minuto rápido de reflexión, y luego:

—Marcha solo, *Jojo*. Yo no me veo en ese trabajo de titán. ¡Es preciso tener el fuego sagrado, creer como en un dios en el descubrimiento de un filón para resistir en un infierno semejante! Sí, marcha solo. Yo buscaré el filón en Caracas.

De nuevo sus ojos implacables me examinaron profundamente.

—He comprendido, no has cambiado. ¿Quieres saber lo que de verdad pienso?

—Dilo.

—Te vas de Callao porque estás enfermo al pensar que hay un montón de oro sin defensa en «La Mocupia». ¿Sí o no?

—Sí.

—Lo dejas en paz porque no quieres complicar la vida de los antiguos *duros* que viven aquí retirados. ¿Sí o no?

—Sí.

—Y piensas que para encontrar un filón donde yo te digo, deben de haber muy pocos elegidos entre muchos llamados. ¿Sí o no?

—Exacto.

—Y, el filón, prefieres encontrarlo en Caracas, ya dispuesto, con los diamantes tallados, en casa de un joyero o de un mayorista en piedras.

—Acaso, pero no es seguro. Habrá que verlo.

—De verdad eres el aventurero a quien nadie puede enmendar.

—Vete a saber. Pero no olvides este gusano que me tritura la carne sin descanso: la venganza. Estoy dispuesto a hacer cualquier cosa por satisfacerla.

—Aventura o venganza, necesitas pasta. Entonces, ven a la selva conmigo. Verás, es formidable.

—¿Con la pala y el pico? ¡Es muy poco para mí!

—¿Tienes fiebre, *Papillon*? O bien, ¿al saber que desde ayer puedes ir a donde quieras te has vuelto idiota?

—No tengo esta sensación.

—Sin embargo, has olvidado lo principal: el significado de mi nombre, *Jojo La Passe*[1].

—De acuerdo, eres un jugador profesional, pero no veo relación con el proyecto de trabajar como bestias.

—Yo tampoco —dijo él, retorciéndose de risa.

—¿Cómo, no iríamos a las minas para sacar los diamantes de la tierra? ¿De dónde los sacaríamos, pues?

—De los bolsillos de los mineros.

—¿Cómo?

—Organizando juego todas las noches, y perdiendo alguna vez.

—He comprendido, camarada. ¿Cuándo nos vamos?

—Espera un minuto. —Muy satisfecho del efecto producido, se levantó aparatosamente, puso una mesa en mitad de la sala, extendió encima una manta de lana y sacó seis pares de dados—: Míralos bien.

Los examiné minuciosamente. No estaban emplomados.

—Nadie puede decir que sean dados trucados, ¿sí o no?

—No, nadie.

De una funda de lana sacó un compás de corredera y me lo alargó.

—Mide.

Sobre un espesor que no llegaba a una décima de milímetro, una de las caras había sido limada y pulida con cuidado. No se notaba nada.

—Intenta hacer siete u once.

Tiré los dados. Ni siete ni once.

—Ahora yo.

Jojo hizo voluntariamente un ligero pliegue a la manta. Cogió los dados con la punta de los dedos.

—Esto se llama hacer las pinzas —explicó—. Echo los dados. ¡Y he aquí siete! ¡Y once! ¡Y once! ¡Y siete! ¿Quieres seis? Aquí está: seis. ¿Seis por cuatro y dos, o por cinco y uno? Hecho, ¡el señor está servido!

Me quedé pasmado. Nunca había visto un truco semejante; era extraordinario. No se veía absolutamente nada.

—Camarada, desde siempre juego al *pase inglés*. A los ocho años en la Butte, hice mis primeras armas. Me permití tirar

1. Postura. (*N. del T.*)

con dados semejantes, ¿sabes dónde? En el billar de *pase inglés* de la estación del Este, en los tiempos de Roger Sole y compañía.

—Me acuerdo. Había allí un buen grupo de pícaros y bribones.

—¡Y que lo digas! Además de soplones, chulos y rateros, también había, entre la clientela, polis tan célebres como *Jojo-el-bonito*, el poli-chulo de La Madeleine, y especialistas de la brigada de juegos. Pues bien, estaban turulatos como los demás. Entonces, como ves, no se arma escándalo al tirar los dados en un «placer».

—Seguramente.

—Ten en cuenta que los dos sitios son tan peligrosos uno como otro. En la estación del Este, los truhanes eran tan rápidos en tirar como los mineros. Una sola diferencia: en París, uno tira y se aturde. En la mina, uno tira y se queda en su lugar. No hay chivatos, son los mineros quienes hacen sus leyes.

Cesó de hablar, vació su vaso lentamente, y luego preguntó:

—¿Qué, *Papillon*, vienes conmigo?

El tiempo de reflexionar un instante, no era tardo. La aventura me tentaba. Era arriesgada, sin duda alguna, porque aquellos hombres no debían de ser monaguillos. Pero acaso se podía recoger mucha pasta. ¡Vamos, *Papillon*, banca para *Jojo*! Y volví a decirle:

—¿Cuándo salimos?

—Mañana por la tarde, si quieres, después de los grandes calores, a las cinco. El tiempo de reunir el material. Primero viajaremos de noche. ¿Tienes un arma de fuego?

—No.

—¿Un buen cuchillo?

—Tampoco.

—No te preocupes, yo encontraré. ¡Chao!

Volví a la casa y pensé en María. Seguro que ella iba a preferir que me fuera a la selva y no a Caracas. Le confiaría a Picolino. Y, al día siguiente, ¡en marcha hacia los diamantes! ¡Y siete, y once! ¡*Once, siete*! ¡*Seven, eleven...*! Como si ya hubiera estado allí, no me quedaba más que aprender todas las cifras de los dados en español, inglés, brasileño e italiano.

Por lo demás, ya vería.

En la casa encontré a José. Le dije que había cambiado de opinión, que Caracas la dejaba para más tarde, y que me marchaba con un viejo francés de cabellos blancos, *Jojo*, en busca de los buscadores de diamantes.

—¿En calidad de qué lo acompañas?

—Como asociado, evidentemente.

—Da siempre a sus asociados la mitad de las ganancias.

—Es la regla. ¿Has conocido alguno que haya trabajado con él?

—A tres.

—¿Reunieron mucho dinero?

—No lo sé. Sin duda. Todos hicieron tres o cuatro expediciones.

—¿Y luego?

—¿Luego? No volvieron.

—¿Por qué? ¿Se instalaron en las minas?

—No, murieron.

—¡Ah!, ¿de enfermedad?

—No, asesinados por los mineros.

—¡Ah...! Él tuvo suerte, al escapar siempre.

—Sí, pero él es muy pícaro. Nunca gana mucho, *hace ganar a su asociado*.

—Ya lo veo. Es el otro quien está en peligro, no él. Siempre es bueno saberlo, José. Gracias.

—¿No irás, ahora que sabes esto?

—Una última pregunta, respóndeme francamente: ¿hay una verdadera posibilidad de regresar con mucho dinero después de dos o tres expediciones?

—Seguramente.

—Entonces, *Jojo* es rico. ¿Por qué vuelve allí? Le he visto arrimar cargas sobre unos mulos.

—En primer lugar, ya te lo he dicho, él no arriesga nada. En segundo lugar, seguro que no se marchaba. Las mulas son de su suegro. Se decidió a ir a los diamantes al encontrarte a ti.

—¿Pero el material que cargaba, o se preparaba para cargar?

—¿Quién te dice que fuera para él?

—¡Oh, oh! ¿Qué otro consejo puedes darme?

—No vayas.

Éste no lo acepto. Estoy resuelto a ir. Dime.

José inclinó la cabeza como para concentrarse. Pasó un largo minuto. Cuando volvió a levantar la cabeza, su rostro se había iluminado. Sus ojos brillaban de malicia y, lentamente, destacando bien las sílabas, dijo:

—Escucha el consejo de un hombre que conoce bien este ambiente al margen de todo: cada vez que haya un gran lote, que frente a ti el montón de diamantes sea verdaderamente importante, que el juego esté en plena fiebre, levántate de golpe cuando nadie lo espere, con tus ganancias. Dices que tienes cólicos y te vas al retrete. Claro está que no debes volver, y te vas a dormir no a tu casa, en otro sitio.

—No está mal la cosa, José. Otro consejo.

—Aunque los compradores de diamantes que van por los alrededores de la mina siempre compran mucho más barato que en Callao o en Ciudad Bolívar, tú vende todos los días los diamantes que ganes. *Pero no cobres en dinero.* Te haces dar recibos a tu nombre para cobrarlos en Callao o en Ciudad Bolívar. Haces lo mismo con los billetes extranjeros. Explicas que tienes miedo de perder en un día todo lo que has ganado, y que guardando poco en tu poder no arriesgas nada. Y esto lo cuentas a todo el mundo, para que se sepa.

—Obrando así, ¿tengo posibilidades de volver?

—Sí, tienes posibilidades de volver vivo, si Dios quiere.

—Gracias, José. Buenas noches.

En los brazos de María, saciado de amor, con la cabeza en el hueco de su hombro, sentía cómo su aliento me acariciaba una mejilla. En la oscuridad, antes de cerrar los ojos, vi ante mí un gran montón de diamantes. Quedamente, como jugando con ellos, los recogí y los puse en el pequeño saco de tela que tenían los mineros; luego, de golpe, me levanté diciendo a *Jojo*, después de una ojeada alrededor: «Resérvame el sitio, voy al retrete. Vuelvo dentro de un instante.» Y me dormí con la imagen de los ojos maliciosos de José, brillantes y luminosos, como sólo pueden ser los de los seres muy cercanos a la naturaleza.

La mañana pasó aprisa. Todo estaba dispuesto. Picolino se quedó allí, donde estaría bien cuidado. Abracé a todos. María estaba radiante. Sabía que yendo a las minas estaría

obligado a volver a pasar por allí, mientras que Caracas no
devolvería los hombres que iban a vivir allí.

María me acompañó hasta el punto de reunión. Eran las
cinco. *Jojo* estaba allí, muy en forma.

—¡Salud, camarada! ¿Todo marcha? Eres puntual, eso
está bien. Dentro de una hora se habrá puesto el sol. Es mejor
así. Es seguro que de noche no se encuentra a nadie que
pueda seguirte.

Di una docena de cariñosos besos a mi amor, y subí al
mulo. *Jojo* me ajustó los estribos y, cuando íbamos a ponernos en marcha, María me dijo:

—Sobre todo, mi amor, ¡no te olvides de ir al retrete en
el momento preciso!

Me puse a reír al propio tiempo que, de un taconazo, hice
moverse a la mula.

—¡Pequeña cazurra, escuchas detrás de las puertas!

—Cuando se ama, es natural.

Ya estábamos en camino, *Jojo* a caballo y yo sobre el
mulo.

La selva virgen tiene sus caminos, a los que se les llama
«picas». Una pica es una especie de pasillo de, al menos, dos
metros de ancho que, poco a poco, ha sido abierto en la vegetación y es conservado a machetazos por los que pasan por
allí. A derecha e izquierda, dos acantilados de verdor. Por
encima, una bóveda formada por millones de plantas, pero
demasiado alta para que, incluso de pie sobre un caballo,
se pueda cortar con un machete. Es la selva, como aquí llaman al bosque tropical. Está constituida por el enmaraña-
miento inextricable de dos clases de vegetación. Primero, un
conjunto de bejucos, de árboles y de plantas que no sobre-
pasa una altura de unos seis metros. Luego, por encima,
entre veinte y treinta metros, las grandes y majestuosas copas
de los árboles gigantes que crecen más y más al encuentro
del sol. Pero si su copa se baña en la luz, el follaje de sus
ramas separadas y bien provistas forma una verdadera pantalla que no deja llegar a todo lo que está por debajo más
que una luz muy tamizada. Esta maravillosa naturaleza que
es el bosque tropical estalla por todas partes. Así, para ir a
caballo por una pica, era preciso mantener las riendas en
una mano, el machete en la otra, y cortar sin descanso todo

lo que sobrepasaba e impedía avanzar cómodamente. Una pica algo frecuentada tenía siempre el aspecto de un buen pasillo muy cuidado.

Nada daba más al hombre la sensación de libertad como estar en la selva, bien armado. Tenía la impresión de formar parte de la naturaleza, del mismo modo que los animales salvajes. Se desplazaba con prudencia, pero también con una confianza ilimitada en sí mismo. Se sentía en su más profundo elemento, todos sus sentidos estaban despiertos, el oído, el olfato. El ojo estaba en perpetuo movimiento, apreciando todo lo que se movía. En la espesura sólo existía para él un enemigo: la bestia de las bestias, la más inteligente, la más cruel, la más mala, la más ávida, la más odiosa y también la más maravillosa: el hombre.

Habíamos caminado toda la noche, bastante bien. Pero, por la mañana, después de haber bebido un poco de café del termo, he aquí que aquel condenado mulo se atrasaba, a veces, a unos cien metros detrás de *Jojo*. Era inútil que le hundiera toda suerte de espinos en las nalgas, no conseguía nada. Para arreglarlo todo, *Jojo* me incordiaba:

—Pero, ¡no sabes montar a caballo, camarada! Con lo sencillo que es... Mira.

Apenas tocaba su penco con el tacón, éste se ponía al galope. Entonces *Jojo* se levantaba sobre sus estribos y gritaba:

—¡Soy el capitán Cook! Bueno, Sancho, ¿vienes? ¿No puedes seguir a tu amo Don Quijote?

Aquello me enervaba y probé todos los medios para hacer avanzar aquella mula más aprisa. En fin, se me ocurrió una idea que me pareció maravillosa y, en efecto, se lanzó a galope tendido. Le dejé caer al fondo de la oreja una colilla de cigarro encendido. Galopó como un purasangre, me regocijé, incluso adelanté al «capitán Cook» y le saludé al pasar. Pero no duró más que el tiempo de un galope, porque aquel mulo era un vicioso. De un solo golpe se inmovilizó contra un árbol, a riesgo de magullarme la pierna, y me vi por los suelos, lleno de espinas de no sé qué planta. ¡Y aquel viejo asqueroso de *Jojo*, que se reía como si hubiera tenido veinte años, olvidándose por completo que él y Matusalén habían nacido en el mismo día!

No hablemos de la persecución del mulo (que duró dos horas), de sus embestidas, de sus ventosidades y de todo lo demás. En fin, no pudiendo con mi alma, con las nalgas llenas de espinas, muerto de calor y de cansancio, conseguí izarme sobre la espalda de aquel descendiente de mulo bretón. Decidí que fuera como quisiera, no iría yo a contrariarlo. El primer kilómetro no lo hice sentado, sino tumbado sobre su espalda, con las nalgas al aire, intentando arrancar aquellas espinas que me quemaban como fuego.

Al día siguiente abandonamos aquel tozudo en una posada. Dos días de piragua y, después de una marcha que se prolongó durante todo un día, impedimenta a la espalda, llegamos a la mina de diamantes.

Dejé mi carga sobre una mesa de leño de una cantina al aire libre. No podía más, y por cualquier tontería estaba dispuesto a estrangular allí mismo al viejo *Jojo* que, con sólo algunas gotas de sudor en la frente, me contemplaba con mirada burlona.

—Bueno, camarada, ¿la cosa marcha?

—¡Sí, compañero, la cosa marcha! ¿Por qué no? Pero tengo que preguntarte algo: ¿por qué me has hecho apechugar durante todo un día con una pala, un pico y un tamiz si no venimos a hacer de mineros?

Jojo adoptó un aire entristecido:

—*Papillon*, me decepcionas. Reflexiona. ¿Quien, al venir aquí, no lleva estos útiles, qué vendría a hacer? Es la pregunta que se harían los centenares de pares de ojos que, a través de las planchas o las chapas de su barraca, están mirando cómo haces tu entrada en el pueblo. Con tu equipo, no se preguntan nada. ¿Comprendido?

—Comprendido, camarada.

—Supónte que yo, por ejemplo, llego con las manos en los bolsillos y que instalo el juego, y nada más. ¿Qué dirían los mineros y sus damas? ¿Eh, *Papi*? Dirían: este viejo francés es un jugador profesional. Pero ahora verás lo que voy a hacer. Si puedo, intentaré encontrar aquí una motobomba de ocasión, si no, la hago venir. Haré lo mismo con una veintena de metros de tubos grandes y dos o tres *sluces*. El *sluce* es una gran caja de madera con separaciones perforadas por agujeros. El barro que chupa la bomba es repelido en este aparato, lo que permite, con un equipo de siete hombres, lavar cincuenta veces más de tierra de lo que puede hacer un equipo de doce hombres trabajando con medios arcaicos. Y no llega a ser considerado como «medio mecánico». Y, como propietario de la bomba, por una parte recibo el 25 % de la recogida de diamantes, y luego justifico mi presencia aquí. Nadie puede decir que vivo del juego, puesto que vivo de mis bombas. Pero como *también* soy jugador, no dejo de jugar por la noche. Es normal, puesto que no participo en el trabajo. ¿Lo ves claro?

—Clarísimo.

—Así me gusta. ¡Dos frescos, señora!

Una voluminosa pero agradable abuela de tez un poco oscura nos trajo un vaso lleno de un agua chocolate claro donde nadaban un cacho de hielo y un trozo de limón.

—Son ocho bolívares, hombres.

—¡Más de dos dólares! ¡Qué asco, la vida no es barata en este acampado!

Jojo pagó.

—¿Cómo va por aquí? —preguntó.

—Así, así.

—¿Y hay o no hay?

—Gente, mucha. Pero diamantes pocos, muy pocos. Hace tres meses que se descubrió este rincón, y se han precipitado aquí cuatro mil personas. Demasiadas para tan pocos diamantes. Y él —añadió, señalándome con la barbilla—, ¿alemán o francés?

—Francés. Viene conmigo.

—¡Pobre!

—¿Por qué pobre? —le pregunté.

—Porque eres demasiado joven y demasiado buen mozo para morir. Los que vienen con *Jojo* nunca tienen suerte.

—¡Cállate, vieja! Vámonos, *Papi*.

Cuando nos levantamos, como despedida la vieja mujer me dijo:

—Cuídate.

Claro que yo no había dicho nada de lo que me contó José, y *Jojo* estaba asombrado de que no intentara profundizar aquellas palabras. Intuí que esperaba preguntas que no le hice. Parecía desconcertado y me miraba de reojo.

Después de haber charlado con unos y otros, *Jojo* encontró en seguida una barraca. Tres pequeñas habitaciones, anillos para colgar nuestras hamacas, cajas de cartón. En una de ellas, botellas vacías de cerveza y de ron; en otra, una palangana de esmalte mellado y una regadera llena de agua. Había unas cuerdas tendidas donde colgar nuestras cosas. El suelo era de tierra batida muy limpio. Las paredes de la habitación estaban hechas de planchas de cajas de embalaje. Aún se podía leer: «Jabón Camay», «Aceite Branca», «Leche Nestlé», etc. Cada habitación medía aproximadamente tres metros por tres. No había ventanas. Literalmente me ahogaba y me quité la camisa.

Jojo se volvió y se estremeció.

—¡Estás loco! ¿Y si entrara alguien? Ya es bastante que tengas mal aspecto, y si, además, exhibes tus tatuajes, ¡es como si hicieras público que eres un truhán, camarada! Te lo ruego, vístete bien.

—¡Pero *Jojo*, me ahogo!

—Se te pasará, es cuestión de acostumbrarse. Antes que nada, tienes que ir bien arreglado. ¡En nombre de Dios, compostura!

Reprimí las ganas que tenía de reír. De verdad, aquel *Jojo* era único.

Derribamos una pared para que las dos habitaciones quedaran convertidas en una.

—Aquí estará el casino —dijo *Jojo* riendo.

Resultó una sala de seis metros por tres. Barrimos el suelo, fuimos a buscar tres grandes cajas de madera, ron y vasos de cartón. Esperé con impaciencia ver cómo se desarrollaría el juego.

La espera no fue larga. Después de haber visitado varias tabernas miserables, para «tomar contacto» como dijo *Jojo*, todo el mundo supo que por la noche, a las ocho, había partida de *pase* inglés en nuestra casa. La última taberna que visitamos fue una pequeña barraca con dos mesas al aire libre, cuatro bancos y una lámpara de carburo que colgaba de un techo de ramaje. El tabernero, un gigante pelirrojo y sin edad servía los ponches sin hablar. En el momento de marcharnos se acercó a mí y me dijo en francés:

—No sé quién eres y no quiero saberlo. Sólo un consejo:

el día que tengas ganas de dormir aquí, vienes. Yo velaré por ti.

Aunque hablaba un francés raro, por su acento reconocí que era corso.

—¿Corso?

—Sí. Y tú sabes que un corso no traiciona nunca. No es como algunos tipos del Norte —añadió con una sonrisa llena de sobrentendidos.

—Gracias, es bueno saberlo.

Hacia las siete, *Jojo* encendió la lámpara de carburo. Las dos mantas estaban desplegadas en el suelo. No había sillas. Los jugadores se quedaban de pie o se sentaban sobre el suelo en cuclillas. Habíamos acordado que yo aquella noche no jugaría. Observaría simplemente.

Llegaron. Las fachas eran extraordinarias. Había pocos hombres pequeños, la mayoría eran mocetones barbudos y bigotudos. Traían las manos y las caras limpias, no olían mal y, sin embargo, llevaban la ropa sucia y, la verdad, muy usada. Pero todas las camisas, sin excepción, la mayor parte de mangas cortas, eran impecables.

En medio del tapete, ocho pares de dados bien alineados, cada uno en una cajita. *Jojo* me pidió que entregara a cada jugador un vaso de cartón. Eran unos veinte. Serví el ron. No hubo un compadre que, después de haber engullido de una sola vez, me indicara que tenía bastante. En seguida liquidaron tres botellas.

Pausadamente, cada uno bebió un poco, dejó el vaso ante sí, y luego, a un lado, un tubo de aspirina. Yo sabía que en los tubos de aspirina estaban los diamantes. Nadie sacó las famosas bolsas de tela. Un viejo chino tembloroso había colocado ante sí una pequeña balanza de joyero. Muy pocas palabras. Aquellos hombres estaban embrutecidos por los esfuerzos físicos, por permanecer bajo el sol tórrido y con agua hasta el vientre a veces desde las seis de la mañana hasta la puesta del sol.

¡Ah! Aquello empezaba a moverse. Uno, luego dos, luego tres jugadores tomaron un par de dados, los examinaron con atención, los compararon con otros, los pasaron a su vecino. Todo debía parecer en orden, porque los dados fueron echados encima de la manta sin la menor observación. Cada vez

Jojo cogió el par y volvió a colocarlo en su caja, excepto el último, que quedó sobre la manta.

Algunos, que se habían quitado la camisa, se quejaron de los mosquitos. *Jojo* me pidió que quemara algunos puñados de hierba húmeda para que el humo los ahuyentara un poco.

—¿Quién tira? —preguntó un inmenso bonachón de tez cobriza de indio, barba espesa negra y rizada, con una flor mal hecha tatuada en el brazo derecho.

—Tú, si quieres —respondió *Jojo*.

Entonces, de su cinturón adornado con clavos plateados, el gorila, porque tenía el aspecto de un gorila, sacó un enorme paquete de bolívares en billetes sujetos por una goma.

—¿Por cuánto empiezas, *Chino*? —le preguntó otro.

—Por 500 bolos.

Bolos era la abreviación de bolívares.

—Vamos por 500.

Y rodaron los dados. Sacó el ocho, *Jojo* buscó el ocho.

—Mil bolos a que no haces ocho por doble cuatro —le dijo otro jugador.

—Cubro —dijo *Jojo*.

El Chino consiguió hacer salir el ocho, por cinco y tres. *Jojo* había perdido. Durante cinco horas, la partida se desarrolló sin un grito, sin una protesta. Aquellos hombres eran, de verdad, jugadores excepcionales. En el curso de la noche, *Jojo* perdió 7.000 bolos, y un cojo más de 10.000.

Se había acordado suspender la partida a medianoche, pero de común acuerdo la alargaron una hora más. A la una, *Jojo* anunció que iba el último juego.

—Fui yo quien abrió la partida —dijo *el Chino* cogiendo los dados—. Yo quiero cerrarla. Pongo todo lo que he ganado: 7.000 bolívares.

Estaba cubierto de billetes y de diamantes. Aceptó varias apuestas de jugadores, y sacó el siete al primer golpe.

Ante aquel golpe magnífico, por primera vez se oyó un murmullo general. Los hombres se levantaron:

—Vámonos a dormir.

—Bueno, ¿has visto, camarada? —me dijo *Jojo* cuando nos quedamos solos.

—Sí, sobre todo he visto sus impresionantes fachas. Todos van doblemente armados, arma de fuego y puñal. Incluso los hay que se han sentado sobre su machete, tan afilado que deben de poder cortarte la cabeza de un golpe.

—Seguro, pero ya habrás estado en otros tugurios.

—Organicé el juego en las Islas, pero mira, a pesar de todo, nunca sentí tanta impresión de inseguridad como esta noche.

—Cuestión de hábito, camarada. Mañana tú juegas y ganamos, y nos metemos el dinero en el bolsillo. A tu parecer —añadió—, ¿quiénes son los que debemos vigilar más de cerca?

—A los brasileños.

—¡Bravo! En esto se reconoce un hombre, por su rapidez en descubrir a los que pueden, en un segundo, poner su vida en peligro.

Después de haber cerrado la puerta (tres enormes cerrojos), nos tumbamos en las hamacas y me dormí en seguida antes de que *Jojo* empezara a emitir ronquidos.

A la mañana siguiente, lucía un sol magnífico pero de plomo, sin una nube ni la menor sospecha de brisa. Me paseé por aquel curioso pueblo. Todo el mundo era amable. Sí, había fachas de hombres inquietantes, pero con un modo de decir las cosas en no importa qué idioma que comunicaba en seguida calor humano al primer contacto. Me encontré con el gigante pelirrojo corso. Se llamaba Miguel. Hablaba un venezolano muy puro, mezclado, a veces, con palabras inglesas o brasileñas. Su acento del país no se notaba hasta que hablaba en francés, con dificultad, y entonces se veía inmediatamente que se trataba de un corso. Saboreamos un café que un joven mestizo había colado en un calcetín. Mientras hablamos, me dijo:

—¿De dónde vienes?

—Después de tu ofrecimiento de ayer, no puedo mentirte. Vengo de los *duros*.

—¡Ah!, ¿eres un evadido? Has hecho bien en decírmelo.

—¿Y tú?

Se irguió, con sus dos metros de altura, y su rostro de pelirrojo adquirió una expresión de extremada nobleza.

—Yo también soy un evadido, pero no de Guayana. Porque me marché de Córcega antes de que me detuvieran. Soy un «bandido de honor».

Quedé impresionado por aquel rostro iluminado por el legítimo orgullo de ser un hombre honrado. Era verdaderamente algo magnífico ver a aquel bandido de honor. Continuó:

—Córcega es el paraíso del mundo, el único país donde los hombres saben perder la vida por el honor. ¿No lo crees?

—No sé si es el único país, pero creo sinceramente que en el *maquis* se encuentran más hombres que están allí por su honor, que no simples bandidos.

—No me gustan los bandidos de las ciudades —dijo pensativo.

En dos palabras le relaté mi historia y le confié que esperaba volver a París para ajustar cuentas.

—Tienes razón, pero la venganza es un plato que se come frío. Anda con precaución, porque sería terrible que te dejaras coger antes de vengarte. ¿Estás con el viejo *Jojo*?

—Sí.

—Es un hombre bueno. Los hay que dicen que es demasiado hábil en el juego, pero yo creo que no roba. ¿Hace mucho tiempo que lo conoces?

—No mucho, pero esto no importa.

—¿Sabes, *Papi*?, a fuerza de jugar se debe acabar por saber más que los demás, pero una cosa me turba en cuanto a ti.

—¿Qué?

—Por dos o tres veces, asesinaron a su socio. Mi ofrecimiento de anoche fue por esto. Está atento, y cuando no te sientas seguro, ven aquí con toda confianza.

—Gracias, Miguel.

Sí, curioso pueblo, curiosa mezcla de hombres perdidos en la maleza, viviendo una vida salvaje en el seno de una naturaleza explosiva. Cada cual tenía su historia. Era maravilloso verlos, oírles. Sus chozas a menudo no tenían más que un techo de palmas o de chapas de zinc, llegadas allí quién sabía cómo. ¿Las paredes? Trozos de cajas de cartón o de madera e incluso, alguna vez, trozos de tejido. No había camas, sólo hamacas. Se dormía, se comía, se lavaba, se hacía el amor, casi en la calle. Y, sin embargo, nadie tiraría de una tela ni miraría entre dos planchas para ver lo que ocurría en el interior. Todos tenían el mayor respeto por la vida íntima de los demás. Si uno quería ir a ver a alguien, no se acercaba a más de dos metros de la casa y, como aviso, gritaba: «¿Hay alguien en la casa?» Si había alguien y no eras conocido, decías: «¡Gentes de paz!», lo que equivalía a decir que eras un amigo. Entonces aparecía alguien, que amablemente os decía: «Adelante. Esta casa es suya.»

Una mesa ante una sólida choza, de leños muy prietos. Sobre la mesa, collares de piedras naturales de la isla Margarita, algunas pepitas de oro virgen, algunos relojes, cadenas de reloj, de cuero o de acero extensible, muchos despertadores.

Es la joyería de Mustafá.

Detrás de la mesa, un viejo árabe de semblante simpático. Hablamos un poco, él era marroquí y había reconocido que yo era francés. Eran las cinco de la tarde, y me preguntó:

—¿Has comido?

—Todavía no.

—Yo tampoco; iba a hacerlo. Si quieres participar de mi comida...

—Con mucho gusto.

Mustafá era cordial, amable, incluso jovial. Pasé una hora estupenda con él. No era curioso y no me preguntó de dónde venía.

—Es chocante —me dijo—. En mi país no me gustaban los franceses, y aquí sí. ¿Has conocido árabes?

—Muchos. Los hay muy buenos, y otros muy malos.

—Esto ocurre en todas las razas. Yo, Mustafá, me clasifico entre los buenos. Tengo sesenta años, podría ser tu padre. Tenía un hijo de treinta años, que fue muerto aquí de un tiro hace dos años. Era hermoso y bueno.

Dio la impresión de que iba a empezar a llorar.

Puse la mano en el hombro de aquel pobre padre, conmovido por el recuerdo de su hijo, y pensé en mi pobre padre que, en su pequeño retiro de Ardèche, también tendría los ojos empañados de lágrimas cuando hablase de mí. ¡Pobre papá! A saber dónde estaba, qué haría. Estaba seguro de que vivía, lo sentí. Esperaba que la guerra no lo hubiese hecho desaparecer.

Mustafá me invitó a ir a comer con él cuando quisiera, e ir también sin temor cuando necesitara algo; iba a ser yo quien le haría un favor al pedirle un servicio.

Iba a caer la noche, me fui dándole las gracias por todo y me encaminé a nuestra choza. Pronto iba a empezar la partida. Haber visto a Miguel y a Mustafá había puesto un rayo de sol en mi corazón.

Ningún temor para mi primera partida.

—Quien no arriesga nada, nada tiene —me dijo *Jojo*.

Llevaba razón. Si quería colocar la maleta de explosivos en el n.º 36 del Quai des Orfèvres y ocuparme de lo demás, necesitaba pasta, muchas pasta. La iba a tener dentro de muy poco, estaba seguro.

Como era sábado y el descanso del domingo era sagrado para los mineros, la partida no empezó hasta las nueve porque se prolongaría hasta la salida del sol. Había mucha gente, demasiada para la habitación. Era imposible hacerles entrar a todos y *Jojo* seleccionó a los que podían jugar fuerte. Quedaron veinticuatro jugadores, los demás jugarían fuera. Fui a casa de Mustafá quien, muy amablemente, me prestó una gran alfombra y una lámpara de carburo. En cuanto se retirase uno de los grandes jugadores, podría ser remplazado por uno de fuera.

¡Banca, y siempre banca! No descansaba cubriendo las apuestas cada vez que *Jojo* tiraba: «Dos contra uno a que no hace seis por doble-tres... diez por doble-cinco..., etcétera.» Los ojos de los hombres brillaban. Cada vez que uno de ellos levantaba su vaso, un chico de once años le servía ron. Miguel cuidaba del aprovisionamiento de bebidas y cigarros para la partida, como había pedido yo a *Jojo*.

La partida se convirtió pronto en un juego infernal. Sin pedirle autorización, cambié la táctica de *Jojo*. No aposté sólo sobre él, sino también sobre los demás, lo que le hizo fruncir el ceño. Mientras encendía un cigarro, refunfuñaba entre dientes:

—¡Déjalo ya, niño! ¡No tires tus ganacias!

Hacia las cuatro de la madrugada tenía ante mí un montón impresionante de bolívares, cruzeiros, dólares americanos, antillanos, diamantes e incluso algunas pequeñas pepitas de oro.

Jojo cogió los dados. Puso 500 bolívares. Inicié con él a 1.000.

Y... ¡siete!

Lo dejé todo, lo que sumaba 2.000 bolívares. *Jojo* retiró los 500 ganados.

Y... ¡otra vez siete!

Jojo volvió a retirar. ¡Siete!

—¿Qué haces, Enrique? —preguntó *el Chino*.

—Dejo los 4.000.

—¡Banca solo!

Miré al compinche que acababa de hablar. Era un hombre pequeño, rechoncho, negro como el betún, los ojos inyectados de sangre por el alcohol. Un brasileño, seguro.

—Pon los 4.000 bolos.

—Esta piedra vale más.

Y dejó caer un diamante sobre la manta, ante él. Estaba sentado como si hubiera sido el banquero, desnudo el torso y con pantalones cortos. *El Chino* atrapó el diamante, lo puso en la balanza, y dijo:

—No vale más que 3.500.

—Va por 3.500 —concedió el brasileño.

—Tira, *Jojo*.

Jojo tiró los dados, pero, con un gesto rápido, el brasileño los atrapó al vuelo. Me pregunté lo que iba a pasar, porque apenas miró los dados, escupió encima y se los devolvió a *Jojo*, diciendo:

—Tíralos así, mojados.

—¿Aceptas, Enrique? —me preguntó *Jojo*, mirándome.

—Como quieras, hombre.

Después de haber dado un golpe con la mano izquierda a la manta para acentuar la arruga, *Jojo*, sin secar los dados, los envió rodando en una larga carrera.

...Y ¡de nuevo siete!

Como movido por un resorte, el brasileño se levantó de pronto, con la mano en su revólver. Luego, quedamente, dijo:

—Tampoco voy a ganar esta noche.

Y se fue.

Al mismo tiempo que él se levantaba como impulsado por un resorte, yo había puesto la mano en mi revólver, que tenía una bala en la recámara. *Jojo* no se había movido ni había hecho un gesto de defensa. Y, sin embargo, era en él en quien había pensado el negro. Comprobé que todavía me quedaba mucho que aprender para saber el momento exacto en que se debía sacar la pistola y disparar.

Al salir el sol se acabó la partida. Entre el humo de la hierba mojada y la de los cigarrillos y de los cigarros, los ojos me picaban haciéndome llorar. Mis piernas estaban completamente anquilosadas por haber estado cruzadas bajo mis nalgas durante más de nueve horas. Pero estaba satisfecho de una cosa: no me había levantado para ir a orinar y, esto era seguro, me había sentido dueño de mis nervios y de mi vida.

Dormí hasta las dos de la tarde.

Cuando me desperté, *Jojo* no estaba allí. Me puse el pantalón: no había nada en los bolsillos. *Jojo* había debido de llevárselo todo. ¡Maldición! Sin embargo, todavía no habíamos pasado cuentas. No hubiese tenido que hacer tal cosa. Me pareció que se consideraba demasiado como el jefe indiscutible. No soy ni he sido nunca un cabecilla, pero tenía horror de las personas que se creían superiores y que les estaba permitido todo.

Salí, y encontré a *Jojo* en casa de Miguel, comiendo un plato de macarrones con carne.

—¿Todo marcha, camarada? —me preguntó.

—Sí y no.

—¿Por qué este «no»?

—Porque no hubieses tenido que vaciar mi pantalón sin estar yo presente.

—¡No seas jilipolla, joven! Soy un hombre correcto, y si he hecho esto, ha sido porque, de todos modos, todo descansa en una confianza recíproca. Por ejemplo, durante una partida te sería fácil esconder diamantes o billetes en otro sitio que no fuera en tus bolsillos. Por otra parte, tampoco tú sabes lo que yo he ganado. Entonces, que mezclemos o no el contenido de nuestros bolsillos, da igual. Es cuestión de confianza.

Tenía razón, no hablaría más de ello. *Jojo* pagó a Miguel el ron y el tabaco de la noche. Le pregunté si a los individuos no les extrañaba que les pagara la bebida y el tabaco.

—¡Pero no soy yo quien paga! Cada uno de los que ganan mucho deja algo. Todo el mundo lo sabe.

Y aquella vida continuó todas las noches. Llevábamos allí dos semanas, dos semanas en que, cada noche, jugábamos un juego infernal, así como nuestras vidas.

El día anterior, una terrible noche de lluvia. Negro de tinta. Un jugador se levantó después de haber ganado bastante. Salió al mismo tiempo que un individuo inmenso que estaba sentado y hacía rato que no jugaba, falto de municiones. Veinte minutos más tarde, el gigante desafortunado volvió y jugó con rabia. Pensé que el ganador le había prestado pasta, luego me pareció de todos modos raro que le hubiera prestado tanta. Al hacerse de día, encontraron al ganador muerto de una cuchillada a menos de cincuenta metros de nuestra choza. Hablé de ello a *Jojo* y le hice partícipe de mis observaciones.

—No es cosa que nos atañe —me dijo—. La próxima vez pondrá más cuidado.

—Chocheas, viejo. ¡Para él no habrá otra vez, puesto que está muerto!

—Es verdad, ¿pero qué podemos hacer?

Claro está que había seguido los consejos de José. Todos los días vendía mis billetes extranjeros, los diamantes y el oro a un comprador libanés, propietario, en Ciudad Bolívar, de una joyería. En la fachada de su choza había un cartel: «Aquí se compra a buen precio oro y diamantes.» Y debajo: «Mi mayor tesoro es la honradez.»

En un sobre balatizado, es decir, mojado en una leche de caucho bruto, coloqué con cuidado los billetes a mi orden, pagaderos a la vista. No podían ser ni cobrados por otro, ni endosados a nombre de otro. Todos los tipos patibularios del placer lo sabían, y cuando un compadre que era demasiado inquietante no hablaba ni francés ni español, se los enseñaba. No corría peligro, pues, más que en el momento del juego o cuando terminaba la partida. Algunas veces, el bueno de Miguel venía a buscarme a última hora.

Hacía dos días que sentía que la atmósfera se hacía más tensa, de poco fiar, nada clara. Aprendí a sentirlo en el penal.

Cuando, en el bohío de las Islas, se incubaba algún asunto grave, nos dábamos cuenta sin saber exactamente por qué. A fuerza de estar sobre el quién-vive, ¿se captan las ondas emitidas por los que preparan un mal golpe? No lo sé. Pero nunca me he engañado en estos casos.

El día anterior, por ejemplo, cuatro brasileños pasaron toda la noche ocultos en la oscuridad de las cuatro esquinas de la sala. Algunas raras veces, uno de ellos había salido de la sombra para entrar bajo la luz cruda que iluminaba el tapiz y había hecho apuestas ridículas. Ni una vez habían tomado o pedido los dados. Otra cosa: *ninguno de ellos llevaba arma visible*. Ni machete, ni cuchillo, ni revólver. Y aquello no les iba a sus fachas de asesinos. Seguro que estaba hecho adrede.

Habían vuelto aquella noche. Como llevaban la camisa sobre el pantalón, debían de tener el revólver sobre el vientre. Se habían colocado en la oscuridad, por supuesto, pero a pesar de todo conseguí distinguirlos. Sus miradas no se apartaban de los gestos de los jugadores. Era preciso que les vigilase sin dar la alarma, por tanto, sin mirarlos directamente. Lo hice al toser, echando mi torso hacia atrás, la mano sobre la boca. Por desgracia, no tenía más que a dos frente a mí. Los dos restantes estaban detrás y no podía verlos, muy rápidamente, más que volviéndome para sonarme.

Jojo tenía una sangre fría extraordinaria. Era de hielo. No obstante, había aceptado jugar de vez en cuando sobre la mano de los demás, corriendo así el riesgo de perder o ganar según la pura casualidad. Lo sabía, me lo había dicho, que aquella táctica lo enervaba, porque le obligaba a ganar dos o tres veces el mismo dinero antes de quedárselo definitivamente. Lo que ocurría era que cuando el juego estaba en plena fiebre, se volvía demasiado ávido de ganar y me enviaba demasiado pronto paquetes importantes.

Como sabía que me observaban aquellos compinches, lo dejé todo ostensiblemente ante mí. No tenía interés en jugar aquel día a las cajas de seguridad.

Dos o tres veces le dije a *Jojo*, en jerga rápida, que me enviaba demasiadas tiradas ganadoras. Parecía que no lo comprendía. Como el día anterior les había hecho el truco del retrete y no volví, me pregunté si aquellos cuatro sujetos habían venido para actuar aquella noche, en cuyo caso no esperarían a que yo volviera: me atacarían entre la choza y los retretes.

Observé que subía la tensión, el nerviosismo de las cuatro estatuas situadas en las cuatro esquinas de la sala. Sobre todo uno, que fumaba un cigarrillo detrás de otro, encendiendo el siguiente con el último.

Entonces me puse a copar el juego a derecha e izquierda, a pesar de los gruñidos de *Jojo La Passe*. Para colmo, gané en vez de perder y mi montón, en lugar de disminuir, aumentó. Ante mí había de todo, en especial billetes de 500 bolívares. Estaba tan tenso, que al coger los dados dejé mi cigarrillo sobre los billetes. Uno de los billetes de 500 donde había puesto el cigarrillo quedó perforado por dos agujeros, porque estaba plegado en dos. Lo jugué y lo perdí junto con otros tres en una jugada de 2.000 bolos. El ganador se levantó y dijo al irse:

—¡Hasta mañana!

En la fiebre del juego, no me di cuenta del tiempo que transcurría cuando, estupefacto, volví a ver el billete sobre el tapiz. Sabía muy bien quién lo había ganado: un barbudo de unos cuarenta años, un blanco, muy flaco, con, destacándose sobre su color tostado, una mancha blanca sobre el lóbulo de la oreja izquierda. Pero aquel camarada ya no estaba allí. En dos segundos reconstituí su salida. Estaba seguro de que se había marchado solo. Pero ninguno de los cuatro barbianes se había movido. Por tanto, había dos o tres cómplices fuera. Debían de tener una combinación para señalar desde su sitio que un fulano salía cargado de pasta y de diamantes.

No acerté a situar quién había entrado después de haber salido él, porque muchos hombres jugaban de pie. En cuanto a los que estaban sentados, hacía horas que eran los mismos y el sitio del barbudo con el billete quemado había sido ocupado inmediatamente después de su salida.

Pero, ¿quién se había jugado el billete? Me daban ganas de cogerlo y de plantear la pregunta. Pero era muy peligroso.

Era indiscutible que estaba en peligro. A la vista tenía la prueba de que el barbudo había debido de suicidarse. Con los nervios tensos pero equilibrados, me vi obligado a pensar muy aprisa. Era las cuatro de la madrugada, no amanecería antes de las seis y cuarto, porque en los trópicos el día nace de pronto a partir de las seis. Por lo tanto, si tenía que pasar algo, sería entre las cuatro y las cinco. Sabía que la noche era completamente oscura, porque acababa de levantarme con el pretexto de ir a respirar un poco de aire fresco en el umbral de la puerta. Había dejado mi montón en su sitio, cuidadosamente ordenado. En el exterior, no había observado nada anormal.

Volví a sentarme, tranquilo, pero con todos mis sentidos despiertos. Mi nuca me avisó que dos pares de ojos estaban intensamente fijos en ella.

Jojo tiró, dejé que otros cubrieran su juego. Entonces, cosa que detestaba, empezó a tener un paquete respetable ante él.

De verdad yo sentía cómo subía la temperatura y, sin querer demostrar que iba a tomar precauciones, en un tono muy normal, dije a *Jojo*, en francés:

—Estoy absolutamente seguro, lo presiento, hay jaleo en el aire, camarada. Levántate al mismo tiempo que yo y apuntemos a todo el mundo.

Sonriendo, como si me fuera a decir una cosa muy amable, no teniendo en cuenta, como yo, que otro podía comprender el francés:

—Mi querido amigo, ¿qué razón tenemos para una conducta tan estúpida? ¿Y apuntar a quién especialmente?

En efecto, ¿apuntar a quién? ¿Y por qué motivo justificado? Sin embargo, estábamos en el ajo, de ello estaba seguro. El compinche del eterno cigarrillo se hacía servir uno tras otro, dos vasos llenos de alcohol, que se tragaba sin respirar.

Salir solo, aun armado con el revólver en la mano, no servía para nada en aquella noche tan negra. Los que estaban fuera me verían, y yo a ellos no. ¿Retirarme a la habitación de al lado? Peor todavía. Había nueve probabilidades sobre diez de que estuviera allí un compinche que había levantado fácilmente una de las planchas de la pared para meterse dentro.

Sólo podía hacer una cosa: muy ostensiblemente, poner todas mis ganancias en la bolsa de tela, dejar la bolsa en mi sitio y levantarme para ir a orinar. No darían la señal, porque no me llevaba la pasta conmigo. Había más de 5.000 bolos. Era mejor perderlos que perder la vida.

Por otra parte, no había opción posible. Era la única solución para salir de aquella trampa indiscutiblemente bien preparada y a punto de cerrarse a cada minuto que pasaba.

Todo aquello, claro, lo pensé aprisa, porque eran las cinco menos siete. Lo recogí todo, billetes, diamantes, el tubo de aspirina y lo demás, bien a la vista de todos. Pausadamente, introduje aquella pequeña fortuna en el saco de tela. Con toda naturalidad, tiré de los dos cordones de la bolsa, la puse ante mí, a unos cuarenta centímetros, y dije en español, para que todos lo entendieran:

—Vigila la bolsa, *Jojo*. No me siento bien, voy a tomar el aire.

Jojo, que había seguido todos mis gestos, alargó la mano y me dijo:

—Dámela, estará mejor aquí que en otra parte.

A mi pesar, le di la bolsa, porque sabía que se ponía en peligro, un peligro inminente. ¿Pero qué hacer? ¿Negarme? Imposible, hubiera parecido extraño.

Salí, con la mano en el revólver. En la noche, no veía a nadie, pero no necesitaba verlos para saber que estaban allí. Rápidamente, casi corriendo, me dirigí a la casa de Miguel. Si volvía con él y una gran lámpara de carburo para ver lo que había alrededor de la choza, tenía una posibilidad de evitar el golpe definitivo. Por desgracia, la cabaña de Miguel estaba a más de doscientos metros de la nuestra. Eché a correr.

—¡Miguel, Miguel!

—¿Qué pasa?

—¡Levántate aprisa, coge tu revólver y tu lámpara! Hay jaleo.

¡Pam! ¡Pam! Resonaron dos disparos en aquella noche negra.

Corrí. Primero me equivoqué de choza y desde el interior me insultaron, al mismo tiempo que me preguntaron a qué se debían aquellos tiros. Seguí corriendo hasta llegar a la choza; todo estaba a oscuras. Encendí mi mechero. Acudieron gentes con lámparas. No quedaba nadie en la sala. *Jojo* yacía en el suelo, su nuca sangraba abundantemente. No estaba muerto, pero ya en coma. La escena podía reconstituirse fácilmente, porque una lámpara eléctrica abandonada allí explicaba lo que había ocurrido. Primero habían disparado contra la lámpara de carburo, al mismo tiempo que mataban a *Jojo*. A la luz de la lámpara eléctrica recogieron lo que estaba frente a *Jojo*, mi bolsa y sus ganancias. Le habían arrancado la camisa, y el cinturón de gruesa tela que llevaba pegado a la piel había sido partido de una cuchillada o con el machete.

Como era de esperar, todos los jugadores habían huido. El segundo tiro lo debieron disparar para hacerles correr lo más aprisa posible. Por otra parte, nosotros no éramos muchos al levantarme yo. Ocho hombres sentados, dos de pie, los cuatro compinches en las esquinas, más el chaval que servía.

Todo el mundo se ofreció para ayudar. Transportamos a *Jojo* a casa de Miguel, que tenía una cama de leños en su choza. *Jojo* estuvo en coma durante toda la mañana. La sangre se había coagulado, ya no manaba. Según un minero inglés, era bueno y era malo, porque si había fractura de cráneo, la hemorragia se producía en el interior. Decidió no moverlo. Un minero de Callao, viejo amigo de *Jojo*, fue a otra mina en busca de un supuesto doctor.

Yo estaba completamente abatido. Se lo expliqué todo a Mustafá y a Miguel. Éstos me reconfortaron diciéndome que puesto que el golpe estaba, por decirlo de algún modo, preparado desde horas antes y que yo le había advertido suficientemente, hubiese tenido que escucharme.

Hacia las tres de la tarde, *Jojo* abrió los ojos. Le dimos a beber algunas gotas de ron y luego, con dificultad, murmuró:

—He llegado al fin, camarada, me doy cuenta. Que no me muevan. No es culpa tuya, *Papi*, sino mía —respiró un poco, y todavía dijo—: Miguel, detrás de la valla donde está tu cerdo hay una caja enterrada. Que el tuerto la lleve a mi mujer, Lola.

Después de aquellos breves minutos de lucidez, volvió a caer en coma. Murió a la puesta del sol.

La mujer gorda de la primera taberna, doña Carmencita, fue a ver a *Jojo*. Traía algunos diamantes y tres o cuatro billetes que había recogido de la sala de juego, por la mañana. Y, sin embargo, había entrado mucha gente en la sala. Pues bien, ni uno tocó aquel dinero ni aquellos diamantes.

Casi toda la pequeña comunidad acudió al entierro. Los cuatro brasileños estaban allí, siempre con la camisa sobre el pantalón. Uno de ellos se me acercó y me alargó la mano; yo hice como que no me fijaba y le di una palmada amistosa en el vientre. No me había equivocado: el revólver lo llevaba allí, donde yo me había figurado.

Me pregunté si debía actuar contra ellos. ¿En aquel momento? ¿Más tarde? ¿Qué hacer? Nada. Demasiado tarde.

Necesitaba estar solo, pero la costumbre después de un entierro consistía en ir a echar un trago en cada taberna cuyo patrón había asistido a la ceremonia. Iban todos, siempre.

Cuando estábamos en casa de doña Carmencita, ésta vino a sentarse junto a mí, con un vaso de anís en la mano. En el momento en que levanté mi vaso para beber, ella también levantó el suyo, pero sencillamente para ponerlo ante su boca y disimular que me hablaba.

—Es mejor que haya sido él. Ahora puedes ir tranquilamente a donde quieras.

—¿Por qué tranquilamente?

—Porque todo el mundo sabe que lo que has ganado lo has ido vendiendo al libanés.

—Sí, ¿pero si matan al libanés?

—Es verdad. Otro problema.

Me fui, solo, dejando a mis amigos en la mesa, después de haber dicho a doña Carmencita que todo el gasto corría de mi cuenta.

Al pasar frente al camino que conducía a lo que llamaban el cementerio, un trozo de terreno roturado de cincuenta metros cuadrados, sin saber bien la razón me metí en él.

En el cementerio, ocho tumbas. La de *Jojo* era la última; ante ella, Mustafá. Me acerqué.

—¿Qué estás haciendo, Mustafá?

—He venido a rezar por este viejo amigo a quien quería, y también he traído una cruz. Tú habías olvidado hacerla.

¡Caramba!, era verdad. No había pensado en la cruz. Estreché la mano de aquel buen árabe y le di las gracias.

—¿No eres cristiano? —me preguntó—. No he visto que rezaras cuando han echado tierra sobre él.

—Digamos que... ciertamente, hay un Dios, Mustafá —le dije para que estuviera contento.

También le di gracias por haberme protegido a mí, en lugar de continuar a perpetuidad con *Jojo*. Más que rezar por él, perdoné a aquel viejo, que fue un chico miserable de los bajos fondos de Belleville. No pudo aprender más que un oficio, el *pase* inglés.

—¿Qué estás diciendo, amigo mío? No comprendo nada.

—No importa. Acuérdate sólo de esto: siento sinceramente que esté muerto. Intenté salvarlo. Pero nadie debe creerse nunca más listo que otro, porque un día sale uno más rápido que tú. *Jojo* está bien aquí. Dormirá para siempre junto a lo que ha adorado, la aventura y la naturaleza, con el perdón de Dios.

—Sí, Dios lo perdonará, seguro, porque era un buen hombre.

—Así lo creo.

Lentamente volví al pueblo. Era verdad que no guardaba rencor a *Jojo*, aunque casi me hubiera condenado. Su vivacidad, su energía de hierro, su juventud a pesar de sus sesenta años, su característica de gran señor de los suburbios: «¡Modales, por favor! ¡Modales...!» Y, además, yo estaba prevenido. Rezaría una pequeña oración para dar gracias a José por sus consejos. A no ser por él, a aquellas horas yo no hubiera estado vivo.

Suavemente mecido en mi hamaca, fumando grandes cigarros uno tras otro, tanto para emborracharme de nicotina como para alejar los mosquitos, hice balance.

Bueno. Tenía diez mil dólares al cabo de sólo unos meses de libertad. Tanto en Callao como allí, me había encontrado con hombres y mujeres de todas las razas, de distintos orígenes sociales, pero todos de un calor humano extraordinario. Había sentido a través de ellos y de la vida en la naturaleza, en aquel ambiente tan distinto del de la ciudad, cuán maravillosa era la libertad por la que me había batido.

Por otra parte, la guerra había terminado gracias al *Gran Charlot* y a aquellos bomberos del mundo que son los Amerlots. En todo zafarrancho de millones de personas, un pre-

sidiario era, de verdad, poca cosa. Mejor, ello me sería útil:
en medio de todos los problemas por solucionar, tendrían
otra cosa que hacer y no ocuparse de saber por dónde había
pasado.

Tenía treinta y siete años, trece años de presidio, cincuenta y tres meses de completa soledad, contando, además de
la Reclusión, la Santé, la Conciergerie, la central de Beau-
lieu. Era difícil de clasificar. No era un pobre sujeto sin
otra posibilidad más que trabajar con una pala, un pico y un
hacha; pero tampoco tenía un verdadero oficio que pudiera
permitirme ser un buen obrero, por ejemplo mecánico o elec-
tricista, que pudiera ganarme la vida en no importa qué país.
Por otro lado, a falta de un nivel de instrucción suficiente,
era incapaz de asumir grandes responsabilidades. Junto con
los estudios, se debería aprender siempre un buen oficio
manual. Si, por una razón u otra, uno fracasara en sus estudios, siempre podría defenderse en la vida. No es que con
determinada instrucción uno se sienta superior al barren-
dero de las calles —nunca había despreciado a un hombre,
excepto a los cabos de varas y a los chivatos—, pero uno
no se adapta a su tipo de vida, uno siente que podría pero
que no sería feliz.

En resumen: era bastante instruido y, al mismo tiempo,
no lo bastante. ¡Qué asco! No era una conclusión brillante.

Y luego, ¿cómo dominar sus impulsos profundos si uno
era un hombre normal? Yo, que debía buscar la tranquilidad
y la paz, vivir como los *duros* retirados de Callao, lo que
sentía en lo más profundo de mí era una especie de explosión, de violenta sed de vida. Me atraía la aventura con tal
fuerza que me preguntaba si nunca podría quedarme tranquilo.

También era verdad que debía vengarme, es verdad que
era imposible que perdonara a quienes me habían hecho tanto daño, a mí y a los míos. «¡Calma, *Papi*! Tienes mucho
tiempo ante ti. Poco a poco, concede crédito al futuro. Porque tú, que te has prometido vivir correctamente en este
país, ya estás en plena aventura, olvidando tu promesa.»

¡Cuán difícil era vivir como todo el mundo, obedecer
como todo el mundo, andar al mismo paso que todo el mun-

do, teniendo por regla aceptar aquellas dos medidas: el tiempo y la distancia!

«Una cosa u otra, *Papi*: o respetas esta tierra bendita y abandonas tu venganza, o no puedes abandonar esta idea fija, y como en tal caso necesitarás mucho más dinero del que puedas reunir nunca trabajando, es preciso que vuelvas a la aventura.»

En realidad, hubiera podido ir a buscar aquella fortuna indispensable, *en una parte distinta a Venezuela*. No era tan disparatado como parecía, vería. Había que reflexionar. También debía dormir.

Pero antes, no pude dejar de salir al umbral y admirar durante un largo rato las estrellas y la Luna, escuchar los mil ruidos y los innumerables gritos de la espesura que rodeaba el pueblo con su misteriosa frontera, una pared tan oscura como brillante era la claridad lunar.

Y dormí, dormí, dulcemente acunado por la hamaca, feliz en todas las fibras de mi ser por sentirme libre, libre, libre y *dueño de mi destino*.

Capítulo IV

EL ADIÓS A CALLAO

Al día siguiente, hacia las diez de la mañana, me fui a ver al libanés.

—Bueno, me voy a Callao o a Ciudad Bolívar; ¿si acudo a las direcciones que me has dado, me pagarán los bonos que me has entregado?

—Absolutamente seguro, puede ir tranquilo.

—¿Y si te asesinan a ti también?

—Eso no tiene importancia para usted, de todos modos cobrará. ¿Va a Callao?

—Sí.

—¿De qué región de Francia es usted?

—De la parte de Aviñón, no lejos de Marsella.

—¡Hombre! Tengo un amigo marsellés, pero está lejos de aquí. Se llama Alexandre Guigue.

—¡No es posible! Es un amigo íntimo.

—También lo es mío. Me alegra que lo conozca usted.

—¿Dónde vive, y cómo se le puede ver?

—Está en el Brasil, en Bona Vista. Queda muy lejos y es un viaje complicado.

—¿Qué hace allí?

—Es peluquero. Resulta fácil dar con él: se tiene que preguntar por el peluquero-dentista francés.

—¿Es que también es dentista? —pregunté, sin poder contener la risa.

Yo conocía muy bien a Alexandre Guigue: era un tipo extraordinario. Enviado a la penitenciaría al mismo tiempo que yo, en 1933, hicimos el viaje juntos y le sobró tiempo para contarme su historia con todo detalle.

En 1929 ó 1930, y en una noche de sábado, Alexandre y un amigo bajaban tranquilamente del techo hacia el interior de la joyería más importante de Lisboa. Habían penetrado en el edificio forzando el apartamento de un dentista, situado exactamente encima de la joyería. Para localizar el sitio, asegurarse de que el dentista se marchaba con su familia todos los fines de semana y tomar las huellas de la puerta de entrada y del consultorio de trabajo, se vio obligado a ir allí varias veces para hacerse empastar dos dientes.

«Excelente trabajo, dicho sea de paso, porque el empaste resultó duradero. En dos noches nos sobró tiempo para desalojar las joyas y cortar netamente y sin ruido dos cofres y un pequeño mueble de acero.

»El retrato-robot no existía en aquella época, pero el dentista debía de saber describir muy bien a la gente, porque al salir de Lisboa los polis se nos echaron encima, en la estación, sin dudar. La justicia portuguesa nos condenó respectivamente a diez y doce años de presidio. Algún tiempo después, volvimos a encontrarnos en el penal, en Angola, por debajo del Congo Belga y del Congo Francés. La evasión no ofreció dificultades: nos vinieron a buscar en taxi. Yo, como un estúpido, me fui a Brazzaville, y mi camarada a Leopoldville. No me detengo a explicarte mis aventuras en el Congo; algunos meses más tarde estaba frito. Mi camarada también. Los franceses se niegan a entregarme a los portugueses y me enviaron a Francia, donde los diez años que me echaron en Portugal me los cambiaron por veinte en presidio.»

Salió de la Guayana a caballo. Supe que había pasado por Georgetown y que, en efecto, había ido al Brasil montado en un buey, a través de la espesura.

¿Y si fuera a encontrarme con él?

Sí, iría a Bona Vista.

No era mala idea, ¡una idea estupenda!

Salí con dos hombres que decían saber cómo llegar al Brasil y que me ayudarían a llevar el material de ropa y de cocina. Durante más de diez días, erramos por la espesura sin conseguir llegar a Santa Helena, último pueblo minero antes de la frontera brasileña, y al cabo de quince días estábamos casi en la frontera de la Guayana inglesa, en una mina de oro, Aminos. Gracias a la ayuda de unos indios, llegamos al río Cuyuni, que nos llevó hasta un pueblecito venezolano, Castillejo. Allí compré machetes y limas para regalárselos a los indios en señal de agradecimiento y me separé de mis supuestos guías haciendo esfuerzos para no estropearles el físico. Porque, en realidad, conocían la región tan mal como yo.

Al fin encontré en el pueblo a un hombre que conocía el país y que estaba dispuesto a guiarme. Cuatro o cinco días después llegué a Callao.

Agotado, muerto de cansancio, delgado como un palo, llamé al fin, al anochecer, a la puerta de María.

—¡Está aquí! ¡Está aquí! —gritó Esmeralda con todas sus fuerzas.

—¿Quién? —interrogó la voz de María desde el fondo de una habitación—. ¿Y por qué gritas tan fuerte?

Emocionado por aquel frescor que volvía a encontrar después de las semanas que acababa de vivir, cogí a Esmeralda en mis brazos y le puse la mano en la boca para impedir que respondiera.

—¿Por qué todo este ruido por una visita? —preguntó María entrando en la sala.

Un grito, un grito que surgió del fondo de su corazón, un grito de alegría, de amor, de esperanza colmada, y María se echó en mis brazos.

Después de haber abrazado a Picolino, así como a las hermanas de María, estando ausente José, permanecí echado al lado de María durante mucho, muchísimo tiempo. Me hizo y volvió a hacer, sin descanso, las mismas preguntas: no conseguía creer que hubiera ido directamente a su casa sin haberme detenido en la del Gran Charlot o en uno o dos cafés del pueblo.

—Dime, ¿te quedarás un poco en Callao?

—Sí, me las compondré para quedarme algún tiempo.

—Tienes que cuidarte, engordar, te haré buenos platos.

Cuando te marches, incluso si me queda el corazón herido para toda la vida, aunque no tengo que reprocharte nada porque me lo habías advertido, quiero que seas fuerte para esquivar lo mejor posible las trampas de Caracas.

Callao, Uasipata, Upata, Tumeremo, pueblecitos de nombres extraños para un europeo, puntos minúsculos en el mapa de un país tres veces mayor que Francia, perdidos en un extremo del mundo donde la palabra progreso no significaba nada, en el seno de la más maravillosa de las naturalezas, donde hombres y mujeres, los jóvenes como los viejos, que vivían como se vivía en Europa a principios del siglo, desbordaban de pasiones auténticas, de generosidad, de alegría de vivir, de humanidad... En aquel momento eran muy raros los hombres de más de cuarenta años que no hubieran soportado la más terrible de las dictaduras, la de Gómez. Por cualquier cosa eran perseguidos, azotados hasta la muerte, flagelados por cualquier representante de la autoridad. Todos, cuando tenían de quince a veinte años, entre 1925 y 1935, fueron perseguidos como bestias por la Policía. Después eran llevados al cuartel por los reclutadores del Ejército. Era la época en que una muchacha bonita podía ser escogida y raptada por un funcionario importante, y luego echada a la calle cuando éste estaba harto. Si las familias levantaban el dedo eran aniquiladas.

En algunos momentos se produjeron sublevaciones, verdaderos suicidios colectivos de hombres resueltos a vengarse aun a riesgo de dejar la piel, como el coronel Zapata. Pero aquello se reprimía en seguida y los que podían escapar quedaban lisiados para el resto de sus días, como consecuencia de las torturas.

Y, a pesar de ello, todas aquellas personas casi analfabetas de aquellos pueblecitos atrasados habían conservado el mismo amor y la misma confianza en el hombre. Para mí era una lección constante que me afectaba en lo más profundo del corazón.

Echado al lado de María, pensaba en todo aquello. Había sufrido, era verdad, había sido condenado injustamente, también era verdad, los cabos de varas franceses eran tan bárbaros y acaso más diabólicos que los policías y los soldados del tirano, pero yo estaba allí, entero, acabando de vivir una aventura peligrosa, es cierto, pero muy apasionante. Anduve, empujé mi piragua, cabalgué por la espesura, pero cada día era un año que vivía, con la plenitud de la vida de hombre sin ley, libre de todo freno, de toda barrera moral, de toda obediencia a las órdenes recibidas.

Me preguntaba si hacía bien en partir para Caracas y dejar a mis espaldas aquel rincón de paraíso. Me planteé y volví a plantearme la pregunta.

Al día siguiente, malas noticias. El representante del libanés, un modesto joyero especializado en las orquídeas de oro con perlas de Margarita y toda clase de otras pequeñas joyas verdaderamente originales, me dijo que no podía pagarme nada por mis bonos porque el libanés le debía una enorme cantidad de dinero. ¡Sólo faltaba aquello para arreglar mis asuntos! Bueno, iría a cobrar a la otra dirección, a Ciudad Bolívar. Pregunté:

—¿Conoce a este señor?

—Demasiado bien, por desgracia. Es un tahúr que ha desaparecido llevándoselo todo, incluso algunas piezas raras que yo le había confiado en depósito.

Si lo que decía aquel tipo era verdad, ¡era lo que faltaba! Estaba todavía más arruinado que antes de marcharme con *Jojo*. ¡No estaba mal! ¡Cuán misterioso era el destino! Esto sólo me pasaba a mí. Y timado por un libanés, para colmo.

Abatido, volví a la casa, con la cabeza gacha. Por aquellos diez mil dólares me había jugado diez y hasta veinte veces la vida, y no me quedaba ni la sombra de un céntimo. Desde luego, el libanés no necesitaba marcar los dados para ganar en el *pase* inglés. Incluso no se molestaba para nada, esperaba que le llevaran el botín a domicilio.

Pero mi deseo de vivir era tal que me pronuncié un discurso a mí mismo: «Eres libre, libre, ¿y vas a rebelarte contra el destino? Creo que bromeas, esto no sería nada serio. Banca perdida, bueno, pero la aventura ha sido extraordinaria: "¡Hagan juego!" "¡La banca salta!" "¡Dentro de pocas semanas soy rico u hombre muerto!..." En la intensidad del suspense, como si hubiera estado sentado sobre un volcán, atento a su cráter, pero también sabiendo que podían abrirse otros cráteres y que era preciso prever de antemano las demás explosiones posibles, ¿todo aquello no valía haber perdido aquellos diez mil dólares?"

Me había dominado y veía la situación: era preciso volver rápidamente a la mina antes que el libanés se volatilizara. Y puesto que el tiempo era oro, no debía perder tiempo. Fui en busca de un mulo, víveres, ¡y en marcha! Llevé conmigo el revólver y el cuchillo. Sólo tenía una duda: ¿reconocería el camino?

Había alquilado un caballo, que a María le pareció mucho mejor que el mulo. Sólo tenía una inquietud: equivocarme de camino en un momento dado, porque había sitios donde surgían caminos por todos lados.

—Conozco los caminos, ¿quieres que te acompañe? —me ofreció María—. ¡Me gustaría tanto! Sólo iré hasta la posada donde se dejan los caballos antes de subir a la piragua.

—Es demasiado peligroso para ti, María, y sobre todo demasiado peligroso volver sola.

—Me esperaré hasta que pase alguien que vuelva a Callao. Así regresaré segura. ¡Di que sí, mi amor!

Hablé con José, que estuvo de acuerdo.

—Le prestaré mi revólver, María sabe servirse de él —dijo.

Y he aquí cómo, al cabo de cinco horas de ir a caballo (había alquilado otro para María), nos encontramos solos, sentados al borde de la selva, María y yo. Ella llevaba puesto un pantalón de jinete, obsequio de una amiga llanera. La Llanura es un inmenso territorio de Venezuela, donde las mujeres son valientes, indomables, emplean el revólver o el fusil como un hombre, el machete como un profesional, y montan a caballo como verdaderas amazonas. Eran como auténticos hombres y, a pesar de ello, sabían morir de amor.

María era exactamente lo contrario. Era dulce, sensual, próxima a la Naturaleza hasta el punto de dar la impresión que formaba un todo con ella. Lo que no le impedía saber defenderse con o sin arma, porque era valiente.

Nunca podré olvidar aquellos días de viaje antes de llegar a la posada. Días y noches inolvidables, en los que cantaban nuestros corazones cuando estábamos cansados de gritar nuestra alegría.

Nunca podré expresar la felicidad de aquellas pausas de ensueño, en las que gozábamos del frescor del agua cristalina, luego, todavía mojados, enteramente desnudos, hacíamos el amor sobre la hierba de la ribera, rodeados por el susurro multicolor de los colibríes, de las mariposas, y de las libélulas, cuya danza parecía participar en aquellos amores de seres jóvenes que se amaban en la naturaleza.

Volvíamos a ponernos en camino colmados de caricias, alguna vez tan embriagados que me palpaba el cuerpo para estar seguro de que estaba entero.

Cuanto más nos acercábamos a la posada, tanto más escuchaba con intensidad la voz pura y natural de María, que cantaba valses de amor. Cuanto más se acortaba la distancia más acortaba el paso de mi caballo y encontraba pretextos para detenernos una vez más.

—María, creo que tenemos que dejar que el caballo respire un poco.

—Al paso que va, no será él quien esté cansado cuando lleguemos, *Papi*, seremos nosotros —dijo, estallando en una risa que descubrió las perlas de sus dientes.

Habíamos conseguido emplear seis días para llegar a la vista de la posada. Al verla, me asaltó de pronto el deseo de pasar allí la noche y volver a Callao. Revivir de nuevo la pureza de aquellos seis días apasionados me parecía entonces mil veces más importante que mis diez mil dólares. Era un deseo de una violencia inaudita que me estremecía. Pero, en mi interior, escuchaba una fuerte voz que me decía: «No seas idiota, *Papi*. Diez mil dólares es una fortuna, la primera parte importante de la suma que necesitas para ejecutar tus proyectos. ¡No debes abandonarlos!»

—He aquí la posada, María.

Y, haciéndome violencia, contra todo lo que pensaba y sentía, dije a María lo contrario de lo que hubiera querido decirle:

—Sí, he aquí la posada, María. Nuestro viaje ha terminado, mañana te dejaré.

Con cuatro buenos piragüistas, la piragua corría sobre el agua del río a pesar de la corriente contraria. Cada empuje de los remos me alejaba de María quien, desde la orilla, me veía desaparecer.

¿Dónde estaba la paz, dónde el amor, dónde, acaso, la mujer predestinada con la cual construiría un hogar, una familia? Me contuve para no mirar hacia atrás, por miedo de gritar a los piragüistas: «¡Regresemos!» Tenía que ir a la mina, coger mi pasta y lanzarme lo más aprisa posible a otras aventuras para completar los gastos del gran viaje a París, ida y vuelta, si había vuelta.

Una sola promesa: no haría daño al libanés. Cogería lo que era mío, ni más ni menos. No sabría nunca que aquel perdón lo debería a seis días de paseo por el paraíso al lado de la muchacha más maravillosa del mundo, a la pequeña hada de Callao, María.

—¿El libanés? Pero estoy seguro de que se marchó —me dijo Miguel, después de haberme estrechado entre sus brazos.

Es verdad que había encontrado la choza cerrada, pero todavía con el extraordinario cartel:

«Mi mayor tesoro es la honradez.»

—¿Crees que se ha marchado ese truhán?

—¡Cálmate, *Papi*! Pronto lo sabremos.

La duda no fue larga, ni tampoco la esperanza. Mustafá confirmó que se había marchado, ¿pero a dónde? Al cabo de dos días de investigación, un minero me informó que, con tres guardaespaldas, había ido hacia el Brasil: «Todos los mineros dicen que es un hombre honrado.» Entonces conté la historia de Callao y lo que había sabido sobre el corresponsal de Ciudad Bolívar, que se había escapado. Cuatro o cinco tipos, uno de ellos italiano, dijeron que tenía razón, que los habían estafado. Sólo un viejo de la Guayana no aceptaba tal tesis. Para él no había más que un ladrón: el griego de Ciudad Bolívar. Discutimos a fondo el pro y el contra, pero en mi interior sabía que lo había perdido todo. ¿Qué iba a hacer?

¿Ir a ver a Alexandre Guigue en Bona Vista? El Brasil estaba lejos. Para alcanzar Bona Vista era preciso recorrer quinientos kilómetros a través de la selva. Mi última experiencia había sido demasiado peligrosa. Un poco más, y no hubiera salido de allí. No, iba a arreglármelas para, en lo sucesivo, mantener contacto con las minas, y volvería en cuanto supiera que el libanés había vuelto a la superficie. Asunto arreglado, me iría camino de Caracas después de haber recogido a Picolino al pasar. Era la solución más cuerda. Al día siguiente volvería a tomar el camino de Callao.

Ocho días más tarde, estaba en casa de José y de María. Se lo conté todo. Amablemente, con dulzura, María encontró las palabras que me dieron ánimos. Su padre insistió para que me quedara con ellos:

—Si quieres, piratearemos las minas de Caratal.

Le sonreí dándole un golpecito en el hombro.

No, de verdad, aquello no me atraía, no debía quedarme allí. Sólo podría retenerme en Callao el amor que sentía, y que recibía de María. Me había ligado más de lo que creía y de lo que quería. Era un amor verdadero, fuerte, pero no lo bastante, al menos para vencer mi idea fija de venganza.

Todo estaba dispuesto, me las había arreglado con un conductor de camión, íbamos a salir el día siguiente a las cinco de la mañana.

Mientras me afeitaba, María salió de la habitación y se refugió en la de sus hermanas. Con el sentido misterioso propio de las mujeres, sabía que aquélla era la partida definitiva. Picolino, limpio y bien peinado, estaba sentado en la mesa de la sala. A su lado estaba Esmeralda, con una mano en su hombro. Hice un gesto hacia la habitación donde estaba María. Esmeralda me detuvo:

—No, Enrique.

Y, bruscamente, se precipitó hacia la puerta y también desapareció en el interior de la habitación.

José nos acompañó hasta el camión. No dijimos una palabra en todo el trayecto.

Nos dirigíamos a Caracas, lo más aprisa posible.

Adiós, María, pequeña flor de Callao, me habías dado en amor y en ternura mucho más que todo el oro que saldría jamás de las minas de tu país.

Capítulo V

CARACAS

El viaje había sido penoso, sobre todo para Picolino. Un millar de kilómetros, veinte horas de camino, más las paradas. Pasamos algunas horas en Ciudad Bolívar y, después de haber atravesado el magnífico Orinoco en una barcaza, emprendimos una loca carrera con el camión, conducido por un sujeto del país que, felizmente, tenía una resistencia de hierro.

En fin, al día siguiente por la tarde, llegamos a Caracas. Eran las cuatro. Y, de pronto, descubrí la ciudad. Su hormigueo de seres que iban y venían me aspiró, literalmente.

1929, París. 1946, Caracas. Habían pasado diecisiete años sin ver una gran ciudad. Habían habido Trinidad y Georgetown, pero hacía sólo unos meses de las dos.

Caracas era bonita, majestuosa con sus casas coloniales de un piso, rodeada por las montañas Ávila, extendiéndose en toda su longitud por el valle. Situada a novecientos metros de altitud, disfrutaba de una primavera eterna, sin demasiado calor ni demasiado frío.

«Tengo confianza en ti, *Papillon*», me repitió el doctor Bougrat al oído, como si hubiera asistido a nuestra entrada en la inmensa e hirviente ciudad.

En todas partes, gentes de todos los colores, sin ningún complejo de raza, desde el más claro hasta el más oscuro. Todos, desde el negro chocolate al blanco más puro, toda aquella abigarrada población vivía en la alegría más drogada que hubiera podido verse en aquellos momentos.

Con Picolino apoyado en mi brazo, fuimos hacia el centro de la ciudad. El Gran Charlot me había dado la dirección de un antiguo *duro* que tenía una pensión, la pensión «Maracaibo».

Sí, habían pasado diecisiete años, una guerra había destruido a centenares de millares de hombres de mi edad en muchos países, y entre ellos el mío, Francia. De 1940 a 1945, también ellos habían sido hechos prisioneros, o muertos, o heridos, a menudo desgraciados para el resto de sus vidas. «¡Tú estás aquí, *Papi*, en una gran ciudad! Tienes treinta y siete años, eres joven, fuerte, mira a tu alrededor todos estos seres, muchos de ellos humildemente vestidos: ríen a carcajadas.» Las canciones no estaban sólo en el aire, difundidas por los discos de moda. Estaban en el corazón de todos, sin excepción. De casi todos, porque uno se daba cuenta en seguida de que algunos arrastraban no unos hierros o una cadena, sino algo peor, el infortunio de ser pobres y de no saber defenderse en la selva que es una gran ciudad.

¡Qué bonita resultaba la ciudad! Y no eran más que las cuatro de la tarde. ¿Cómo sería, por la noche, con sus millones de estrellas eléctricas? Y, sin embargo, no estábamos más que en un barrio popular de no muy buena reputación. Me gasté el dinero:

—¡Eh, taxi!

Sentado a mi lado, Picolino se reía como un chiquillo y babeaba intensamente. Le sequé sus pobres labios, me dio las gracias con el brillo de sus ojos y tembló de emoción. Estar en una ciudad, para él, en una gran capital como Caracas, era ante todo la esperanza de encontrar hospitales y doctores capaces de rehacer el pingajo humano en que se había convertido un hombre normal. Milagro de la esperanza. Había puesto su mano en la mía cuando a nuestro lado desfilaban calles y más calles, con gentes y más gentes, tan numerosas que cubrían completamente las aceras. Y los coches, los claxons, la sirena de una ambulancia, la sirena de los bomberos, las voces de los vendedores, los gritos de los que vendían los periódicos de la noche, el frenazo de un camión, el tintineo de los tranvías, los timbres de las bicicletas, todo aquel alboroto, aquellos ruidos, aquellos gritos que nos envolvían, nos aturdían, casi nos emborrachaban, todos aquellos ruidos distintos que trastornaban el sistema nervioso de los demás, a nosotros nos producían el efecto contrario, nos despertaban a los dos y de tal forma nos hacían comprender que volvíamos a estar insertos en el ritmo loco de la vida mecánica moderna que, en lugar de estar enervados, nos sentíamos maravillosamente felices.

No era de extrañar que fuera el ruido lo que más despertara nuestra atención. ¡Hacía tantos años que vivíamos en el silencio! Porque, en los últimos diecisiete años, había conocido el silencio, el silencio de las cárceles, el silencio del penal, el, algo más que silencio, de la Reclusión, el silencio de la selva y del mar, el silencio de los pueblecitos perdidos donde vivían las gentes felices.

Dije a Picolino:

—Entramos en la antecámara de París, Caracas, una auténtica ciudad. Aquí te curarán, y yo encontraré mi camino y realizaré mi destino, puedes estar seguro.

Su mano estrechó la mía, derramó una lágrima. Su mano era tan cálidamente fraterna que no la dejé, para no perder nada de aquel maravilloso contacto, y como su otro brazo estaba muerto fui yo quien secó aquella lágrima de mi camarada, de mi protegido.

Al fin llegamos y nos instalamos en la pensión del ex presidiario Emile S. Él no estaba en casa, pero su mujer, una venezolana, tan pronto como dijimos que veníamos de Callao comprendió quiénes éramos y se apresuró a darnos una habitación con dos camas, y a servirnos café.

Acosté a Picolino después de haberle ayudado a ducharse. Estaba cansado y muy excitado. Cuando salí, me hizo grandes gestos. Supe qué deseaba decirme: «Volverás, ¿verdad? ¡No me dejes aquí solo!»

—¡No, Pico! Sólo estaré unas horas en la ciudad, volveré pronto.

Y ya estaba en Caracas. Eran las siete cuando fui calle abajo hacia la plaza Simón Bolívar, la mayor de la ciudad. Por todas partes una explosión de luz, una maravillosa profusión de electricidad, tubos de neón de todos los colores. Lo que más me extasiaba eran los anuncios luminosos en colores, verdaderas serpientes de llamas que, como fuegos fatuos, aparecían y desaparecían en un auténtico ballet, cuyo gran director sería un mago.

La plaza era bonita. En el centro, una gran estatua de bronce de Simón Bolívar sobre un enorme caballo. Tenía un porte arrogante, estaba representado con tanta nobleza como debió de ser la de su alma. Contemplé por todos lados a aquel liberador de la América latina, y no pude dejar de saludarlo, en mi pésimo español y en voz baja, para que nadie me oyera: «¡Hombre! ¡Qué milagro estar a tus pies! ¡Tú eres el Hombre de la Libertad, yo soy un pobre diablo que siempre ha luchado por esta libertad que tú encarnas!»

Por dos veces volví a la pensión, a cuatrocientos metros de la plaza, antes de encontrar a Emile S. Me dijo que sabía nuestra llegada por una carta de Charlot. Fuimos a beber algo para poder charlar tranquilamente.

—Llevo diez años aquí —me contó Emile—. Estoy casado, tengo una hija, y mi mujer es propietaria de la pensión. Por este motivo no puedo alojaros gratis, pero me pagaréis la mitad del precio.

Maravillosa solidaridad de los antiguos penados, cuando uno de ellos se encontraba en dificultades.

Continuó:

—Este pobre muchacho que está contigo, ¿es un antiguo amigo?

—¿Lo has visto?

—No, pero mi mujer me ha hablado de él. Dice que es un verdadero harapo humano. ¿Está lelo?

—Al contrario, y éste es el drama. Está en la plenitud de sus facultades mentales, pero su boca, su lengua, su lado derecho hasta la pelvis, están paralizados. Lo conocí en El Dorado, en ese estado. Ignoro su identidad y si es un penado o un confinado.

—No comprendo por qué llevas a cuestas este desconocido. No sabes tan sólo si era un buen chico, un hombre regular. Además, para ti es una verdadera carga.

—Me he dado cuenta al cabo de ocho meses de ocuparme de él. En Callao he encontrado unas mujeres que se ocuparon de él. A pesar de todo, es penoso.

—¿Qué harás con él?

—Si es posible, hospitalizarlo. O encontrar una habitación, por modesta que sea, pero con ducha y retrete, para cuidarlo hasta que encuentre dónde instalarle.

—¿Tienes pasta?

—Un poco, pero debo poner mucho cuidado, porque, aunque lo comprendo todo, hablo mal el español y no será fácil defenderme.

—Sí, aquí no es fácil, hay más obreros que empleos. De todos modos, *Papi*, puedes quedarte en mi casa con toda confianza durante los pocos días que necesitarás para encontrar algo.

Lo comprendí. Aunque generoso, Emile estaba entre la espada y la pared. Su mujer había debido de describirle un cuadro sombrío de Picolino, con su lengua colgante y sus gruñidos de bestia. Debía de pensar en la mala impresión que podía causar a su clientela.

Al día siguiente le llevaría la comida a nuestra habitación. ¡Pobre Picolino, durmiendo a mi lado en tu pequeña cama de hierro! «Aunque pague tu cama y tu comida, no te quieren. Fíjate, los enfermos molestan a los que gozan de buena salud. Tu boca torcida quita a los demás las ganas de reír. Es la vida. Ningún grupo te acepta si no es a condición de que le aportes algo por tu personalidad, o bien que seas tan perfectamente neutro que no molestes a nadie. Un mueble vivo puede soportarse. ¡Pero no te apures, amigo! Incluso si mis ademanes no son tan dulces como los de las muchachas de Callao, siempre tendrás a tu lado mejor que un amigo: un truhán que te ha adoptado y que lo hará todo para que no revientes como un perro.»

Emile me había dado varias direcciones, pero en ningún sitio había trabajo para mí. Por dos veces fui al hospital para intentar que admitieran a Picolino. No había nada que hacer. Decían que no disponían de una cama vacía y sus papeles de liberado del presidio de El Dorado no le favorecían. El día anterior me habían preguntado cómo y por qué lo tenía a mi cargo, su nacionalidad, etc. Entonces expliqué al chupatintas del hospital que me fue confiado por el director de El Dorado, y que me comprometí a ocuparme de él. Aquel despreciable tipo llegó a la siguiente conclusión:

—Pues bien, si fue puesto en libertad porque usted se

comprometió a cubrir sus necesidades, quédeselo usted y hágalo cuidar en su casa. Si no es capaz de ello, tenía que haberlo dejado allí.

Cuando me pidió mi dirección, le di una falsa, no tenía confianza en aquel cerdo, el ejemplo internacional del funcionario mediocre con afán de demostrar su importancia.

Aprisa, me llevé a mi Picolino. Estaba desesperado, tanto por él como por mí. Sabía que no podía quedarme más tiempo en casa de Emile, cuya mujer se quejaba de tener que cambiar cada día las sábanas de Pico. Sin embargo, yo lavaba los lugares sucios cada mañana en el lavabo, lo mejor que sabía, pero les costaba secarse y en seguida la mujer se dio cuenta. Entonces compré una plancha y sequé las partes lavadas con la plancha caliente.

¿Qué hacer? No lo sabía. Lo único cierto era que me urgía encontrar rápidamente una solución. Por tercera vez intenté hacer entrar a Picolino en un hospital, sin resultado. A las once salimos de allí. Puesto que las cosas eran así, iba a ser preciso echar mano de los grandes medios, y decidí consagrar toda aquella bonita tarde a mi amigo. Me lo llevé al Calvario, magnífico jardín lleno de plantas y de flores tropicales situado en una pequeña colina en pleno centro de Caracas.

Allá arriba, en un banco, admirando el espléndido panorama, comimos arepas con carne y bebimos una botella de cerveza. Luego encendí dos cigarrillos, uno para Picolino y otro para mí. Picolino fumó con dificultad, babeando sobre su cigarrillo. Adivinaba que el momento era importante, que deseaba decirle algo que podía atormentarlo. Sus ojos angustiados parecían decirme: «¡Habla, habla aprisa! Sé que has tomado una decisión importante. ¡Te suplico que hables!»

Sí, leía todo eso en sus ojos, tan claramente como si hubiera estado escrito. Me hacía daño verlo así, y dudé. Al fin, me aventuré:

—Pico, llevo tres días intentando hacerte hospitalizar. No hay nada que hacer. No te quieren. ¿Comprendes?

—Sí —dijeron sus ojos.

—Por otra parte, no podemos ir al Consulado francés sin el peligro de una demanda de extradición ante el Gobierno de Venezuela.

Se encogió por su hombro sano.

—Escúchame. Es preciso curarse y, para curarse, seguir un tratamiento. Esto es lo principal. Pero tú sabes que no tengo bastante dinero para hacerte cuidar. Atiende a lo que vamos a hacer: pasaremos la velada juntos, te llevaré al cine, y mañana por la mañana te dejaré en la plaza Simón Bolívar sin ningún papel encima. Allí, te tumbarás al pie de la estatua, y no te muevas. Si quieren hacerte levantar o sentarte, tú te niegas. Es seguro que al cabo de unos momentos llamarán a un policía, que hará venir una ambulancia. Yo seguiré en taxi para ver a qué hospital te llevan. Esperaré dos días antes de ir a verte, y vendré a la hora de la visita para mezclarme con la multitud. La primera vez acaso no te hablaré, pero, al pasar cerca de tu cama, te dejaré cigarrillos y un poco de dinero. ¿Conforme? ¿Estás de acuerdo?

Puso su brazo válido sobre mi hombro y me miró a los ojos. Su mirada era una extraordinaria mezcla de tristeza y de agradecimiento. Su garganta se contrajo, hizo un esfuerzo sobrehumano para, de la boca torcida, hacer salir un sonido ronco, que era casi un «¡sí, gracias!».

Al día siguiente, las cosas se desarrollaron como las había previsto. Menos de un cuarto de hora después de que Picolino se tumbara al pie de la estatua de Simón Bolívar, tres o cuatro viejos que tomaban el fresco a la sombra de los árboles avisaron a un policía. Veinte minutos más tarde, se presentó una ambulancia a recogerlo. La seguí en taxi.

Dos días después, y sin dificultades, me mezclé con un grupo de visitantes para encontrarlo en la tercera de las salas comunes que recorrí. Por suerte, estaba entre dos enfermos graves y pude, sin peligro, hablarle un poco. Estaba congestionado por la alegría de verme y acaso se agitó demasiado.

—¿Te cuidan bien?

—Sí —dijo con la cabeza.

Miré su placa, al pie de la cama: «Paraplejía o malaria con complicaciones secundarias. En observación cada dos horas.» Le dejé seis paquetes de cigarrillos, cerillas y veinte bolívares en monedas.

—¡Hasta otra, Pico!

Ante su mirada desesperada y suplicante, añadí: «¡No te

inquietes, volveré a verte, camarada!» Era preciso no olvidar
que, para él, me había convertido en indispensable. Era la
única persona que lo ligaba al mundo.

Hacía quince días que estaba en la ciudad y los billetes
de cien bolívares volaban muy aprisa. Por suerte, al llegar
tenía un guardarropa correcto. Había encontrado una pequeña habitación que no era cara, pero todavía demasiado para
mí. No había mujeres en el horizonte. Sin embargo, las muchachas de Caracas eran hermosas, finas y poseían un espíritu despierto. Lo difícil era trabar amistad. Estábamos en
1946 y no era costumbre que las mujeres se sentaran solas en
un café.

Una gran ciudad tiene sus secretos. Para defenderse, es
preciso conocerlos y, para conocerlos, profesores. Estos profesores de la calle, ¿quiénes son? Toda una fauna misteriosa
que tiene su lenguaje, sus leyes, sus costumbres, sus vicios,
sus propios trucos para, cada día, arreglárselas para tener
de qué vivir durante veinticuatro horas. Ganar el sustento
lo más honradamente posible: he aquí el problema. No es
nada fácil.

Como los demás, tenía mis pequeños enredos, a menudo
sorprendentes y nada malos. Por ejemplo, un día encontré a
un colombiano a quien conocí en el penal de El Dorado:

—¿Qué haces?

Me dijo que en aquel momento se ganaba la vida sortean-
do un soberbio «Cadillac».

—¡Demonios! ¿Has hecho ya fortuna suficiente para ser
propietario de un «Cadillac»?

Se desternilló de risa, luego me explicó el negocio:

—Es el «Cadillac» del director de un Banco importante.
Lo conduce él mismo, llega a las nueve en punto de la mañana, y lo aparca con cuidado a cien o ciento cincuenta metros
del Banco. Nosotros somos dos. Uno de nosotros, no siempre
el mismo para no hacerse notar, lo sigue hasta la puerta del
Banco, donde monta la guardia. En caso de peligro, un silbi-
do especial que no se puede confundir con ningún otro. Sólo
ha ocurrido una vez. Así, entre su llegada y su marcha, hacia
la una, ponemos sobre el coche una banderola blanca con

letras rojas que dice: «Venta de billetes con los que podéis ganar este "Cadillac". Los números son los de la lotería de Caracas. Sorteo el mes próximo.»

—¡Esto es original! Así, pues, ¿vendes billetes por un «Cadillac» que no es tuyo? ¡No has perdido facultades! ¿Y los polis?

—No son nunca los mismos y, como no tienen malicia, no se les ocurre que se trata de una estafa. Y si se interesan demasiado por nosotros, les regalamos uno o dos billetes y todos sueñan que acaso ganarán el «Cadillac». Si quieres hacer un poco de dinero con nosotros, ven y te presentaré a mi socio.

—¿Y no te parece un poco cochino birlar el dinero de unos desgraciados?

—No lo creas. El billete vale diez bolívares, de modo que sólo la gente bien puede comprarlo. Entonces, no hacemos mal a nadie.

Y, después de haber visto a mi socio, me metí en aquel asunto. No era muy brillante, pero había que comer, dormir, ir decentemente vestido si no con elegancia, y guardar en reserva el mayor tiempo posible los pocos diamantes que me había traído de El Dorado, así como dos billetes de quinientos bolívares que guardaba como un avaro, en un fajo, como si aún hubiera estado en el penal. Porque no había dejado de llevar el fajo encima, por dos razones: hubiesen podido robármelo en mi habitación del hotel, que estaba en un barrio de dudosa reputación, y si lo llevaba en un bolsillo corría el peligro de perderlo. De todos modos, hacía catorce años que llevaba el fajo en el colon. Un año más o menos no era nada, y estaba más tranquilo.

La venta de los billetes de lotería prosiguió durante más de quince días y habría continuado si, un día, un cliente muy engolosinado no hubiese comprado dos billetes y examinado de cerca aquel maravilloso coche que soñaba ganar. De pronto, reaccionó y exclamó:

—Pero... ¿este coche no es el del doctor Fulano, el director del Banco?

Fríamente, sin inmutarse, el colombiano le contestó:

—En efecto. Nos lo ha confiado para sortearlo. Piensa sacar así mejor precio que vendiéndolo directamente.

—Es extraño... —dijo el cliente.

—Sobre todo no le hable de esto —continuó el colombiano, siempre impasible—. Nos ha hecho prometer no decir nada, porque estaría muy molesto si se supiera.

—Lo comprendo porque, de verdad, ¡es algo inesperado por parte de una persona como él!

Tan pronto como se hubo alejado lo suficiente en dirección del Banco, retiramos en seguida la banderola y la plegamos. El colombiano desapareció con ella, y yo me fui a la puerta del Banco a avisar a nuestro cómplice de que nos retirábamos. Me retorcía de risa en mi interior, y no quise perderme la salida del personaje, que presentí próxima. No falló. Tres minutos después, apareció el director acompañado del cliente suspicaz. Hizo gestos tan ampulosos y caminó tan rápidamente que me dio la impresión de que estaba lleno de cólera.

Habiendo comprobado, probablemente sin sorpresa, que ya no quedaba nadie alrededor del «Cadillac», regresaron más lentamente y entraron en un café a beber algo en el mostrador. Como que el cliente no me había visto, entré a mi vez para divertirme escuchando su reacción.

—¡Mire usted que se necesita tener tupé! ¿No lo cree usted así, doctor Fulano?

Pero el propietario del «Cadillac», como todo buen caraqueño, tenía sentido del humor.

—¡Cuando pienso que, de haber pasado yo mismo a pie, hubiesen podido ofrecerme billetes de mi propio coche, y como a veces soy tan distraído hubiese sido capaz de comprárselo! ¡Confiese, a pesar de todo, que es bastante divertido!

Evidentemente, fue la muerte de nuestra lotería. Los colombianos desaparecieron. Por mi parte, había ganado cerca de mil quinientos bolívares. Con ellos podía vivir más de un mes, lo que era importante.

Pasaron los días, y de verdad no resultaba fácil encontrar algo válido que hacer. Era la época en que empezaban a llegar de Francia los petainistas y los colaboracionistas que huían de la justicia de su país. Como no estaba lo bastante al corriente de las posibles diferencias entre colaboracionistas y petainistas, los puse a todos en el mismo saco, con la etiqueta: «ex gestapos». Por tanto, no los frecuenté.

Pasó un mes sin grandes cambios. Cuando estaba en Callao no pensaba que iba a ser tan difícil rehacerme. Me vi reducido a ir de puerta en puerta a vender cafeteras especialmente concebidas (¡eso era un decir!) para despachos. Mi charlatanería era tan insustancial que me asqueó: «Comprenda usted, señor director, cada vez que sus empleados bajan a tomarse un café (práctica corriente en todos los despachos de Venezuela), pierden un horror de tiempo, sobre todo si llueve, y durante este tiempo usted pierde dinero. Con la cafetera en el despacho ganará usted.» Ganadores ellos, acaso, pero seguro que yo no. Porque muchos patronos me respondieron:

—Oh, ¿sabe usted?, en Venezuela consideramos la vida con calma, incluso en los negocios. Por esto nuestros empleados están autorizados a bajar durante las horas de trabajo a tomarse un cafecito.

Y con el aire inteligente que proporcionaba llevar una cafetera en la mano caminaba por la calle, cuando topé con Paulo *el Boxeador*, una vieja amistad de Montmartre.

—¡Vaya, hombre! Usted es Paulo el...

—¿Y tú, *Papillon*?

Rápido, me cogió del brazo y me llevó a un café.

—¡Vaya casualidad, hombre!

—¿Qué haces con esta cafetera?

—Vendo cafeteras, es lamentable. Con tanto sacarla y volverla a guardar, se me acaba de romper la caja.

Le expliqué mi situación, y le dije:

—¿Y tú?

—Bebamos nuestro café, te lo diré fuera.

Después de haber pagado nos levantamos e hice un gesto para recoger mi cafetera.

—Déjala aquí, no la necesitarás más, te lo garantizo.

—¿Tú crees?

—Seguro.

Abandoné la maldita cafetera sobre la mesa y salimos.

Una hora más tarde, en mi casa, después de haber cambiado algunos recuerdos sobre Montmartre, Paulo atacó. Tenía un asunto formidable en un país no lejos de Venezuela. Tenía confianza en mí. Si aceptaba, me llevaba en su equipo.

—Es fácil, como todo, ¡lo tenemos en el bolsillo, camarada! Voy a decírtelo muy en serio: habrá tantos dólares que será necesario plancharlos para que no ocupen demasiado espacio.

—¿Y este asunto extraordinario dónde está?

—Lo sabrás allí mismo. Antes no puedo decir nada.

—¿Cuántos seremos?

—Cuatro. Uno está ya allí. Al otro he venido a buscarlo aquí. Lo conoces ya. Es un amigo tuyo, Gaston.

—Correcto, pero lo he perdido de vista.

—Yo no —dijo Paulo riendo.

—¿De verdad no puedes decirme nada más sobre el asunto?

—No es posible, *Papi*. Tengo mis razones.

Reflexioné rápidamente. En la posición en que estaba, realmente no tenía opción. O continuaba vegetando con una cafetera o no importaba qué otra porquería en la mano, o me volvía a la aventura y pronto podía encontrarme con un gran paquete en el bolsillo. Desde siempre sabía que Paulo era una persona completamente formal y, si había visto que debíamos ser cuatro, era que el asunto, por su parte, era más que serio. Debía de ser, técnicamente, una bonita operación. Y ello, ciertamente, también me tentaba. «Vamos, *Papi*, ¿Banco?»

—¡Banco!

Al día siguiente nos poníamos en camino.

CAPÍTULO VI

EL TÚNEL BAJO EL BANCO

Más de setenta y dos horas de viaje en coche. Nos relevábamos al volante. Paulo tomó infinitas precauciones. Cada vez que repostábamos gasolina, el que estaba al volante dejaba a los otros dos a trescientos metros de la estación de servicio, y luego pasaba a recogerlos.

Gaston y yo habíamos pasado media hora bajo una lluvia torrencial, esperando el retorno de Paulo. Estaba furioso.

—¿De verdad crees que vale la pena todo este teatro, Paulo? ¡Mira cómo estamos, vamos a pillar una pulmonía!

—¡Eres un alfeñique, vamos, *Papi*! He mandado que me cambiaran los neumáticos, que me cambiaran una rueda de atrás, he puesto aceite y agua. ¡Todo esto no se hace en cinco minutos!

—¡No digo lo contrario, Paulo! Pero te confieso que no veo la utilidad de tantas precauciones.

—Yo sí la veo, y soy yo quien manda. Si tú has pasado diez años en el penal, yo diez de reclusión en nuestra hermosa Francia. Así, pues, no se toman nunca bastantes precauciones. Si dan las señas de un coche, de un «Chevrolet», con una persona en su interior en lugar de tres, no es lo mismo.

Tenía razón, no debíamos hablar más de ello.

Diez horas más tarde llegamos a la ciudad objeto de nuestro viaje. Paulo nos hizo bajar a la entrada de una calle flanqueada por villas.

—Continuad por la acera de la derecha. La villa se llama *Mi Amor*, es ahí. Entrad como si estuvierais en vuestra casa, allí encontraréis a Auguste.

Un jardín florido, una avenida cuidada, una casa coqueta cuya puerta está cerrada. Llamamos.

—¡Buenos días, amigos! Entrad —nos dijo Auguste, al abrirnos.

Nos recibió en mangas de camisa, lleno de sudor y de tierra pegada a sus brazos peludos. Le explicamos que Paulo había ido a dejar el coche en un aparcamiento situado en el otro extremo de la ciudad, para que no vieran en la calle una matrícula de Venezuela.

—¿Habéis tenido buen viaje?

—Sí.

Nada más. Nos sentamos en el comedor. Presentí que estábamos llegando a un momento decisivo y estaba un poco tenso. Ni Gaston ni yo sabíamos aún de qué operación se trataba. «Cuestión de confianza —dijo Paulo en Caracas—. Contamos con vosotros o no. Lo tomas o lo dejas. Sólo una cosa os puedo adelantar: más pasta líquida de la que podríais soñar.» De acuerdo, pero a partir de entonces las cosas tenían que ser limpias, claras y precisas.

Auguste nos ofreció café. Aparte algunas preguntas sobre nuestro viaje y nuestra salud, no mencionó ni una palabra que pudiera darme luz. ¡Eran discretos en la familia!

Oí el golpe de la portezuela de un coche, frente a la villa. Debía de ser Paulo, que había alquilado un coche con matrícula del país. En efecto.

—¡Ya está! —exclamó Paulo cuando entró en la habitación y se quitó su chaqueta de cuero—. ¡Todo va a la perfección, chicos!

Tranquilamente bebió su café. Yo no dije nada, esperé. Dijo a Auguste que pusiera la botella de coñac sobre la mesa. Sin darse prisa, siempre con aire satisfecho, nos sirvió y, al fin, abordó el tema:

—Bueno, chicos, estáis en el lugar del trabajo. Imaginaos que exactamente frente a esta linda villa, al otro lado de la calle por la que habéis llegado, está la parte trasera de un Banco cuya entrada principal está situada en una hermosa avenida paralela a nuestra pequeña calle. Y si veis los brazos de Auguste manchados de tierra arcillosa es que, sabiendo que sois unos gandules, ya se ha puesto a trabajar para que vosotros tengáis menos que hacer.

—¿Hacer qué? —preguntó Gaston.

—No mucho —contestó Paulo sonriendo—. Un túnel, que se inicia en la habitación contigua a ésta, pasará por debajo del jardín, luego bajo la calle y se terminará exactamente debajo de la cámara de seguridad del Banco. Si mis cálculos son exactos. Si no, acaso nos encontremos en el lado con fachada a la calle. En este caso, profundizaremos más e intentaremos volver debajo de la caja, exactamente en el centro.

Un pequeño silencio. Luego:

—¿Qué os parece?

—Un minuto, camarada. El tiempo de reflexionar. No es precisamente el golpe que esperaba.

—¿Es importante el Banco? —preguntó Gaston sin demasiada ansiedad.

Si Paulo había puesto todo aquello en marcha, y de aquel modo, no iba a ser, evidentemente, por tres cajas de regaliz.

—Pasa mañana frente al edificio, y ya me contarás —dijo Paulo riéndose a carcajadas—. Para darte una pequeña idea, tienes que saber que hay ocho cajeros. Por ello podrás calcular los billetes que entran y salen durante todo el día.

—Entonces, ¡mierda! —exclamó Gaston, golpeándose la pierna—. ¡Es un Banco de verdad! Pues bien, estoy la mar de contento. Por una vez habré participado en un divertido trasiego de pasta, con cálculos dignos de un politécnico. En resumen, ¡mi bastón de mariscal de los truhanes!

Siempre con su abierta sonrisa, Paulo se volvió hacia mí:

—¿No dices nada, *Papi*?

—Yo no necesito ser mariscal. Prefiero quedarme de cabo, con pasta suficiente para algo que quiero hacer. No necesito millones. Lo que me parece, Paulo, es que es un trabajo gigantesco y si triunfamos —¡es preciso tener siempre fe, por tanto triunfaremos, es seguro!—, tendremos para pagar el alquiler y el teléfono hasta el fin de nuestras vidas. Pero... tenemos que resolver algunos «peros». ¿Puedo hacerte algunas preguntas, capitán?

—Todas las que quieras, *Papi*. Por otra parte, pensaba

discutir con vosotros cada punto de la operación. Porque si soy yo quien dirige la operación, porque soy yo quien la ha estudiado, cada uno de nosotros arriesga su libertad y acaso su vida. Por tanto, pregunta todo lo que quieras.

—Correcto. Primera pregunta: ¿desde la habitación contigua, donde debe de estar el pozo de entrada, hasta la acera por el lado del jardín, cuántos metros hay?

—Dieciocho, exactamente.

—Segunda pregunta: ¿qué distancia hay desde el bordillo de esta acera al Banco?

—Diez metros.

—Tercera: ¿has localizado exactamente desde el interior del Banco, con relación al conjunto, la entrada a la caja fuerte?

—Sí. He alquilado un cofrecillo en la sala de las arcas de la clientela. Está situada exactamente al lado de las cajas fuertes del Banco, de la que está separada por una puerta blindada con dos volantes de seguridad. No hay más que una entrada, que comunica con la sala de los cofres particulares. Desde allí se pasa a la sala de las arcas grandes. Un día, después de varias visitas, y mientras esperaba que me dieran la segunda llave de mi cofre, vi abrir la puerta blindada. Al girar sobre sí misma, me dejó entrever la sala y las grandes arcas alineadas alrededor.

—¿Pudiste darte cuenta del espesor de la pared que separa las dos salas?

—Es difícil saberlo a causa del encofrado de acero.

—¿Cuántos peldaños para bajar hasta la puerta de la cámara acorazada?

—Doce.

—El suelo de las salas está, pues, a unos tres metros por debajo del nivel de la calle. Entonces, ¿qué has combinado?

—Es preciso intentar atacar exactamente por debajo de la separación de las dos salas. Es posible, localizando los pernos exteriores que, bajo el suelo de la cámara acorazada, fijan los cofres. Así, con un solo agujero, se tiene acceso a las dos salas a la vez.

—Sí, pero como los cofres están apoyados en el tabique, tenemos posibilidades de aparecer bajo uno de ellos.

—No había pensado en esto. En tal caso, tendríamos que

agrandar el agujero hacia el centro de la sala.

—Creo que es mejor practicar dos agujeros de acceso. Uno en cada sala y, si es posible, en el centro.

—Ahora también yo lo pienso así —dijo Auguste.

—De acuerdo, *Papi*. Observa que todavía no estamos en eso, pero es bueno pensarlo con mucha anterioridad. ¿Qué más?

—¿Qué profundidad tendrá el túnel?

—Tres metros.

—¿Ancho?

—Ochenta centímetros. Es preciso podernos mover ahí dentro.

—¿De qué altura lo prevés?

—Un metro.

—Estoy de acuerdo en cuanto al ancho y a la altura, pero no en cuanto a la profundidad. Dos metros de tierra por encima de nosotros no constituye una corteza lo bastante resistente. Puede hundirse al paso de un gran camión o de una apisonadora.

—Acaso, *Papi*, pero no hay razón alguna para que pasen por esta calle camiones o máquinas pesadas.

—Puede. Pero no cuesta nada hacer el pozo a cuatro metros. Haciéndolo así, hay tres metros de tierra entre el techo del túnel y la calle. ¿Ves algún inconveniente? El único trabajo complementario está en excavar un metro más el pozo de acceso. Esto no cambia nada en cuanto al túnel en sí. Por otra parte, a cuatro metros de profundidad, estamos casi seguros de llegar al Banco al nivel de sus cimientos, o incluso por debajo. ¿Cuántos pisos tiene el inmueble?

—Una planta baja y un primero.

—Por tanto, los cimientos no pueden ser más profundos.

—Correcto, *Papi*. Bajaremos a cuatro metros.

—¿Cómo atacaremos la caja fuerte? ¿El sistema de alarma?

—A mi parecer, *Papi*, ahí está el busilis. De todos modos, lógicamente los sistemas de alarma están instalados en el exterior de la cámara acorazada. Desde el momento que no tocamos ninguna puerta, ni la del Banco, ni la de la cámara acorazada, no debe dispararse. Y no debe de haber sistema de alarma en el interior de las dos salas. Sin embargo, creo que no debemos tocar los cofres situados junto a la puerta de acceso de la cámara acorazada, como tampoco los que están situados cerca de la gran puerta blindada.

—De acuerdo. Soy de tu opinión. Claro que hay un riesgo, el que, al trabajar en los cofres, las vibraciones pongan en marcha el sistema. Pero, tomando las precauciones que hemos dicho, tenemos muchas posibilidades a nuestro favor.

—¿Nada más, *Papi*?

—¿Has previsto encofrar el túnel?

—Sí. En el garaje tengo un tablero y todo lo necesario para el encofrado.

—Perfecto. ¿Y la tierra?

—Primero la esparciremos sobre la totalidad de la superficie del jardín, luego haremos macizos elevados y, en fin, a todo lo largo de los muros, un enorme arriate de un metro de ancho y tan alto como sea posible sin que parezca extraño.

—¿Suele haber curiosos por los alrededores?

—A la derecha, perfecto. Un viejecito y su viejecita, menudita, que me dan la mar de excusas cada vez que me ven, porque su perro deposita su cagarruta ante nuestra puerta. A la izquierda, es más molesto. Hay dos niños de ocho a diez años que no dejan de columpiarse, y esos malditos pequeñajos suben tan arriba que, por encima del muro, pueden ver fácilmente lo que pasa en nuestra casa.

—De todos modos, no podrán ver más que una parte del jardín, no la que está del lado de su pared.

—Bien observado, *Papi*. Bueno, supongamos que tenemos terminado el túnel, y que estamos debajo de la cámara acorazada. Será preciso practicar una gran cavidad, una especie de habitación, para poder tener allí el material y trabajar con comodidad, dos o tres a la vez, acaso. Y una vez tengamos localizado el centro de cada sala haremos bajo cada una de ellas un espacio de dos metros por dos.

—Correcto. ¿Con qué atacarás el acero de los cofres?

—Éste es un punto que tenemos que discutir entre nosotros.

—Habla.

—Podemos hacer el trabajo con soplete; conozco la cosa, es mi oficio. Se puede emplear asimismo el arco eléctrico;

también lo conozco, pero hay una dificultad: la casa donde estamos tiene una corriente de 120 voltios y se precisan 220. Por tanto, he decidido poner a otro camarada en el asunto. Pero, en cuanto a él, no quiero que trabaje en el túnel. Llegará la antevíspera del ataque.

—¿Con qué?

—Agárrate, *Papi*. Con termita. Es un auténtico profesor en esta especialidad. ¿Qué decís vosotros?

—Esto hará cinco partes en vez de cuatro —observó Gaston.

—¡Te va a sobrar, Gaston! Cuatro o cinco, es lo mismo.

—Yo estoy a favor del camarada de la termita, porque si se necesitan abrir una docena de cofres iremos más aprisa con la termita que con cualquier otro medio.

—Éste es el plan general. ¿Estamos todos de acuerdo?

Todos estuvimos de acuerdo. Paulo nos recomendó una cosa más: que, con ningún pretexto, Gaston y yo pusiéramos los pies en la calle durante el día. No podríamos salir más que por la noche, de vez en cuando, lo menos posible y vestidos muy correctamente, sin olvidar la corbata. Nunca los cuatro juntos.

Pasamos a la habitación contigua, que antes se utilizaba como despacho. Estaba ya abierto un boquete de un metro de diámetro y de tres metros de profundidad. Admiré las paredes rectas como un muro, y entonces pensé en la ventilación.

—Y en cuanto al aire, ¿qué has previsto?

—Enviaremos aire con un pequeño compresor y tubos de plástico. Si el que está trabajando se siente demasiado asfixiado, otro de nosotros le dirigirá el chorro de aire sobre la boca mientras trabaje. Compré uno en Caracas; es casi silencioso.

—¿Y si utilizáramos un acondicionador de aire?

—He pensado en ello, y tengo uno en el garaje, pero cada vez que lo uso hace saltar los plomos.

—Oye, Paulo. No sabemos lo que le puede pasar al camarada de la termita. Si no está aquí en el día convenido, tendremos que recurrir al soplete, que no es muy rápido, y sólo el arco eléctrico puede convenirnos. Es preciso hacer poner los 220 voltios. Para que la petición parezca normal, dices que quieres un congelador para la carne, y aparatos de aire acondicionado. Además, como en tu garaje haces chapuzas de carpintería, quisieras instalar una pequeña sierra circular, etc. Esto no puede presentar problemas.

—Llevas razón, tenemos todas las de ganar instalando 220. Bueno, ya hemos hablado bastante de todo esto. Auguste es el rey de los *spaghetti*. En cuanto estén preparados, ¡a la mesa!

La cena fue muy alegre. Después de haber intercambiado algunos recuerdos penosos, todos nos pusimos de acuerdo en que, al hablar del pasado, no debíamos evocar jamás las historias de aventuras. Sólo lo que hubo de sorprendente en ellas: las mujeres, el sol, el mar, los juegos en la playa, etc. Todos nos reímos como niños. Nadie tuvo un minuto de remordimientos ante el pensamiento de atacar a la Sociedad en el mayor símbolo de su potencia egoísta, *un Banco*.

Nos pusieron la acometida de 220 sin dificultades, porque el transformador estaba cerca de la casa. No hubo problema. Para terminar el pozo, abandonamos el pico de mango corto, muy incómodo de manejar en un espacio tan pequeño. Cortamos bloques de tierra con una sierra circular para madera. Cada trozo era arrancado con un sólido plantador de fácil manejo, y descargado en un cubo.

Trabajo titánico, que avanzaba poco a poco. Desde la casa apenas si se apreciaba el zim-zim de la sierra circular en el fondo del pozo, que ya había llegado a los cuatro metros. Desde el jardín no se oía absolutamente nada; por tanto, no era de temer ningún chivatazo.

El pozo estaba terminado. Aquel día habíamos atacado el túnel, y Paulo, brújula en mano, excavó el primer metro en una tierra arcillosa muy húmeda, que se pegaba. Ya no trabajábamos medio desnudos, sino con mono de trabajo, lo que no nos preocupaba gran cosa. Así, cuando después de haber subido nos quitábamos el mono en seguida estábamos tan limpios como una crisálida al salir del capullo. Menos las manos, claro.

Según nuestros cálculos, íbamos a tener que extraer treinta metros cúbicos de tierra. ¡Casi nada!

—¡Un verdadero trabajo de forzado! —gruñó Paulo malhumorado.

Pero, poco a poco, avanzábamos.

—Como topos o tejones —decía Auguste.

—¡Lo conseguiremos, muchachos! Y tendremos dinero toda la vida. ¿Verdad, *Papillon*?

—¡Claro que sí! Y yo me comeré la lengua del fiscal, la del testigo falso, y organizaré unos fuegos artificiales de primer orden en el número 36 del Quai des Orfèvres. ¡Vamos, al trabajo, muchachos! Si no tenéis demasiada prisa en convertiros en millonarios, pensad que, en cuanto a mí, algunas noches sueño que mi fiscal ha muerto tranquilo en su cama con su lengua enterita; que mi testigo se revuelca sobre los visones de la tienda de su papá, y que la guerra ha conseguido que los polis no sólo hayan cambiado de intenciones, sino que se han transformado en soldados del Ejército de Salvación. En tal caso, esta operación no tendría sentido alguno para mí. Por tanto, no es éste el momento de explicar tonterías o de jugar a los naipes. Bueno, bajadme al agujero. Voy a trabajar un par de horas más.

—¡Calma, *Papi*! Todos estamos excitados. Esto no va aprisa, es verdad, pero de todos modos avanzamos y ahí, ante nosotros, está el gato. Y luego cada uno de nosotros tiene sus problemas. Mira esta carta que mi amigo Santos me escribe desde Buenos Aires.

Paulo se sacó una carta del bolsillo y leyó en voz alta:

Querido Paulo: ¿Crees en los milagros, camarada? He aquí que han transcurrido más de seis meses en que no sólo no has venido a ver a tus dos gachís, sino que, además, no les has enviado una palabra, ni una carta tan sólo. Eres completamente inconsciente. No saben si estás muerto o vivo, ni en qué rincón del planeta estás. En estas condiciones, no es agradable para mí ir a ordeñar la vaca. Cada lunes el jaleo se torna más violento: «¿Y bién? ¿Dónde está nuestro hombre? ¿Qué hace? Apuesto a que está metido en algún golpe. ¡Ah! ¡Está bueno, con sus grandes golpes! Sería mejor que estuviera aquí con nosotras. Ya nos hartamos de dormir con la almohada. Es la última vez que nos da el esquinazo. ¿Lo has comprendido bien? ¡Que venga o nos separamos!»

Vamos, Paulo, haz un esfuerzo, envía unas letras, no creas en los milagros. Cualquier día perderás tus dos molinos, y entonces se acabará la harina. — Tu camarada, Santos.

—Pues bien, yo creo en el milagro, y el milagro está aquí, frente a nosotros. Soy yo, Paulo, sois vosotros, mis camaradas, que con nuestra inteligencia y nuestro valor somos sus artífices. Sin embargo, esperemos que las chavalas resistan lo suficiente, porque necesitamos su pasta para terminar el asunto.

—Entre todos les pintaremos una flor —dijo Auguste, alegre con tal pensamiento.

—Esto es cosa mía —dijo Paulo—. Yo soy el artista que realiza una de las más hermosas operaciones montadas por los truhanes; ellas, sin saberlo, son los socios capitalistas, lo que es un gran honor para ellas, a pesar de todo.

Risas generales, tragos de coñac, y acepté jugar una partida de naipes para satisfacer a todos y serenarme un poco.

No había problema para quitar de en medio la tierra en el jardín, que mide dieciocho metros de largo por diez de ancho. Extendimos la tierra sobre toda la amplitud, respetando el camino que conducía al garaje. Pero como la tierra extraída era muy distinta de la otra, nos hacíamos traer, de vez en cuando, un camión de mantillo. Todo marchaba bien.

¡Y seguíamos socavando, y transportábamos los cubos llenos de tierra! Por decirlo así, habíamos entarimado el suelo de la galería porque había filtraciones de agua que convertían el suelo en completamente fangoso. Y sobre las planchas, el cubo se deslizaba más fácilmente cuando se tiraba de él con la cuerda.

Trabajábamos así: Uno de nosotros estaba en el fondo del túnel. A fuerza de pico y de sierra circular, socavaba y arrancaba las piedras y la tierra, con las que llenaba el cubo. Un segundo hombre estaba en lo más profundo del pozo y arrastraba el cubo hacia él. Arriba había un tercer hombre que subía el cubo y lo echaba en una carretilla con rueda de caucho. Habíamos abierto un paso en el tabique que comunicaba directamente con el garaje. El cuarto del grupo no tenía más que coger la carretilla, pasar por el garaje y hacer su aparición, con toda naturalidad, en el jardín.

Trabajábamos muchas horas, impulsados por la feroz voluntad de triunfar. Era un extraordinario derroche de energías. El fondo de la galería resultaba terriblemente duro de soportar, a pesar del ventilador de aire acondicionado y del aire puro que proporcionaba un tubo que nos arrollamos alrededor del cuello y de cuyo extremo chupábamos de vez en cuando. Estaba cubierto por completo de granos rojos a causa del calor, tenía placas inmensas por todo el cuerpo. Parecía urticaria y me producía un picor espantoso. El único que estaba bien era Paulo, porque él no se ocupaba más que de la carretilla y de esparcir la tierra en el jardín. Al salir de aquel infierno, incluso después de habernos duchado, necesitábamos más de una hora para recuperarnos, respirar normalmente y, untados con vaselina o manteca de cacao, sentirnos algo mejor. «De todos modos, somos nosotros quienes nos hemos buscado este trabajo de chinos, ¿no? Nadie nos obligó a hacerlo. ¡Entonces ánimo, soporta, cierra el pico, y el cielo te ayudará!» Esto es lo que me decía y repetía dos o tres veces al día a Auguste, cuando empezaba a renegar por haberse metido en semejante cosa.

Será ocioso decir que, para adelgazar, nada mejor que hacer un túnel bajo un Banco. Era formidable lo flexible que se volvía uno a fuerza de encorvarse, de trepar, de contorsionarse. En aquel túnel se sudaba tanto como en una sauna. Haciendo ejercicios en todas las posiciones posibles, no había cuidado de que le sobraran grasas a uno; por el contrario, se desarrollaba la musculatura. Era algo positivo desde todos los puntos de vista y, además, en el extremo del pasillo esperaba la magnífica recompensa: el tesoro de los demás.

Todo marchaba bien, excepto en lo tocante al jardín. A fuerza de elevar su nivel echándole tierra, las flores, en lugar de crecer, se hundían más y más, lo que no parecía muy normal. Si continuábamos así, pronto no se verían más que los pétalos. Encontramos un paliativo: pusimos las flores en tiestos que hundimos en la tierra recién puesta. Los tiestos bien cubiertos no se veían, daba la impresión de que la planta salía de tierra.

Esta historia empezaba a durar demasiado. Si, al menos, hubiéramos podido descansar por turno. Pero, ni hablar. Era preciso que los cuatro estuviéramos presentes para conservar un ritmo eficaz. Con tres habría sido interminable, y se habría necesitado almacenar provisionalmente la tierra en el interior de la villa, lo que hubiera resultado peligroso.

La trampa del pozo se ajustaba casi al milímetro. Cuando

descansábamos, se podía dejar abierta la puerta de la habitación porque no se notaba absolutamente nada. En cuanto al paso en la pared del garaje, habíamos puesto, por el lado del garaje, un inmenso panel de madera, del que colgaban toda clase de herramientas, y por el lado de la casa un enorme baúl de la época de la colonización española. Así, cuando Paulo creía que debía recibir a alguien, lo hacía sin ningún temor. Por nuestra parte, Gaston y yo nos refugiábamos en nuestra habitación del primer piso.

Durante dos días, sin descanso, había llovido a cántaros y el túnel se inundó. Había casi veinte centímetros de agua, y entonces propuse a Paulo que fuera a comprar una bomba de mano con los tubos necesarios. Una hora después la teníamos instalada. Dándole a la bomba a fuerza de brazos (otro ejercicio), achicamos el agua y la volcamos en la cloaca. Un día de trabajo largo y penoso para nada.

Se acercaba el mes de diciembre. Hubiera sido perfecto haber estado preparados, debajo del Banco, a últimos de noviembre, con la pequeña habitación hecha y encofrada. Si venía el camarada de la termita, no podía caber duda de que san Nicolás llenaría a rebosar nuestros zapatos. Si no venía el de la termita, estábamos decididos a trabajar con arco eléctrico. Sabíamos dónde encontrar el aparato completo con todos sus accesorios. Los había extraordinarios en la «General Electric». La compra se haría en otra ciudad, era más prudente.

El túnel avanzaba. El día anterior, 24 de noviembre, llegamos a los cimientos del Banco. Nos restaban tres metros de túnel y la habitación que debíamos hacer: teníamos que sacar unos doce metros cúbicos. Lo celebramos bebiendo champaña, del auténtico de Francia, *brut*.

—Está un poco verde —dijo Auguste.

—Tanto mejor, es buena señal: es el color de los dólares.

Paulo resumió lo que faltaba hacer:

— seis días para sacar la tierra, si no había demasiada;

— tres días para encofrar;

— en total: nueve días.

—Estamos a 24 de noviembre; por tanto, el 4 de diciembre lo habremos conseguido. Seguro y cierto. Atacaremos un viernes a las ocho de la noche, porque el Banco cierra a las siete.

Tendremos toda la noche del viernes al sábado, todo el sábado, la noche del sábado al domingo y todo el domingo. Si todo marcha bien, levantaremos el vuelo a las dos de la madrugada. En total, cincuenta y dos horas de faena. ¿Estamos de acuerdo?

—No, Paulo. No estamos completamente de acuerdo.

—¿Por qué, *Papi*?

—El Banco abre a las siete para la limpieza. Por no importa qué motivo, el escándalo puede estallar a esta hora, es decir, no con tiempo suficiente antes de nuestra marcha. He aquí lo que propongo: nos las arreglaremos para dejar listo nuestro trabajo a las seis de la tarde del domingo. Empleamos el tiempo necesario para hacer el reparto, y serán las diez, más o menos. Saliendo a las diez, tendremos un mínimo de once horas de ventaja si el escándalo estalla a las siete, y trece horas si no ocurre hasta las nueve.

Finalmente, nos pusimos todos de acuerdo sobre mi proposición. Mientras bebíamos el champaña, pusimos los discos que Paulo había traído: Maurice Chevalier, Piaf, París, los pequeños bailes... Vaso en mano, todos soñamos en el gran día. Estaba allí, casi lo tocábamos con el dedo.

«*Papi*, pronto podrás hacer pagar en París la factura que tienes grabada en tu corazón. Si todo va bien, si la suerte me acompaña, volveré de Francia a Callao, en busca de María.

»En cuanto a mi padre, quedará para más tarde. ¡Pobre y maravilloso padre! Será necesario esperar, antes de ir a abrazarlo, a haber enterrado en mí al hombre de antes, al aventurero... No exigirá mucho tiempo después de haberme vengado y establecido en una buena situación.»

Llegó con champaña dos días después de la fiesta, pero no lo supimos hasta un día más tarde. Habíamos ido a ver en una ciudad vecina, a ciento veinte kilómetros, un grupo de soldadura y de corte con arco eléctrico de la «General Electric». Vestidos muy correctamente, mi camarada y yo habíamos salido a pie, y encontramos a Paulo y a Auguste a dos kilómetros de allí, en el coche.

—Nos tenemos ganada esta salida, ¿verdad, camaradas? ¡Respirad, respirad a pleno pulmón este viento soberbio de la libertad!

—Tienes razón, Paulo, nos hemos ganado este paseo. No

vayas demasiado aprisa, que nos quede tiempo de admirar el paisaje.

Repartidos en dos pensiones distintas, pasamos tres días en aquel puerto tan bonito, atestado de barcos y hormigueante de una multitud abigarrada y alegre. Cada noche nos reuníamos los cuatro. «Nada de club nocturno, nada de burdel, nada de mujeres de la calle, estamos en viaje de negocios, camaradas», nos había dicho Paulo. Tenía razón.

Fuimos él y yo a examinar con calma el aparato. Era formidable, pero era preciso pagarlo al contado y no teníamos la pasta necesaria. Paulo telegrafió a Buenos Aires y, felizmente, dio la dirección de la pensión donde se alojaba, en el puerto. Acordamos que volvería a llevarnos a la villa y que regresaría solo, uno o dos días más tarde, para recoger la pasta y el aparato. Nos marchamos muy descansados después de aquellos tres días de vacaciones.

Como de costumbre, Paulo nos dejó, a Gaston y a mí, en la esquina de nuestra pequeña calle. La villa estaba a cien metros. Nos pusimos a andar tranquilamente, felices con la idea de volver a ver el túnel, nuestra obra maestra. De pronto, cogí a Gaston por el brazo y le detuve en seco. ¿Qué ocurría en la villa? Había polis, una docena de personas, luego vi a dos bomberos que salían de la tierra en mitad de la calle. No necesité ver más para comprender. ¡Habían descubierto el túnel!

Gaston se puso a temblar como si tuviera fiebre, y luego, crujiéndole los dientes y tartamudeando, no encontró nada mejor que decir.

—¡Han hundido nuestro hermoso túnel! ¡Ah, qué partida de idiotas! ¡Un túnel tan hermoso!

En aquel preciso instante, un tío que tenía una facha de poli reconocible a un kilómetro de distancia, nos miró. Pero el conjunto de la situación me pareció tan divertido que prorrumpí en una carcajada tan franca, tan alegre, tan auténtica, que si el poli tenía alguna duda sobre nosotros, la duda se desvaneció en seguida. Cogiendo a Gaston por el brazo, dije en voz alta, en español:

—¡Vaya túnel que han hecho estos ladrones!

Y lentamente, volviéndonos de espaldas a nuestra obra maestra, salimos de la calle sin prisas y sin ser molestados.

Pero entonces era preciso actuar con rapidez. Pregunté a Gaston:

—¿Cuánto llevas encima? Yo tengo cerca de seiscientos dólares y mil quinientos bolívares. ¿Y tú?

—Yo dos mil dólares en mi plano —me respondió Gaston.

—Lo mejor será, Gaston, que nos separemos aquí, en la calle.

—¿Qué vas a hacer, *Papi*?

—Voy a volver al puerto de donde venimos e intentar embarcarme para no importa dónde, a ser posible para Venezuela.

No pudimos abrazarnos en plena calle, pero, con la emoción, Gaston tenía los ojos húmedos como los míos al darnos un apretón de manos. Nada une tanto a los hombres como la aventura y el peligro pasados en común.

—¡Buena suerte, Gaston!

—¡Mierda, *Papi*!

Paulo y Auguste regresaron por caminos distintos, uno al Paraguay, el otro a Buenos Aires. Las mujeres de Paulo ya no se acostaban con la almohada.

Pude encontrar pasaje en un barco que salía para Puerto Rico. Allí tomé un avión para Colombia, y luego un barco para Venezuela.

Algunos meses después supe lo que había pasado: se reventó una cañería de agua de un buen diámetro en la gran avenida, al otro lado del Banco. Ello produjo una desviación del tráfico por las calles paralelas. Un enorme camión cargado de vigas de hierro penetró en nuestra calle, pasó por encima de nuestro túnel, y éste se hundió bajo las ruedas traseras. Gritos, sorpresa, Policía: en seguida lo comprendieron todo.

CAPÍTULO VII

CAROTTE — EL MONTE DE PIEDAD

En Caracas; era Navidad. Maravillosas iluminaciones en todas las calles importantes. En todas partes cantos, coros, cantados con el inigualable sentido del ritmo de las gentes del pueblo. La alegría era general. Yo estaba un poco deprimido por nuestro fracaso, pero no me sentía amargado. Habíamos jugado, habíamos perdido, sí, pero seguía con vida y era más libre que nunca. Y además, como decía Gaston, ¡era un hermoso túnel!

Poco a poco me ganó el ambiente que creaban los cantos dedicados al niño de Belén. Sosegado, tranquilo, con el alma serena otra vez, envié un telegrama a María: «María, que esta Navidad colme de felicidad la casa donde me has dado tanto.»

Pasé el día de Navidad en el hospital, con Picolino. Se levantó y, en el pequeño jardín del hospital, sentados en un banco, celebramos nuestra Navidad. Había comprado dos hallacas, especialidad que sólo hacen en Navidad, las más caras y las mejores que pude encontrar. En mis bolsillos, llevé dos botellitas planas de un delicioso chianti.

¿Navidad de los pobres? No, ¡Navidad de los ricos, de los muy ricos! Navidad de dos resucitados del «camino de la podredumbre», Navidad resplandeciente por la luz de una amistad cimentada en la prueba. Navidad de libertad completa incluso para hacer locuras como las mías. Navidad sin nieve en Caracas, con el pequeño jardín de hospital lleno de flores, Navidad de esperanza para Picolino, cuya lengua no colgaba desde que lo cuidaban, y no babeaba ya. Sí, Navidad milagrosa para él, puesto que había pronunciado con claridad un «sí» alegre cuando le pregunté si estaban buenas las hallacas.

Pero, ¡por el amor de Dios!, ¡cuán duro resultaba rehacer una vida! Pasé algunas semanas difíciles y, sin embargo, no me descorazoné. Poseía dos cosas: primero, una confianza inquebrantable en el futuro; segundo, un gusto de vivir indiscutible. Incluso en los momentos en que hubiera debido estar preocupado, una nadería en la calle me hacía reír, y si me encontraba con un camarada podía pasar la velada con él divirtiéndome, como a los veinte años. Esto me daba moral para soportar todo lo demás.

El doctor Bougrat me proporcionó un pequeño trabajo en su laboratorio de productos de belleza. No ganaba mucho, pero sí lo suficiente para ir siempre bien vestido y casi con elegancia. Mi juventud hacía lo demás. Dejé su empleo por el que me ofreció una húngara que tenía una pequeña fábrica de yogurs en su villa, y allí conocí a un aviador cuyo nombre no diré porque actualmente es comandante a bordo de un correo de «Air France». Lo llamaré Carotte.

También trabajaba en los yogurs de la húngara y ganábamos lo suficiente para poder divertirnos por todo lo alto. Cada noche íbamos de juerga por las tabernas de Caracas. A menudo acudíamos a beber uno o dos vasos al «Hotel Majestic», después desaparecido, el único sitio moderno de la ciudad, en el barrio del Silencio.

Entonces, en uno de esos momentos en que uno piensa que no puede producirse nada nuevo, se produce un auténtico milagro. Un día, Carotte, que, como cualquier hombre, no daba detalles acerca de su vida, desapareció, y volvió de los Estados Unidos, algunos días después, con un pequeño avión de observación de dos plazas, una detrás de otra. Un aparato magnífico. No le hice preguntas sobre su origen, sólo ésta: ¿qué iba a hacer con él?

Se rió y me dijo:

—Todavía no lo sé. Pero podemos asociarnos.

—¿Para hacer qué?

—Cualquier cosa, mientras podamos divertirnos y reunir un poco de pasta.

—De acuerdo, ya veremos.

La amable húngara, que no debía de hacerse demasiadas ilusiones sobre la duración de nuestro trabajo en su casa, nos deseó buena suerte. Entonces empezó para nosotros un mes completamente loco y extraordinario.

¡Ah, este enorme mariposón! ¿Qué se ha podido hacer con él? Carotte era un as del pilotaje. Durante la guerra, se traía de Inglaterra agentes franceses que dejaba durante la noche en campos en poder de los resistentes y volvía con otros a Londres. A menudo aterrizaba sólo guiado por las lámparas de bolsillo de los que le estaban esperando. Era un temerario auténtico y un bromista. Una vez, sin avisar, me cogió un viraje sobre el ala, en ángulo recto, consiguiendo hacerme perder el pantalón, sólo para asustar a una gorda mamá que, tranquilamente, con las nalgas al aire, hacía sus necesidades en su huerto.

Me gustaba tanto aquel avión y nuestras cabalgadas por los aires que, falto de pasta para pagar la gasolina, tuve la estupenda idea de hacerme mercader ambulante en avioneta.

Fue la única vez en mi vida que cometí un abuso de confianza con relación a alguien. Se llamaba Coriat y tenía una tienda de ropa para hombres y mujeres, el «Almacén Río». Coriat estaba asociado con su hermano. Era un israelita de talla media, moreno, de aspecto inteligente, que hablaba un excelente francés. Su negocio, bien puesto, era cada día más próspero. En el departamento de mujeres había lo más variado y más nuevo en ropas y otro artículos, todo importado de París. Así, pues, tenía yo para escoger bonitas cosas fáciles de vender.

Conseguí hacerme confiar en depósito, por valor de una suma muy importante, vestidos, blusas, pantalones, etc., que iríamos a vender en las más o menos lejanas provincias del país.

Salimos de paseo a no importa dónde, regresamos no importa cuándo, según el capricho de nuestra fantasía. Pero, aunque vendíamos bastante bien, no ganábamos lo bastante para cubrir todos los gastos, y la parte de Coriat se evaporaba en gasolina. No quedaba nada para él.

Las mejores clientes eran las mujeres de los burdeles y, claro está, no dejamos de visitarlas. Blusas de colores chillones, pantalones de última moda, faldas con flores, pañuelos de seda, etc., todo aquello constituía una irresistible tentación para ellas cuando, al desplegar el conjunto sobre la mesa del comedor del burdel, presentaba la mercancía.

—Y presten atención, señoras. No es un lujo inútil para ustedes. Es, mejor dicho, si me atrevo a anunciarlo así, un instrumento de trabajo, puesto que cuanto más atractivas están ustedes más vuelven los clientes. Y a las que no piensan más que en hacer economías, puedo decirles, sin duda alguna, que no comprarme nada es una economía estúpida. ¿Por qué? ¡Porque todas las bien vestidas les harán una competencia temible!

Nuestro comercio no gustaba a todos los patronos de burdeles, algunos de los cuales veían con tristeza cómo aquel dinero iba a bolsillos distintos de los suyos. Porque muchos de ellos también vendían a sus pensionistas «instrumentos de trabajo». Incluso a crédito. ¡Querían tragárselo todo, los muy bandidos!

Íbamos a menudo a Puerto La Cruz, porque había aeropuerto en una ciudad muy cercana, Barcelona. El patrón del burdel más elegante, el mejor cuidado, donde vivían sesenta mujeres, era intratable, grosero, engreído, un tipo repugnante. Era panameño. Su mujer, venezolana, era muy amable, pero por desgracia era él quien mandaba y no había modo de abrir las maletas, ni aun por una horita, y todavía menos podíamos desembalar la mercancía sobre una mesa.

Una vez, fue demasiado lejos. Echó a la calle al instante a una mujer porque me había comprado un pañuelo que yo llevaba alrededor del cuello. La discusión se agrió y el policía de guardia nos rogó que nos marcháramos y que no volviéramos a poner los pies allí.

—De acuerdo, gran alcahuete —le dijo Carotte—. ¡No volveremos por tierra, pero sí por los aires! Esto no podrás impedirlo.

No comprendí la amenaza hasta la mañana siguiente cuando, al despegar de Barcelona a la hora del alba, me dijo por el teléfono interior:

—Vamos a dar los buenos días al panameño. ¡No tengas miedo y agárrate fuerte!

—¿Qué vas a hacer?

No me respondió, y cuando llegamos a la vista del burdel tomó un poco de altura y luego, a velocidad de régimen, picó sobre el burdel, pasó de forma estruendosa bajo los cables de alta tensión que estaban muy cerca de los techos de chapa de las habitaciones. Varias chapas, mal fijadas, volaron como hojas, dejando al descubierto el cuarto con su cama y sus ocupantes. Viraje sobre el ala, volvimos a coger un poco de altura y pasamos de nuevo, un poco más altos, para disfrutar del espectáculo. No había visto jamás nada tan extraordinariamente cómico como aquellas mujeres y sus clientes desnudos, locos de rabia en sus cajas sin tapa, mostrando sus puños vengativos a los aviadores que, ciertamente, habían interrumpido o un retozo amoroso o un sueño profundo. Carotte y yo nos morimos de risa.

No volvimos allí porque entonces no sólo debía de estar furioso el patrón, sino también las mujeres. En otra ocasión, me encontré con una de ellas, que tuvo el buen gusto de reír con nosotros sobre la aventura. Parece que se produjo un escándalo endiablado y que, en su furor, el cerdo del panameño quiso fijar por sí mismo con enormes pernos las chapas de todas las habitaciones de las mujeres.

A Carotte y a mí nos gustaba la naturaleza tanto a uno como a otro y a veces despegábamos sin más objetivo que el de descubrir rincones extraordinarios. Así descubrimos en alta mar, a unos doscientos kilómetros de la costa, una verdadera maravilla del mundo, Los Roques. Es como un sembrado de más de trescientas sesenta islitas dispuestas en forma oval, apretadas unas contra otras y formando así un vasto lago en plena mar. Lago apacible, porque las islas formaban como un dique, con agua color verde pálido, tan transparente, que se distinguía el fondo a veinte y veinticinco metros. Desgraciadamente, en aquella época no había pista de aterrizaje, pero pasamos por encima a lo largo y a lo ancho más de diez veces antes de saltar a otra isla a unos cincuenta kilómetros al Oeste, Las Aves.

Carotte era de verdad un piloto extraordinario. Lo pude ver aterrizar con un ala rastrillando la arena, o la otra rastrillando el agua, cuando la playa estaba demasiado inclinada.

En la isla de Las Aves hay millares y millares de aves de plumaje gris pero completamente blanco cuando son pequeñas. Recibían el nombre de pájaros bobos, porque eran muy simples y no desconfiaban. Constituía una sensación única estar los dos solos, desnudos en aquella isla plana como una torta, rodeados de aves que aterrizaban o trepaban sobre nosotros sin temor, porque no habían visto nunca hombres. Pasamos horas tostándonos al sol, tendidos sobre la estrecha playa que rodeaba la isla. Jugamos con los pájaros, los tomamos en el hueco de la mano, algunos se interesaron mucho por nuestras cabezas y nos dieron picotazos en los cabellos. Nos bañamos, nos tostamos más, y cuando teníamos hambre siempre encontrábamos langostas que se calentaban al sol, a flor de agua. Rápidamente atrapamos algunas con la mano y las asamos a la parrilla. Única dificultad: encontrar las suficientes plantas secas para el fuego, porque casi podía afirmarse que no había vegetación. Comer aquellas carnes suculentas regadas con un pequeño vino blanco, que tenía cuerpo, y del que siempre llevábamos algunas botellas a bordo, en aquella playa virgen, teniendo a nuestro alrededor el mar, el cielo y los pájaros, sin otra cosa más, nos daba una sensación de paraíso tal, que no necesitábamos hablar para sentirnos en comunión total. Y cuando regresábamos antes de la noche, lo hacíamos inundados de sol y de alegrías en el corazón, del gusto de morder la vida a grandes bocados, despreocupados de todo, incluso de saber cómo pagaríamos la gasolina de aquel viaje que no tenía más que un objetivo: el solo gusto de vivir lo bello y lo inesperado.

En Las Aves descubrimos una vasta gruta marina cuya entrada quedaba despejada con la marea baja y dejaba penetrar el aire y la luz. Me apasionaba aquella gruta de verdad impresionante. Se penetraba en ella a nado, el agua era clara, poco profunda, no más de un metro. Cuando uno se incorporaba en el centro y miraba las paredes y la bóveda, parecían cubiertas de cigarras. No lo eran, claro, sino millares de pequeñas langostas aferradas a la gruta, exactamente como cigarras en un árbol de Provenza, y no más gruesas. Nos quedábamos mucho tiempo en la gruta, sin molestarlas jamás. No intervinimos más que cuando un gran pulpo, muy goloso de bebés langostas, envió un tentáculo para apoderarse de algunas. Rápidamente le saltamos encima y le retorcimos el solideo de la cabeza. Allí se descompondría, si le daban tiempo a ello, porque para los cangrejos era un auténtico festín.

Regresamos varias veces a la isla de Las Aves, para pasar allí la noche. Ambos provistos de una gran lámpara eléctrica, cogimos langostas de aproximadamente un kilo doscientos gramos, con las que llenábamos dos grandes sacos. Al salir de «Carlota», el aeródromo situado en pleno Caracas, habíamos descargado toda nuestra mercancía de buhonería, lo que nos permitía cargar hasta cuatrocientos kilos de langostas. Era una locura cargar tanto, pero nos divertíamos. Despegábamos con cierto trabajo, y en cuanto a tomar altura, las estrellas no tenían nada que temer. Remontábamos penosamente el valle de veinticinco kilómetros que, desde la costa, conducía a Caracas, pasando sobre las casas en vuelo rasante. Revendíamos aquellas langostas vivas el precio irrisorio de 2,50 bolívares por cabeza. De todos modos, teníamos para pagar la gasolina y la pensión. Pero como al atrapar las langostas con la mano a menudo nos heríamos, algunas veces regresábamos sin haber pescado nada. Sin embargo no le dábamos importancia, nos burlábamos de todo, vivíamos con plenitud. Un día en que íbamos a Puerto La Cruz, cuando no estábamos lejos del puerto, Carotte me dijo por teléfono: «*Papi*, vamos muy justos de gasolina, vamos a aterrizar en el terreno de la compañía petrolífera de Santo Tomé.» Cuando habíamos dado una pasada por encima del terreno para hacerles comprender que queríamos aterrizar en su pista privada, aquellos demonios nos replicaron poniendo en el centro de la pista un camión-cisterna de agua o de gasolina, ¡vete a saber! Carotte, dueño de sus nervios y aunque yo le dijera y le repitiese un poco nerviosamente que no veía dónde podíamos aterrizar, me dijo sólo: «¡Agárrate bien, *Papi*!», y se deslizó sobre una carretera lo bastante ancha, donde aterrizó sin demasiadas sacudidas. Pero su impulso lo arrastró hasta el comienzo de un viraje, de donde salió, a todo meter, un camión-remolque cargado de bueyes. El chirrido de los frenos debió de cubrir nuestros gritos de horror, porque si el chófer no hubiese perdido el control y hubiera dejado el remolque en la cuneta, apañados estábamos. Rápidamente saltamos del avión, y Carotte detuvo las imprecaciones del chófer, un italiano:

—Ayúdanos a empujar el avión hacia un lado de la carretera, ¡luego gritarás! —El italiano todavía temblaba y su cara estaba blanca como la harina. Lo ayudamos a recuperar sus bichos, que se habían escapado del remolque, destruido por el choque.

Se habló mucho de aquel aterrizaje de virtuoso y el Gobierno compró el avión a Carotte y lo nombró instructor civil en el campo de «Carlota».

De este modo se terminó mi vida de aviador. ¡Qué lástima! Había tomado algunas lecciones y todo iba bien. Tanto peor. El único que había perdido en aquel asunto fue Coriat. Cosa extraordinaria, no me denunció. Algunos años después lo indemnicé enteramente y desde aquí quiero darle las gracias por lo generoso de su actitud hacia mí.

Pero, por el momento, no sólo había perdido el avión, no sólo ya estaba ocupada mi plaza en la fábrica de la húngara, sino que debía evitar también el centro de Caracas, porque allí estaba la tienda de Coriat y no me interesaba encontrarme frente a frente con él. De nuevo, pues, la situación no tenía nada de brillante, pero no importaba. Aquellas semanas con Carotte habían sido demasiado intensas para que tuviera que lamentar nada. No las olvidaría nunca.

Carotte y yo nos veíamos a menudo en una taberna tranquila que regentaba un viejo francés jubilado de la «Transat». Una noche, cuando estábamos jugando al dominó en una mesa apartada con un antiguo presidiario, que vivía tranquilamente de la venta de perfumes a plazos, y un republicano español, entraron dos desconocidos que llevaban lentes negros y preguntaron si era cierto que acudía allí alguna vez un francés aviador.

Carotte se levantó y dijo:

—Soy yo.

Examiné a los desconocidos de pies a cabeza, y fácilmente reconocí a uno de ellos, a pesar de sus lentes negros. Sentí una tremenda emoción. Me acerqué. Sin dejarme tiempo de hablar, me reconoció:

—¡*Papi*!

Era el Gran Léon, uno de mis mejores camaradas del penal. Un gran muchacho de rostro delgado; un hombre generoso. No era la ocasión de dar a entender que éramos demasiado íntimos, y me presentó, sin más, a su camarada Pedro *el Chileno*. En un rincón, bebiendo algo, Léon explicó que buscaba una avioneta con un piloto y que le habían hablado del francés.

—El aviador está aquí —respondió Carotte—, soy yo. Pero la avioneta ya no existe. Pertenece a otros.

—Es lástima —dijo Léon—. Ni más ni menos.

Carotte se retiró y se fue a continuar la partida de dominó; otro ocupó mi lugar. Pero *el Chileno* estaba en el bar, lo que nos permitió hablar tranquilamente.

—¿Y bien, *Papi*?

—¿Y bien, Léon?

—Hace más de diez años de nuestro último encuentro.

—Sí. Tú salías de la Reclusión cuando yo entraba allí. ¿Estás bien, Léon?

—No del todo mal. ¿Y tú, *Papi*?

Tenía ganas de hablarle.

—Te lo diré sinceramente, Léon, me voy arrastrando. No es fácil volver a subir la cuesta. Y luego, puedes haber salido de la *sombra* con la mejor de las intenciones, pero la vida es tan difícil si no tienes un oficio, que no piensas más que en la aventura. Y luego escucha, Léon, eres mayor que yo, y no eres un ex presidiario como los demás. A ti puedo decirte lo que me pesa en el corazón. Oye: en serio y siendo sincero conmigo mismo, a este país se lo debo todo. Aquí he resucitado y me he prometido respetar esta gran casa, de hacer en ella el mínimo de cosas reprobables. Pero no es fácil. Incluso con mi gusto por la aventura, si no tuviera una nutrida factura que presentar a algunas personas de París, estoy absolutamente seguro de que me labraría una situación, partiendo de cero, por medios correctos. Pero *no puedo esperar a que aquellos podridos se mueran antes de que yo llegue allí.* Cuando veo a la juventud de este país llena de alegría de vivir, despreocupada de todo, cuando tengo frente a mí a un joven de veinticuatro a treinta años como iluminado desde el interior por este maravilloso gusto por la vida que se tiene en esa edad, entonces, a pesar mío, me vuelvo hacia el pasado, hacia todos aquellos años que me robaron los años más hermosos de mi vida. Y vuelvo a ver aquellos negros agujeros de la Reclusión, aquellos tres años de espera antes y después de la audiencia, y aquel presidio podrido donde fui tratado más inhumanamente que un perro rabioso. Y entonces, durante horas, a veces días enteros, ando por las calles de Caracas pensando en todo esto. En vez de dar gracias diez, veinte veces al día al destino por haberme traído aquí, pues bien, no, no pienso en esto: veo, vuelvo a ver, creo estar en todas mis tumbas pasadas, y como en aquellas tumbas por donde iba y venía como un oso enjaulado, me pongo a contar: ¡uno, dos, tres, cuatro, cinco, media vuelta! Es más fuerte que yo, una verdadera obsesión. No, no puedo soportar que los que me han hecho sufrir injustamente este calvario donde hubiese acabado por reventar como el más miserable de los pingos, sin nada humano ni en la cara ni en el corazón, y del que salí a costa de muchos sufrimientos y gracias a mucha voluntad, no, no puedo soportar la idea de que mueran tranquilos, sin pagar. Entonces, cuando voy por las calles, ni miro a mi alrededor de modo normal. Cada joyería, cada sitio donde estoy seguro de que está lo que me falta, dinero, no puedo dejar de examinarlo y calculo cómo podría apoderarme de todo lo que está allí dentro. Y si todavía no lo he hecho, mira tú, no es por falta de ganas, porque hay trucos tan fáciles de hacer que es casi una provocación. Hasta aquí he ganado esta difícil lucha sobre mí mismo, no he hecho nada grave en este país ni contra este pueblo que me ha otorgado su confianza. Sería algo cobarde, repugnante, indigno, tan vil como violar a las hijas de una casa que te hubiese recogido. Pero tengo miedo, sí, miedo de mí mismo, miedo de que un día no pueda resistir la tentación de preparar un gran golpe. Todo esto me ha creado problemas tales que, en algún momento, pierdo la confianza de poder vivir un día de un trabajo honesto. Porque es imposible, defendiéndome honradamente, reunir pronto la enorme suma que necesito para vengarme. En confianza, Léon estoy en las últimas.

El Gran Léon me escuchó sin decir nada. Mirándome atentamente. Bebimos el último vaso casi sin cambiar otras palabras. Se levantó y me citó para comer juntos al día siguiente con Pedro *el Chileno*.

Volvimos a vernos en un restaurante tranquilo, a la sombra de un cenador. El tiempo era bueno.

—He reflexionado sobre lo que me dijiste, *Papi*. Ahora escucha: voy a decirte por qué estamos en Caracas.

Estaban allí de paso hacia otro país de América del Sur para ocuparse en serio de un Monte de Piedad que, según las informaciones dadas por uno de los principales empleados, y como habían podido verificar ellos mismos, había bastantes joyas para, después de haberlas transformado en dólares, cada uno de ellos quedar en posesión de un buen paquete. Por tal razón buscaban a Carotte. Querían hacerle una proposición para él y su avión. Pero ya no había lugar a ello.

—Si quieres, *Papi*, vienes con nosotros —concluyó Léon.

—No tengo pasaporte, y mis economías son escasas.

—Del pasaporte nos encargamos nosotros. ¿Verdad, Pedro?

—Como si lo tuvieras en el bolsillo —dijo Pedro— con perfecta identidad. Oficialmente, no habrás salido ni vuelto a entrar en Venezuela.

—¿A cuánto subirán los gastos, aproximadamente?

—Unos mil dólares, porque el país no está aquí al lado. ¿Tienes esa pasta?

—Sí.

—Entonces, vista tu situación, no puedes dudar.

Y como consecuencia de aquel encuentro, quince días después, al siguiente de la operación, y habiendo alquilado un coche, estaba a varios kilómetros de una capital sudamericana enterrando las joyas que me habían correspondido y que llevaba metidas en una caja de bizcochos de hojalata.

El trabajo, bien cronometrado, se había realizado fácilmente. Entramos por un comercio de corbatas pegado al Monte de Piedad. Léon y Pedro habían ido allí varias veces a comprar corbatas, para registrar en su mente la cerradura de la tienda y localizar el lugar exacto donde debían hacer el agujero en la pared medianera, a fin de penetrar en el lugar. No había cajas fuertes, sólo armarios blindados por los cuatro costados. Entramos el sábado a las diez de la noche y volvimos a salir el domingo a las once de la noche.

Operación bien hecha y sin dificultades. Al pie de un árbol gigante, a unos veinte kilómetros de la ciudad, enterré mi caja. Estaba seguro de poder volver a encontrar el lugar cuando quisiera, sin duda alguna, porque, además de una señal que había hecho con el cuchillo, el árbol era de localización fácil: inmediatamente después de un puente, junto a la carretera, era el primero del bosque que empezaba allí. De regreso, tiré mi pico a diez kilómetros de allí.

Por la noche, volvimos a reunirnos los tres en un restaurante elegante. Llegamos por separado e hicimos como si nos hubiéramos encontrado por casualidad en el bar antes de decidir ir a comer juntos.

Cada uno había escondido su parte: Léon en casa de un amigo, Pedro, en el bosque, como yo.

—Mira —explicó—, es mejor así, cada uno con su parte. Así cada uno ignora lo que han hecho los demás con la suya. Es una precaución muy utilizada en América del Sur, porque si a uno le pesca la Policía, no es para darle jamón en dulce, y entonces si se sienta a la mesa no puede hacerlo más que por sí mismo. Dicho esto, *Papi*, ¿has quedado contento con el reparto?

—Francamente, estoy convencido de que nuestra estimación a la vista de cada joya es correcta. Está bien, no hay nada que objetar.

La cosa había ido bien y todo el mundo estaba satisfecho.

—¡Manos arriba!

—¡Vamos! ¿Qué pasa? —exclamó Léon—. ¿Están ustedes locos?

No nos dieron tiempo a reaccionar: en menos que se tarda en decir ¡ay!, nos amenazaron con las porras, nos pusieron las esposas y nos facturaron en dirección a la Central de los polis. Ni tan sólo habíamos terminado de comer las ostras.

En el país no tenían la mano blanda aquellos hermanitos. La danza duró toda la noche, más de ocho horas, al menos. Primera pregunta:

—¿Os gustan las corbatas?

—¡Mierda!

Y así sucesivamente. A las cinco de la madrugada no éramos más que paquetes de carne tumefacta. Locos furiosos por no habernos sacado nada, los polis babeaban de rabia:

—Bueno. Como estáis sudando y con fiebre, vamos a refrescaros.

Apenas sosteniéndonos en pie, nos embarcaron en una furgoneta de la Policía y un cuarto de hora después llegamos ante un enorme edificio. Los polis penetraron en el interior, luego vimos que salían unos obreros. Los polis debieron de habérselo pedido. Entonces nos tocó a nosotros entrar, cada uno sostenido por dos polis, casi a rastras.

Un inmenso pasillo, puertas de acero a derecha e izquierda, cada una teniendo encima una especie de reloj con sólo una aguja. Eran termómetros. Me di cuenta de que estábamos en el pasillo de los frigoríficos de un gran matadero.

Nos detuvimos en un lugar del pasillo donde había varias mesas.

—Bueno —dijo el jefe de los polis—. Por última vez os invito a reflexionar. Éstas son las cámaras de congelación para la carne. ¿Comprendéis lo que esto quiere decir? Vamos, por última vez: ¿dónde estan las joyas y lo demás?

—No hemos visto ni joyas ni corbatas —respondió **Léon**.

—Muy bien, abogado. Tú primero.

Los polis quitaron el cerrojo de la puerta de una cámara y la abrieron. Salió como una humareda de niebla helada que se precipitó en el pasillo. De un empujón enviaron a Léon dentro, después de haberle quitado sus zapatos y calcetines.

—Cierra aprisa —dijo el jefe—, ¡vamos a congelarnos nosotros también!

Con un estremecimiento de horror, vi cómo se cerró la puerta detrás del pobre Léon.

—Te toca a ti, *Chileno*. ¿Cantas o no?

—No tengo nada que cantar.

Abrieron otra cámara y empujaron a *el Chileno*.

—Tú eres el más joven, italiano —mi pasaporte llevaba la identidad italiana—. Mira con atención estos termómetros. La aguja está a menos cuarenta grados. Esto quiere decir que en el estado en que estás, después de lo que has bailado, y lo caliente que te hallas, si no hablas y te metemos ahí dentro tienes nueve posibilidades sobre diez de coger una congestión pulmonar y reventar en el hospital antes de cuarenta y ocho horas. Como ves, te dejo una última oportunidad: ¿habéis desvalijado el Monte de Piedad pasando por la tienda de corbatas, sí o no?

—No tengo nada que ver con ésos. Sólo conozco a uno

de ellos, de antes, y los he encontrado por casualidad en el restaurante. Preguntádselo al personal. No sé si ellos están metidos en el asunto, pero de lo que estoy cierto es de que yo no lo estoy.

—Bueno, revienta tú también, *Macaroni*. Lo siento, al pensar que vas a reventar a tu edad. ¡Pero tú lo habrás querido!

La puerta se abrió. Con un violento empujón me proyectaron hacia la oscuridad de la cámara y caí cuan largo era sobre el suelo cubierto de hielo y de escarcha después de haber chocado mi cabeza contra una mitad de buey, duro como el hierro, colgado de un gancho. De segundo en segundo, sentí cómo el frío horrible de aquella cámara invadía toda mi carne, la atravesaba y me llegaba hasta los huesos. Gracias a un terrible esfuerzo me levanté, primero de rodillas, luego, aferrándome a un buey, conseguí ponerme de pie. A pesar del dolor que experimentaba con cada movimiento que hacía después del baile que nos habían dado, me puse a agitar los brazos, a frotarme el cuello, las mejillas, la nariz, los ojos. Intenté calentarme poniendo las manos bajo los sobacos. No llevaba más que el pantalón y la camisa rota. Como también me habían quitado los zapatos y los calcetines, sufría intolerablemente en la planta de los pies, que se pegaban al hielo, y sentí que los dedos de los pies empezaban a helárseme.

Me dije: «Esto no puede durar más de diez minutos, un cuarto de hora como máximo, ¡de otro modo me convertiré, igual que estos bueyes, en un bloque de carne congelada! No, no es posible, no harán eso, ¿congelarnos vivos? ¡Ánimo, *Papi*! Unos minutos más y se abrirá la puerta. El pasillo glacial te parecerá la mar de caliente.» Mis brazos ya no obedecían, no podía cerrar las manos ni mover los dedos, mis pies estaban pegados al hielo, y no tenía ya fuerzas para arrancarlos de allí. Sentí que iba a desmayarme y, en el espacio de un par de segundos, vi primero el rostro de mi padre que estaba recubierto por el hocico del fiscal, no muy distintamente, porque se fundía con los de los polis. Tres rostros en uno. Pensé: «¡Qué raro!, todos se parecen, se ríen porque han ganado.» Y me dio un soponcio.

¿Qué había ocurrido? ¿Dónde estaba? Una hermosa cabeza de hombre estaba inclinada sobre mí cuando abrí los ojos. No podía hablar, porque todavía tenía la boca agarrotada por el frío, pero me interrogué mentalmente: «¿Qué hago aquí, estirado sobre una mesa?»

Las manos grandes, fuertes y hábiles, me dieron masaje por todo el cuerpo con sebo caliente y, poco a poco, sentí que volvía la elasticidad y el calor. El jefe de los polis miró la escena desde dos o tres metros. Tenía el aire fastidiado. Me abrieron la boca varias veces para echarle un poco de alcohol. Una vez me pusieron demasiado, casi me ahogué y devolví violentamente el trago.

—Bueno —dijo el masajista—, ya está fuera de peligro.

Continuaron dándome masaje una media hora larga. Sentí que podía hablar, pero preferí callarme. Me di cuenta de que, a la derecha, había otro cuerpo sobre una mesa, a la misma altura que la mía. Él también estaba completamente desnudo, lo friccionaron y le dieron masaje. ¿Quién era? ¿Léon o *el Chileno*? Éramos tres. Pero sólo estábamos presentes dos. ¿Dónde estaba el tercero?

Las demás mesas estaban vacías.

Ayudado por el masajista, me senté y pude ver quién era el otro. Era Pedro *el Chileno*. Volvieron a vestirnos y nos pusieron uno de esos monos rellenos concebidos especialmente para los obreros que trabajan en el interior de los frigoríficos.

El jefe de los polis volvió a la carga:

—¿Puedes hablar, *Chileno*?

—Sí.

—¿Dónde están las joyas?

—No sé nada.

—¿Y tú, *spaghetti*?

—Yo no estaba con ésos.

—¡Muy bien!

Bajé de la mesa. Me aguanté de pie con gran sacrificio, pero tenía la satisfacción, una vez sobre mis pies, de sentir una sana quemadura bajo mis plantas, sana aunque me hiciera daño, y también la sangre que corría, que corría por todo mi ser con tanta fuerza que la sentía, en todos los rincones de mi cuerpo, chocar contra las paredes de las venas y de las arterias.

Creía que, por aquel día, habíamos ido hasta el límite del horror, pero estaba equivocado.

Después de habernos puesto uno al lado del otro, a Pedro y a mí, el jefe, que había recuperado su seguridad, ordenó:

—¡Que les quiten el mono!

Nos lo quitaron, y volví a estar con el torso desnudo, tiritando inmediatamente de frío.

—Y ahora, mirad bien, ¡hombres!

Sacaron de debajo de una mesa un especie de paquete rígido, y lo levantaron ante nosotros. Era un cuerpo congelado, tieso como una tabla. Sus ojos estaban abiertos de par en par, fijos como dos bolas para jugar los niños. Era horrible ver aquello, aterrador. ¡El Gran Léon! ¡Lo habían congelado vivo!

—¡Mirad bien, hombres! —repitió el jefe—. Vuestro cómplice no ha querido hablar; pues bien, hemos ido hasta el fin con él. Ahora os llegará el turno a vosotros, si os obstináis como él. He recibido la orden de ser implacable, porque vuestro caso es demasiado grave. El Monte de Piedad está administrado por el Estado, y hay disturbios en la ciudad porque la gente cree que se trata de un robo simulado por funcionarios. Así pues, o habláis, o dentro de media hora estaréis como vuestro cómplice.

Todavía no había recuperado la plenitud de mis facultades y, ante aquel espectáculo, estaba tan trastornado que, durante tres largos segundos tuve ganas de hablar. Lo único que impedía aquella monstruosidad era que no sabía dónde estaban los demás paquetes. Nunca me creerían y estaría todavía más en peligro.

Estupefacto, oí una voz muy sosegada, la de Pedro, que dijo:

—¡Cuidado! Con esto no nos das miedo. Se trata de un accidente, ¡seguro! No quisiste congelarlo, has hecho una falsa maniobra, esto es todo, y no quieres volver a empezar con nosotros. Porque uno, puede pasar, pero tres, tres extranjeros transformados en bloques de hielo es mucho, y no veo que seas capaz de dar explicaciones válidas a dos Embajadas. Uno, pase; tres, es demasiado.

No pude dejar de admirar la sangre fría de acero de Pedro. Con mucha calma, sin decir nada, el poli miró a *el Chileno*. Al cabo de un instante:

—Eres un bandido, esto es seguro, pero también, es preciso reconocerlo, un tío que se las trae. —Luego, volviéndose hacia los demás, les dijo—: Encontradles una camisa y enviadlos a la cárcel, el juez se encargará de ellos. Inútil continuar los «buenos tratos» con bestias salvajes semejantes, sería tiempo perdido.

Se volvió de espaldas y se fue.

Un mes después estaba en libertad. El tendero de las corbatas reconoció que yo no había ido nunca a su casa, lo que era verdad. En cuanto a los mozos del bar, declararon que había bebido dos whiskies solo, que había reservado una mesa para una persona cuando llegaron los otros dos, y que habíamos quedado muy sorprendidos al vernos en aquella ciudad. De todos modos, tenía orden de salir del país dentro de los cinco días siguientes, porque tenían miedo de que en tanto que pretendido compatriota de Léon, que tenía también pasaporte italiano, denunciara al Consulado lo que había pasado.

En la instrucción judicial, fuimos confrontados con un tipo que yo no conocía, aunque Pedro sí: el funcionario del Monte de Piedad que le había indicado el asunto. La noche en que nos repartimos el botín, aquel burro regaló una magnífica sortija antigua a una mujer de un bar nocturno. Alertados, a los polis no les fue difícil hacerle hablar, y por eso el Gran Léon y Pedro habían sido identificados tan rápidamente. Pedro *el Chileno* quedó complicado en el asunto.

Subí al avión con quinientos dólares en el bolsillo. No fui al escondrijo, porque era demasiado peligroso. Volvería dentro de un año a buscar mi tesoro. Hice balance de la espantosa pesadilla que acababa de vivir. Los periódicos habían evaluado el robo del Monte de Piedad en doscientos mil dólares. Incluso si, exagerando, calculaban el doble, eran cien mil dólares y, por tanto, tenía unos treinta mil en mi escondrijo. Como habían sido estimados por el valor del préstamo que habían merecido, es decir, a la mitad de su valor real, si los vendía sin pasar por un encubridor, tenía, según mis cálculos, ¡más de sesenta mil dólares! Habría logrado lo que me faltaba para mi venganza, a condición de no tocarlos para vivir. Aquel dinero era sagrado, destinado a un objetivo sagrado, y no debía emplearlo en otra cosa *con ningún pretexto*.

A pesar de su horrible desenlace para mi amigo Léon, para mí aquel asunto había sido un éxito. A menos de verme obligado a auxiliar a *el Chileno*, cosa no probable, porque seguramente dentro de unos meses enviaría a un amigo de confianza a recoger el gato para pagar su defensa y, acaso, estudiar una coartada. Por otra parte, lo habíamos acordado así: cada uno su paquete, de modo que cada uno no estuviera ligado a la suerte de los demás. Yo no era partidario de este método, pero era el modo de obrar del hampa sudamericana. Terminada la operación, cada mochuelo a su olivo.

De verdad tenía que dar gracias al Creador por haberme salvado. Y, a pesar de todo, Él no podía ser el forjador de mi venganza. Sabía que no deseaba que me vengara. Me acordé del penal de El Dorado, en la víspera del día en que debía ser puesto definitivamente en libertad. Quise dar gracias al Dios de los católicos. En mi emoción, le dije: «¿Qué podría hacer para demostrar que estoy sinceramente reconocido por tus beneficios?» Y creí oír, verdaderamente, como si me hablara una voz:

—«Renunciar a tu venganza.»

Dije que no. Todo menos aquello. Por tanto, era imposible que fuera él quien me hubiera protegido en aquel asunto. Imposible. Había tenido suerte, eso era todo, una suerte de cornudo. Dios no tenía nada que ver con una porquería semejante.

Pero el resultado estaba allí, enterrado al pie de un árbol centenario. Me había quitado un enorme peso de encima, al tener ya los posibles para realizar lo que llevaba trece años nutriendo mi alma.

¡Era preciso esperar que la guerra no hubiera acabado con mis pederastas verdugos! A la espera de la hora H, no tenía más que buscar trabajo y vivir tranquilamente hasta el día en que fuera a desenterrar mi tesoro.

El avión volaba muy alto, en un cielo resplandeciente, por encima de un manto de nubes con una blancura de nieve. Allí estaba la pureza, y pensé en el alma de los míos, de mi padre, de mi madre, de mi familia, en mi infancia bañada de luz. Por debajo de las nubes blancas, estaban las nubes sucias, la lluvia grisácea y manchada, perfecta imagen del mundo terrestre: la sed de poder, la sed de probar a los demás que uno les es superior; esta sed seca, sin alma, de seres a quienes no importa destruir a un ser humano si, al destruirlo, recogen o justifican algo.

Capítulo VIII

LA BOMBA

De nuevo Caracas. Regresaba a la ciudad, tan llena de vida, con verdadero placer.

Hacía veinte meses que me habían puesto en libertad y todavía no me había incorporado a aquella sociedad. Era inútil que me dijera: «¡No tienes más que trabajar!», pero aparte el hecho de que no encontraba trabajo aceptable, tenía dificultad en hablar correctamente en español, y muchas puertas no se me abrían porque no dominaba el idioma. Así, pues, compré una gramática y, encerrado en mi habitación, decidí dedicar las horas necesarias para hablar español. Me desesperé, no conseguía coger la pronunciación y, al cabo de unos días, tiré el libro y me lancé a la calle y a los cafés, siempre en busca de un amigo que pudiera encontrarme algo.

Cada día llegaban más franceses de Europa, asqueados por sus guerras y sus convulsiones políticas. Unos huían de una justicia versátil y arbitraria, condicionada por la tendencia política del momento; otros buscaban la calma, una playa donde respirar sin que nadie fuera a tomarles el pulso a cada instante para saber a qué ritmo latía.

Aquellas gentes no me parecían franceses y, sin embargo, lo eran. Pero aquellos hombres honrados no tenían nada que ver con papá Charrière ni con todos los que había conocido en mi infancia. Cuando estaba entre ellos, descubrí un montón de ideas tan distintas, tan dislocadas con relación a las de mi infancia, que no comprendí nada. Alguna vez les dije:

—No creo que debieran ustedes olvidar el pasado, pero sí no hablar más de él. Hitler, los nazis, los judíos, los rojos, los blancos, De Gaulle, la izquierda, ¿y qué más buscáis destruir o cultivar en vuestros corazones? ¿Es posible que haya entre vosotros, incluso después de la guerra, abogados del nazismo, gestapos alemana o francesa? Voy a decíroslo: cuando habláis de los judíos, creo ver a una raza que vomita el odio contra otra raza. Vivís en Venezuela, con su pueblo, y no sois capaces de asimilar la filosofía tan maravillosa de las gentes de este país. Aquí no hay discriminación, ni racial ni religiosa. La clase social más miserable por sus condiciones de vida infrahumana debería tener el *virus* de la venganza contra los privilegiados. Y bien, *aquí no existe ni este virus*. No sois capaces de volver a poneros a vivir para vivir. ¿Es que la vida no debe ser hecha más que de eternas batallas entre personas que no tienen la misma ideología? ¡Callad, por favor! No lleguéis aquí como europeos llenos de la superioridad de su raza, como exploradores. Es cierto que tenéis, por término medio, más alta preparación intelectual que la gran masa de aquí. Bueno, ¿y qué? ¿De qué os sirve, puesto que sois, en definitiva, más asquerosos que ellos? Se diría que la instrucción, para vosotros, no significa inteligencia, generosidad, bondad, comprensión, sino sólo conocimientos adquiridos por los estudios. Si vuestras almas siguen secas, egoístas, rencorosas, fosilizadas, estos conocimientos no quieren decir nada. Dios hizo el sol, el mar, las praderas inmensas, la selva, pero, ¿para quién especialmente? ¿Para vosotros? ¿Os creéis ser la raza predestinada a organizar el mundo? Cuando os miro y os escucho, se me ocurre, a un desgraciado como yo, que a través de vuestra «justicia» habéis tratado como una inmundicia, la sensación de que el mundo dirigido por pobres mierdas como vosotros no puede dar más que guerras y revoluciones. Porque sois una clase de personas que no sueñan más que en la tranquilidad pública, acaso, pero sólo si corresponde a su propio ángulo de visión.

Cada cual sacaba su lista de personas a quienes matar, condenar, encarcelar y, a pesar de mi angustia, no podía dejar de reírme cuando escuchaba a aquellas personas, sentadas en un café o en un vestíbulo de hotel de tercera categoría, criticarlo todo para llegar a la conclusión de que sólo ellos eran capaces de dirigir el mundo.

Y sentía miedo, sí, sentía miedo, porque tenía la sensación muy real del peligro que aquellos recién llegados traían con ellos: el virus de las pasiones ideológicas fosilizadas del viejo mundo.

1947. Conocí a un antiguo penado, Pierre-René Deloffre, quien no tenía más que una religión: el general Angarita Medina, ex presidente de Venezuela, derribado por el último golpe de Estado militar en 1945. Deloffre era un personaje. Bullicioso, pero apasionado y generoso.

Utilizó toda su pasión para convencerme de que los herederos de aquel golpe de Estado no valían la suela de los zapatos de Medina. Para decirlo claramente, no me convenció, pero como estaba en una situación difícil no iba a contrariarlo.

Por medio de un financiero, un tipo extraordinario, me encontró trabajo. El financiero se llamaba Armando. Descendiente de una poderosa familia venezolana, noble, generoso, fino, instruido, inteligente, era de un ánimo extraordinario, pero no tenía más que un motivo de desgracia: un hermano envidioso, imbécil e inepto. Algunos de sus manejos recientes me confirmaron que no había cambiado en el espacio de veinticinco años. Deloffre me presentó sin irse por las ramas:

—Mi amigo *Papillon*, evadido de un penal francés. *Papillon*, éste es el hombre de quien te he hablado.

Armando me adoptó en seguida y, con una sencillez de auténtico señor, me preguntó si necesitaba dinero.

—No, señor Armando; necesito trabajo.

De todos modos, prefería ver venir, era preciso que me tomara un tiempo. Además, en realidad no me faltaba dinero para el futuro inmediato.

—Venga mañana a las nueve.

Al día siguiente me llevó a un garaje, el «Franco-Venezolano», donde me presentó a sus socios. Eran tres jóvenes con mucha sangre en las venas, siempre dispuestos a galopar sin frenos ni riendas, se veía al primer vistazo. Dos de ellos estaban casados. Uno con Simone, una parisiense de veinticinco años, soberbia; el otro, con Dédée, una bretona de veinte años, de ojos azules, preciosa como una violeta, y madre de un chiquillo, Cricri.

Eran agradables, abiertos, sin segundas intenciones. Me acogieron con los brazos abiertos, como si me hubieran conocido desde siempre. En seguida me dispusieron una cama en un rincón del gran garaje, algo aislado por una cortina, cerca de la puerta de las duchas. De verdad puedo escribir que, después de diecisiete años, aquélla fue mi primera familia. Querido, mimado por aquel grupo de jóvenes, era muy feliz. Amaba la vida tanto como ellos, así como la alegría de vivir sin barreras y sin leyes.

Sin formular preguntas —no necesitaba hacerlo— no necesité hacer grandes esfuerzos para darme cuenta de que no había uno que fuera verdaderamente mecánico. Tenían un ligero, un muy ligero conocimiento —un soplo de conocimiento, debería decir— de lo que era un motor, y todavía menos que un soplo para lo que se refería a los coches americanos, principales, para no decir únicos, clientes. Uno de ellos era tornero, lo que explicaba la presencia de un torno en el garaje, para, según decía él, rectificar los pistones.

Me enteré rápidamente de que aquel torno servía para preparar botellas de gas, a fin de poder fijar en ellas un detonador y un cordón *bickford*.

Para la ola de franceses llegados recientemente, el garaje «Franco-Venezolano» arreglaba mal o peor los coches, pero para el financiero venezolano preparaba bombas para un golpe de Estado. Todo aquello no me gustaba.

—¡A la mierda! ¿Para quién o contra quién esta historia? Explicaos.

Una noche, a la luz de la lámpara, interrogué a los tres franceses cuando mujeres y niños se fueron a dormir.

—Nosotros no tenemos por qué saberlo. Preparamos los tubos que nos pide Armando. ¡Y hala, camarada!

—Hala para vosotros, acaso. Yo necesito saber.

—¿Para qué? Te ganas más que bien la vida y nos divertimos, ¿no?

—En cuanto a divertirnos, sí nos divertimos, pero yo no soy como vosotros. Yo estoy «aislado» en este país. Me han prestado su confianza y me han dado la libertad.

Se quedaron estupefactos de que les hablara así, en mi situación. Sabían, porque se lo había dicho, lo que tenía en la mollera, mi idea fija. Pero no les había hablado del golpe en el Monte de Piedad. Así, pues, me dijeron:

—En este asunto, si tiene éxito, puedes ganar la suma que necesitas para hacer lo que tienes que hacer, y más, incluso. En cuanto a nosotros, no pensamos terminar nuestros días en este garaje. Es verdad que lo pasamos bien, pero esto no es sólido en relación con lo que soñamos hacer al venir a América del Sur, puedes creerlo.

—¿Y vuestras mujeres, y el chico?

—Las mujeres están al corriente. Un mes antes del golpe de Estado saldrán para Bogotá.

—¡Ah, ah...! Están al corriente. ¡Me asombraba que no se extrañaran de ciertas cosas!

Aquella misma noche fui a ver a Deloffre y a Armando. Hablé durante mucho rato con ellos. Armando me explicó:

—En nuestro país, son Betancourt y Gallegos quienes mandan bajo el manto de la seudodemocracia A.D. (Acción Democrática). El poder les fue entregado por militares ingenuos, que no sabían muy bien por qué hacían caer a otro militar, más liberal, Medina, mucho más humano que los civiles. Asisto como testigo mudo a las persecuciones de antiguos funcionarios del medinismo e intento comprender por qué unos hombres que hicieron una revolución bajo los gritos de «justicia social, respeto a todos sin excepción», se convierten en peores que sus antecesores una vez que están en el Poder. Por esto quiero contribuir al retorno de Medina.

—Muy bien, Armando. Comprendo que tú lo que quieres ante todo es detener las persecuciones del partido actualmente en el Poder. Tú, Deloffre, tienes un dios, que es Medina, tu protector y amigo. Pero escuchadme bien: en cuanto a mí, *Papillon*, es el partido que está actualmente en el Poder *el que me ha liberado* del presidio de El Dorado. Después de la revolución, de la noche a la mañana, cuando llegó el nuevo director —que sigue siéndolo, según creo—, don Julio Ramos, abogado, escritor insigne, me puso en libertad y también paró en seco el régimen de terror del penal. ¿Y quisierais que yo participara en un golpe semejante contra esas gentes? No, dejad que me marche. Sabéis que podéis contar con mi discreción.

Armando, como gran caballero, y sabiendo que mi situación era difícil, me dijo:

—Enrique, tú no haces las bombas, no trabajas en el torno. No te ocupas más que de los coches y de pasar las herramientas cuando el chapista te las pide. Quédate un poco más. Te lo pido yo y te prometo, puedes estar seguro, que si pasamos a la acción se te advertirá con más de un mes de anticipación.

Y me quedé con los tres muchachos, cuyos nombres no diré completos, sino sólo las iniciales: P.L., B.L., y J.G. Todavía viven los tres, y ellos se reconocerán fácilmente. Formábamos un equipo terrible, siempre juntos, corríamos a rienda suelta, hasta el punto que los franceses de Caracas nos llamaban los tres mosqueteros que, como es sabido, eran cuatro. Aquellos meses me proporcionaron los mejores momentos, los más alegres, los más agradables que pasé en Caracas.

La vida era una pura farsa. El sábado nos reservábamos no importa cuál bonito coche de un cliente a quien decíamos que no estaba listo, y bajábamos hasta el mar. Íbamos hasta una de aquellas maravillosas playas floridas y ribeteadas de cocoteros, para bañarnos y hacer mil locuras. Por supuesto, alguna vez encontrábamos al propietario del coche, indignado de verlo transportando aquel circo cuando él lo creía en el garaje. Entonces, amable y suavemente, le explicábamos que lo hacíamos por él, no queriendo entregarle un coche no del todo a punto y que para ello era necesario probarlo. Nunca acabó mal la cosa gracias, sin duda alguna, a las hermosas sonrisas de las dos mujeres.

En cambio, se produjeron algunos casos sangrientos: el depósito de gasolina del automóvil del embajador de Suiza tenía un escape. Trajeron su coche para que pusiéramos un punto de soldadura en el lugar de la fuga. Vacié concienzudamente el depósito con un tubo de caucho, aspirando hasta la última gota. Al parecer no había sido suficiente, porque cuando coloqué la llama del soplete encima, aquel asqueroso depósito explotó, incendiando el coche, que se achicharró completamente. Mientras el obrero y yo nos palpamos, llenos de grasa y de humo, apenas empezando a darnos cuenta de que acabábamos de escapar a la muerte, oí la voz tranquila de B.L., que nos dijo:

—¿No creéis que deberíamos informar del pequeño desastre a nuestros socios?

Telefoneó y tropezó con el imbécil feliz, Clemente.

—Clemente, ¿puede usted darme el número del seguro del garaje?

—...

—¿No tiene? ¡Escuche, vamos, esto no es serio! Sin embargo, ¿no es usted quien se ocupa de los asuntos administrativos?

—...

—¿Por qué? ¡Ah, sí, me olvidaba! Porque el automóvil del embajador de Suiza se ha incendiado. No es más que un montón de cenizas.

Inútil decir que cinco minutos después llegaba Clemente corriendo, con los brazos en alto y tanto más furibundo cuanto que, en efecto, el garaje no estaba cubierto por ningún seguro. Fueron necesarios tres vasos de whisky abundantes y todo el encanto de las piernas al aire de Simone para que se calmara. En cuanto a Armando, no vino hasta el día siguiente, muy dueño de sí mismo. Tuvo estas frases amables: «Sólo sucede algo a quienes trabajan. De todos modos, no hablemos más de ello, he llegado a un acuerdo con el embajador.»

El embajador tuvo un coche nuevo, pero a él no le volvimos a ver.

Mientras llevábamos aquella vida llena de jovialidad y de gusto de vivir, de vez en cuando pensaba en mi pequeño tesoro oculto al pie de un árbol en una República famosa por sus carnes congeladas. Al mismo tiempo hacía economías para el viaje de ida y vuelta para ir a recogerlo. La idea de saber que tenía lo necesario, o casi, para saciar mi venganza, me había transformado completamente. No me preocupaba ganar mucho dinero, ello ya no constituía un problema para mí. Lo que economizaba me bastaba. Por eso vivía, sin pensar en otra cosa, la alegre vida de los mosqueteros, y sí pensaba en cambio que el domingo a las tres de la tarde estaríamos todos bañándonos en slips en la fuente de una plaza de Caracas. Allí, al menos, Clemente estuvo a la altura de las circunstancias, e hizo que la Policía dejara en libertad a los socios de su hermano, que habían sido encerrados por ultrajes al pudor.

Pero habían pasado varios meses y ya podía ir a buscar mi tesoro, con toda seguridad.

Por tanto, ¡adiós, amigos, y gracias por todas vuestras amabilidades! Fui camino del aeropuerto.

Llegado a las seis de la mañana, a las nueve, después de haber alquilado un coche, estaba en el lugar.

Atravesé el puente. ¿Qué había pasado allí? ¿Me había vuelto loco, o se trataba de un espejismo? A la salida del puente, miré a todas partes, mi árbol no estaba. No sólo el mío, muchos otros habían desaparecido. El puente y su acceso fueron ensanchados en función de la carretera, a su vez mucho más ancha que antes. Calculando a partir del puente, conseguí situar aproximadamente dónde podían estar mi árbol y mi tesoro. No acaba de creerlo, se me cortó la respiración. ¡No había nada!

Entonces se apoderaron de mí una especie de locura y de rabia bestial. A taconazos martilleé el asfalto, como si la materia hubiera podido sentir algo. Me arrebató un inmenso furor, busqué a mi alrededor algo que destruir, no vi más que las líneas blancas pintadas sobre la carretera y las hice polvo con el pie, como si aquellas pequeñas escamas de pintura despegadas pudieran provocar una catástrofe.

Volví al puente y, comparando con éste otro acceso, que no había sido modificado, calculé que debieron remover la tierra a más de cuatro metros de profundidad. Como que mi tesoro estaba a sólo un metro, ¡debieron de descubrirlo en seguida!

Me acodé sobre la barandilla del puente, y durante largos minutos contemplé correr el agua. Me tranquilicé poco a poco, pero los pensamientos continuaban agitándose en mi mente. ¿Iba a fracasar siempre? ¿Tenía que abandonar la aventura? ¿Qué iba a hacer? Mis piernas se doblaron. Luego me serené y me dije: «¿Cuántas veces has fracasado antes de apostar por el caballo ganador? ¿Siete u ocho, no? Pues bien, en la vida es igual. ¡Un barco perdido, vamos a ganar otro! ¡Ésta es la vida, cuando se la quiere de verdad!»

No me quedé mucho tiempo en aquel país que se cree obligado a transformar tan aprisa sus carreteras. Es para asquearos de las gentes, pensar que un pueblo civilizado —¡porque, además, son civilizados en aquellas pampas!— no respeta ni los árboles centenarios. ¿Y por qué, me pregunté, agrandar una carretera que era bastante ancha para el tráfico que tenía?

En el avión que me devolvió a Caracas, me reí diciéndome que los hombres pueden pensar que son dueños de su destino, que pueden construir el futuro, prever lo que harán uno o dos años más tarde. ¡Un auténtico camelo, *Papi*! El hombre más exacto, más calculador, el más genial organizador de su vida no es más que un juguete ante la incógnita del destino. Sólo el presente es seguro, lo demás es lo desconocido que se llama suerte, desgracia, destino, o también el misterioso e incomprensible dedo de Dios.

Lo único que cuenta en la vida es, ante todo, no confesarse nunca vencido, y después de cada fracaso volver a empezar. Es lo que me disponía a hacer.

Al marcharme, me había despedido definitivamente de mis amigos. En efecto, una vez recuperado el tesoro, no pensaba pasar por Venezuela, sino por otros países, transformar las joyas para que no las reconocieran y, después de haberlas vendido, llegar a España desde donde fácilmente podría ir a visitar al fiscal y compañía. Así, pues, es fácil imaginar el zafarrancho de combate cuando los mosqueteros me vieron aparecer por la puerta del garaje. Cena, pastel de fiesta en honor de mi regreso, y cuatro flores puestas sobre la mesa por Andrée. Brindamos por el equipo reconstituido y la vida volvió a empezar a pleno gas. A pesar de todo, no tenía la misma despreocupación.

Presentí que Armando y Deloffre tenían algo pensado sobre mí, que todavía no habían revelado. En mi opinión, debía de ser algo sobre el golpe de Estado, aunque sa-

bían mi actitud en relación con aquel proyecto. Me invitaron
a menudo a beber algo o a comer en casa de Deloffre. Comida deliciosa, sin testigos. Deloffre cocinaba, y Víctor, su
fiel chófer, servía la mesa. Hablamos de mil cosas, pero a
fin de cuentas volvíamos siempre al mismo tema central: el
general Medina, el más liberal de los presidentes de Venezuela, sin un solo prisionero político bajo su régimen, sin
nadie perseguido por sus ideas, política de coexistencia con
todos los Estados, con todos los regímenes, hasta el punto
de haber establecido relaciones diplomáticas con la Unión
Soviética. Medina era bueno, era noble, y el pueblo lo quería
tanto por su sencillez que un día, en ocasión de una fiesta
en Paraíso, lo llevaron en triunfo a él y a su mujer, como
toreros.

A fuerza de hablarme y de volverme a hablar del maravilloso Medina, que se paseaba sólo con un ayudante por
Caracas, e iba al cine como un ciudadano cualquiera, Armando y Deloffre casi llegaron a convencerme de que un hombre
de corazón tenía que hacer cualquier cosa para devolverlo
al Poder. Me pintaron con los trazos más negros las injusti-
cias, el espíritu de venganza de los funcionarios del actual
Gobierno contra una parte de la población. Para hacerme resultar todavía más simpático aquel extraordinario presidente, Deloffre me explicó que, además de todas aquellas cualidades, Medina era un juerguista de primera, y además un
amigo personal aunque supiera que Deloffre era un evadido
de presidio. Observé también que mi amigo lo había perdido todo en la anterior revolución. Unos misteriosos «ven-
gadores» arrasaron y saquearon su espléndido restaurante-
cabaret de lujo donde Medina y el todo Caracas iban a
menudo a cenar o pasar un rato.

En fin, casi convencido —equivocadamente, como supe
más tarde— pensé aceptar un papel en el golpe de Estado.
Mis dudas se desvanecieron por completo (tengo que decirlo,
porque quiero ser sincero) cuando me prometieron una suma
suficiente y todos los medios necesarios para poner en ejecución mi proyecto de venganza.

De este modo, una noche nos reunimos, Deloffre y yo,
en su casa, yo vestido de capitán, él de coronel, dispuestos
para la acción.

La cosa empezó mal. Para reconocerse, los conjurados civiles tenían que llevar un brazal verde y la consigna era *Aragua*. A las dos de la madrugada teníamos que estar en los lugares de la acción, y hacia las once de la noche llegaron cuatro camaradas, completamente trompas, en el único fiacre de Caracas. Los cuatro locos cantaban a voz en grito acompañados por una guitarra. Se detuvieron exactamente frente a la casa y los escuché, horrorizado, cómo cantaban cuplés en los que se hacían clarísimas alusiones al golpe de Estado de la noche. Uno de ellos gritaba a Deloffre:

—¡Pierre! ¡Esta noche será el fin de la pesadilla! ¡Valor y dignidad, amigo! ¡Es preciso que vuelva nuestro papá Medina!

Como mierdas, no podían hacerlo mejor. Sólo faltaba que un chivato cualquiera advirtiera a los polis, y se presentaran a visitarnos, ¡apañados íbamos a quedar! Yo estaba muy enfurecido, y con razón: teníamos tres bombas en el coche, dos en el maletero y una bajo el asiento de atrás, cubierta con una manta.

—¡Tus cómplices son magníficos! Si todos son como éstos, no vale la pena de que nos molestemos, ¡lo mejor sería ir directamente a la cárcel!

Deloffre se tronchó de risa, con la misma desenvoltura como si hubiera ido al baile, encantado de verse tan «bonito» en su uniforme de coronel, admirándose en todos los espejos.

—No te preocupes, *Papi*. Por otra parte, no haremos daño a nadie. Como sabes, estas tres bombonas de gas no contienen más que pólvora. Sólo para meter ruido, sin más.

—¿Y de qué va a servir este «pequeño» ruido?

—Sencillamente, para dar la señal a los conspiradores dispersos por la ciudad. Nada más. Como ves, es sin malas intenciones, no queremos hacer daño a nadie. Exigimos que se vayan, esto es todo.

Bueno. De todos modos, lo quisiera o no, estaba comprometido, ¡peor para mí! No tenía por qué temblar ni nada que lamentar. Sólo tenía que esperar la hora.

Rechacé el oporto que me ofreció Deloffre, su única bebida, al menos dos botellas diarias. Él bebía lo suyo.

Los tres mosqueteros llegaron en un coche transformado

en grúa. Serviría para robar dos cajas fuertes, la de una compañía de aviación y la de la Cárcel Modelo, uno de cuyos directores —o el jefe de la guarnición— era un cómplice. Me correspondería el cincuenta por ciento del contenido, y había exigido y obtenido estar presente en el robo de la caja de la cárcel. Iba a ser una bonita venganza contra todas las cárceles del mundo. Me interesaba mucho.

Una estafeta acababa de traer las últimas órdenes: no detener a ningún enemigo, dejarlos escapar. Ya había sido desembarazado el campo de aviación civil, «Carlota», situado en plena ciudad, para que los principales miembros y funcionarios del Gobierno en el Poder consiguieran huir sin dificultades en avionetas.

Entonces me enteré dónde tenía que estallar la primera bomba. ¡Pues bien, el amigo Deloffre lo hizo por todo lo alto! ¡Se trataba, ni más ni menos, que de hacerla estallar exactamente ante la puerta del palacio presidencial de Miraflores! El equivalente del Elíseo, ¡vamos! En cuanto a las otras dos, una, al oeste, otra, al este de Caracas, a fin de dar la impresión de que la cosa reventaba por todos lados. Sonreí en mi interior al pensar en el miedo que tendrían en palacio.

Aquella gran puerta de madera no era la entrada oficial a palacio. Estaba situada en la parte trasera y servía de acceso a los camiones militares u otros, y permitía a determinados personajes, a veces al presidente, entrar y salir sin ser notados.

Todos nuestros relojes estaban sincronizados. Teníamos que estar ante la puerta a las dos menos tres minutos. Alguien, desde el interior, la entornaría durante dos segundos, tiempo para que el chófer emitiera un grito de sapo por medio de un juguete de niño que lo imitaba muy bien. Así sabrían que estábamos allí. ¿De qué iba a servir? Lo ignoraba, porque no me habían dado explicación alguna. ¿Estaba en el complot la guardia del presidente Gallegos y lo haría prisionero? ¿O iba a ser incapacitada rápidamente para la acción, neutralizada por conjurados que estaban ya en el interior? No sabía nada.

Lo seguro era que a las dos en punto debía prender fuego al cordón del detonador de la bombona de gas que tenía entre mis piernas, y luego lanzarla por la portezuela dándole un buen empujón, a fin de que rodara hacia la puerta de palacio. La mecha tenía una duración exacta de un minuto y treinta segundos. Por tanto, tenía que encenderla con mi cigarro y, en el momento en que se encendiera, separar mi pierna derecha y abrir la portezuela, contando treinta segundos. En el trigésimo, la enviaría rodando por la calzada. Habíamos calculado que al correr por el suelo, el viento activaría la combustión del cordón y que no transcurrirían más que unos cuarenta segundos antes de la explosión.

Aunque la bomba no contuviera metralla, sus propios cascos podían ser excesivamente peligrosos y, por tanto, sería necesario hacer arrancar el vehículo a todo gas, para ponernos al abrigo. Aquélla sería la misión de Víctor, el chófer.

Había obtenido de Deloffre que si un soldado o un policía se encontraba en las proximidades, le daría la orden, puesto que llevaba uniforme de coronel, de correr hasta la esquina de la calle. Me lo había prometido.

A las dos menos tres minutos llegamos sin dificultad ante la famosa puerta. Nos colocamos a lo largo de la acera de enfrente. No había centinela ni policía. Muy bien. Las dos menos dos... Las dos menos un minuto... Las dos...

La puerta no se había entreabierto.

Estaba tenso. Dije a Deloffre:

—Pierre, son las dos.

—Lo sé, también tengo reloj.

—Entonces, no es normal.

—No comprendo lo que ocurre. Esperemos cinco minutos más.

—De acuerdo.

Las dos y dos minutos... La puerta se abrió violentamente, salieron dos soldados corriendo y se desplegaron como tiradores, arma en mano. Estaba claro como el agua que nos habían traicionado.

—¡En marcha, Pierre, nos han traicionado!

Hacía falta mucho más para desconcertar a Deloffre, que me parecía completamente inconsciente.

—¡Ni pensarlo! ¡Están con nosotros!

Saqué una pistola calibre 45 y la acerqué a la nuca de Víctor.

—¡Arranca o te mato!

En lugar de ver cómo el cacharro se precipitaba hacia delante, seguro de que Víctor pisaría el acelerador con todas sus fuerzas, oí esta cosa increíble:

—Hombre, no eres tú quien manda aquí, es el patrón. ¿Qué dice el patrón?

Entonces, ¡mierda! ¡Había visto tíos con un valor extravagante, pero como el de aquel mestizo indio, jamás!

No podía hacer nada, puesto que había soldados a tres metros de nosotros. Como vieron las estrellas de coronel sobre las charreteras de Deloffre, que estaba apoyado en la portezuela, no se aproximaron más al coche.

—Pierre, si no dices a Víctor que arranque en seguida, no será a él a quien dejaré frío, sino a ti.

—Queridito, te digo que están con nosotros. Esperemos un poco más —me replicó Pierre volviendo la cabeza hacia mí.

Entonces pude ver que las ventanas de la nariz de Deloffre estaban brillantes de pólvora pegada. Lo comprendí: estaba como borracho de pólvora. Me invadió el miedo, sí, un miedo terrible, y puse mi arma a la altura de su nuca cuando me dijo con la mayor calma:

—Son las dos y seis minutos, *Papi*. Dos minutos más y nos marchamos. Seguramente nos han traicionado.

Aquellos ciento veinte segundos no se acabaron nunca. No perdí de vista a los soldados. Los que estaban más próximos nos observaban, pero por el momento no decían nada. Al fin, Deloffre dijo:

—Vamos, Víctor, marchémonos. Despacio, de modo normal, sin ir demasiado aprisa.

Y salimos vivos de aquella trampa de lobos, por un verdadero milagro. ¡Uf! Unos años más tarde proyectaron la película *El día más largo*. Podrían hacer otra que se llamara *Los ocho minutos más largos*.

Deloffre dio orden al chófer de dirigirse hacia el puente de la ciudad, que unía Paraíso con la avenida San Martín. Quería hacer estallar su bomba bajo el puente. Por el camino nos encontramos con dos camiones de conjurados que no sabían qué hacer, puesto que no habían oído la explosión de las dos. Les explicamos el golpe, que nos habían traicionado, y esto hizo cambiar de idea a Deloffre, que dio orden de volver en seguida a su casa. Craso error porque, puesto que habíamos sido traicionados, era posible que los polis estuvieran ya allí. De todos modos fuimos para allá y, al ayudar a Víctor a poner mi bomba en el portaequipajes me di cuenta de que llevaba pintadas tres letras: P.R.D. No pude más que estallar de risa cuando, mientras nos quitábamos los uniformes, Pierre-René Deloffre me dio la razón de aquellas iniciales:

—*Papi*, no olvides nunca que en todo asunto peligroso es preciso saber poner una flor. Estas iniciales eran mi tarjeta de visita a los enemigos de mi amigo.

Víctor fue a dejar el coche en un aparcamiento, pero sin dejar las llaves, claro está. No descubrirían las bombas hasta tres meses más tarde.

Ni hablar de quedarnos en casa de Deloffre: él se iba por su lado, yo por el mío. No tuvimos contacto con Armando. Fui directamente al garaje, donde ayudé a desmontar el torno y cinco o seis tubos de gas que estaban allí. A las seis, sonó el teléfono y una voz misteriosa dijo:

—Francés, idos todos, cada uno por su lado. Sólo B.L. se quedará en el garaje. ¿Comprendido?

—¿Quién está al aparato?

Colgaron.

Vestido de mujer, llevado en jeep por un ex oficial francés de la resistencia a quien había ayudado bastante desde su llegada al país, salí sin tropiezos de Caracas para llegar a Río Chico, a unos doscientos kilómetros, a orillas del mar. Me dispuse a quedarme allí dos meses con el ex capitán, su mujer y una pareja de amigos bordeleses.

B.L. fue detenido. Nada de torturas, un interrogatorio a fondo, pero correcto. Cuando me enteré de ello, llegué a la conclusión de que el régimen de Gallegos y Betancourt no era tan criminal como algunos pretendían, al menos en nuestro asunto.

Deloffre, salvo error, se «asiló» la misma noche en la Embajada de Nicaragua.

En cuanto a mí, siempre lleno de confianza en la vida, una semana después conducía, con el ex capitán, el camión de Caminos, Canales y Puertos, de Río Chico. Porque conseguimos, gracias a un amigo, hacernos contratar por el Municipio. Entre los dos ganábamos veintiún bolívares, con los que vivíamos cinco.

Aquella vida de peón duró dos meses, el tiempo necesario para que se calmara la tempestad levantada por el último complot, y que la atención de la Policía de Caracas fuera desviada por la llegada de informaciones sobre un nuevo complot en preparación. Muy cuerdamente, se ocuparon del presente y dejaron el pasado a un lado. No pedí más, porque estaba firmemente resuelto a no dejarme coger en un golpe de tal clase. Con una vez basta. Por el momento, lo mejor era vivir allí tranquilo con mis amigos, sin hacerme notar.

Para mejorar lo habitual, a menudo iba, a última hora de la tarde, a pescar en el mar. Una noche saqué un enorme rodaballo, una especie de gran dorada, y, sentado en la arena, le quité con indolencia las escamas, mientras admiraba la maravillosa puesta de sol. ¡Rojo atardecer, esperanza, *Papi*! Y, a pesar de todos los fracasos que había sufrido desde mi liberación, me puse a reír. Sí, la esperanza tenía que hacerme y me haría vencer y vivir. Pero, ¿cuándo me sonreiría el éxito?

«Vamos a ver, *Papi*, establezcamos el balance de dos años de libertad. No estoy arruinado, pero no poseo mucho: como máximo tres mil bolívares, saldo neto de dos años de aventuras.

»Durante este tiempo, ¿qué ha ocurrido?

»—Uno: el montón de oro del Callao. No vale la pena extendernos más en este apartado: no fue un fracaso, sino una renuncia para que los antiguos penados de allí pudieran continuar viviendo tranquilos. ¿Lo lamentas? No. Muy bien, ¡enterrada la tonelada de oro!

»—Dos: el juego en las minas de diamantes. Estuviste a punto de hacerte matar veinte veces por diez mil dólares que nunca tuviste en la mano. *Jojo* muere en tu lugar, tú te salvas. Sin un chavo, de acuerdo, ¡pero qué maravillosa aventura! Nunca podrás olvidar la intensidad de aquellas noches, aquellas fachas de jugadores a la luz de la lámpara de carburo, el impasible pero demasiado seguro *Jojo*. Por lo tanto, nada que lamentar.

»—Tres: el túnel bajo el Banco. Este caso es distinto: de verdad no tuvimos suerte en aquel golpe. Sin embargo, durante tres meses vibraste veinticuatro horas sobre veinticuatro, sólo con las emociones que traía cada hora. Si no hubiese habido nada más que esto, no tendrías de qué quejarte. Pero, ¿te das cuenta de que durante tres meses, incluso por la noche, en tus sueños, te viste millonario en dólares, que tenías seguros en la mano? ¿Y esto no vale nada? Claro que, con un poco más de suerte, pudiste haberte hecho con una fortuna, pero también hubieras podido ser más desafortunado. ¿Y si se hubiese hundido el túnel cuando estabas en el fondo? Hubieses muerto ahogado como un ratón, donde eras como un zorro en su madriguera.

»—Cuatro: ¿el Monte de Piedad y sus frigoríficos? Nada que reclamar, a no ser a Caminos, Canales y Puentes de la maldita pampa.

»—Quinto: el complot. Francamente, nunca fuiste un personaje importante en este golpe. Estos asuntos de política, de bombas que pueden matar a no sabes quién, no son tu especialidad. En el fondo, te dejaste convencer por dos tíos simpáticos, y luego por la seguridad de poder realizar tus proyectos gracias a la pasta. Pero no pusiste en ello el corazón porque, para ti, el golpe que consistía en atacar al Gobierno que te había liberado, no te iba. De todos modos, ganaste cuatro meses de divertirte de lo lindo con los mosqueteros, sus mujeres y el chiquillo, y aquellos días de alegría de vivir, de vital jovialidad, no los olvidarás fácilmente.

»Sin hablar de todo lo demás, el avión de Carotte, etc.

»Conclusión: me encerraron injustamente durante trece años, casi me robaron toda mi juventud, y si duermo, como, bebo y me divierto, nunca olvido que un día tengo que vengarme. Muy bien.

»En resumen, hace dos años que estás libre. En dos años, has experimentado cien mil cosas, has tenido aventuras extraordinarias, salías de un golpe para meterte en otro. Mejor que esto, no tenías necesidad de buscarlos, se te presentaban solos; has tenido amor como nadie, has conocido hombres de todas condiciones que te han dado su amistad, con quienes te has jugado la vida, ¿y con todo eso, te quejas? ¿Estás arruinado, o casi? Que no quede por esto, la pobreza no es una enfermedad muy difícil de curar.

»Entonces, ¡gloria a Dios, *Papi*! ¡Gloria a la aventura, gloria a sus riesgos que te hacen vivir intensamente cada día que pasa, cada minuto! ¡Como de un agua maravillosa bebes de ella grandes tragos que te van hasta el fondo del alma! Y estás en buen estado de salud, que es lo principal.

»¡Borrémoslo todo y a empezar de nuevo, señores! ¡La suerte está echada! ¡No va más! ¡Banco perdido, Banco continuado, Banco re-re-re-continuado! ¡Hasta siempre! Pero que tu ser se estremezca y vibre, que cante esta esperanza y esta certeza de que oirás un día: "¡Pleno al nueve! ¡Recoja, Monsieur *Papillon*, ha ganado usted!"»

El sol estaba casi en el horizonte. Rojo al atardecer, *Esperanza*. No cabía duda, estaba henchido de esperanza y de confianza en el futuro. El viento había refrescado, y sereno, feliz de sentirme vivir, libre, con mis pies desnudos hundiéndose en la arena húmeda, volví hacia la casa donde esperaban el resultado de mi pesca para la cena. Pero todos aquellos colores, aquellos millares de manchas de sombra y de luz que jugaban sobre la cresta de todas las pequeñas olas que corrían hacia el infinito, me emocionaron tan profundamente que, después de haber recordado todos los peligros pasados y vencidos, no pude hacer más que pensar en el creador de todo aquello, en Dios: «¡Buenas tardes, gran amigo, buenas noches! ¡A pesar de todos los fracasos, gracias de todos modos por haberme concedido este hermoso día lleno de sol y de libertad, y, como postre, esta puesta de sol tropical!»

CAPÍTULO IX

MARACAIBO — CON LOS INDIOS

Aunque la Policía, con lo que sabía de los preparativos del nuevo golpe de Estado, tenía mucho que hacer antes que ocuparse de mí, lo mejor sería que me hiciera olvidar alejándome de Caracas. Por el momento, parecía que preferían dejar caer en el olvido el abortado complot, pero nunca se podía saber.

Por esto aproveché la ocasión cuando, durante un viaje relámpago a Caracas, un amigo me presentó en su casa a una antigua maniquí parisiense que buscaba a alguien que la ayudara a dirigir un hotel que acababa de abrir en Maracaibo. Acepté con alegría ser, de algún modo, su hombre para todo. Se llamaba Laurence, era una bonita y elegante muchacha que fue, según creo, a presentar una colección en Caracas y se estableció en Venezuela. Entre la Policía de Caracas y Maracaibo había mil kilómetros, lo que me iba a la perfección.

Viajé en el coche de un amigo y, después de catorce horas, descubrí lo que llaman el lago de Maracaibo, aunque se trate, en realidad, de un inmenso estanque interior de ciento cincuenta kilómetros de largo sobre una anchura máxima de cien kilómetros, unido al mar por un canal de diez kilómetros de largo. Maracaibo está al Norte, en la ribera oeste del canal, ahora enlazado con la orilla este por un puente. Entonces no existía y, viniendo de Caracas, se atravesaba en barca.

De verdad me resultó impresionante el lago, extraordinario, tranquilo, sembrado de millares de torres metálicas. Parecía un bosque inmenso, extendiéndose hasta perderse de vista, cuyos árboles, plantados simétricamente, permitían ver hasta el horizonte. Pero aquellos árboles eran pozos de petróleo, y cada uno de aquellos pozos tenía una gran palanca basculante que noche y día, sin detenerse jamás, sacaba el oro negro de las profundidades de la tierra.

Un *ferry-boat* recogía coches, pasajeros y mercancías entre la carretera de Caracas y Maracaibo. Durante la travesía, iba de un lado a otro del *ferry* como un chiquillo, completamente pasmado, maravillado al ver aquellos pilones de hierro emerger del lago, y pensando que a dos mil kilómetros de allí, al otro extremo de aquella región, en la Guayana venezolana, Dios había esparcido diamantes, oro, hierro, níquel, manganeso, bauxita, uranio y todo lo demás, mientras que allí había dejado petróleo, motor del mundo, con profusión tal que aquellos millares de bombas podían chupar noche y día sin agotar el manantial. ¡Y bien, Venezuela, no puedes quejarte de Dios!

El «Hotel Normandy» es una villa muy grande y magnífica, rodeada de un jardín florido, muy bien cuidado. La hermosa Laurence me recibió con los brazos abiertos:

—Éste es mi reino, Henri —dijo riendo.

Siempre me llamaba Henri.

Sólo hacía dos meses que tenía abierto su hotel. Dieciséis habitaciones, era todo, pero de un lujo refinado, cada una con un cuarto de baño digno de un hotel de gran lujo. Ella lo decoró todo, desde las habitaciones a los lavabos ordinarios, pasando por el salón, la terraza y el comedor.

Me puse a trabajar, y no era ninguna broma ser el primer colaborador de aquella francesa que no tenía ni cuarenta años, que se levantaba a las seis, vigilaba e incluso alguna vez preparaba el desayuno de sus clientes. Durante todo el día, iba y venía infatigable, se ocupaba de todo, lo supervisaba todo y todavía le quedaba tiempo para cuidar un rosal o limpiar una alameda. Vivía con toda intensidad, había vencido dificultades casi insuperables para crear su negocio, y tenía tanta fe en el triunfo de su empresa que a mí me arrastraba a una actividad tan devoradora como la suya. En fin, casi. Hice lo posible para ayudarla a resolver la cantidad de problemas que se planteaban. Problemas de dinero, sobre todo. Estaba endeudada hasta el cuello, después de haber transformado aquella villa en hotel casi de lujo, tomando a préstamo casi la totalidad de lo necesario.

Un día, gracias a una gestión personal hecha sin consultarle, obtuve una cosa extraordinaria de una compañía petrolífera.

—Buenas tardes, Laurence.

—Buenas tardes. Ya es tarde, Henri, las ocho. No te lo reprocho, pero no te he visto en toda la tarde.

—Me he ido a pasear.

—¿Bromeas?

—Sí, me río de la vida. Es sorprendente la vida, ¿no?

—No siempre. Precisamente hubiese necesitado tu ayuda moral, porque tengo grandes preocupaciones.

—¿Grandes?

—Sí. Tengo que pagar esta instalación y, aunque el negocio marche, no es nada fácil. Debo mucho.

—Aguántate firme, Laurence: no debes nada.

—¿Te burlas de mí?

—No. Escucha: me has impuesto en tu negocio como una especie de socio, e incluso me he dado cuenta de que muchas personas me toman por el dueño.

—¿Y bien?

—Y bien, un canadiense de la «Lumus & C.º», que lo creía así, me habló días atrás de un asunto que le parecía factible conmigo. Hoy he ido a verlo, y ahora vengo de allí.

—¡Al grano! —exclamó Laurence, con los ojos abiertos.

—Resultado: la «Lumus & C.º» alquila tu hotel, por entero, con pensión completa, ¡por un año!

—¡No es posible!

—Sí, te lo juro.

Bajo el efecto de la emoción, Laurence me besó en las dos mejillas y se dejó caer en una silla, con las piernas temblorosas.

—Evidentemente, yo no puedo firmar este suntuoso contrato, y mañana te convocarán en la compañía.

Gracias a aquel contrato, Laurence ganó una verdadera pequeña fortuna con el «Hotel Normandy». Sólo con el alquiler de tres meses adelantados pudo liquidar todas sus deudas.

Después de la firma del contrato bebimos champaña los gerentes de la «Lumus», Laurence y yo.

Aquella noche me sentí feliz, muy feliz, en mi gran cama. Con la ayuda del champaña, vi la vida color de rosa.

«*Papi*, no eres peor que ella: ¿puede uno labrarse una posición, y mejor que esto, hacerse rico *trabajando*? ¿Y partiendo de casi nada? ¡Bueno, la que faltaba! ¡Acabo de hacer un auténtico descubrimiento en el "Hotel Normandy"! Sí, un auténtico descubrimiento, porque en Francia, durante los pocos años en los que pude echar un vistazo rápido sobre la vida, siempre pensé que un obrero será obrero durante toda su vida. Y esta idea completamente falsa es todavía más falsa aquí, en Venezuela, donde todas las oportunidades y facilidades se ofrecen a quien quiere hacer algo.»

Semejante comprobación era muy importante para la realización de mis proyectos. En efecto, no me había metido en golpes deshonrosos por la pasión del dinero, no era un ladrón por auténtico gusto. Lo que ocurría era que no podía convencerme de que se pudiera triunfar de verdad en la vida, conquistar una buena posición partiendo de cero y, sobre todo para mí, llegar a adquirir una cantidad de dinero suficiente para ir a presentar mi factura a Francia. Pero resultaba que era posible, sólo faltaba una cosa al empezar: una aportación de fondos mínima, algunos millares de bolívares, lo que me iba a ser fácil de economizar después de haber encontrado un buen empleo.

«Bueno, *Papi*, se acabaron los golpes, ni pequeños ni grandes. Busquemos los medios sencillos y honestos. Laurence ha tenido éxito obrando así. ¡Yo también lo tendré! ¡Y si pudieras realizarlo, tu padre sería tan feliz!»

Lo único malo era que, siguiendo por aquel camino, necesitaría tiempo antes de poder vengarme. Porque no podría reunir la suma necesaria en tres días. «La venganza es un plato que se come frío», me dijo Miguel en la mina de diamantes. Veríamos.

Maracaibo estaba en ebullición. En un clima de excitación general, había tal floración de empresas, de construcciones varias, de refinerías, etc., que, de la cerveza al cemento, se vendía de todo en el mercado negro. No se producía bastante para poder atender a la demanda, todo iba demasiado aprisa. Los brazos se pagaban, el trabajo se pagaba, todas las formas de comercio rendían beneficios.

Cuando hay un *boom* con el petróleo, la economía de una región pasa por dos épocas completamente distintas entre sí. En primer lugar, la que precede a la explotación del yacimiento, la preexplotación. Llegan las compañías, se instalan, se necesitan despachos, campamentos, construir carreteras, líneas de alta tensión, abrir pozos, instalar las torres, las bombas, etc. Es la edad de oro, y esto en todas las ramas profesionales y a todos los niveles de la sociedad.

El pueblo, el auténtico, el de las manos callosas, maneja billetes de Banco, tiene consciencia de lo que es el dinero y la seguridad del día de mañana. La familia se organiza, los alojamientos se agrandan o se mejoran, los niños van a la escuela bien vestidos, a menudo transportados en coches de las compañías.

Luego viene el segundo período, el que se manifiesta por la visión que yo tuve al descubrir el lago de Maracaibo transformado (en la parte que podía ver) en bosques de *derricks*. Es el período de explotación. Millares de bombas, solas, incansablemente, sacan millones de metros cúbicos de oro negro cada día.

Pero tales enormes ganancias no pasan por las manos del pueblo, los millones de dólares van directamente a las cajas de los Bancos del Estado o de las compañías. Y esto no es lo mismo, como diría un castizo parisiense. La situación se hace difícil, el personal queda reducido al mínimo necesario, no hay riqueza colectiva, todo este manejo de tratos, de negocios grandes o pequeños, pertenece al pasado. Las generaciones posteriores lo revivirán por boca del abuelo: «Cuando Maracaibo era millonario, érase una vez...»

Pero yo tenía suerte, había llegado con el segundo *boom* de Maracaibo. No tenía nada que esperar de las bombas del lago, pero mucho de los raptos de locura de muchas compañías petrolíferas que acababan de obtener nuevas concesiones, partiendo de las montañas de Perija para ir a morir en el lago y en el mar.

Era precisamente el momento que necesitaba.

Estaba dispuesto a hacer allí mi fortuna. Sería extraordinaria, me lo había prometido. Para conseguirlo, iba a hacer cualquier cosa, ingeniarme por todos los medios, trabajando, recogiendo para mí todas las migajas posibles de aquel gigantesco pastel. ¡Lo habías jurado, *Papi*! Me tocaba a mí triunfar en la vida, al modo de las personas honradas. En el fondo, los tunos tenían razón, puesto que conseguían hacerse ricos sin ir jamás a la cárcel.

«*Good French cook*, 39 años, busca colocación en compañía petrolífera. Salario mínimo, 800 dólares.»

Con Laurence y su cocinero había podido aprender rudimentos de cocina y me decidí a probar suerte. El anuncio fue publicado en el periódico local, y ocho días después estaba de cocinero en la «Richmond Exploration Co.».

Sentí dejar a Laurence, pero ella no podía, ni mucho menos, pagarme semejante salario.

¡Ahora sí que sé un rato de cocina, después de haber pasado por semejante escuela! Al ocupar mi puesto, tenía un miedo terrible de que los demás cocineros se dieran demasiado pronto cuenta de que el *french cook* no era demasiado ducho en el manejo de las cacerolas. Pero, con gran sorpresa mía, advertí a mi vez que todos tenían pánico de que el *french cook* descubriera que, del primero al último cocinero, no eran más que lavaplatos. Respiré. Consideré que tenía una enorme ventaja sobre ellos: *poseía un libro de cocina, en francés*, el *Escoffier*, regalo de una prostituta retirada.

El jefe de personal era un canadiense, Mr. Blanchet. Dos días después, me confió la responsabilidad de la cocina de los mandos del campo, doce personas, ¡casi nada!

La primera mañana le presenté un menú por todo lo alto. Ahora bien, le hice observar que faltaban muchas cosas en la cocina para realizarlo. Se acordó que tendría un presupuesto aparte cuya gestión *me* sería confiada. Inútil decir que en las compras hice todas las sisas que pude, pero lo cierto era que las «clases aparte» se hinchaban de comer. Así todo el mundo estaba contento.

Cada noche exponía el menú del día siguiente en el vestíbulo, redactado en francés, claro está. Les producía una impresión terrible leer todos aquellos nombres pomposos sacados del libro de cocina. Además, descubrí en la ciudad una tienda especializada en productos franceses y gracias a las recetas y a las cajas de conservas de «Potin & Rodel» tuve tanto éxito que mis castizos «clase aparte» trajeron con frecuencia a sus mujercitas. En lugar de ser doce, eran veinte. Por un lado era un lío, pero por otro ponían menos atención en mis gastos porque, reglamentariamente, no tenía que alimentar más que al personal activo.

En resumen: los vi tan contentos que pedí un aumento: 1.200 dólares al mes, o sea, 400 más. Se negaron, me concedieron mil, y me dejé convencer diciéndoles que, para un gran personaje como yo, era una paga miserable.

Así pasaron algunos meses, pero, a la larga, aquellas horas fijas de trabajo acabaron por resultarme tan molestas como un cuello de camisa demasiado justo. Empecé a estar hasta las narices de aquel empleo, y pedí al jefe de los geólogos que me llevara con él cuando fuera en expedición de reconocimiento por los lugares más interesantes, incluso si eran peligrosos.

En efecto, aquellas expediciones tenían por objetivo la exploración geológica de la sierra Perija, cadena de montañas que separa Venezuela de Colombia, situada al oeste del lago de Maracaibo. Es el reino de una raza de indios guerreros y muy salvajes, los motilones, hasta el punto de que a la sierra de Perija la llaman a menudo la sierra de los Motilones. Todavía se ignora el origen exacto de esa raza, cuya lengua y costumbres son muy distintos de los de las tribus vecinas y cuya «civilización» no hace más que empezar a penetrarles. Son considerados muy peligrosos. Viven en chozas colectivas de cincuenta a cien individuos, hombres, mujeres y niños, en completa promiscuidad. Su único animal doméstico es el perro. Son tan salvajes, que se cuentan los casos, frecuentes, de motilones capturados por «civilizados», algunas veces heridos, y que, bien tratados, rechazaban por completo la comida y la bebida, y acababan por suicidarse abriéndose las venas de las muñecas con sus dientes incisivos, especialmente cortados para despedazar la carne. Después de la época de la que estoy hablando, unos padres capuchinos se han instalado valientemente a orillas del río Santa Rosa, sólo a pocos kilómetros de la choza colectiva motilona más próxima. El padre superior de la misión incluso emplea los medios más modernos, echándoles por avión víveres, vestidos, mantas y fotografías de capuchinos. Todavía mejor: lanza en paracaídas muñecos de paja vestidos con ropas de capuchinos, cuyos bolsillos están llenos de alimentos varios, e incluso de botes de leche. El día en que el padre llegue a pie creerán que cae del cielo.

Pero cuando pedí participar en aquellas expediciones era en 1948, muy lejos de los verdaderos intentos de penetraciones «civilizadas» que no empezarían, en realidad, hasta 1965.

Para mí, aquellas expediciones tenían tres aspectos positivos. En primer lugar, sería una vida completamente distinta de la que llevaba en la cocina del campamento de la «Richmond Co.», y que ya empezaba a tener muy vista. Sería volver a la aventura en el seno de aquella grandiosa naturaleza, pero aquella vez una aventura honrada. Claro que había un verdadero riesgo, como en toda aventura. No resultaba raro que una expedición regresara con uno o dos miembros menos. Porque los motilones eran muy duchos en el tiro al arco y, como se decía en la región, donde ponían el ojo ponían la flecha. Pero si lo mataban a uno, no se lo comían, porque no eran caníbales. Algo se ganaba.

Segundo aspecto: aquellas excursiones de tres semanas en plena región selvática, peligrosa, estaban muy bien pagadas. Ganaría más del doble que detrás de mis fogones. Punto muy positivo en mi visión actual de las cosas.

Tercer punto: me agradaba la compañía de los geólogos. Eran unos individuos fuertes. Aunque sabía muy bien que era demasiado tarde para adquirir unos conocimientos que hicieran de mí otro hombre, tenía la sensación de que frecuentando a aquellos casi sabios, de todos modos no perdería el tiempo.

En resumen: me marché con ellos lleno de ánimos y de confianza. No necesitaba el libro de cocina: bastaba con conservas y saber hacer «pankeques», algo parecido a unas galletas y pan. No era nada difícil de aprender; pronto estaban hechos.

Mi nuevo amigo, el geólogo jefe de la expedición, se llamaba Crichet. Lo había enviado la «California Exploration Co.», para prestar servicios en la «Richmond». Lo sabía absolutamente todo acerca de la Geología, especialidad petróleo. En cuanto a lo demás, sabía que hubo guerra porque la hizo, pero no estaba muy seguro de si Alejandro *el Grande* vivió antes o después de Napoleón. Por otro lado, no le importaba, no necesitaba saber la Historia del mundo para estar en forma, tener una excelente mujer, hacer niños y proporcionar a su compañía las informaciones geológicas que necesitaba. Sin embargo, yo sospechaba que sabía más de lo que decía y había aprendido a desconfiar del humor de los medio rosbifs, a menudo distinto del de mi Ardèche. Nos entendíamos bien.

Una expedición de tal clase duraba de veinte a veinticinco días. Al regreso, ocho días de vacaciones. Se componía de un geólogo jefe de expedición, de dos geólogos más y de doce a dieciocho faquines o ayudantes, a quienes no se les pedía más que fueran fuertes y disciplinados. Tenían sus tiendas aparte y su cocinero. Yo no estaba afecto más que a los tres geólogos. Los hombres no estaban completamente embrutecidos, y entre ellos teníamos a un militante de la A.D. (Acción Democrática), partido de izquierda que hacía respetar las leyes sindicales. Se llamaba Carlos. Había una buena comprensión general, y yo llevaba la contabilidad de las horas extras, muy correctamente anotadas por ellos.

La primera expedición me apasionó. La busca de informaciones geológicas sobre los yacimientos de petróleo era muy curiosa. El objetivo consistía en remontar lo más lejos posible los ríos en las montañas, donde se abrían camino entre las rocas. Se iba lo más lejos posible en camión, luego en jeep. Cuando se llegaba al término de las pistas, se remontaban los ríos en piraguas y, cuando no había fondo suficiente, se bajaba de las piraguas y se las empujaba, remontando todavía lo más posible hacia el manantial. Una parte del material lo cargaban los hombres, unos cuarenta y cinco kilos por hombre, excepto los cocineros y los tres geólogos.

¿Por qué se subía tan arriba en las montañas? Porque sobre las paredes y las quebraduras del lecho que habían abierto los ríos, se veían como en un libro de enseñanza todas las formaciones geológicas sucesivas. Entonces se recogían las muestras que se desprendían de las paredes, y cada una era anotada, clasificada y puesta en una pequeña bolsa. Se alzaba la dirección de las distintas capas hacia la llanura. Así, con centenares de alzados geológicos, en puntos distintos, se consiguió reconstituir un mapa de las capas que se debían encontrar en el llano entre cien y dos mil metros de profundidad. Y calculando bien a partir de todas aquellas informaciones, un día se abre un pozo a un centenar de kilómetros de distancia, en un lugar a donde nadie había ido, sabiendo de antemano que a semejante profundidad se encontraría una capa de petróleo. La ciencia resultaba algo tan inesperado que me maravillaba.

Todo aquello hubiera estado muy bien sin los motilones. A menudo había muertos o heridos por flechas. Aquello no facilitaba el reclutamiento para las expediciones y costaba caro a las compañías.

Hice varias expediciones y viví días extraordinarios.

Uno de los geólogos era holandés. Se llamaba Lapp. Un día recogió huevos de caimán, muy buenos una vez secados al sol. Se encontraban fácilmente siguiendo el rastro que dejaba el vientre del caimán hembra cuando se arrastraba desde el río hasta el lugar seco donde había depositado sus huevos, que incubaba durante horas y horas. Aprovechando la ausencia del caimán hembra, Lapp desenterró los huevos y tranquilamente volvió con ellos al campamento. Apenas había desembocado en el claro donde estábamos instalados, el caimán hembra surgió como un bólido y arremetió contra él. Había seguido la huella del ladrón y se presentó para castigarlo. Tenía más de tres metros de largo y respiraba con sonidos broncos, como si hubiera tenido una laringitis. Lapp se puso a correr y a dar vueltas alrededor de un gran árbol, mientras yo me moría de risa al ver a aquel hombrón con *shorts* dando enormes zancadas y vociferando en demanda de socorro. Crichet y unos hombres llegaron corriendo: dos disparos con balas explosivas pararon en seco al caimán hembra. En cuanto a Lapp, pálido como un muerto, se cayó de culo. Todo el mundo estaba escandalizado por mi actitud. Les expliqué que, de todos modos, no podía hacer nada, porque jamás llevaba fusil conmigo por ser demasiado embarazoso.

En la mesa, por la noche, cuando estábamos comiendo bajo la tienda mi cena a base de latas de conservas, Crichet me dijo:

—Usted no muy joven, treinta y cuatro años al menos, ¿no?

—Un poco más, ¿por qué?

—Usted vivir y comportarse como hombre veinte años.

—¿Sabe usted?, no tengo muchos años. Sólo veintiséis.

—No es verdad.

—Sí, y le voy a explicar por qué. He vivido trece años entre cuatro paredes. Estos trece años es preciso que los viva, porque no los he vivido. De modo que treinta y nueve menos trece hacen veintiséis. Tengo veintiséis años.

—No comprendo.

—No tiene importancia.

Y, sin embargo, era verdad: tenía el alma de un chico de veinte años. No había objeción válida, era preciso que los viviera, lo necesitaba, era preciso que recuperase los trece años que me habían robado. Era preciso que los quemara por completo, burlándome absolutamente de todo, como cuando se tienen veinte años, el corazón lleno de bohemia y de alegría de vivir.

Una madrugada, poco antes de que amaneciera, un grito agudo nos despertó a todos sobresaltados. En el momento en que colgaba la lámpara que acababa de encender para hacer el café, el cocinero de los hombres había sido alcanzado por dos flechas, una en el costado, otra en las nalgas. Era preciso bajarlo inmediatamente a Maracaibo. Cuatro hombres le llevarían en una especie de parihuelas, hasta una piragua, que le bajaría hasta el jeep, que a su vez lo conduciría hasta el camión y el camión a Maracaibo.

El día transcurrió en una atmósfera densa, pesada. Sentimos a nuestro alrededor, en la selva, la presencia de los indios sin verlos ni oírlos jamás. Cuanto más avanzábamos, más teníamos la sensación de estar en su terreno de caza. La caza abundaba, y como que todos los hombres llevaban fusil, de vez en cuando mataban a un pájaro o una especie de liebre. Todo el mundo estaba serio, nadie cantaba y, después de haber disparado varias veces, hablaban en voz baja, tontamente, como si hubieran tenido miedo de que los oyeran.

Poco a poco, se fue apoderando de los hombres un miedo colectivo. Deseaban que se interrumpiera la expedición y volver a Maracaibo. Crichet, el jefe, quería continuar subiendo. El representante sindical, Carlos, era un muchacho valiente, pero también él estaba muy impresionado. Me llamó aparte:

—¿Nos volvemos, Enrique?

—¿Por qué, Carlos?

—Los indios.

—Están los indios, es verdad, pero tanto pueden atacarnos en el camino de vuelta como si continuamos avanzando.

—No es seguro, francés. Acaso no estamos lejos de su aldea. Mira allí, la piedra: han machacado grano.

—Tienes bastante razón en lo que dices, Carlos. Veamos a Crichet.

Aquel yanqui había estado en el desembarco de Normandía, era poco impresionable y un apasionado de su profesión. Ante todos los hombres reunidos dijo que, por encima de todo, estábamos en uno de los lugares más ricos en indicaciones geológicas. Se irritó y, encolerizado, soltó la única frase que no debió pronunciar:

—¡Si tenéis miedo, marchaos! Yo me quedo.

Se marcharon todos los hombres, excepto Carlos y yo. Pero yo me quedé con la condición de que, cuando nos marcháramos, enterraríamos el material, porque no quería llevar peso. En efecto, después de haberme roto los dos pies en una de las evasiones frustradas de Barranquilla, andar cargado me fatigaba en seguida. Carlos se encargaría de las muestras tomadas.

Durante cinco días nos quedamos solos Crichet, Lapp, Carlos y yo. No sucedió nada pero, francamente, raras veces había pasado momentos tan excitantes e impresionantes como aquellos cinco días en que nos sabíamos espiados durante todas las horas del día y de la noche, por vete a saber cuántos pares de ojos invisibles. Ya nos íbamos cuando Crichet, que se había retirado a la orilla del río para hacer lo que me imaginé, vio cómo se movían las cañas y cómo dos manos las separaban lentamente. Esto le cortó las ganas de lo que iba a hacer y, con su calma habitual, como si no ocurriera nada, se volvió de espaldas a las cañas y volvió a nuestro campamento.

—Creo —dijo a Lapp— que ha llegado el momento de volver a Maracaibo. Tenemos bastantes muestras de rocas y no estoy seguro de que sea científicamente necesario dejar a los indios cuatro muestras interesantes de la raza blanca.

Llegamos sin incidentes a La Burra, aldea de unas quince casas. Estábamos bebiendo mientras esperábamos el camión que tenía que venir a buscarnos, cuando un mestizo de indio de la región, que estaba como una cuba, me llamó aparte y me dijo:

—¿Eres francés, verdad? Pues bien, no merece la pena ser francés para ser tan ignorante.

—¡Ah!, ¿y por qué?

—Voy a decírtelo: penetráis en el territorio de los motilones, ¿y qué es lo que hacéis? Disparáis a derecha e izquierda contra lo que vuela, corre o nada. Todos los hombres tienen un fusil. Lo que estáis haciendo no es una exploración científica, sino una gigantesca partida de caza.

—¿Qué quieres decir con eso?

—Obrando así, destruís lo que los indios consideran como su reserva de alimentos. No tienen demasiados. Ellos matan justo lo que necesitan para un día o dos. No más. Otra cosa: como que con sus flechas matan sin hacer ruido, no hacen huir la caza. Mientras que vosotros lo destruís todo y con vuestros disparos dais miedo a todos los animales. Entonces, emigran a otros lugares.

Aquel camarada no decía tonterías. Me interesaba.

—¿Qué quieres beber? Te invito.

—Un doble ron, francés. Gracias.

Y continuó:

—Por eso los motilones os disparan flechas. Se dicen que por vuestra culpa tendrán dificultades para alimentarse.

—En resumen, si te comprendo bien, ¿les saqueamos su despensa?

—Exacto, francés. Además, ¿no te has dado nunca cuenta de que cuando remontáis un río, en los lugares donde es más estrecho y donde hay poca agua hasta veros obligados a bajar de las piraguas y empujarlas a pie, no te has dado cuenta de que entonces destruís una especie de diques hechos con ramas y bambúes?

—Sí, a menudo.

—Pues bien, lo que destruís sin fijaros en ello son verdaderas trampas para peces construidas por los motilones, y así les causáis graves perjuicios. Porque les da mucho trabajo construir estas trampas. Se componen de una especie de laberintos complicados que, gracias a zigzags sucesivos, conducen los peces que remontan la corriente hasta una última gran nasa de donde no pueden salir. Delante tienen una gran barrera de bambúes, y no tienen modo de volver a encontrar la puerta de entrada, porque está constituida por pequeñas lianas, que separaron para pasar y que la corriente vuelve a pegar contra la puerta una vez que están en la nasa. He visto trampas cuyo conjunto hacía más de cincuenta metros. Un trabajo admirable.

—Tienes cien veces razón. Es preciso ser unos vándalos, como nosotros, para destruir trabajos semejantes.

Me detuve a reflexionar durante nuestro viaje de regreso sobre lo que había dicho el mestizo de indio atiborrado de ron, y decidí intentar algo. Tan pronto llegamos a Maracaibo, incluso antes de ir a mi casa para pasar mis ocho días de descanso, llevé una carta a casa de Mr. Blanchet, el jefe de personal, en la que le pedí que me recibiera al día siguiente.

Me recibió y, junto con él, vi al jefe de los geólogos. Les expliqué que no habría más heridos o muertos en las expediciones si me confiaban la dirección. Claro que Crichet seguiría siendo el jefe oficial pero, de hecho, yo aseguraría la disciplina de la expedición. Se acordó hacer una prueba, lo que les fue bien, porque Crichet había presentado un informe según el cual si se pudiera subir más arriba todavía que en la última expedición, por tanto en una región todavía más peligrosa, se encontraría una verdadera mina de informaciones de gran valor. En cuanto a las condiciones de mis nuevas funciones, que se añadirían a las de cocinero (seguiría siendo el cocinero de los geólogos), se fijarían a mi regreso. Claro estaba que no había dicho las razones por las cuales podía garantizar la seguridad de las expediciones, y como que los yanquis son gente práctica, no me hicieron preguntas. Sólo contaba el resultado.

Sólo Crichet estaba al corriente. Como la cosa le convenía, se mostró de acuerdo y me concedió un voto de confianza. Estaba convencido de que había descubierto un medio seguro para evitarnos molestias. Y, además, quedó favorablemente impresionado por el hecho de haber sido yo uno de los tres que se quedaron con él cuando todo el mundo lo abandonó.

Fui a hablar con el gobernador de la provincia y le expliqué el caso. Se mostró comprensivo y cordial, y gracias a su carta de recomendación obtuve de la Guardia Nacional que diera la orden a su último puesto antes de llegar al territorio de los motilones de que retuvieran las armas de todos los que yo diría, antes de dejarnos pasar. Inventarían un pretexto verosímil y tranquilizador. En efecto, si al salir de Maracaibo los hombres sabían que iban a ir a territorio motilón sin armas, se hubieran negado a ir. Era preciso que los sorprendiera, en el mismo lugar, y les infundiera confianza.

Todo se desarrolló bien. En el último puesto, en La Burra, todos los hombres fueron desarmados, excepto dos, a quienes di la consigna de no disparar más que en caso de peligro inminente, nunca para cazar o para divertirse. Yo tenía un revólver, y esto era todo.

A partir de aquel día, se acabaron las complicaciones con nuestras expediciones. Los americanos lo comprobaron y, buscando la eficacia ante todo, no me preguntaron la razón.

Mis relaciones con los hombres eran buenas y ellos me escuchaban. Mi cometido me apasionó. En lugar de aplastar las trampas con nuestras piraguas, les dábamos la vuelta sin destruirlas. Otra cosa: sabiendo que la principal preocupación de los motilones era el hambre, cada vez que abandonábamos un campamento, dejaba cajas vacías, llenas de sal, de azúcar, y también, según lo que teníamos a mano, un machete, un cuchillo, una pequeña hacha. Al regreso, cuando volvimos a pasar por aquellos campamentos, no encontramos nunca nada. Todo había desaparecido, hasta las mismas cajas. Mi táctica, pues, resultó positiva, y como en Maracaibo nadie sabía el porqué de la cosa, corrió el rumor de que era brujo, o que tenía un pacto secreto con los motilones, cosa que me hizo reír mucho.

En el curso de una de aquellas expediciones, recibí una lección de pesca extraordinaria: cómo pescar sin cebo, sin anzuelo, sin sedal, no teniendo más que coger el pez, tranquilamente, en la superficie del agua. Mi profesor era el tapir, animal más grande que un cerdo gordo. En algunos casos podía tener dos metros, y más. Una tarde, cuando estaba cerca del río, vi uno por primera vez. Salió del agua, y lo observé sin hacer el menor gesto para no molestarlo. Su piel se parecía a la del rinoceronte, tenía las patas delanteras más cortas que las traseras y, en el lugar de la boca, una trompa corta pero claramente dibujada. Se acercó a una especie de liana, y comió una buena cantidad: era, pues, un herbívoro. Luego lo vi bajar de nuevo hacia el río, entrar en él y dirigirse hacia una zona de agua muerta. Se detuvo y, como una vaca, se puso a hacer una especie de regurgitaciones: es, pues, un rumiante. Entonces se puso a vomitar y salió de su trompa un líquido verde. Muy hábilmente, mezcló este líquido con el agua, removiéndola con su gran cabeza. Me pregunté la razón de todo aquello cuando, unos minutos más tarde, tuve la sorpresa de ver aparecer unos peces con el vientre al aire, meneándose dulcemente, como drogados o dormidos. Entonces mi tapir, sin darse prisa, cogió los peces uno tras otro y se los comió tranquilamente. No salía de mi asombro.

Luego probé el método. Habiendo localizado perfectamente las lianas que comió ante mi vista, cogí un buen paquete y las aplasté entre dos piedras, recogiendo el jugo en una calabaza. Luego fui a echarlo en un lugar del río donde el agua no estaba agitada por la corriente. ¡Victoria! Algunos minutos después vi que algunos peces salían a la superficie, como ebrios. Igual que con el tapir. Sólo había que tomar una precaución: si eran comestibles, vaciarlos inmediatamente. Dos horas después, estaban podridos. Después de aquel experimento los geólogos tuvieron a menudo en la mesa excelentes pescados. Había dado una consigna a los hombres: nunca, en ningún caso, matar a un pescador tan simpático. Sobre todo teniendo en cuenta que eran inofensivos.

En aquellas expediciones, a veces me llevaba como guías a una familia de cazadores de caimanes, los Fuenmayor, un padre y dos hijos. Aquello convino a todos, porque conocían muy bien la región, pero solos eran un presa fácil para los motilones. Con nosotros, a cambio de darles de comer, nos guiaban durante el día, y por la noche cazaban el caimán.

Todo el mundo salía ganando.

Eran hombres de Maracaibo, maracuchos, seres muy sociables. Cantaban cuando hablaban, profesaban un culto muy vivo a la amistad. Impregnados de sangre india, tenían todas sus cualidades y eran, además, muy inteligentes y astutos.

Tuve y todavía tengo entre los maracuchos amistades maravillosas e indestructibles. Tanto con los hombres como con las mujeres, porque las mujeres son bellas, y saben amar y hacerse amar.

Cazar el caimán, bestia de dos a tres metros de largo, resultaba muy peligroso. Aquella noche fui con ellos, Fuenmayor padre y el hijo mayor, en una piragua muy estrecha y muy ligera. El padre estaba sentado detrás, en el timón, yo estaba en el centro, y el hijo delante. La noche era completamente oscura, no se oían más que los ruidos de los matorrales y, apenas, el chapoteo del agua contra la piragua. No fumamos, no hicimos ruido alguno. En ningún caso el zagal que empujaba la embarcación, y al mismo tiempo la dirigía, debía raspar la borda de la piragua.

Enviando de forma intermitente el haz de luz de una enorme lámpara eléctrica, que barría toda la superficie del agua, se consiguió que aparecieran, a pares, unos puntos rojos, como hacían los faros de los coches sobre anuncios fosforescentes a lo largo de una carretera. Dos puntos rojos: un caimán. Es sabido que delante de los ojos están, en la superficie, los agujeros de la nariz, siendo los ojos y el morro los dos únicos puntos del cocodrilo que emergen del agua cuando descansa en la superficie. Se escogió la víctima en función de la distancia más corta entre los cazadores y los puntos rojos. Una vez localizada, se avanzó contra ella a bulto, apagada la luz. Fuenmayor padre era extraordiario para fijar, a la luz de un segundo, el punto exacto donde estaba el caimán. Nos dirigimos aprisa hacia él, y cuando se estimó estar lo bastante cerca, se dirigió la luz contra la bestia que, casi siempre, quedaba deslumbrada. El haz de la lámpara no la dejaba hasta estar a dos o tres metros de ella. En la parte delantera de la piragua, Fuenmayor hijo siguió con la lámpara apuntada sobre el caimán con la mano izquierda y, con la derecha, y con toda su fuerza, lanzó un arpón lastrado con diez kilos de plomo, capaz de traspasar una piel tan resistente y penetrar en la carne.

Entonces había que darse prisa, porque apenas arponeada, la bestia se sumergía, y nosotros con nuestras tres pagayas remábamos rápidamente hacia la ribera. Era preciso saltar en seguida porque, si se le daba tiempo, el caimán volvía a la superficie, se precipitaba y, de un coletazo, hacía zozobrar la embarcación, haciendo de los cazadores, en menos de dos segundos, caza para los demás caimanes puestos alerta. Apenas llegamos a la orilla, saltamos y, a toda velocidad, dimos una vuelta de cuerda alrededor de un árbol. Vino el caimán, lo sentimos llegar, para ver a qué estaba atado. No sabía lo que le había ocurrido, aparte el dolor en la espalda. Acudía a informarse. Poco a poco, sin tirar, recogimos la parte floja de la cuerda, que aseguramos alrededor del árbol. La bestia fue a emerger casi a la orilla. En el preciso instante en que iba a sacar la cabeza, Fuenmayor hijo, que tenía en la mano un hacha americana ligera y muy afilada, le asestó un golpe tremendo en la cabeza. A veces se necesitaban tres golpes para que el caimán muriera. A cada golpe daba un coletazo que, si hubiera atrapado al leñador, también lo habría enviado al cielo. Si los golpes no habían sido mortales, lo que podía ocurrir, era preciso dar cuerda en seguida para que la bestia pudiera volver al fondo del agua. Porque, con su fuerza colosal, hubiera arrancado el arpón, por muy hincado que estuviera en su cuerpo. Se esperó un momento y se volvió a halar.

Pasé una noche extraordinaria: dimos muerte a varios caimanes. Los dejamos sobre la ribera. Cuando se hiciera de día, acudirían los Fuenmayor a arrancar la piel del vientre y de la parte inferior de la cola. La piel de la espalda era demasiado dura para ser explotada. Luego se enterraba a las enormes bestias: no se debía volver a echarlas al agua porque se envenenaría el río. Los caimanes no se comen entre ellos, ni muertos.

Hice varias expediciones semejantes, ganándome bien la vida y pudiendo ahorrar, cuando se produjo el acontecimiento más extraordinario de mi vida.

CAPÍTULO X

RITA — EL «VERA-CRUZ»

Cuando, en los calabozos de la Reclusión de San José, volaba entre las estrellas e inventaba maravillosos castillos en el aire para llenar aquel aislamiento y aquel silencio horribles, a menudo me veía libre, vencedor del «camino de la podredumbre», habiendo vuelto a empezar en una gran ciudad una nueva vida. Sí, de verdad era una resurrección, levantaba la piedra de la tumba que me mantenía aplastado en la sombra y volvía a la luz y a la vida, y entre las imágenes que fabricaba entonces mi cerebro, aparecía una muchacha tan hermosa como buena. Ni grande ni menuda, rubia, ojos en forma de avellana, con pupilas muy negras chispeantes de vida y de inteligencia. Su boca estaba maravillosamente bien dibujada, descubriendo, cuando reía, dientes de coral con una blancura espléndida. Bien hecha, de cuerpo perfectamente proporcionado, aquella mujer, según la veía yo, era la que un día sería mía para toda la vida.

A aquella diosa, a aquel ideal de belleza, yo le fabricaba un alma, la más hermosa, la más sincera, la más rica de todas las cualidades que hacen de una mujer, a la vez, una amante y una amiga. Era seguro que un día la encontraría, y con ella, unidos para siempre, sería amado, rico, respetado y feliz para toda la vida.

Sí, en la humedad ardiente y asfixiante que privaba a los desgraciados de la Reclusión del menor soplo vivificante, cuando jadeante, el corazón retorcido por la angustia, atenazado por una sed que nada podía calmar, sin fuerzas, abriendo la boca para intentar captar la más ínfima cantidad de frescor, cuando, en medio de aquel vapor irrespirable que quemaba los pulmones, casi asfixiado, volaba por entre las estrellas hacia mis castillos en el aire, donde el aire fresco, los árboles cubiertos de un hermoso follaje verde, de donde quedaban excluidas las preocupaciones de la vida ordinaria, porque yo era rico, mezclada con cada visión, con cada imagen, aparecía mi «bella princesa», como yo la llamaba. Era siempre la misma, hasta en el menor detalle. Nada cambiaba nunca, y la conocía tan a la perfección que, cuando hacía su aparición en aquellas diversas escenas, la cosa me parecía normal: ¿no era ella quien tenía que ser mi mujer y mi genio del bien?

Al regresar de una misión geológica, decidí abandonar mi habitación del campamento de la «Richmond Co.» e instalarme en el centro de Maracaibo. Así, un día, un camión de la compañía me dejó en una pequeña plaza sombreada del centro de la ciudad, con una pequeña maleta en la mano. La mayor parte de mis cosas las había dejado en el campo. Sabía que existían varios hoteles y pensiones por allí, y recorrí la calle Venezuela, que disfrutaba de una situación privilegiada entre las dos plazas principales de Maracaibo, la plaza Bolívar y la plaza Baralt. Era una de las característicamente estrechas calles coloniales, con casas de uno, o como máximo dos pisos. Hacía un calor aplastante y avancé a la sombra de las casas.

«Hotel Vera-Cruz». Era una bonita casa de estilo colonial, construida en tiempos de la conquista, pintada de azul pálido. Me atrajo su aspecto limpio y acogedor, y me adentré por un pasillo fresco que daba a un patio. Y allí, en aquel patio fresco y sombreado, vi a una mujer, y aquella mujer que vi fue *ella*.

Era ella, no podía equivocarme, la había visto millares de veces en mis sueños de hombre desgraciado. Allí estaba, la tenía frente a mí, mi «hermosa princesa», sentada en un balancín. Al acercarme reparé en que tenía los ojos avellanados, así como un lunar minúsculo en su bello rostro oval. También había visto aquella decoración millares de veces.

Era, pues, imposible que me engañara: allí estaba, ante mí, la princesa de mis sueños, esperándome.

—Buenos días, señora. ¿Puede usted alquilarme una habitación?

Dejé mi maleta en el suelo. Estaba seguro de que me iba a decir que sí. No la miré: la devoré con los ojos. Un poco asombrada al verse observada así por un desconocido, se levantó de su asiento y se dirigió hacia mí. Sonrió y descubrió sus dientes magníficos, que conocía tan bien.

—Sí, señor, tengo una habitación para usted —respondió la princesa en francés.

—¿Cómo sabe usted que soy francés?

—Por su modo de hablar español, la jota es difícil de pronunciar para los franceses. Haga el favor de seguirme.

Cogí mi maleta y, obedeciendo su indicación, penetré en una habitación limpia, fresca y bien amueblada que daba directamente al patio.

Hasta después de haberme refrescado con una buena ducha, lavado, afeitado, y cuando estaba fumando un cigarrillo sentado en la cama de aquella habitación de hotel, verifiqué que no soñaba.

«¡Aquí la tienes, amigo, la que te ayudó a devorar tantas horas de calabozo! ¡Aquí está, a pocos metros de ti! Sobre todo, no enloquezcas. El golpe que acabas de recibir en el corazón no debe arrastrarte a hacer o a decir barbaridades.»

Mi corazón latía muy fuerte, e intenté calmarme.

«Sobre todo, *Papillon* no cuentes a nadie esta historia de loco, ni a ella tan sólo. ¿Quién iba a creerte? ¿Cómo puedes pretender, sin que se burlen de ti, convencer a cualquiera de que conociste, tocaste, besaste, poseíste a esta mujer años atrás, cuando te pudrías en los calabozos de una cárcel abominable? Cierra el pico. La princesa está aquí, y esto es lo principal. No te llenes de bilis: ahora que la has encontrado, no se te escapará. Pero es preciso ir con tiento, por sus pasos contados. A juzgar por su aspecto, es la dueña de este pequeño hotel.»

En el patio, verdadero pequeño jardín en miniatura, le dije, en una de aquellas maravillosas noches tropicales, mis primeras palabras de amor. Era tan exacta a ella, a mi hada tantas veces soñada, que se hubiese dicho que ella también me esperaba desde hacía mucho tiempo. Mi princesa se llamaba Rita, era oriunda de Tánger, y estaba libre de cualquier vínculo embarazoso. Sus ojos me miraban con todo su resplandor y brillaban como las estrellas del cielo por encima de nuestras cabezas. Lealmente le dije que estaba casado en Francia, que no sabía cuál era exactamente mi situación en aquel momento y que, por razones graves, no podía pedirla. Lo que era verdad: no podía escribir a la Alcaldía de mi pueblo para pedir una ficha de estado civil. No se podía saber qué reacción de la justicia hubiese podido provocar tal petición. Acaso una demanda de extradición. Pero no le dije nada de mi pasado de truhán y de presidiario. Puse toda mi energía y todos los recursos de mi espíritu en convencerla. No podía dejar pasar la que presentía como la mayor oportunidad de mi vida.

—Eres hermosa, Rita, maravillosamente hermosa. Déjate amar de forma profunda y eterna por un hombre que, a su vez, no tiene a nadie en el mundo, pero que necesita amar y ser amado. No tengo mucho dinero, es verdad, y tú eres casi rica con tu pequeño hotel, pero créeme, quisiera que nuestras dos almas se convirtieran en una, para siempre, hasta la muerte. Dime que sí, Rita, tú que eres tan bella como las flores más hermosas de este país, tan hermosa como las orquídeas. No puedo decirte cuándo ni cómo, pero, por inverosímil que pueda parecerte, tienes que saber que hace muchos años que te conozco y que te quiero. Tienes que ser para mí, como te juro ser para ti, es decir, enteramente y para siempre.

Pero Rita no era una muchacha fácil, lo que no me asombró. Hasta tres días después no consintió en ser mía. Llena de pudor, me pidió que me escondiera para ir a su habitación. Luego, una hermosa mañana, sin anunciarlo a nadie, de modo natural, proclamamos oficialmente nuestro amor y, con toda normalidad, asumí la condición de dueño del hotel.

Nuestra felicidad era completa y se abrió ante mí una nueva vida, la vida de familia. Yo, el paria, el fugitivo del penal francés, después de haber conseguido vencer el «camino de la podredumbre», *tenía un hogar*, una mujer tan bella de cuerpo como de alma; sólo una pequeña nube en nuestra felicidad: el hecho de que, al estar casado en Francia, no podía contraer matrimonio con ella.

«¡Amar, ser amado, tener un hogar para mí, qué grande eres, oh Dios, al haberme dado todo esto!»

Vagabundos de los caminos, vagabundos de los mares, aventureros que necesitan la aventura como son indispensables para los mortales el pan y el agua, los hombres que vuelan en la vida como en el cielo, los pájaros migratorios vagabundos de las ciudades que escudriñan noche y día las calles de los bajos fondos, que visitan los parques y se arrastran por los barrios ricos, con su alma rebelada al acecho de un posible golpe, vagabundos anarquistas que a cada paso de su existencia creen que los sistemas son cada vez más egoístas, los prisioneros puestos en libertad, los soldados con permiso, los combatientes que regresan del frente, evadidos a quienes persigue una organización que quiere volver a cogerlos y echarlos al calabozo para aniquilarlos, todos, sí, todos sin excepción, sufren de no haber tenido un hogar en un momento u otro, y cuando la providencia les ofrece uno, entran en él como yo penetré en el mío, con un alma nueva, llena de amor para ofrecer y sedienta de recibir amor.

Así, pues, yo también, como la mayoría de los mortales, como mi padre, como mi madre, como mis hermanos, como todos los míos, yo también tenía, al fin, *mi hogar*, y dentro de él una muchacha a la que amaba.

Para que el encuentro con Rita transformara mi vida casi en su totalidad, para que sintiera que ella iba a significar un cambio fundamental en mi existencia, era preciso que aquella mujer saliera de lo ordinario.

En primer término, llegó como yo a Venezuela clandestinamente. Pero no era una evadida de los penales, claro está, ni de las cárceles, pero, a pesar de todo, una evadida.

Hacía seis meses que había llegado de Tánger con su marido, que la abandonó, no hacía ni tres meses, para ir a intentar una aventura a trescientos kilómetros de Maracaibo, a donde ella no quiso seguirlo. La dejó con el hotel. Ella tenía en Maracaibo un hermano representante que viajaba mucho.

Me narró su vida, y escuché su relato con suma atención. Mi princesa nació en un barrio pobre de Tánger. Su madre, viuda, cuidaba a sus seis hijos, tres chicos y tres chicas. Rita era la última.

Desde muy niña, la calle fue su campo de acción habitual. No pasaba los días en las dos habitaciones donde vivían los siete miembros de su tribu. Su auténtica casa era la ciudad con sus parques, sus zocos, sus gentes, que pululaban por allí, comían, cantaban, bebían, gritaban en todos los idiomas. Rita iba descalza. Para los chiquillos de su edad, para las gentes del barrio, era conocida como Riquita. Con sus camaradas, banda de gorriones traviesos, pasaba más tiempo en la playa o en el puerto que en la escuela, pero Riquita sabía defender su lugar cuando había tomado el turno en la larga cola de espera ante la fuente para llevar a su abuela un gran cubo de agua. Hasta haber cumplido diez años no aceptaría llevar zapatos.

Todo interesaba a su espíritu vivo y curioso. Pasaba horas sentada en el círculo alrededor de un narrador árabe. Hasta que un día, un narrador, harto de ver siempre en primera fila a aquella pequeña que no daba nunca nada, le propinó un bofetón. A partir de aquel día, la niña tomó asiento en segunda fila.

No tenía gran instrucción, pero ello no le impidió soñar con intensidad en aquel gran mundo misterioso de donde llegaban aquellos grandes barcos de nombres extraños. Partir, viajar, era su gran sueño y su gran pasión, algo que no la abandonaría nunca. Pero, para la pequeña Riquita, la visión del mundo era muy particular. América del Norte y América del Sur eran la América de arriba y la América de abajo. La América de arriba era Nueva York, que la cubría por entero. Todo el mundo era allí rico y todos eran artistas de cine. En la América de abajo vivían los indios, que ofrecían flores y tocaban la flauta; no era necesario trabajar, porque los negros hacían todo lo que había que hacer.

Pero más que los zocos, los camelleros, los narradores árabes, el misterio de las fátimas veladas, la vida hormigueante del puerto, lo que más la atraía era el circo. Había ido dos veces. Una, escurriéndose por debajo de la tela; otra, gracias a un viejo payaso que se emocionó al ver aquella chiquilla descalza, y que él mismo hizo entrar y le facilitó un buen sitio. Quería marcharse con el circo, la atrajo como un imán. Un día, bailaría sobre el alambre, haría piruetas y recibiría aplausos. El circo se iba para la América de abajo.

Deseó con todas sus fuerzas marcharse con él. Partir, partir, ser rica y traer mucho dinero a su familia.

No se fue con el circo, sino con su familia. Oh, no muy lejos, pero de todos modos era un viaje. Fueron a instalarse en Casablanca. El puerto y los paquebotes eran más grandes. Partir, partir un día, lejos, muy lejos, era lo que soñaba Riquita.

Cumplió los dieciséis años. Iba siempre vestida con bonitos trajes que se hacía ella misma porque trabajaba en una tienda, «Aux Tissus de France», y a menudo la patrona le regalaba pequeños cortes de tela. Su sueño de viaje fue cobrando mayores proporciones, porque la tienda, en la calle del Reloj, estaba situada muy cerca de los despachos de la famosa compañía aérea «Latécoère». A menudo, los aviadores iban a la tienda. ¡Y qué aviadores! Mermoz, Saint-Exupéry, Mimile el escritor, Delaunay, Didier. Eran hombres muy apuestos y, además, los más grandes y los más intrépidos viajeros del mundo. Rita los conocía a todos, todos le hacían la corte, de vez en cuando aceptaba un beso, y nada más, porque era un chica cuerda. Pero, ¡cuántos viajes había hecho con ellos por el cielo, escuchándoles contar sus aventuras, mientras se comía un helado en una pastelería vecina! Ellos la querían, la consideraban un poco como su pequeña protegida, le hicieron pequeños regalos modestos, pero preciosos, le escribieron versos, algunos de los cuales fueron publicados en el periódico La Vigie.

A los diecinueve años se casó con un exportador de frutas a Europa. Trabajaron mucho, les nació una hija, eran felices. Tenían dos coches, vivían con gran bienestar y Rita podía ayudar bastante a su madre y a los suyos.

Uno tras otro, dos barcos de naranjas llegaron a destino con su cargamento averiado. Dos cargamentos completamente perdidos significaron la ruina. Su marido se convirtió en deudor de fuertes sumas y consideró que si se ponía a trabajar emplearía largos años en abonar sus deudas. Entonces decidió marchar clandestinamente para América del Sur. No le fue difícil convencer a Rita de que hiciera con él aquel viaje maravilloso, para un país de cucaña, donde el oro, los diamantes y el petróleo se cogían a paladas. Dejarían su hijita a la madre de Rita, y Rita, con sus sueños de aventura, esperaba pacientemente embarcar en el gran barco que le había anunciado su marido.

El pregonado paquebote no era más que un barco de pesca de doce metros de eslora por cinco y medio de manga. El capitán, un estonio algo pirata, aceptó embarcarlos para Venezuela sin papeles, en compañía de otros doce pasajeros clandestinos. Coste: el equivalente a cinco mil francos nuevos. Y en la cabina de la tripulación de aquel viejo barco de pesca, Rita hizo el viaje junto con catorce personas más: diez españoles, un portugués y dos mujeres; una alemana de veinticinco años, amante del capitán, y otra, española, María, mujer del cocinero Antonio.

¡Ciento doce días de viaje para llegar a Venezuela! Con una prolongada escala en las islas de Cabo Verde, porque el barco tenía vías de agua, y por poco se hundió a causa de la mala mar.

Mientras estuvo en dique seco y lo reparaban, los pasajeros durmieron en tierra. El marido de Rita no tenía ya confianza en el barco. Dijo que era una locura lanzarse al Atlántico en aquella batea podrida. Rita le infundió moral: el capitán era un vikingo, los mejores marinos del mundo, se podía tener en él confianza absoluta.

¡Noticia increíble, no pudo dar crédito a sus oídos! Los españoles le dijeron que el capitán era un canalla, que estaba en tratos con otro grupo de pasajeros y que se aprovecharía de que dormían en tierra para poner proa, por la noche, hacia Dakar y abandonarlos allí. De pronto, estalló la rebelión. Avisaron a las autoridades y fueron en grupo al barco. El capitán se vio rodeado, amenazado. Los españoles llevaban cuchillos. Volvió la calma cuando el capitán les prometió que irían a Venezuela. Aceptó, considerando lo que había pasado, estar bajo la vigilancia constante de uno de los pasajeros. Al día siguiente se marcharon de Cabo Verde y se enfrentaron con el Atlántico.

Veinticinco días más tarde estaban a la vista de las islas Testigos, punta avanzada de Venezuela. Se olvidó todo: las tempestades, las aletas de los tiburones, los dorsos de las marsopas chocando, por juego, contra el barco, los gorgojos en la harina, el conflicto de Cabo Verde. Rita era tan feliz que olvidó que el capitán quiso traicionarlos y se le arrojó al cuello y lo besó en las dos mejillas. Y resonó de nuevo la canción que los españoles compusieron durante la travesía. Porque donde hay españoles, hay una guitarra y un cantaor:

A Venezuela nos vamos
Aunque no haya carretera.
A Venezuela nos vamos
En un barquito de vela.

El 16 de abril de 1948 entraron en el puerto de Caracas, La Guaira, que estaba a veinticinco kilómetros de la ciudad, en la desembocadura del valle que allí conducía, después de un viaje de más de 9.000 km.

Con una falda de Zenda, la alemana, transformada en pabellón, el capitán reclamó el servicio de sanidad a bordo. A todos se les alegraron los corazones al ver acercarse el pequeño buque oficial de la Sanidad venezolana: aquellos rostros tostados por el sol que se acercaban representaban a Venezuela. ¡Habían ganado!

Rita aguantó muy bien el golpe, aunque hubiera perdido diez kilos. Nunca pronunció una queja o una manifestación de miedo. Sin embargo, ¡había de qué preocuparse de vez en cuando, sobre aquella cáscara de nuez en pleno Atlántico! No había decaído más que una vez, pero nadie se dio cuenta. Cuando salieron, entre unos pocos libros que se llevó para distraerse, no encontró nada mejor que uno de Julio Verne, el único que debía evitar: *Veinte mil leguas de viaje submarino.* Un día de mar gruesa no pudo más y lo tiró por la borda: durante varias noches soñó que un pulpo gigante arrastraba su barco al fondo de los mares, como le había sucedido al *Nautilus.*

Algunas horas después de su llegada, las autoridades venezolanas los aceptaban en su territorio, aunque ninguno de ellos tuviera papeles. «Más adelante les proporcionaremos papeles de identidad.» Dos enfermos fueron hospitalizados, los demás fueron vestidos, albergados y alimentados durante varias semanas. Luego cada uno encontró trabajo. Así era la historia de Rita.

¿No resultaba extraño, en primer término, haber encontrado a la mujer que, durante dos años, pobló mi horrible aislamiento de la Reclusión; y luego que esta mujer llegara allí, como yo, furtivamente, aunque bajo condiciones muy distintas? ¿Asimismo sin papeles, e igual que yo, generosamente acogida y tratada por esta nación?

Nada turbó nuestra felicidad durante más de tres meses. Pero, un buen día, unos desconocidos abrieron la caja de seguridad de la «Richmond Co.», para la que continuaba organizando y dirigiendo exploraciones geológicas. No llegué a saber nunca cómo los polis locales descubrieron mi pasado. Lo cierto es que me detuvieron como sospechoso número 1, y me encerraron en la cárcel de Maracaibo.

Como era normal, a Rita le hicieron preguntas sobre mí, y de este modo supo brutalmente de los polis todo lo que yo le había escondido. Interpol dio todas las informaciones. Sin embargo, Rita no me abandonó en la cárcel, y me asistió lo mejor que pudo. Incluso pagó un abogado, Echeta La Roche, quien se encargó de mi defensa y en menos de quince días consiguió que me pusieran en libertad con un «no ha lugar». Mi inocencia quedó completamente reconocida, pero el mal estaba hecho.

Cuando fue a buscarme a la cárcel, Rita estaba muy emocionada, aunque también muy triste. No me miraba como antes. Advertí que tenía miedo de verdad, que dudaba en confiarse a mí. Tenía la impresión de que todo estaba perdido. No me engañé, porque en seguida atacó:

—¿Por qué me mentiste?

¡No, no era posible, no quería perderla! Nunca encontraría una oportunidad similar. Tenía que combatir, una vez más, con todas mis fuerzas.

—Rita, debes creerme. Cuando te encontré me gustaste tanto, en seguida te amé tanto que tuve miedo de que no quisieras verme más si te decía la verdad sobre mi pasado. ¿Te acuerdas de lo que te decía sobre mí? Claro que lo inventaba, pero era porque, cuando te conocí, no quería decirte más que lo que presentía que tú deseabas escuchar.

—Me mentiste... Me mentiste... —no dejaba de repetir con insistencia—. ¡Yo que te creía un hombre de bien!

Esta mujer estaba presa del pánico, como si hubiera vivido una pesadilla. Tenía miedo. Sí, tenía miedo, camarada, tenía *miedo de ti.*

—¿Y qué te prueba que no pueda ser un hombre de bien? Creo que merezco, tanto como no importa qué otro hombre, se me dé la oportunidad de poder ser bueno, honrado y feliz. No olvides, Rita, que durante trece años tuve que luchar contra el más abominable de los sistemas penitenciarios, y no ha sido fácil vencer este «camino de la podredumbre». Te amo de todo corazón, Rita, te amo no con mi pasado, sino con mi presente. Debes creerlo: si no te conté mi vida era sólo por miedo de perderte. Me decía que si antes había vivido de un modo malo, en el error, mi futuro contigo sería lo contrario. Todo el camino futuro que soñaba recorrer fundidos uno en otro, lo veía claro, limpio, de magníficos colores. Te lo juro, Rita, sobre la cabeza de mi padre, a quien tanto hice sufrir.

Y me puse a llorar. Me hundí.

—¿Es verdad, Henri? ¿Era así como veías las cosas y nuestro futuro?

Me recuperé, pero le respondí con la voz todavía enronquecida:

—Es preciso que sea de este modo, porque en nuestros corazones, a partir de ahora, es así. Por otra parte, lo sientes en ti. Tú y yo no tenemos pasado. No deben contar más que el presente y el futuro.

Rita me estrechó en sus brazos:

—Henri, no llores más. Escucha el ruido del viento, es nuestro futuro que empieza. Pero júrame que nunca más harás una cosa mala. Prométeme que no me ocultarás nunca nada, y que nuestra vida no tendrá que disimular cosas sucias.

Enlazados los dos, hice el juramento. En aquel momento comprendí que se estaba jugando la gran oportunidad de mi vida. Comprendí que a aquella mujer valiente y honesta, a aquella madre de una hijita, no tenía que haberle escondido que yo era un condenado a cadena perpetua evadido del penal.

Y entonces se lo conté todo, absolutamente todo, de un tirón. Mis ideas empezaron a tambalearse, aquel pensamiento que hacía más de dieciocho años que me dominaba, aquella idea fija que se había convertido en obsesión: mi venganza. Decidí ponerla a sus pies, renunciar a ella como prueba de mi sinceridad. No volví de mi asombro: yo, que no podía hacer mayor sacrificio, y del que, por otra parte, ella no podía comprender sus dimensiones, oí cómo yo mismo decía, como por milagro, como si fuera otro quien hablase:

—Para probarte cuánto te quiero, Rita, te ofrezco el mayor sacrificio que pueda hacer. A partir de este mismo instante, abandono mi venganza. Que revienten en su cama los que me hicieron sufrir: el fiscal, los polis y el testigo falso. Sí, tienes razón. Para merecer plenamente un mujer como tú, debo, no perdonar, que es imposible, sino apartar de mi mente este pensamiento único de castigar implacablemente a los que me echaron en los calabozos del presidio. Tienes ante ti un hombre completamente nuevo. El hombre viejo ha muerto.

Rita debió de pensar en aquella conversación durante todo el día, porque por la noche, después del trabajo, me dijo:

—¿Y tu padre? Puesto que ahora eres digno de él, escríbele cuanto antes.

—Desde 1933 no hemos tenido uno noticias del otro. Exactamente fue en octubre. Había yo asistido a la distribución de cartas a los forzados, aquellas pobres cartas abiertas por los cabos de vara, aquellas cartas en las que no se podía decir nada. Había visto en la cara de aquellos pobres pelagatos la desesperanza de no haber tenido correo, había adivinado la decepción de los que, al leer la carta tan ansiada, no encontraban allí lo que esperaban. Había visto romper cartas y patearlas, había presenciado derramar lágrimas sobre la tinta y anegar la escritura. Me imaginaba también lo que aquellas cartas malditas del penal podían provocar a donde llegaban: el sello de la Guayana, que hacía decir a los carteros de los pueblos, a los vecinos, o en el café de la aldea: «El presidiario ha escrito. Todavía está vivo, puesto que hay carta.» Adivinaba la vergüenza de quien la recibía de manos de aquel cartero, y su temor de que le preguntaran: «¿Está bien su hijo?» Así pues, Rita, escribí una carta a mi hermana Yvonne, la única que escribí desde el penal, en la que decía: «No esperéis nunca noticias mías, no me deis nunca las vuestras. Como el lobo de Alfred de Vigny, sabré morir sin aullar.»

—Todo esto, Henri, es el pasado. ¿Escribirás a tu padre?

—Sí. Mañana.

—No, en seguida.

Salió para Francia una larga carta, en la que no contaba más que lo que podía decirse sin hacer sufrir a mi padre. No describía nada de mi calvario, sólo mi resurrección y mi vida de entonces. La carta me fue devuelta: «Ausente sin dejar dirección.»

¡Señor!, ¿quién sabe a dónde, por mi culpa, habrá ido a esconder su vergüenza mi padre? Las gentes son tan malas que acaso le hicieron la vida imposible, allí, donde me conocieron de joven.

La reacción de Rita no se hizo esperar:

—Iré a Francia a buscar a tu padre.

La miré intensamente. Añadió:

—Abandona tu trabajo de explorador; por otra parte, es muy peligroso. Durante mi ausencia, guardarás y te ocuparás del hotel.

Verdaderamente, no me había engañado sobre Rita. Sin titubear pensaba lanzarse, sola, en lo desconocido de aquel largo viaje, y además depositó toda su confianza en mí, el antiguo presidiario, para dejarlo todo entre mis manos. Tenía razón, sabía que podía contar conmigo.

Rita tenía alquilado el hotel, con opción de compra. Era preciso, pues, antes que nada, que no se nos escapara, y por tanto, comprarlo. Entonces aprendí de verdad lo que era luchar para conseguir, con medios honestos, una posición en la vida.

Pedí la liquidación a la «Richmond Co.» y con los seis mil bolívares que me pagaron, más las economías de Rita, abonamos a la propietaria el cincuenta por ciento del valor del inmueble. Entonces empezó para nosotros una verdadera lucha de todos los días —casi podríamos añadir de todas las noches— para ganar dinero y hacer frente a los vencimientos. Tanto ella como yo trabajamos como negros dieciocho, a veces diecinueve horas al día. Aquel esfuerzo, aquella voluntad de vencer a cualquier precio que nos unían para conseguir el objetivo en el mínimo de tiempo posible, son maravillosos.

Ni ella ni yo hablamos nunca de nuestro cansancio. Yo iba a la compra, ayudaba en la cocina. Recibía a los clientes, estábamos en todas partes a la vez, sonrientes. Muertos de fatiga, volvíamos a empezar.

Para ganar todavía más, tenía un pequeño carretón de dos ruedas que llenaba de pantalones y de chaquetas, que iba a vender al mercado de la plaza Baralt. Aquella ropa tenía un defecto de fabricación, lo que me permitía comprarla a muy bajo precio en la fábrica. Bajo un cielo tórrido, hice mi propaganda, vociferando como un asno y poniendo en ello tanto ardor que un día, al estirar una chaqueta para probar su solidez, la rompí por la mitad de arriba abajo. Resultó inútil explicar que era el hombre más fuerte de Maracaibo: no vendí casi nada aquel día. Estaba allí desde las ocho hasta mediodía. A la media, corría al hotel para ayudar a servir en el restaurante.

La plaza Baralt era el centro mercantil de Maracaibo, uno de los lugares más animados de la ciudad. En un extremo, la iglesia; en el otro, uno de los más pintorescos mercados del mundo. Se encontraba allí todo lo que es posible imaginar en cuanto a carne, caza, pescados, crustáceos, sin olvidar las grandes iguanas verdes —delicioso manjar—, con sus uñas entrelazadas de tal modo que no pudieran escaparse, huevos de caimán, de tortuga, también tortugas de mar, los cachicames, y una variedad de tortuga de tierra, el morocoy, todos los frutos, tropicales o no, y, ni que decir tiene, los corazones de palmera frescos. Bajo el sol tórrido de aquella ciudad en ebullición, aquel mercado hervía de gente: se veían todos los tonos de piel, todas las formas de ojos, desde el rasgado chino al redondo negro.

A Rita y a mí nos encantaba Maracaibo, aunque fuera uno de los lugares más calurosos de Venezuela. Pero aquella ciudad colonial tenía una población amable, entusiasta, feliz de vivir. Aquel pueblo tenía un hablar cantarín, era noble, generoso, tenía un poco de sangre española y la mejor de las cualidades de los indios. Los hombres tenían la sangre caliente, profesaban el culto de la amistad y sabían ser como hermanos para sus amigos. El maracucho (habitante de Maracaibo) es reticente para todo lo que viene de Caracas. Se queja de proporcionar oro a toda Venezuela gracias a su petróleo, y de verse siempre olvidado por los de la capital. Se sentía como el rico tratado igual que un pariente pobre por aquellos a quienes enriquecía. Las mujeres eran bonitas, de talla mediana, fieles, buenas hijas, buenas madres. Y todo aquello hervía, vivía, gritaba, todo era de colores vivos: los vestidos, las casas, las frutas. Iban, venían, traficaban. La plaza Baralt estaba llena de buhoneros, de pequeños contrabandistas que casi no tomaban precauciones para vender licores, alcoholes o cigarrillos de contrabando. Todo era como en familia: el policía estaba a pocos metros, pero volvía la cabeza el tiempo necesario para que botellas de whisky, de coñac francés y cigarrillos americanos, pasaran de un cesto a otro. Porque por tierra, por mar y por aire llegaban las más varias mercancías a manos del consumidor, que pagaba con una moneda muy fuerte, en aquella época en que el dólar estaba a tres bolívares treinta y cinco.

Poner en marcha un hotel es algo serio. Cuando Rita empezó, tomó inmediatamente una decisión radicalmente contraria a los hábitos del país. En efecto, su clientela, venezolana, tenía la costumbre de hacer desayunos copiosos: tortas de arepas, huevos fritos con jamón, tocino salado, queso blanco. Estando los clientes en pensión completa, el menú del día estaba escrito en una pizarra. El primer día lo borró todo y con su escritura alargada escribió: «Desayuno — Café, o café con leche, pan y mantequilla.» ¡La catástrofe!, debieron de pensar los clientes. Al terminar la semana, la mitad de la clientela se había mudado de hotel.

Después llegué yo. Rita había hecho algunos cambios, pero yo produje una auténtica revolución. Primer decreto: doblé los precios. Segundo decreto: cocina francesa. Tercer decreto: aire acondicionado en todas partes.

Chocaba a todo el mundo encontrar, en una casa de estilo colonial transformada en hotel, aire acondicionado en todas las habitaciones y en el restaurante. La clientela cambió. Primero tuvimos viajantes de comercio. Luego se alojó un vasco vendedor de relojes suizos «Omega», enteramente fabricados en el Perú. Llevaba el negocio en su habitación, no vendiendo más que a revendedores que iban de puerta en puerta y por los campos petrolíferos. Aunque el hotel fuera seguro, era un hombre tan desconfiado que hizo po-

ner, por su cuenta, tres grandes cerraduras en la puerta de
su habitación. Sin embargo, advirtió que, de vez en cuando,
desaparecía un reloj. Creyó que su habitación estaba embru-
jada, hasta el día en que comprobó que el ladrón era, en realidad, una ladrona, nuestra perra *Bouclette*. Era una bestia
tan astuta que entraba silenciosamente, arrastrándose, bajo
su nariz, y se hacía el obsequio de una pulsera, con o sin
reloj incluido. El vasco protestó enérgicamente, pretendien-
do que era yo quien había enseñado a *Bouclette* a robarle
su mercancía. Yo me morí de risa y, después de tomar dos o
tres copas de ron, conseguí convencerlo de que no me impor-
taban nada sus relojes de baratillo, que incluso me daría vergüenza vender aquella bisutería. Tranquilizado y calmado,
hicimos las paces y fue a encerrarse en su habitación.

Entre la clientela se veía de todo. Maracaibo estaba lleno
a reventar, era casi imposible encontrar alojamiento. Una
nube de napolitanos iba de casa en casa, estafando a las
gentes, vendiéndoles piezas de tejido plegadas de tal modo
que uno pensaba poder sacar cuatro vestidos, cuando no había más que para dos. Vestidos de marineros, con un gran
saco al hombro, muñían literalmente la ciudad y sus alrededores, sobre todo los campos petrolíferos. No supe cómo
aquella gente avisada había descubierto nuestro hotel. Puesto que todas las habitaciones estaban ocupadas, no quedaba
más que una solución: que durmieran en el patio. Aceptaron. Llegaban hacia las siete de la tarde y se bañaban en la
ducha común. Como que cenaban en nuestra casa, aprendimos a hacer los *spaghetti* a la napolitana. Gastaban mucho
y eran buenos clientes.

Por la noche sacábamos unas camas de hierro, las ins-
talábamos en el patio, y dos sirvientas ayudaban a Rita a
hacer las camas. Como hacía pagar por adelantado, cada noche teníamos la misma discusión: encontraban muy caro pagar el precio de una habitación por dormir con las estrellas
por techo. Y cada noche les explicaba que, al contrario, era
muy lógico y muy correcto, porque sacar las camas, poner
las sábanas, las mantas, las almohadas, volver a entrarlo
todo por la mañana, todo aquello exigía mucho trabajo y
que, bien considerado, no tenía precio.

—¡Y, bueno, no me reclaméis demasiado, u os aumento!

Porque, la verdad, me estoy literalmente matando haciendo y deshaciendo esta instalación. En resumen, os hago pagar el transporte.

Pagaban, bromeábamos. Y, aunque ganaban mucho dinero, a la noche siguiente vuelta a empezar. Todavía reclamaban más cuando durante la noche había caído un aguacero, y habían tenido que ir a refugiarse con sus trastos y sus colchones, para terminar la noche en la sala del restaurante.

Fue a verme la patrona de un burdel. Tenía un gran establecimiento a cinco kilómetros de Maracaibo, en un lugar llamado *La cabeza de toro*. El burdel se llamaba «Tibiri-Tabara». Ella, Eléonore, era una enorme masa de carne, con unos ojos muy bonitos, inteligente. Casi ciento veinte mujeres trabajaban en su casa. Sólo por la noche.

—Algunas francesas quieren marcharse —me explicó Eléonore—. No quieren pasar las veinticuatro horas del día en el burdel. Trabajar desde las nueve de la tarde hasta las cuatro de la madrugada, muy bien. Pero desean poder comer bien, dormir tranquilas, lejos del ruido, en habitaciones cómodas.

Hice un trato con Eléonore: francesas e italianas podrían venir a nuestra casa. Sin inmutarme, pude aumentar la pensión en diez bolívares al día: estarían contentísimas de poder vivir en el «Hotel Vera-Cruz», en casa de unos franceses. Teníamos que albergar a seis; luego, no supe cómo, un mes después teníamos el doble.

Rita impuso una disciplina de hierro. Las chicas eran jóvenes y bonitas. Prohibición absoluta de recibir la visita de cualquier individuo en el hotel, ni en el patio o el comedor. Por otra parte, no se produjeron incidentes; en el hotel las chicas se portaban como señoras. Y, verdaderamente, en su vida cotidiana eran mujeres correctas que sabían conducirse bien. Por la noche, acudían a buscarlas unos taxis. Estaban transformadas, elegantes, maquilladas. Sin ruido, discretamente, se iban a la «fábrica», como la llamaban. De vez en cuando, un chulo venía de París o de Caracas. Pasaba lo más inadvertido posible. Él sí podía ser recibido por la chica en el hotel. Una vez recogidas las redes, el dinero en el bolsillo, recuperada la moral de la chica, se marchaba tan discretamente como llegó.

A veces pasaron cosas divertidas. Un chulo que había venido de visita, un día me cogió aparte y me pidió que lo cambiara de habitación. Su mujer había encontrado ya a una camarada que estaba de acuerdo en cambiarla por la suya. Motivo: su vecino de habitación era un italiano fornido y fuerte que, todas las noches, cuando regresaba su mujer, hacía el amor al menos una vez, y algún día dos. El no llegaba a los cuarenta años y el italiano tendría cuarenta y cinco.

—Comprendes, camarada, no puedo rivalizar con las hazañas de Rital. No es posible acercarme, ni de lejos, a semejante resultado. Y como mi pequeña y yo somos vecinos suyos, lo oímos todo, quejas, gemidos, todo el follón de una gran orquesta. Entonces, date cuenta de mi papelito, yo que apenas puedo cumplir con mi costilla una vez por semana. El truco de la jaqueca ya no sirve, y es seguro que ella establece comparaciones. Bueno, si no ves inconveniente, hazme este servicio.

Me aguanté la risa y le dije que, ante argumentos tan indiscutibles, iba a cambiarlo de cuarto.

Un día, a las dos de la madrugada, Eléonore me llamó por teléfono. Un policía de guardia había hallado encaramado a un árbol frente al burdel a un francés que no hablaba nada de español. A las preguntas que hicieron sobre aquella curiosa situación —¿para robar o qué?— no hizo más que responder: «Enrique del "Vera-Cruz".» Cogí mi cacharro y volé hacia el «Tibiri-Tabara».

Reconocí al tío en el acto. Era un lionés que ya estuvo en mi casa. Estaba sentado, la patrona también. Ante él, de pie, dos policías con aire severo. Traduje lo que me dijo:

—No, este señor no estaba en el árbol para dar un golpe. Sencillamente, está enamorado de una mujer, pero no quiere decir de cuál. Si trepó al árbol, fue porque se esconde para admirarla, porque ella no quiere saber nada de él. Ni más ni menos. Como ven ustedes, nada grave. Además, lo conozco, es un hombre honrado.

Nos bebimos una botella de champaña, él pagó, le dije que dejara el cambio sobre la mesa, alguien lo recogería, y me lo llevé en mi coche.

—Pero, ¿qué diablos hacías encaramado en ese árbol? ¿Te has vuelto loco o tienes celos de tu mujer?

—No es eso. Lo que hay es que la liquidación ha bajado sin motivo. Ella es de las más bonitas entre las que están aquí, y gana menos que las demás. Entonces se me ha ocurrido venir a vigilar por la noche, sin que ella lo sepa, las veces que se ocupa. He pensado que, así, sabré si me birla y me escamotea parné.

A pesar del mal humor que me produjo que me despertaran en plena noche por una historia de chulo, me puse a reír al escuchar semejante explicación.

«El chulo encaramado a un árbol», como lo llamé a partir de entonces, volvió a marcharse el día siguiente para Caracas. Su vigilancia ya no tenía justificación. El asunto causó escándalo en el burdel, y su mujer, al corriente como todo el mundo, fue la única persona que comprendió por qué se había encaramado su chulo en aquel árbol: estaba exactamente frente a su habitación de trabajo.

Trabajábamos mucho, pero el hotel era alegre. No dejamos de hacer chanzas. Así, en unos días determinados, cuando las mujeres habían salido para la «fábrica», hacíamos hablar a los muertos. Todos bien sentados alrededor de una mesa redonda, con las manos abiertas y apoyadas sobre el mueble, cada uno llamaba al espíritu que deseaba interrogar. Una bonita mujer, pintora, de treinta años, húngara, según mis noticias, había organizado aquellas sesiones. Llamaba a su marido todas las noches, y yo, con mi pie debajo de la mesa, ayudé un poco a que respondiera el espíritu, sin lo cual todavía estaríamos esperando.

Su marido la atormentaba, decía la mujer. ¿Por qué? No lo sabía. Al fin, una noche, el espíritu de su marido respondió, a través de la mesa, que no la dejaría nunca tranquila. La acusó de ser muy ligera. Todos exclamamos que era muy grave, que aquel espíritu celoso podía vengarse horriblemente, tanto más cuanto que ella reconoció que tenía el muslo ligero. ¿El remedio? Fue preciso reflexionar un poco, porque si ella tenía el muslo ligero, el asunto no lo era. Nos consultamos muy seriamente y le dijimos el remedio. Sólo había uno: tenía que proveerse de un machete completamente nuevo, en una noche de luna llena, situarse en medio del patio, completamente desnuda, sin ningún afeite, enteramente lavada con jabón de Marsella, sin el menor perfume, sin joyas, limpia de la cabeza a los pies. Sólo con el machete en la mano. Cuando la luna estuviera en la perpendicular del patio, en el momento en que no proyectara nada de sombra excepto debajo, entonces la mujer tendría que cortar el aire haciendo molinillos con el machete, exactamente veintiuna veces.

El resultado fue enteramente positivo porque, al día siguiente, después de la sesión de exorcismo donde nos divertimos mucho, disimulados tras las contraventanas, la mesa respondió (con la intervención de Rita, la cual nos dijo que la broma había durado demasiado) que a partir de entonces su difunto marido la dejaría tranquila, que podía ser todo lo ligera que deseara, pero con una condición, que no hendiera el aire con un sable en una noche de luna llena, porque le había hecho demasiado daño.

Teníamos un perro, *Minou*, bastante grande, casi Royal, que nos regaló un cliente francés de paso por Maracaibo. Siempre iba impecablemente esquilado y peinado: sobre la cabeza, sus pelos muy espesos y negros estaban cortados en forma de gorro de zuavo. Muslos con el pelo ahuecado y patas afeitadas, mostachos estilo Charlot y perilla puntiaguda. Siempre era sujeto de asombro para las gentes del país y, a menudo, alguno de ellos vencía su timidez y me preguntaba qué era aquel extraño animal.

Minou estuvo a punto de provocar un grave incidente con la Iglesia. La calle Venezuela, donde estaba el «Vera-Cruz», conducía a una iglesia, y por allí pasaban procesiones a menudo. Ahora bien, a *Minou* le gustaba mucho contemplar el movimiento de la calle, sentado sobre su trasero en la puerta del hotel. Pasara lo que pasara en la calle, no ladraba nunca. En cambio, si no ladraba daba la sensación de ello. El otro día, el cura párroco y los monaguillos de una procesión se quedaron solos, separados cincuenta metros de los fieles, unos humildes maracuchos, que formaron en grupo frente al hotel, interrogándose sobre aquel extraño animal. Olvidaron seguir la procesión. Se hicieron preguntas entre ellos, se dieron codazos para ver a *Minou* de cerca, algunos manifestaron, muy serios, el parecer de que aquel animal desconocido podría ser el alma de un pecador arrepentido, dado que asistía impasible al paso de un sacerdote y de unos monaguillos enteramente vestidos de rojo y cantando muy fuerte. El párroco acabó por advertir que había mucho silencio a sus espaldas y, volviéndose, se dio cuenta de que no había nadie. Volvió atrás a grandes zancadas, rojo de ira, amonestando a sus feligreses por el poco respeto que guardaban a la ceremonia. Temerosos, volvieron a ponerse en fila y se marcharon. Me fijé en algunos que habían quedado tan impresionados que anduvieron reculando para continuar contemplando a *Minou*. Desde entonces, buscamos en el periódico de Maracaibo, *Panorama*, el día y la hora de las procesiones que tenían que pasar por delante del hotel para, en aquel momento, dejar a *Minou* sujeto en el patio.

No había duda de que aquélla era la época de los incidentes. Dos francesas se habían marchado del burdel de Eléonore y del hotel. Decidieron ser independientes y abrir una pequeña «casa» en una calle del centro donde no trabajarían más que ellas dos. No habían calculado mal porque, así, los clientes no tendrían que coger su coche y hacer diez kilómetros, ida y vuelta, para ir a visitarlas. La tienda, por decirlo así, estaba dispuesta. Para darse a conocer, hicieron imprimir unas tarjetas que decían: «Julie y Nana, trabajo esmerado», y la dirección. Las distribuyeron por la ciudad pero, a menudo, en lugar de entregarlas directamente a los hombres, las colocaban bajo el limpiaparabrisas de los coches aparcados.

Faltas de práctica, pusieron una debajo de cada limpiaparabrisas, en el coche del obispo de Maracaibo. Estalló un escándalo de mil diablos. Para demostrar el carácter profanatorio de semejante gesto, el periódico *La Religión*, publicó la fotografía de la tarjeta. Se pidió a aquellas damas que fueran más discretas. Por otra parte, era inútil continuar distribuyendo tarjetas: gracias a la publicidad gratuita, un número muy interesante de clientes se volcó sobre la dirección indicada. La afluencia había llegado a ser tan importante que, para dar una razón válida a tal aglomeración de hombres ante su puerta, pidieron a un vendedor ambulante de *hot-dogs* que instalara su carrito no demasiado lejos de su puerta, para que la gente pensara que había cola en la calle para comprar *hot-dogs*.

Así era la vida del hotel, con sus historias pintorescas, pero aquella vida no la vivíamos en un alejado planeta. Estábamos en Venezuela, país que sufría sus vaivenes económicos y políticos. Ahora bien, la política, en 1948, no era demasiado tranquila. Desde 1945, Gallegos y Betancourt gobernaban el país. Fue el primer ensayo de un régimen democrático en la historia de Venezuela.

El 13 de noviembre del 48, cuando hacía escasamente tres meses que me había puesto a trabajar con Rita para rescatar el hotel, se produjo el primer cañonazo contra el régimen: un comandante, Tomás Mendoza, tuvo la audacia, solo contra todos, de intentar una sublevación. Fracasó.

El 24 del mismo mes, gracias a un golpe de Estado montado con la precisión de un mecanismo de relojería, casi sin que hubiera víctimas, los militares se hicieron con el poder. Gallegos, presidente de la República y escritor distinguido, se vio obligado a retirarse. Betancourt, verdadero león de la política, se acogió al asilo de la Embajada de Colombia.

En Maracaibo vivimos algunas horas de suspense muy intensas. En un momento, de pronto oímos por la radio una voz apasionada que gritó: «¡Obreros, salid a la calle! ¡Os quieren robar vuestra libertad, suprimir vuestros sindicatos, imponeros por la fuerza una dictadura militar! Que todo el pueblo vaya a ocupar las plazas, los...» ¡Clac! Corte neto de un micro arrancado de las manos de aquel valiente militante. Luego, una voz grave, tranquila: «¡Ciudadanos! Las fuerzas del Ejército han retirado el poder a los hombres a quienes lo habían confiado después de la dimisión del general Medina, porque han hecho muy mal uso de él. No temáis nada, nosotros garantizamos la vida y los bienes de todos sin excepción. ¡Viva el Ejército! ¡Viva la Revolución!»

Aquello fue todo lo que vi de una revolución que, a decir verdad, no hizo correr sangre, y al despertarnos la mañana siguiente pudimos leer en los periódicos la composición de la junta militar, tres coroneles: Delgado-Chalbaud, presidente; Pérez Jiménez y Llovera Páez.

Al principio, temimos que el nuevo régimen procediera a la supresión de las libertades dadas por el precedente. No fue así. La vida no experimentó ninguna modificación, uno casi no se daba cuenta del cambio de régimen, con la única excepción de que los puestos clave estaban ocupados por militares.

Luego, dos años después, asesinato de Delgado-Chalbaud. Una historia muy sucia, en la que se opusieron dos tesis. Primera tesis: tenían que asesinarlos a los tres, y él había sido la primera víctima. Segunda explicación: uno, o los dos otros coroneles lo habían hecho suprimir. Nunca se supo la verdad. El asesino, detenido, murió de un disparo cuando lo trasladaban a la cárcel. Oportuno disparo que impediría cualquier declaración molesta. De todos modos, a partir de aquel día, el hombre fuerte del régimen fue Pérez Jiménez, quien se convertiría oficialmente en dictador el año 1952.

Nuestra vida continuaba, pues, y aquella vida, exenta de todo disfrute exterior, de cualquier salida o paseo, nos proporcionaba, sin embargo, una alegría extraordinaria que alimentaba el ardor de nuestros corazones. Porque lo que estábamos construyendo, gracias a nuestro esfuerzo, sería nuestro hogar, el hogar donde viviríamos felices, contentos de no deber nada a nadie y de haberlo ganado todo a pulso, unidos como pueden estarlo sólo dos seres cuando se aman como nos amábamos nosotros.

Y a aquel hogar iría Clotilde, la hija de Rita, que sería mi hija; y a aquel hogar iría mi padre, que sería el padre de las dos.

Y a nuestra casa acudirían mis amigos para reponerse cuando estuvieran necesitados.

Y en aquella casa feliz, nos sentiríamos tan satisfechos que nunca más pensaría en vengarme de quienes nos habían hecho sufrir tanto, a mí y a los míos.

Al fin llegó el día en que conseguimos ganar la partida. Diciembre de 1950: se firmó ante notario un bonito documento, según el cual quedamos definitivamente propietarios del hotel.

Capítulo XI

MI PADRE

Después de efectuar unos rápidos preparativos para el viaje, Rita se marchó con el corazón lleno de esperanza. Salió en busca del lugar donde se había retirado mi padre, acaso ocultado.

—Ten confianza, Henri. Te traeré a tu padre.

Me quedé solo al cuidado del hotel. Dejé la venta de pantalones y camisas que, en pocas horas, me daba buenos beneficios. Pero Rita fue a buscar a mi padre; por tanto, debía ocuparme de todo, no sólo como si ella estuviera aquí, sino dos veces mejor.

Buscar a mi padre, *¡buscar a mi padre!* Él, el maestro de escuela, hombre puro, de un pueblo de Ardèche; él que, veinte años atrás, *veinte años*, no pudo abrazar a su hijo, cuando su visita a la cárcel, condenado a ser forzado a perpetuidad, a causa de las rejas del locutorio. Este padre a quien Rita, mi mujer, podrá decir: «Vengo, siendo tu hija, a decirte que tu hijo, gracias a sus esfuerzos, ha reconquistado la libertad, que lleva una vida de hombre bueno y honrado y que, conmigo, ha creado un hogar donde te está esperando.»

Me levantaba a las cinco y salía de compras con mi perro, *Minou*, y un pequeño de doce años, Carlitos, que recogí cuando salía de la cárcel. Llevaba los cestos. En hora y media hice la compra para todo el día: carne, pescados, legumbres. Volvimos, cargados los dos como mulas. En la cocina, dos mujeres. Una tenía veinticuatro años, la otra dieciocho. Puse todo lo que habíamos traído sobre la mesa y ellas ordenaron nuestras compras.

Para mí, la hora mejor de aquella vida sencilla era a las seis y media de la mañana, la hora del desayuno que hacía en el comedor teniendo sobre mis rodillas a Rosa, la hija de la cocinera. Tenía cuatro años, era negra como el carbón y no quería comer si no tomaba su desayuno conmigo. Su cuerpecito desnudo y todavía fresco de la ducha que su madre le había hecho tomar al levantarse, sus gorjeos de chiquilla, sus hermosos ojos brillantes que me miraban llenos de confianza, todo, hasta mi perro que, celoso, ladraba, indignado de verse negligido, el loro de Rita picoteando migajas de pan mojado en leche al lado de mi taza de café, todo, sí, todo hacía que para mí fuera aquél el mejor momento del día.

¿Rita? No tenía carta suya. ¿Por qué? Hacía ya más de un mes que se había marchado. Ciertamente, había dieciséis días de viaje, pero, en fin, ¿al cabo de quince días de estar en Francia todavía no había encontrado nada o no quería decírmelo? Sólo pedía un telegrama, al menos un telegrama, donde en dos frases gritara victoria: «Tu padre está bien. Te quiero.»

Estaba al acecho del cartero, no salía del hotel más que cuando era indispensable para su buena marcha, despachando aprisa encargos o gestiones, a fin de estar constantemente en la casa. En Venezuela, los repartidores de telegramas no iban de uniforme, pero todos eran jóvenes. Así, apenas un mozalbete entraba por el patio iba hacia él, con la mirada fija en sus manos para ver en seguida si era portador de un papel verde. Nada, siempre nada. Las más de las veces, no eran ni jóvenes repartidores. Excepto dos o tres veces, entró un chico con un papel verde. Me precipité hacia él, casi le arranqué el telegrama de las manos. Decepcionado, me di cuenta de que el destinatario era un cliente del hotel.

Aquella espera, aquella falta de noticias, me hacía estar nervioso y ansioso. Me mataba trabajando, era preciso que estuviera siempre ocupado, de otro modo sabía que no podría resistir. Ayudaba en la cocina, inventé menús originales, inspeccioné las habitaciones dos veces al día, hablé de cualquier cosa con los clientes, escuché a quien fuere. Lo único que importaba era llenar aquellas horas y aquellos días para poder soportar la falta de noticias y la espera. Lo único que no podía hacer era sentarme en la partida de póquer que funcionaba cada noche, hacia las dos.

En cuanto al hotel, no me desenvolvía mal yo solo, y los clientes estaban contentos.

Un solo gran disgusto. Carlitos se había equivocado. En lugar de comprar petróleo para limpiar la cocina, compró gasolina. Después de haber lavado concienzudamente el suelo de cemento, las cocineras, confiadas, encendieron el horno. Toda la cocina se abrasó en una llamarada terrible. Las dos hermanas resultaron con quemaduras de los pies al vientre. Tuve el tiempo justo, un segundo, para envolver en un mantel, y salvarla, a la negrita de Rosa. Casi no tenía nada, pero las otras dos sufrían quemaduras de importancia. Las hice cuidar en su habitación, en el hotel, y contraté a un cocinero panameño.

La vida del hotel seguía su ritmo, pero yo empezaba a estar seriamente inquieto por el silencio y por la ausencia de Rita.

Hacía cincuenta y siete días que se había marchado. Pronto estaría de regreso, dentro de unos diez o veinte minutos. La esperé en el aeródromo. ¿Por qué un sencillo telegrama: «Llego martes 15,30 h. por vuelo 705. Besos, Rita»? ¿Por qué nada más? ¿No había encontrado a nadie? No sabía qué pensar, no quería hacer cábalas.

Por fin llegó mi Rita. Al fin iba a saber algo.

Era la quinta persona en bajar por la escalerilla del avión. Me vio en seguida y alzó el brazo como yo alcé el mío. Avanzó con un aire normal. A más de cuarenta metros de distancia escruté su rostro, no reía, sólo sonreía. No, no se dirigió hacia mí con aire victorioso, no, no había levantado el brazo en señal de alegría, sino, de una manera sencilla y natural, para darme a comprender que me había visto.

Cuando estuvo a diez metros de mí, me percaté de que volvía vencida.

—¿Has encontrado a mi padre?

La pregunta le dio en pleno rostro, como un latigazo, después de no haberle dado más que un solo beso, uno solo, después de dos meses de separación. No podía esperar más.

Sí, había encontrado a mi padre. Estaba durmiendo en el cementerio de un pueblecito de Ardèche.

Me dio una foto. En ella se veía una tumba bien hecha, de cemento, donde se leía: «J. CHARRIÈRE». Murió cuatro meses antes de su llegada. Todo lo que me había traído Rita era la fotografía de aquella tumba.

Mi corazón, que había visto partir a mi mujer con tanta esperanza, casi se había parado ante aquella monstruosa noticia. Sentí en mí un profundo zarpazo, el derrumbamiento de todas mis ilusiones de hombre que, para su padre, se veía siempre como un chiquillo. Dios mío, ¿por qué me has negado abrazar a mi padre y oír su voz? Estoy seguro de que habría dicho: «Ven a mis brazos, mi pequeño Riri. El destino ha sido implacable contigo, la justicia y su sistema penitenciario te han tratado de forma inhumana, pero yo te quiero siempre, nunca he renegado de ti y estoy orgulloso de que hayas tenido la fuerza de vencer a pesar de todo y de haberte convertido en lo que eres.» Incansablemente, Rita me repitió lo poco que había averiguado, casi mendigado, de lo que fue la vida de mi padre después de mi condena. No dije nada, no podía hablar, algo se había anudado en mí con violencia. Y de pronto, como si se hubiesen abierto brutalmente las compuertas de un pantano, me invadió de nuevo la idea de venganza, con violencia salvaje: «Polis, os haré explotar la bomba en el número 36 del Quai des Orfèvres, pero para matar a algunos de vosotros, para matar al mayor número posible, cien, doscientos, trescientos, mil. Y tú, Goldstein, testigo falso por interés, créeme, te arreglaré bien las cuentas. En cuanto a ti, fiscal sediento de condena, no tardaré en encontrar lo necesario para arrancarte la lengua, haciéndote sufrir lo más posible.»

—Es preciso que nos separemos, Rita. Intenta comprender: han hundido mi vida. Me han impedido abrazar a mi padre y obtener su perdón. Es preciso que me vengue, no deben escapar. Mañana me marcharé, ésta es nuestra última noche. Sé dónde encontrar el dinero para el viaje y la ejecución de mis proyectos. Lo único que te pido es que me dejes coger cinco mil bolívares de nuestras economías para los primeros gastos.

Se estableció un interminable silencio, no vi a Rita, su rostro desapareció tras el desarrollo de aquel plan que había preparado mil veces.

¿Qué me faltaba para realizar aquel plan? En total, menos de doscientos mil bolívares. Antes pedía demasiados. Con aquellos sesenta mil dólares tendría de sobra. Existían dos lugares que había decidido respetar en aquel país. Primero, Callao y su montón de oro custodiado por antiguos penados. Luego, en pleno Caracas, el cobrador de una empresa muy fuerte. El segundo caso se trataba de un golpe fácil, transportaba los fondos sin escolta. El pasillo de la entrada al inmueble era propicio, como el del cuarto piso, los dos estaban mal iluminados. Podía actuar solo, sin armas, mediante el cloroformo. Lo malo era que, en caso de un transporte de fondos muy importante, iban tres empleados. Atracarlos solo no podía ofrecer plenas garantías. Lo más fácil era, claro está, Callao. Allí me era posible coger lo que necesitaba, treinta kilos de oro, no más, y enterrarlo. En caso de escándalo, me pondría enfermo en casa de María, pero nada aseguraba que el escándalo no estallaría en seguida. Operación nada complicada: me acostaría con María y, cuando ella estuviera dormida, la cloroformizaría para que no se despertara cuando me fuera. Podía salir, dar el golpe y volver a acostarme a su lado sin ser visto por nadie. Desnudo, pintado de negro, en una noche oscura, acercarme al guardia sería fácil.

Para huir sería preciso dirigirse a la Guayana inglesa. Tenía que llegar a Georgetown con muy poco oro transformado al soplete en pepitas o en residuos, lo que era relativamente fácil de hacer. Seguro que encontraría un comprador para todo el oro. Me pondría de acuerdo con el tipo para llevar el asunto sobre la base de billetes partidos por la mitad. Una mitad se la quedaría él y no me la daría hasta que le entregara la mercancía en la orilla izquierda del Caroni, donde tendría escondido el total. Así, todo el mundo tendría confianza.

Podía reaparecer en Georgetown, porque hacía algunos años salí de allí clandestinamente. Al volver a entrar asimismo clandestinamente, si me llegaban a interrogar, cosa muy improbable, diría que había pasado aquellos años en el corazón de la selva buscando balata u oro, y que por eso hacía tanto tiempo que no me habían visto.

Sabía que el pequeño Julot seguía allí. Era un buen camarada, me daría asilo en su casa. Un solo peligro: Indara y su hermana. No podría salir más que por la noche o, todavía mejor, no salir nunca y hacer mis gestiones por medio de Julot. Suponía que el gran André estaba también en Georgetown y que tenía un pasaporte canadiense. Cambiar la foto, modificar el tampón, era fácil. Si no estaba, comprar los papeles de un camarada cualquiera que las pasara negras, o a un marinero del «Mariner Club».

Transferir la pasta por medio de un Banco a Buenos Aires, llevar pocas divisas, tomar un avión en Trinidad para Río de Janeiro. En Río, cambiar de pasaporte y entrar en la Argentina.

Allá no habría problemas. Tenía amigos, antiguos penados, y se debían de encontrar fácilmente a ex nazis que tendrían sus cajones llenos de papeles. Salir de Buenos Aires para Portugal con cuatro juegos de pasaportes y tarjetas de identidad de nacionalidades distintas pero al mismo nombre, para no hacerme un lío.

Desde Lisboa, entrar en España por carretera y llegar a Barcelona. Siempre por carretera, entrar en Francia con un pasaporte del Paraguay. Ya hablaba suficientemente bien el español para que un gendarme francés, curioso, me creyera un americano del Sur.

Me habría hecho abonar la mitad del dinero al «Crédit Lyonnais», y la otra mitad quedaría en reserva en Buenos Aires.

Todos con quienes me pusiera en contacto en Georgetown, en el Brasil o en la Argentina, deberían creer, sin excepción, que iba a Italia, donde me esperaba mi mujer para organizar un negocio en una estación balnearia.

En París me alojaría en el «George V». No debería salir nunca de noche, cenaría en el hotel y luego, a las diez, me haría subir un té a mi *suite*. Así todos los días de la semana. Ello sería algo característico de un sujeto serio, que lleva una vida estrictamente cronometrada. Esto se sabe en seguida en un hotel.

Me dejaría crecer el bigote, claro, y llevaría los cabellos

cortados a cepillo, estilo militar. No hablar más que lo estrictamente necesario y no usar más que algunas palabras de francés españolizadas. Disponer que me dejaran periódicos españoles en mi apartado de la recepción.

Reflexioné mil veces por quién o por quiénes debía empezar, para que no relacionaran los tres golpes con *Papillon*.

Los primeros servidos serían los polis, con la maleta atestada de explosivos, dejada en el número 36 del Quai des Orfèvres. No habría razón alguna para que pensaran en mí, si lo hacía bien. Primero iría a visitar los lugares, a cronometrar el tiempo necesario para subir las escaleras hasta la sala de informes, y luego volver a la salida. No necesitaba de nadie para regular el cronometraje del detonador, había hecho las pruebas suficientes en el garaje «Franco-Venezolano».

Llegaría con una furgoneta en la que habría hecho pintar: «"Casa Tal", suministros para despachos.» Vestido de chófer-repartidor, con mi maletín al hombro, el éxito estaba asegurado. Sencillamente, al localizar los lugares sería preciso fijarme en el nombre de un comisario escrito en una puerta, o que me las arreglara para enterarme del nombre de alguien que desempeñara una función importante en aquel piso. Así, podría decirlo a los polis de guardia fuera o, incluso, les enseñaría la factura, como si no me acordara del nombre del destinatario. Y luego, ¡dale a los fuegos artificiales! Sería el colmo de la mala suerte que establecieran la relación entre el atentado, cosa de los anarquistas, y *Papillon*.

De este modo, Pradel no desconfiaría. Para él, y también para preparar la maleta, el mecanismo de relojería, los explosivos y la metralla, alquilaría una villa utilizando el pasaporte paraguayo, si es que no me resultara posible procurarme una tarjeta de identidad francesa. Pero temí que fuera demasiado arriesgado volver a entrar en relación con el hampa. Mejor no hacerlo, me las arreglaría con el pasaporte.

La villa debería estar en los alrededores de París, junto al Sena, porque debía poder acceder a ella por carretera y por agua. Compraría una pequeña embarcación, ligera y rápida, con una cabina, que tendría un punto de atraque frente a la villa y otro en una de las orillas del Sena, en pleno París. Para viajar por carretera utilizaría un pequeño coche, ligero y rápido. Cuando supiera dónde vive Pradel, dónde trabaja, las cosas que hace, dónde pasa sus fines de semana, si coge el Metro, el autobús, un taxi o su coche, entonces tomaría las disposiciones necesarias para raptarlo y secuestrarlo en la villa.

Lo importante sería localizar bien los momentos y los lugares donde estuviera solo. Una vez en los sótanos de la villa, sería coser y cantar. Él, que con su mirada de buitre, en la sala de lo criminal de 1931, él, temido de los abogados, parecía decirme: «No te me escaparás, buen mozo, me valdré de todo lo que pueda acusarte, de todo este asqueroso fárrago de tu expediente para hacerte repugnante, para que los jurados te hagan desaparecer para siempre de la sociedad», él, que puso toda su energía y su saber en hacer el retrato más innoble y más irrecuperable de un chaval de veinticuatro años, hasta el extremo de que las doce cabezas huecas de jurados incompetentes me enviaron a presidio a perpetuidad, tenía que torturarlo al menos durante ocho días antes de que reventara. ¡Y le saldría barato!

El último en pagar la cuenta sería Goldstein, el testigo falso. Lo dejaba para el final, porque era el más peligroso para mí. Una vez lo hubiera matado, examinarían su vida, y los polis verían muy fácilmente el papel que desempeñó en mi proceso. Y como sabrían que me había evadido, de allí a pensar que el aire de París olía a *Papillon*, no habría más que un paso. A partir de aquel momento, todo sería excesivamente peligroso para mí: hoteles, calles, estaciones, puertos, aeródromos. Sería necesario darme prisa, sin negligir nada.

Gracias a la tienda de pieles de su padre, no sería difícil localizarlo y seguirlo. Para matarlo existían varios medios, pero, de cualquier modo, quería que me reconociera antes de reventar. Si era posible, haría lo que había soñado tantas veces: estrangularlo con mis manos, lentamente, diciéndole estas palabras: «A veces, los muertos se levantan. ¿No esperabas esto, verdad, reventar por obra de mis propias manos? Sin embargo, sales ganando porque vas a morir en pocos minutos, tú que me condenaste a que me pudriera lentamente toda mi vida, hasta que reventara.»

No sabía si conseguiría salir de Francia porque, muerto Goldstein, el peligro era real. Casi seguro que me identificarían. Me daba igual. Incluso si debía dejar en ello la piel,

era preciso que me pagaran la cuenta de la muerte de mi
padre. Mi calvario, se lo hubiese perdonado. Pero que mi padre hubiera muerto sin haber podido decirle que su pequeño
vivía y que había conseguido apartarse del «camino de la
podredumbre», que, acaso, había muerto de vergüenza, ocul-
tándose de todos sus antiguos amigos, que se hubiera dormido en su tumba sin saber en lo que me había convertido,
¡esto no, no y no! ¡Nunca se lo podría perdonar!

Durante aquel prolongado silencio, en el transcurso del
cual revisé, una vez más, todas las fases de la acción para
ver si algo cojeaba, Rita se había sentado a mis pies, con
la cabeza apoyada en mis rodillas. Ni una palabra, ni una
sílaba. Se hubiese dicho que se aguantaba la respiración.

—Rita, querida, me marcharé mañana.

—No te marcharás.

Se levantó, puso sus dos manos sobre mis hombros y
me miró a los ojos. Continuó:

—*No debes marcharte*, no puedes marcharte. Para mí
también hay algo nuevo. He aprovechado mi viaje para preparar la venida de mi hija. Llegará dentro de pocos días.
Sabes bien que si no la tenía conmigo era porque necesitaba
tener una posición sólida para recibirla. Ahora, no sólo la
tengo, sino que tendrá también un padre: tú. ¿Vas a apar-
tarte de tus responsabilidades? ¿Vas a estropear todo lo que
hemos hecho por amor y por confianza recíprocas? ¿Asesi-
nar a los responsables de tus desdichas y, acaso, de la muerte de tu padre, crees, de verdad, que es algo más importante
que nuestro programa de vida en común? ¿Es la única solución que encuentras? Nuestros destinos están ligados para
siempre, Henri. Para mí, para esta hija ya mayorcita que
tendrás pronto a tu lado y que te querrá. Estoy segura, no
te pido que perdones, sino que abandones para siempre la
idea de venganza. Tú mismo lo habías decidido. Y he aquí
que la muerte de tu padre te echa de nuevo «al camino». Pero,
óyeme bien: ¿si tu padre pudiera hablar, tu padre, aquel
maestro de escuela de provincias justo y bueno que, durante toda su vida enseñó a una multitud de niños que era
necesario ser bueno, recto, trabajador, caritativo, respetuoso
de las leyes, crees que aceptaría y podría admitir tus ideas
de venganza? No. Te diría que ni los polis, ni el testigo falso,

ni el fiscal, ni los jurados, a quienes llamas cabezas huecas, ni los cabos de vara, tienen tanto valor como para sacrificarles una mujer que te ama, y a quien tú amas, una hija que espera encontrar en ti un padre, tu hogar muy equilibrado, tu vida honrada. Voy a decirte cómo veo tu venganza: que nuestra familia sea para todo el mundo el símbolo de la felicidad; que gracias a tu inteligencia y mi ayuda consigamos una buena situación, por medios honestos; que, cuando hablen de ti, las gentes de este país digan con voz unánime: el francés es un hombre recto, honesto, correcto, cuya palabra vale oro. Ésta debe ser tu venganza, y será la más hermosa posible: demostrar a todos que se equivocaron horriblemente sobre ti, que te has convertido en alguien porque conseguiste no salir tarado de tu calvario, a pesar del horror de un sistema penitenciario medieval y de la apatía de los hombres. Es la única venganza digna del amor y de la confianza que he puesto en ti.

Ella ganó la partida. Durante toda la noche hablamos y entonces aprendí a beber el cáliz hasta la hez. No pude resistir al deseo de conocer todos los detalles del viaje de Rita. Estaba echada sobre un gran sofá, quebrantada por el doloroso fracaso de aquel largo viaje y por la lucha que acababa de sostener contra mí. La interrogué sin descanso, sentado en el borde del sofá, inclinado hacia ella. Paulatinamente, le arranqué todo lo que ella hubiera deseado ocultarme.

En primer lugar, después de su salida llena de confianza de Maracaibo para el puerto de Caracas, donde tenía que subir al barco, se apoderó de ella un sordo presentimiento de que iba a fracasar: todo parecía conjurarse para impedirle salir hacia Francia. En el momento de embarcar en el *Colombia*, se dio cuenta de que le faltaba uno de los visados necesarios. Carrera contra reloj para ir a Caracas a recogerlo, pasando por aquella pequeña carretera peligrosa que yo conocía muy bien. Con el papel en el bolso, volvió al puerto, con el corazón oprimido por la angustia de que el barco saliera antes de su llegada. Estalló una tempestad de violencia extraordinaria, que provocó hundimientos y socavones. La cosa se puso tan peligrosa que el chófer fue presa del pánico y se volvió atrás, abandonando a Rita en la cuneta en plena tempestad, en medio de los derrumbamientos. Anduvo tres kilómetros bajo la lluvia y, por milagro, encontró un taxi que volvía a Caracas pero que, ante los socavones, dio media vuelta para regresar al puerto. Y de aquel puerto subía el aullido de las sirenas de los barcos que Rita, loca de angustia, se imaginaba eran las que anunciaban la partida del *Colombia*.

Cuando, al fin, llegó a su cabina, llorando de alegría, se produjo a bordo un incidente y el barco no pudo marchar hasta varias horas más tarde. Todo aquello le dejó una pésima impresión, como si hubieran sido signos del destino.

Luego el mar, El Havre, París, Marsella, sin detenerse. Marsella, donde la recibió una amiga, y la presentó a un concejal del Ayuntamiento quien, sin vacilar, le dio una calurosa carta de presentación para un amigo suyo que residía en Ardèche, en Vals-les-Bains, Henri Champel.

De nuevo el tren, el autobús, y al llegar a casa de aquella pareja, de una amabilidad extraordinaria, Rita pudo respirar y organizar la busca. No se habían terminado sus penas.

Henri Champel la llevó a Aubenas, en Ardèche, a la casa del notario de la familia, Testud. ¡Ah, aquel Testud! Un burgués sin corazón. De entrada, le dio la noticia, brutalmente, de que mi padre había muerto. Luego, sin consultar a nadie, por su propia iniciativa, le prohibió ir a visitar a la hermana de mi padre y a su marido, mis tíos Dumarché, maestros de escuela jubilados que vivían en Aubenas. Muchos años más tarde, nos recibirían con los brazos abiertos, indignados y trastornados al pensar que no pudieron acoger a Rita y reanudar las relaciones conmigo por causa de aquel Testud de desdicha. En cuanto a mis dos hermanas, lo mismo, se negó a darle su dirección. De todos modos, consiguió arrancar a aquella piedra el nombre del lugar donde estaba enterrado mi padre, Saint-Peray.

Hacia Saint-Peray. Allí, Henri Champel y Rita encontraron la tumba de mi padre y supieron algo: que después de veinte años de viudez, se había vuelto a casar con una maestra jubilada, cuando yo estaba en presidio. La encontraron. En la familia la llamaban Tía Ju, y también Tata Ju.

Rita me dijo que era una mujer admirable, que tuvo la nobleza de corazón de guardar intactos y vivos, en el nuevo hogar, el recuerdo y el espíritu de mi madre. Rita pudo ver, colgadas en las paredes del comedor, grandes fotos de mi madre, que había sido mi ídolo, y el de mi padre. Pudo tocar y acariciar con la mano los muebles que le habían pertenecido. Aquella Tía Ju, que entraba de pronto en mi vida, y que al mismo tiempo tenía yo la sensación de ya conocer, lo hizo todo para que Rita respirara la atmósfera que mi padre, y también ella, quisieron continuar reviviendo: el recuerdo de mi madre y la presencia constante de aquel pequeño, desaparecido, que para mi padre continuaría siendo Riri.

El 16 de noviembre, fecha de mi cumpleaños, todos los 16 de noviembre, mi padre lloraba. Al llegar la Navidad, una silla quedaba vacía. Cuando los gendarmes fueron a decirle que su hijo se había evadido una vez más, los hubiese abrazado por darle una noticia tan maravillosa. Porque la Tía Ju, que no me conocía, me había adoptado en su corazón y, con mi padre, lloraba de alegría ante el anuncio de lo que, para ellos, era una noticia de esperanza.

Así, Rita fue acogida muy bien por ella. Sólo una sombra: Tía Ju no le dio la dirección de mis dos hermanas. ¿Por qué? Sí, ¿por qué razón Tía Ju, la mujer de mi padre, no quiso dar aquellas direcciones? Reflexioné rápidamente. No había duda, es que no estaba segura del modo como sería recibida la noticia de mi reaparición. Habría quizá serias razones por las cuales no quiso comunicarle aquello a Rita: «Corre, aprisa, a verlas en tal lugar, estarán locas de alegría al saber que su hermano está vivo, situado en la vida, y de conocer a su mujer.» Acaso Tía Ju sabía que ni mi hermana Yvonne ni mi hermana Hélène, ni mis cuñados, estarían contentos de recibir la visita de la mujer de su hermano, el *presidiario* evadido, condenado a cadena perpetua por asesinato. Seguro: no quiso asumir la responsabilidad de turbar su tranquilidad.

Es cierto que están casadas, que tienen hijos y que, probablemente, estos hijos ni conocen mi existencia. Se habrá dicho: es preciso tomar precauciones. Al fin y al cabo no sé nada, pero llego a la conclusión de que durante mis trece años de penal, yo he vivido con ellos, para ellos, y que durante esos trece años ellos lo han hecho todo para olvidarme o, al menos, para borrarme de su vida cotidiana. Y mi mujer regresó sólo con un poco de tierra recogida en la tumba de papá y la fotografía de aquella tumba donde, exactamente

cuatro meses antes de su llegada, mi padre se acostó definitivamente.

Pero al menos pude ver, por los ojos de Rita (Champel la
llevó a todas partes), el puente de Ucel de mi infancia. Escuché los detalles que me dio de la gran escuela primaria en
la que ocupábamos el apartamento situado encima de las
clases. Pude volver a ver el monumento a los muertos, frente
a nuestro jardín, y el jardín mismo, donde una espléndida mimosa florida parecía haberse conservado en pleno frescor
para que aquella desconocida que bebía con los ojos aquel
jardín, aquel monumento, aquella casa, pudiera decirme:
«Nada, o casi nada, ha cambiado y me habías pintado tantas
veces este cuadro de tu infancia que no he hecho un descubrimiento, sino que he vuelto a encontrar los lugares que ya
conocía.»

A menudo, por la noche, pedí a Rita que me contara de
nuevo tal o cual momento de su viaje. La vida continuaba en
el hotel, como antes. Pero en el fondo de mí había pasado
algo inexplicable. Aquella muerte no la sentí como un hombre de cuarenta años, en la plenitud de su vida, que acaba
de saber la muerte de un padre a quien hace veinte años
que no ha visto, la sentí como un chiquillo de diez años que
hubiese vivido con su padre y que, habiendo desobedecido y
hecho novillos, a su regreso le dijeran que había muerto.

Por fin llegó la hija de Rita, Clotilde. Tenía más de quince
años, pero era tan endeble y menudilla que aparentaba doce.
Era bajita. Le caían sobre los hombros largos cabellos negros,
tupidos y rizados. Sus ojitos negro azabache brillaban de inteligencia y curiosidad. Tenía aspecto no de jovencita, sino
de chiquilla que todavía jugara a la coxcojilla o con muñecas.
Inmediatamente los dos sentimos confianza mutua. Sentí que
comprendía que aquel hombre que vivía con su madre sería
su mejor amigo, y que siempre la querría y la protegería.

Desde que llegó, me había invadido algo nuevo, el instinto
de protección, el deseo de que fuera feliz, que me considerara,
si no como un padre, al menos como su más seguro apoyo.

Con Rita de regreso, iba al mercado más tarde, a las
siete. Me llevaba a Clotilde y salíamos cogidos de la mano,

con el perro, *Minou,* que ella llevaba atado, y Carlitos que llevaba los cestos. Todo resultaba nuevo para ella, quería verlo todo a la vez. Cuando descubría algo inesperado, gritaba para saber qué era. Lo que más la impresionaba eran las indias con largos vestidos tornasolados, mejillas pintadas, chanclas adornadas en la parte superior con una enorme borla multicolor.

Tener a mi lado una niña que me estrechaba la mano con confianza ante un peligro imaginario, una chiquilla que se apoyaba en mi brazo para darme la sensación de que en medio de aquel pueblo abigarrado que iba, venía, corría, gritaba en una explosión de vida, que se sentía protegida, todo aquello me conmovía profundamente y me impregnaba de un sentimiento nuevo: el amor paternal. «Sí, mi pequeña Clotilde, anda tranquila y con confianza por la vida, está segura de que hasta el fin lo haré todo para apartar las espinas de tu camino.»

Y volvíamos muy contentos al hotel, siempre con una historia divertida que contar a Rita sobre lo que nos había sucedido o sobre lo que habíamos visto.

CAPÍTULO XII

LOS LAZOS REANUDADOS — VENEZOLANO

Sé bien que lo que espera sobre todo el lector son las aventuras que me ocurrieron personalmente, y no la historia de Venezuela. Que me perdone, pues, si tengo interés en contar determinados acontecimientos políticos importantes que se produjeron en la época de mi narración. Lo hago por dos razones. En primer término, porque ejercieron una influencia directa sobre el desarrollo de mi vida, sobre las decisiones que tomé, y por otra parte porque me he dado cuenta, en el curso de mis viajes por varios países donde se publicó *Papillon*, que se conoce muy mal lo que es Venezuela.

Para la mayoría de la gente, Venezuela es un país de América del Sur (muchos no saben dónde situarlo allí) productor de petróleo, un país explotado por los norteamericanos como si fuera desdeñable, en resumen, una especie de colonia de los Estados Unidos. Lo que queda bastante lejos de la realidad.

En efecto, la influencia de las compañías petrolíferas ha sido muy importante, pero, poco a poco, los intelectuales venezolanos casi han liberado totalmente su nación de la influencia de la política americana.

Actualmente, la independencia política de Venezuela es completa, como lo prueba por el lugar y las posiciones que ha tomado en las Naciones Unidas y en otros organismos. Todos los partidos políticos tienen en común ser celosos de la libertad de acción de Venezuela en relación con cualquier país extranjero. De este modo, después de la llegada al poder de Caldera, tenemos relaciones diplomáticas con todos los países del mundo, cualesquiera que sean sus regímenes políticos.

Económicamente, es verdad, Venezuela depende de su petróleo, pero ha conseguido venderlo muy caro y hacerse pagar por las compañías petrolíferas hasta el ochenta y cinco por ciento de sus beneficios.

Venezuela tiene algo más que su petróleo, hierro y otras materias primas, Venezuela tiene hombres, una gran reserva humana cuyo objetivo estriba en liberar completamente su país de toda presión económica, venga de donde viniere. Sus hombres han empezado a probar, y probarán cada día más, que en Venezuela se puede instaurar, ser respetada y subsistir una democracia digna de cualquier otra.

En las Universidades, verdaderos caldos de cultivo de ideas políticas, los jóvenes no sueñan más que en la justicia social, en la transformación radical de su país. Tienen fe, están seguros de conseguirlo sin suprimir los principios de la verdadera libertad y de proporcionar bienestar a todo su pueblo sin caer en una dictadura de extrema derecha o de extrema izquierda. Claro que esto va parejo con manifestaciones de violencia que las agencias de Prensa divulgan por todo el mundo olvidándose, sencillamente, de publicar las causas, que son la sed de justicia social y de libertad. Tengo confianza en la juventud de este país, que contribuirá a hacer de él una nación digna de ser tomada como ejemplo, tanto por su régimen de verdadera democracia como por su economía, porque no hay que olvidar que sus enormes recursos en materias primas serán, en un futuro próximo, completamente industrializados. En ese día, Venezuela habrá ganado una gran batalla, y la ganará. Se le puede conceder crédito.

Además de las posibilidades de industrialización sin límites o casi de sus riquezas en materias primas, Venezuela es el país ideal para el turismo, según tiene que desarrollarse en el futuro. Todo está en favor suyo: sus playas de arena de coral sombreadas por cocoteros, su sol, que gana a no importa qué otro país, sus pescas de todas clases en un agua siempre a buena temperatura, sus aeródromos donde pueden aterrizar los más grandes aviones, una vida más barata que en otras partes, abundancia de islas, una población amable, hospitalaria, sin ningún problema de segregación racial. Una hora de vuelo a partir de Caracas, y se encuentran los indios, los pueblos lacustres de Maracaibo, los Andes y sus nieves eternas.

Dentro de muy poco tiempo, Venezuela podrá acoger a importantes contingentes de turistas quienes, en ningún momento, podrán lamentar haber venido a visitarlo por la gran gama de posibilidades distintas que ofrece. Porque si el pueblo se politiza, es con relación a sus problemas internos. Es demasiado equilibrado para juzgar a los extranjeros en función del régimen político del país de donde proceden.

Siempre he soñado que, a través de los grandes sindicatos, se puede dar a la familia la posibilidad de reunirse, durante las vacaciones, no en inmensos hoteles, sino en bungalows donde tenga la posibilidad de vivir, de comer, de vestirse a sus horas y como ella quiera. Los aviones van más aprisa, los vuelos «charter» permiten disminuir enormemente el precio de los transportes. Entonces, ¿por qué no dispondrán los grandes sindicatos del mundo de conjuntos bien concebidos de casitas, en las que sus afiliados pudieran disfrutar, a precios que desafiaran cualquier competencia, de una naturaleza y de un clima privilegiados?

En resumen, casi se puede afirmar que Venezuela tiene tantos recursos que no piden más ser industrializados, y, por decirlo así, no necesita que la dirija un político, sino un buen contable rodeado de un equipo activo. Éstos, con la cantidad de divisas que les proporciona el petróleo, construirán fábricas para explotar sus riquezas y ampliar el mercado de trabajo para todos los que lo necesitan y lo desean.

Es necesario que se haga una revolución desde arriba. Dará resultados mucho más positivos que la que, inevitablemente, vendrá de abajo si la juventud, alimentada por las ideas nuevas, no tiene conciencia de una modificación profunda del sistema actual. Personalmente, estoy convencido de que Venezuela ganará esta batalla y que así esta nación, que lo tiene todo para ser feliz y próspera, brindará al más humilde de sus ciudadanos un nivel de vida y de seguridad elevados.

1951... Al llegar a esta fecha, vuelvo a experimentar la impresión que tenía entonces: que no tendría nada más que contar. Se explica la historia de tempestades, de descensos de los rápidos, pero cuando el agua está en calma, tranquila, uno quisiera cerrar los ojos y descansar, sin decir nada en estas aguas claras y apacibles. Pero vuelven las lluvias, se hinchan los arroyos, se agitan las aguas apacibles, un remolino se os lleva y, aunque uno soñara vivir en paz apartado de todo, los acontecimientos exteriores actúan tan fuertemente sobre vuestra vida que os obligan a volver a meteros en la corriente y evitar los escollos, a salvar los rápidos, con la esperanza de llegar al fin a un puerto tranquilo.

Después del misterioso asesinato de Chalbaud, a últimos de 1950, Pérez Jiménez tomó las riendas del Poder, aunque se escondiera detrás de un presidente decorativo, Flamerich. Empezó la dictadura. Primera manifestación: supresión de las libertades de expresión. Fueron yuguladas la Prensa y la Radio. La oposición se organizó en la clandestinidad y la terrible Seguridad Nacional, la Policía política, entró en acción. Comunistas y adecos (miembros de la Acción Democrática, el partido de Betancourt), fueron acorralados.

Varias veces ocultamos a algunos en el «Vera-Cruz». Nunca cerramos nuestra puerta a nadie, nunca pedimos la identidad. Satisfecho, pagué mi tributo a los hombres de Betancourt, cuyo régimen me liberó y me dio asilo. Obrando así, corríamos el riesgo de perderlo todo, pero Rita comprendía que no teníamos derecho a actuar de otro modo.

Por otra parte, el hotel se había convertido un poco en refugio de franceses en dificultades, de los llegados a Venezuela con pocos recursos y que no sabían a dónde ir. En nuestra casa podían comer y dormir sin pagar, mientras buscaban trabajo. En Maracaibo me llamaron el cónsul de los franceses. Entre ellos, Georges Arnaud, que fue albergado, alimentado, vestido y provisto de los medios necesarios para pasar a Colombia. Arnaud, más tarde, sacó de las historias que yo contaba *El salario del miedo*, y, sin duda para darnos las gracias, nos denigró gratuitamente en uno de sus últimos libros.

Pero, durante aquellos años, se produjo un gran acontecimiento, para mí casi tan importante como el encuentro con Rita: reanudé las relaciones con mi familia. En efecto, tan pronto como se marchó Rita, Tía Ju escribió a mis dos hermanas. Y las tres hermanas y Tía Ju me escribieron. Habían pasado veinte años, se acabó el gran silencio. Temblé al abrir la primera carta. ¿Qué diría? No me atrevía a leerla. ¿Me rechazaban para siempre o, al contrario...?

¡Victoria! Aquellas cartas fueron como un grito de alegría al saberme vivo, en una situación honrada, casado con una mujer de la que Tata Ju se había hecho lenguas. Volví a descubrir a mis hermanas, pero descubrí también a sus familias, que se habían convertido en *mi* familia.

Mi hermana mayor tenía cuatro hermosos hijos, tres chicas y un chico. Su marido me escribió que me había guardado intacto su afecto y que era muy feliz al saberme libre y bien situado en la vida. Y fotos y más fotos, y páginas y páginas de recuerdos, y la narración de sus vidas, de la guerra, de lo que habían tenido que hacer para poder educar a sus hijos. Cada palabra fue leída, pesada, analizada para comprenderla bien, para gustar de todo su encanto.

Y como de lo más hondo de los tiempos, después del gran agujero negro de las cárceles y del presidio, volvía mi infancia: «Mi querido Riri...», me escribía mi hermana. Riri... Era como si mi madre, con su hermosa sonrisa, me hubiera llamado. Decían que en una foto que les había enviado era el vivo retrato de mi padre. Mi hermana estaba segura de que si me parecía a él físicamente, igual debía de ser en lo moral. Su marido y ella no tenían miedo de que yo reapareciera. Los gendarmes debieron de enterarse del viaje de Rita a Ardèche, y fueron a verlos para preguntar por mí. Mi cuñado les había dicho: «En efecto, tenemos noticias suyas. Está muy bien y es muy feliz. Gracias.»

Mi otra hermana estaba en París, casada con un abogado corso. Tenían dos hijos y una hija; gozaban de buena posición. Me hizo llegar las mismas muestras de alegría: «Eres libre, eres amado, tienes un hogar, una buena situación, vives como todo el mundo. ¡Bravo, mi querido hermano! Mis hijos,

mi marido y yo damos gracias a Dios por haberte ayudado a
salir vencedor de aquel terrible penal a donde te habían
echado.»

Mi hermana mayor propuso que les enviáramos nuestra
hija para que pudiera seguir sus estudios. De acuerdo. Iría.

Pero lo que más regocijaba nuestro corazón era que ninguno de ellos parecía avergonzarse de tener un hermano ex
presidiario evadido del penal.

Para completar aquella lluvia de noticias extraordinarias,
por mediación de un doctor francés instalado en Maracaibo,
Roesberg, pude obtener la dirección de mi amigo el doctor
Guibert-Germain, el antiguo médico del penal, quien, en Royale, me trataba como a un miembro de su familia, me recibía en su casa, me disculpaba las planchas, y no cesaba, con
su mujer, de devolverme la confianza en mi valor de hombre.
Gracias a él fue abolido el aislamiento completo de la Reclusión de San José, gracias a él pude hacerme afectar a la
Isla del Diablo para evadirme. Le escribo y, un día, tengo la
dicha inmensa de recibir esta carta:

*Lyon, 21 de febrero de 1952. — Mi querido Papillon, esta-
mos muy contentos al recibir, por fin, noticias tuyas. Hace
tiempo sospechaba que intentabas ponerte en contacto conmigo. Durante mi estancia en Djibouti, mi madre me dijo que
había recibido una carta de Venezuela, sin poderme decir
exactamente quién era el remitente. En fin, hace poco me ha
enviado tu carta, gracias a Madame Roesberg. Por lo tanto,
después de muchas tribulaciones hemos podido volver a saber
de ti. Desde setiembre de 1945, fecha en la que salí de Royale,
han sucedido muchas cosas.*

*(...) En fin, en octubre de 1951 fui destinado a Indochina,
para donde debo salir inmediatamente, es decir, el 6 de marzo
próximo, por dos años. Esta vez me marcho solo. Es posible
que, sobre el terreno, consiga hacer las gestiones necesarias
para que mi mujer pueda reunirse conmigo.*

*En fin, puedes ver que, desde nuestra última entrevista,
he recorrido algunos kilómetros. De todo aquel pasado con-
servo algunos buenos recuerdos, y no he podido, ¡ay!, volver
a encontrar a ninguno de los que me gustaba recibir en mi
casa. Durante bastante tiempo tuve noticias de mi cocinero*

(*Ruche*), *que se había instalado en Saint-Laurent. Luego, después de mi marcha para Djibouti, no ha dado señal de vida. Como sea, estamos muy contentos de saber que eres feliz, en buena salud, y al fin bien establecido. La vida es un poco rara, pero, en fin, recuerdo que tú no desesperaste nunca, y llevabas razón.*

Tu fotografía al lado de tu mujer nos ha dado mucha alegría y nos prueba que has triunfado. Puede que un día tengamos posibilidad de ir a visitarte, ¡quién sabe! Los acontecimientos van más aprisa que nosotros. Por la fotografía nos hemos podido dar cuenta de que has tenido buen gusto. Madame tiene un aire encantador y el hotel parece muy agradable. Mi querido Papillon, me perdonarás por seguir llamándote con este mote, ¡pero a nosotros nos devuelve tantos recuerdos!

(...) He aquí, amigo, algunas noticias nuestras. Ten por seguro que a menudo hemos tenido ocasión de hablar de ti y siempre nos acordamos del célebre día en que Mandolini (1) puso la nariz donde no debía.

Mi querido Papillon, te adjunto una fotografía donde estamos los dos. Está tomada en Marsella, hace unos dos meses, en la Canebière.

Acabo con mis mejores deseos, y esperando tener noticias tuyas de vez en cuando.

Mi mujer me dice que transmita nuestra amistad a tu mujer y, para ti, nuestro mejor afecto. — A. Guibert-Germain.

Y, a continuación, cuatro líneas de Madame Guibert-Germain: «Mis felicitaciones por vuestro éxito y mis mejores deseos para el nuevo año. Con mi mejor recuerdo para mi "protegido". — M. Guibert-Germain.»

Madame Guibert-Germain no iría a reunirse con su marido en Indochina. Él fue muerto en 1950, y no podría volver a ver a aquel médico tan modesto, que fue uno de los pocos hombres, con el comandante Péan del Ejército de Salvación y muy pocos más, en tener el valor de defender, en aquel lugar, ideas humanitarias en favor de los forzados y, en cuanto a él, llegar a algunos resultados mientras estaba en funcio-

---

1. En *Papillon* (publicado por esta editorial en sus colecciones «La Vida es Río» y «El Arca de Papel»), Bruet, el celador que descubrió la balsa en la tumba.

nes. No hay palabras bastantes para decir el respeto que se debe a seres como él y a una mujer como la suya. Contra todos, y con peligro para su carrera, decía que un hombre seguía siendo un hombre y que no está perdido para siempre, incluso aunque haya cometido un delito grave.

Hay también las cartas de Tía Ju. No son las cartas de una madrastra que no os ha conocido, sino auténticas cartas de madre con palabras que sólo un corazón de madre puede encontrar. Cartas donde me habla de la vida de mi padre hasta su muerte, de aquel maestro de escuela respetuoso de las leyes y de los magistrados y que, a pesar de todo, decía: «¡Mi pequeño era inocente, lo presiento, y aquellos canallas lo condenaron! ¿Estará muerto o vivo?» Cada vez que los resistentes de Ardèche tenían éxito en una operación contra el ocupante, decía: «Si Henri estuviera aquí, estaría con ellos.» Luego, meses de silencio durante los cuales no pronunciaba ni el nombre de su hijo. Se hubiese dicho que abocaba su ternura hacia mí en sus nietos, que mimaba como hacen pocos abuelos, con inagotable paciencia.

Me alimentaba de todo aquello como un hambriento. Rita y yo leíamos y releíamos todas aquellas preciosas cartas en las que se reanudaban los lazos rotos desde tantos años, y las conservábamos como verdaderas reliquias. En verdad, era un bendito de los dioses, pues todos los míos, sin excepción, sentían tanto amor hacia mí que, a pesar de su posición social plenamente burguesa, hicieron caso omiso de posibles habladurías y me comunicaron su alegría de que estuviera vivo, libre y feliz. En efecto, se necesitaba valor porque la sociedad es dura y no perdona fácilmente a una familia que tenga entre sus miembros a un delincuente. Incluso hay gentes lo bastante innobles para decir: «¡Oh!, ¿sabe usted?, en esta familia todos tienen semilla de forzados.»

En 1953 vendimos el hotel. A la larga, el calor sofocante de Maracaibo nos fatigaba mucho y, de todos modos, Rita y yo experimentábamos el placer de la aventura y no pensábamos terminar allí nuestros días. Había oído hablar de un *boom* terrible en la Guayana venezolana donde habían descubierto una montaña de hierro casi puro. Estaba en el otro extremo del país. Por lo tanto, nos pusimos en camino hacia Caracas, donde haríamos escala y examinaríamos la situación.

En un gran «De Soto» verde, sobrecargado de equipaje, salimos una hermosa mañana, dejando atrás cinco años de tranquila felicidad y numerosos amigos maracuchos y extranjeros.

Y redescubrí Caracas. Pero, ¿era aquello Caracas? A ver, ¿no nos habríamos equivocado de ciudad?

Pérez Jiménez, al terminar la interinidad de Flamerich, se había hecho nombrar presidente de la República, pero desde mucho antes se había propuesto hacer de Caracas, ciudad colonial, una verdadera capital ultramoderna. Todo aquello en una época de violencia y de crueldad nunca vistas, tanto por el lado del Gobierno como por el lado de la oposición clandestina. Caldera, el actual presidente de la República desde 1970, escapó a un horrible atentado: fue echada una bomba de gran potencia en su habitación, donde dormía con su mujer y un hijo. Por un verdadero milagro no resultó muerto ninguno de ellos y, con una sangre fría extraordinaria, sin gritos, sin pánico, él y su mujer se limitaron a ponerse a rezar para dar gracias a Dios por haberles salvado la vida. Esto ocurrió en 1951, y debe subrayarse que ya era social-cristiano y no a causa de aquel milagro.

Pero, a pesar de todas las dificultades encontradas durante su dictadura, Pérez Jiménez transformó totalmente Caracas y muchas otras cosas.

Aún existía la vieja carretera que bajaba de Caracas al aeropuerto de Maiquetia y al puerto de La Guaira. Sin embargo, Pérez Jiménez hizo construir una magnífica autopista, técnicamente notable, que permitía unir la ciudad con el mar en menos de un cuarto de hora, cuando se necesitaban dos horas por la antigua carretera. En el barrio del Silencio, obra de Medina, hizo construir inmensos inmuebles tan grandes como los de Nueva York. Abrió en pleno centro de la ciudad una autopista extraordinaria de tres calzadas que la atraviesa de parte a parte, etc. Sin hablar de la mejora de la red de carreteras, de la construcción de bloques de viviendas para los obreros y las clases medias, modelos de urbanismo y otras transformaciones. Fue un auténtico vals de millones de dólares y se despertó una potente energía en aquel país adormilado durante siglos. Los demás países lo consideraron con otros ojos, y afluyeron los capitales extranjeros al mismo tiempo que especialistas de todas clases. La vida se transformó, la inmigración estaba abierta, y aquella sangre nueva, más adaptada a la vida moderna, imprimió un nuevo ritmo de vida al país. El único error, muy grande a mi parecer, fue que en aquella época apenas se aprovechó la presencia de los técnicos extranjeros para dar una formación técnica a los millares de jóvenes que así hubiesen adquirido un oficio o una especialidad.

Aproveché nuestra escala en Caracas para volver a tomar contacto con los amigos y para saber qué había sido de Picolino. Durante aquellos últimos años, había enviado regularmente a alguien a visitarlo y llevarle un poco de dinero. Un amigo a quien encontré le entregó de mi parte, en 1952, una pequeña cantidad que me había pedido para ir a instalarse en La Guaira, cerca del puerto. Varias veces le había ofrecido que viniera a instalarse con nosotros en Maracaibo, pero cada vez me había respondido que sólo Caracas tenía médicos. Al parecer, casi había recobrado el uso de la palabra y su brazo derecho funcionaba bastante bien. Después nadie supo lo que había sido de él. Lo vieron deambulando por el puerto de La Guaira, luego desapareció. Acaso regresó a Francia en barco. No lo he sabido jamás y me he reprochado no haber hecho antes el viaje a Caracas para convencerlo de que viniese conmigo a Maracaibo.

La situación estaba clara: Volveríamos a instalarnos en Caracas si no encontrábamos lo que queríamos en la Guayana venezolana, donde se había producido el famoso *boom* sobre el hierro, y donde un general arquitecto, Ravard, estaba atacando la explosiva selva virgen y sus inmensos cursos de agua para probarles que, a pesar de su potencia ilimitada, se podían domesticar.

El «De Soto» lleno de maletas, Rita y yo corrimos hacia la capital de aquel Estado, Ciudad Bolívar, situada a orillas del Orinoco. No había estado en aquella ciudad desde hacía ocho años. Era una población provinciana, llena de encanto, donde las personas eran amables y acogedoras.

Después de una noche en el hotel, cuando acabábamos de sentarnos en una terraza para tomar café, un hombre se detuvo ante nosotros. Alto, enjuto, quemado por el sol, tocado con un pequeño sombrero de paja, de unos cincuenta años, entrecerró sus ojillos, que casi desaparecieron por la hendidura de sus párpados.

—O yo estoy loco, o tú eres un francés que se llama *Papillon* —me dijo.

—No eres discreto, camarada. ¿Y si la dama que me acompaña no estuviera al corriente?

—Perdona. Me he quedado tan sorprendido que ni he advertido que decía una tontería.

—No hablemos más, y siéntate aquí con nosotros.

Era un viejo amigo, Marcel B. Charlamos. Estaba completamente asombrado al verme en tan buena forma, y se dio cuenta de que había llegado a conseguir una excelente posición. Le dije que, sobre todo, había tenido mucha suerte porque, el pobre, no necesitaba decirme que no había triunfado, su ropa hablaba por él. Le invité a comer. Después de algunas copas de vino chileno:

—Sí, señora, aquí donde usted me ve, yo era fornido en mi juventud y un hombre de pelo en pecho. Figúrese usted que después de mi primera huida del penal llegué hasta el Canadá, ¡y me alisté nada menos que en la Policía Montada! Hay que decir que soy antiguo coracero. Podía haberme quedado allí toda mi vida, pero un día que estaba cargado, me batí y mi adversario cayó sobre mi cuchillo. ¡Como se lo digo, Madame *Papillon*! El canadiense cayó sobre mi cuchillo. No me cree usted, ¿verdad? Pues bien, como sabía que la Policía canadiense tampoco iba a creerme, me marché en seguida de contrabando y, después de haber pasado por los Estados Unidos, llegué a París. Denunciado por un chivato cualquiera, fui detenido, devuelto al penal y allí conocí a su marido. Éramos buenos amigos.

—Y ahora, ¿qué haces, Marcel?

—Tengo una plantación de tomates en Morichales.

—¿Marcha bien el asunto?

—No mucho. Algunas veces una capa de nubes no deja salir el sol. Sabes que está ahí, pero no lo ves. Sólo te suelta unos rayos invisibles que te matan los tomates en pocas horas.

—¡Vaya, qué cosa! ¿Y por qué?

—Misterios de la Naturaleza, amigo. De la causa no sé nada, pero sí conozco los resultados.

—¿Estáis por aquí muchos antiguos penados?

—Una veintena.

—¿Felices?

—Más o menos.

—¿Necesitas algo?

—*Papi*, te doy palabra de que, si no llegas a ofrecérmelo, no te hubiese pedido nada. Pero veo que tu situación no es mala y, perdone, señora, voy a pedirte algo muy importante.

Rápidamente pensé: «¡Mientras no sea demasiado caro!»

—¿Qué necesitas? Habla, Marcel.

—Un pantalón, un par de zapatos, una camisa y una corbata.

—Vamos allá. Sube al coche.

—¿Es esto tuyo? ¡Has tenido suerte, condenado!

—Sí, mucha suerte.

—¿Cuándo te marchas?

—Esta noche.

—¡Que lástima! Hubieses podido transportar los novios en tu cacharro.

—¿Qué novios?

—Es verdad, no te he dicho que la ropa es para asistir al matrimonio de un antiguo penado.

—¿Lo conozco?

—No lo sé. Se llama Maturette.

—¿Qué dices, Maturette?

—Sí. ¿Qué hay de extraordinario en esto? ¿Es un enemigo?

—Al contrario, un gran amigo.

No salía de mi asombro. ¡Maturette! El pequeño pederasta que no sólo nos permitió la evasión del hospital de Saint-Laurent-du-Maroni, sino que hizo con nosotros dos mil kilómetros en una barca en pleno océano.

A partir de entonces nadie habló de marcharse. Al día siguiente asistimos al matrimonio de Maturette con una bonita mujercita café con leche. No pude hacer menos que pagar la cuenta y vestir a los tres niños que habían tenido antes de ir ante el cura. Es una de las pocas veces que he lamentado no ser bautizado, porque ello me impidió servirle de testigo.

Maturette vivía en un barrio pobre, donde el «De Soto» causó sensación. Pero, de todos modos, poseía una bonita casa de ladrillos, muy limpia, con cocina, ducha, comedor. No me contó su segunda aventura, ni yo la mía. La única alusión al pasado:

—Con un poco más de suerte, hubiésemos podido vernos libres diez años antes.

—Sí, pero nuestros destinos hubiesen podido ser distintos. Yo soy feliz, Maturette, y tú pareces serlo también.

Nos separamos, con la garganta ahogada por la emoción, con unos «hasta más ver», «hasta pronto».

Y continuamos la marcha hacia Ciudad Piar, la población que surgía de la tierra al lado del yacimiento de hierro que se disponían a explotar. Hablé a Rita de Maturette, de los extraordinarios vuelcos de situaciones en la vida. Él y yo estuvimos a punto de morir veinte veces en el mar, lo arriesgamos todo, nos volvieron a coger, nos devolvieron al penal, Maturette se pasó como yo dos años en Reclusión. Y cuando estábamos listos a partir para una nueva aventura, gracias a una casualidad extraordinaria no sólo había vuelto a encontrarlo, sino que esto ocurrió en la víspera de su matrimonio, habiéndose él también vuelto a situar en una posición acaso modesta, pero feliz. Y, al mismo tiempo, se nos ocurrió el mismo pensamiento: «El pasado no significa nada, sólo cuenta aquello en que uno se ha convertido.»

En Ciudad Piar no encontramos nada que nos conviniera, y volvimos a Caracas para comprar un negocio próspero.

Rápidamente encontramos uno que correspondía a la vez a nuestras capacidades y a nuestras posibilidades financieras. Se trataba de un restaurante que había querido cambiar de propietarios y que nos convenía a la perfección, el «Aragón», al borde de un lugar muy bonito, el parque Carabobo. Los principios fueron bastante duros, porque los antiguos propietarios procedían de las islas Canarias, y tuvimos que transformarlo todo. Ofrecimos menús mitad franceses, mitad venezolanos, y nuestra clientela aumentaba día tras día. Entre ella figuraban muchas profesiones liberales: médicos, dentistas, químicos, abogados. También industriales. Y así fueron transcurriendo los meses, sin historia.

A las nueve de la mañana, un lunes, nos llegó la maravillosa noticia, exactamente el 6 de junio de 1956: el Ministerio del Interior me avisó que había sido aceptada mi petición de naturalización. Aquél fue un gran día, la recompensa de más de diez años pasados en Venezuela sin que las autoridades hubieran encontrado nunca nada criticable en la vida que había llevado como futuro ciudadano. Fue el 5 de julio de 1956, fiesta nacional. Acudí a jurar fidelidad a la bandera de mi nueva patria, la que me aceptó, aun conociendo mi pasado. Nos reunimos trescientos ante la bandera. Rita y Clotilde estaban sentadas entre el público. Era difícil decir lo que sentía, por el confuso tropel de ideas que se formaban en mi mente, y por los sentimientos que se agitaban en mi pecho. Pensé en lo que me había dado el pueblo venezolano: ayuda material, ayuda moral, sin hablarme ni una sola vez de mi pasado. Pienso en la leyenda de los iano-mamos, indios que viven en la frontera brasileña, según la cual eran hijos de Peribo, la luna. Peribo, que era un gran guerrero, al correr peligro de ser alcanzado por las flechas enemigas, saltó tan alto para escapar de la muerte que ascendió por los aires, no sin haber recibido numerosas flechas. Seguía subiendo, y de sus heridas caían gotas de sangre que, al llegar al suelo, se transformaban en iano-mamos. Sí, pensé en aquella leyenda y me pregunté si Simón Bolívar, el libertador de Venezuela, no sembró también su sangre sobre aquel país para dar nacimiento a una raza de hombres generosos, humanos, legándoles lo mejor de sí mismo.

Interpretaron el himno nacional. Todo el mundo de pie. Miré fijamente aquella bandera estrellada que subía, y corrieron mis lágrimas.

A plena voz, con los demás, yo, que había pensado no cantar jamás en mi vida un himno nacional, grité las palabras del himno de mi nueva patria:

«Abajo cadenas...»

Sí, aquel día y para siempre, sentí que de verdad caían las cadenas con que me cargaron a perpetuidad.

—Jurad fidelidad a esta bandera que ahora es la vuestra.

Solemnemente, los trescientos lo juramos, pero estoy se-

guro de que quien lo hizo con más sinceridad era yo, *Papillon,*
aquel a quien su madre patria condenó a algo peor que la
muerte por una falta que no había cometido.

Si Francia era mi tierra, Venezuela era mi cielo.

CAPÍTULO XIII

VEINTISIETE AÑOS DESPUÉS — MI INFANCIA

Los acontecimientos se produjeron muy aprisa. En calidad de venezolano, pude obtener un pasaporte, y lo obtuve rápidamente. Temblé de emoción al recibirlo. Seguí temblando cuando lo retiré de la Embajada de España con un bonito visado de tres meses. Temblé cuando lo sellaron al embarcar a bordo del *Napoli*, un hermoso paquebote que nos llevó, a Rita y a mí, hacia Europa, hacia Barcelona. Temblé al recibirlo de manos del guardia civil, en España, con el visado de entrada. Aquel pasaporte, que había hecho de mí el ciudadano de un país, constituía un tesoro de tal magnitud que Rita había cosido, en cada bolsillo interior de mi chaqueta, una cremallera para que en ninguna circunstancia pudiera perderlo.

Todo era hermoso en aquel viaje, incluso el mar cuando estaba encolerizado, o la lluvia cuando barría el puente, incluso el guardián del pañol, hombre de pocos amigos, que me dejaba bajar de mala gana, para estar seguro de que el «Lincoln» que acabábamos de comprar estaba bien amarrado. Todo era hermoso porque Rita y yo teníamos alegre el corazón. En el comedor, en el bar, en el salón, hubiera o no gente a nuestro alrededor, nuestros ojos se buscaban para poder hablarnos sin que nadie nos oyera. Porque si íbamos a España, cerca de la frontera francesa, era por una razón que,

durante años, no me atreví a esperar. Y mis ojos dijeron a
Rita:

—Gracias, *Minouche*. Te debo a ti poder reunirme de
nuevo con *los míos*. Y eres tú quien me lleva.

Y sus ojos me dijeron:

—Te prometí que un día, donde quisieras y cuando quisieras, si tenías confianza en mí, podrías ir a abrazar a los
tuyos sin tener nada que temer.

En efecto, aquel viaje, preparado aprisa, fue para hallar
a mi familia en el suelo de España, al abrigo de la Policía
francesa. Llevaba veintiséis años sin verlos. Todos se habían
mostrado conformes en acudir. Pasaríamos un mes entero
juntos. Yo los había invitado en su mes de vacaciones: agosto.

Pasaron días y días y, a menudo, permanecí ratos sobre
el puente, como si aquella parte del barco estuviera más
cerca de nuestro objetivo. Pasamos Gibraltar, volvimos a
perder la tierra de vista, nos acercamos.

Cómodamente instalado en una silla extensible, en el
puente del *Napoli*, con las piernas extendidas sobre aquella
especie de media luna que prolongaba el sillón, mis ojos intentaban atravesar el horizonte donde, de un momento a otro,
aparecería la tierra de Europa. Tierra de España contigua a
la tierra de Francia.

1930-1956: veintiséis años. Entonces tenía veinticuatro años,
ahora tengo cincuenta. Toda una vida. Hay gentes que mueren
antes de llegar a esta edad. Mi corazón latía fuerte en el
momento en que, sin error posible, distinguí la costa. El paquebote iba aprisa, cortaba el agua formando una V enorme
cuya base se ensanchaba, tanto que, poco a poco, desaparecía y se fundía en el mar.

Cuando salí de Francia a bordo del *La Martinière*, al apartarse de la costa el barco maldito, presidio antes del presidio,
que nos llevaba a la Guayana, entonces no vi la tierra, *mi
tierra*, cómo se alejaba poco a poco de mí para siempre (entonces lo creía), porque estábamos en jaulas de hierro, en la
sentina.

En mi chaqueta de marino, protegido por la cremallera
que me cosió Rita, estaba mi nuevo pasaporte, el de mi nueva
patria, de mi segunda identidad: «Venezolano. ¿Venezolano?
¿Tú, un francés, de padres franceses, y, además, maestros de

escuela, y, para colmo, del Ardèche? ¡Sí, a pesar de todo!»

La tierra de Europa, que se acercaba tan aprisa, tanto, que pude definir con claridad sus perfiles. En aquella tierra descansaba mi madre, mi padre, todos mis muertos, y en ella vivían todos los míos.

¿Mi madre? Había sido una auténtica madre, un hada llena de ternuras. Entre ella y yo existía una comunión tan profunda que creo formábamos un solo ser.

Tenía yo cinco años, acaso, sí, cinco años cuando el abuelo Thierry me compró un bonito caballo mecánico. ¡Mi semental era hermoso, magnífico! Moreno claro, casi rojizo, ¡y qué melena!, negra, de crin natural, siempre cayéndole por el lado derecho. Me apoyaba tan fuertemente sobre los pedales que, en terreno llano, mi sirvienta se veía obligada a correr para mantenerse a mi lado, luego me empujaba por la pequeña subida que yo llamaba «la cuesta» para, después de otro trozo de terreno llano, llegar a la escuela materna.

Madame Bonnot, la directora, amiga de mamá, me esperaba frente a la escuela, acariciaba mis largos cabellos rizados que me caían sobre los hombros, como los de una chiquilla, y dijo a Louis, el portero:

—Abre la puerta de par en par para que Riri entre en la escuela montado en su gran caballo.

Orgulloso como Artaban, apoyándome con todas mis fuerzas en los pedales, entré a todo tren en el patio de la escuela. Primero di la vuelta de honor; luego, despacio, bajé de mi montura sujetándola de las riendas, por miedo a que se fuera rodando lejos de mí. Besé a Thérèse, la sirvienta, que entregó mi merienda a Madame Bonnot. Todos mis pequeños camaradas, chicos y chicas, acudieron a admirar y a acariciar aquella maravilla, el único caballo mecánico de los dos pueblecitos, Pont-d'Ucel y Pont-d'Aubenas.

Tenía que esforzarme para hacer lo que me decía mamá cada día antes de marcharme: prestarlo a todos por turno. Así lo hice. Al toque de campana, Louis, el portero, colocaba el caballo bajo el cobertizo y, una vez en fila, cantando *No iremos más al bosque*, entrábamos en clase.

Sé que con mi modo de contar haré sonreír a algunos, pero es preciso comprender que, cuando narro mi infancia, quien lo hace no es el hombre de sesenta y cinco años que

escribe para salones mundanos, sino que es el chiquillo, es
el Riri de Pont-d'Ucel quien escribe, por lo profundamente
que ha quedado grabada esta infancia en él, y escribe con las
palabras que utilizaba, con las palabras que escuchaba, y
mi madre era mi «hada», y mis hermanas mis «hermanitas»,
y yo era su «hermanote» y mi padre no fue nunca más que
«papá».

Mi infancia... Un jardín donde crecían grosellas que mis
hermanas y yo nos comíamos antes de que maduraran; las
peras de agua que teníamos prohibido coger antes que papá
lo dijera, pero el peral era bajo, como con espaldar, y tre-
pando como un sioux, para que nadie pudiera verme desde
una de las ventanas del apartamento (que estaba en el primer piso), me comía panzadas que me producían cólicos.

Aún a los ocho años, a menudo, me dormía sobre las
rodillas de papá o en los brazos de mamá. No me daba
cuenta de que me desnudaban ni de que los finos dedos de
mamá me ponían el pijama. A veces, cuando se acercaba a
mi pequeña cama, me despertaba un poco y entonces pasaba mi brazo alrededor de su cuello y la mantenía apre-
tada, confundidos nuestros alientos, durante mucho tiempo,
me parecía mucho tiempo, y al fin me dormía sin darme cuenta del momento en que ella me dejaba. Era el más mimado
de los tres: resultaba natural, yo era el chico, el futuro he-
redero del nombre. De todos modos, ellas, mis hermanitas,
eran mayores que yo, mucho más. La mayor tenía once años
y la menor diez.

«Entonces, es preciso ser justo, ¿no? El rey soy yo, ¿verdad mamá? Ellas son las princesas.»

¡Qué bonita era mamá, fina y esbelta, siempre elegante!
¿Por qué describirla? Era la más hermosa de las mamás, la
más distinguida, la más dulce. Había que ver cómo tocaba
el piano, incluso cuando, de rodillas sobre una silla, detrás
de su taburete giratorio, le cubría los ojos con mis pequeñas
manos. ¿No era maravilloso tener una mamá que tocaba el
piano sin ver ni la música ni las teclas? Por otra parte,
mamá no estaba destinada a ser maestra, ¡ni mucho menos!
Mi abuelo era muy rico y mamá no fue a la escuela pública,
ella y su hermana Léontine frecuentaron las escuelas más
caras y más selectas de Aviñón, como todas las muchachas

de la burguesía acomodada. Y no fue culpa de mamá si a mi abuelo Thierry le gustó la gran vida, saliendo a paseo en calesa con dos espléndidos caballos tordos o un carruaje de madera de teca, sí, de teca, para ir por el campo tirado por un magnífico caballo negro. Y mi hermosa mamá, que no hubiese tenido que trabajar nunca con la buena dote que le estaba destinada, que hubiese tenido que hacer un soberbio matrimonio, he aquí que un día tuvo que convertirse en una simple maestra de escuela. ¡Pobre mamá que, porque su papá, tan amable sin embargo, llevó una vida de gran duque (viéndolo, nadie lo hubiera dicho), juergueando en Aviñón y tropezando con demasiada frecuencia con hermosas granjeras en sus paseos por el campo, se encontró sin dote y obligada a trabajar!

Todo esto, claro está, lo cogí al vuelo cuando las personas mayores hablaban sin temor en presencia de un pequeño, de modo particular tata Ontine (tía Léontine) que recogió a mi abuelo en su casa, en Fabras. Por otra parte, tanto mamá como su hermana hubiesen podido salvar algo si mi abuelo no hubiese tenido la loca idea de crear, sobre los techos de sus casas de Sorgue, jardines colgantes. «¡Se creía en Babilonia!», decía tía Ontine. Mamá, con calma, rectificó: «Es preciso ser justo, estos jardines sobre los techos eran espléndidos.» La única contrariedad fue que a causa de aquellos «espléndidos» jardines las casas se agrietaron hasta el extremo de que sus cuatro muros tuvieron que ser reforzados por inmensas barras de hierro en X. Resultado: unas casas muy bonitas vendidas a un precio irrisorio.

Mi abuelo era formidable. Llevaba una pequeña perilla y un bigote blanco nieve como Raymond Poincaré. Por la mañana me iba de la mano con él de una granja a otra. Como era secretario de la Alcaldía de Fabras, donde iba siempre de vacaciones («Es preciso que gane dinero para comprarse tabaco», decía tía Léontine), siempre tenía que ir a visitar hogares campesinos para llevar o recoger papeles. Había observado que mi tía llevaba razón al decir que se detenía más tiempo en una granja determinada, donde la granjera era bonita. Pero él me explicó que la belleza de la propietaria de la granja donde nos deteníamos durante tanto tiempo no contaba para nada. Sencillamente, le gustaba hablar

con ella porque era muy amable y muy buena conversadora.
Yo estaba encantado, porque era la única granja donde me
permitían cabalgar el borriquillo de la casa y donde podía
llevarme conmigo a la pequeña Mireille, que tenía mi edad
y que sabía mucho mejor que mi vecina de Pont-d'Ucel jugar
a papás y mamás.

«¡Qué felices somos!», solía exclamar mamá.

—Felizmente, papá se arruinó, y así conocí a tu padre, el
más maravilloso de los hombres. Mi Riri, no estarías aquí
si yo no hubiese perdido mi dote.

—¿Y dónde estaría yo, pues?

—Lejos, pero que muy lejos. Desde luego, seguro que
aquí no.

—¡Oh, mamá hada, qué suerte he tenido de que le gusta-
ran los jardines colgantes a mi abuelo!

A los ocho años ya empezaron las tonterías. A escondidas, iba a nadar en el Ardèche. Aprendí solo en el canal,
que era profundo, pero solamente tenía cinco metros de anchura. No teníamos traje de baño, claro estaba, y nos bañá-
bamos desnudos siete u ocho chicos. Era preciso estar al
tanto del guardia rural. Me lanzaba al canal sin titubear. Era
preciso caer sobre el vientre y, por el solo impulso de la
inmersión, llegar casi hasta la otra orilla. Dos o tres brazadas
muy aprisa, y ya está, alcanzaba los juncos. A la llegada, uno
de los mayores espera a los pequeños como yo. Nos vigilaba
muy atentamente. Eran considerados mayores los de doce
años, quienes conscientes de su responsabilidad, nos alarga-
ban la mano para subirnos a la orilla, o se sumergían rápidamente si uno no podía alcanzar los juncos.

¡Ah, aquellos días de sol en el agua de mi Ardèche! ¡Las
truchas que pescábamos con la mano! No volví a casa hasta
estar completamente seco. Desde los dos años llevaba los cabellos cortos; tanto mejor, así se secaban más aprisa.

Al lado de la escuela primaria donde ocupábamos en el
primer piso los dos apartamentos, puesto que papá daba
clase a los chicos y mamá a las chicas, había una granja-
café llevada por los Debanne. Mamá sabía que estaba seguro
en casa de aquellas buenas gentes y, viniera de donde fuera,
respondía al «¿De dónde vienes Riri?» con un «De la casa de
Debanne». Con aquella explicación no había más que decir,

1914. Llegó la guerra, y papá se fue. Fuimos a acompañarlo al tren. Se marchó con los cazadores alpinos, volvería pronto. Nos había dicho: «Sed buenos, obedeced a mamá. Y vosotras, hijas, ayudadla en el trabajo de la casa, puesto que ella sola va a cargar con las dos clases, la suya y la mía. Esto durará poco, todo el mundo lo dice.» Y, en el andén de la estación, los cuatro vimos salir el tren desde donde mi papá nos enviaba grandes «hasta pronto» con sus brazos, sacando la mitad del cuerpo por la portezuela, para poder vernos más tiempo.

Y aquellos cuatro años de guerra no tuvieron influencia sobre nuestra felicidad en casa. Nos sentimos aún más unidos. Dormía en la cama grande con mamá, había tomado el lugar de mi padre que, en el frente, luchaba como el hombre valiente que era.

Cuatro años en la historia del mundo no son nada.

Cuatro años para un chiquillo de ocho años son muy importantes.

Crecía aprisa, jugaba a soldados y a batallas. Regresaba roto, lleno de chichones, pero, vencedor o vencido, siempre contento y jamás llorando. Mamá curaba los rasguños, ponía carne fresca sobre el ojo a la funerala. Sin levantar la voz me reñía un poco, sin gritar nunca. Sus reproches semejaban un murmullo, mis hermanas no debían oír cómo me predicaba la moral, era algo entre nosotros dos: «Sé bueno, mi pequeño Riri, tu mamá está cansada. Esta clase de sesenta alumnos es agotadora. No puedo más, oye, está por encima de mis fuerzas. Ayúdame, tesoro. Sé obediente y bueno.» La cosa acababa siempre con besos y una promesa de buena conducta de un día a una semana. Siempre mantuve mis compromisos.

Mi hermana mayor, de trece años, era alta, e Yvonne tenía doce. Yo seguía siendo el más pequeño, y ellas también me querían mucho. Claro que alguna vez les tiraba de los cabellos, pero era raro.

El piano se cerró el día en que papá salió para la guerra y no se volvería a abrir hasta que regresó.

Nos robaron madera amontonada bajo el cobertizo de la escuela. Mamá, nerviosa, tenía miedo por la noche. Me apreté contra ella, pero la rodeé con mis brazos de chiquillo y m dio la impresión, y se lo dije, de que la protegía: «No tengas miedo, mamá, soy el hombre de la casa, y soy bastante mayor para defenderte.» Descolgué el fusil de caza de papá, introduje dos cartuchos de munición para la caza del jabalí. Una noche se despertó mi hada, me sacudió y, llena de sudor, me murmuró al oído:

—Creo que hay ladrones, han hecho ruido al coger trozos de madera.

—No tengas miedo, mamá.

Y fui yo quien la tranquilizó. Me levanté quedamente, como si desde el patio pudieran oír un ruido sospechoso procedente de nuestra habitación. Llevaba el fusil en la mano. Con infinitas precauciones abrí la ventana, que rechinaba un poco, me aguanté la respiración, y luego, tirando con una mano la contraventana hacia mí, descolgué el gancho con el extremo del fusil, culata al hombro, preparado para disparar contra los ladrones, y después separé el postigo, que no rechinaba. La luna iluminaba el patio como en pleno día y se veía muy bien que no había nadie bajo el cobertizo. El montón de madera continuaba estando simétricamente colocado:

—No hay nada, mamá, ven a ver.

Y los dos, enlazados, nos quedamos un breve instante junto a la ventana, tranquilizados por haber visto que no había ladrones, y mamá feliz al ver que su pequeño era valiente.

A pesar de toda aquella felicidad, a los diez años, sin papá en casa, alguna vez hice pequeñas tonterías, aunque no quería causar ninguna aflicción a mamá, hada que adoraba, pero siempre esperaba, siempre creía que no lo sabría. Un gato atado por la cola a la campanilla de una casa; echar por encima del puente al Ardèche la bicicleta del guarda de pesca, que bajó al río para atrapar a unos pescadores con red. Y más cosas... Salir a cazar pájaros con honda y, por dos veces, entre diez y once años, yo y el pequeño Riquet Debannes, fuimos al campo con el fusil de papá para disparar contra un conejo que mi amigo había visto saltar en un campo de alfalfa. Salir y, una vez de vuelta en casa, colocar el fusil en el mismo sitio, sin que mamá lo viera, y esto por dos veces, era para nosotros una auténtica hazaña.

1917. Papá fue herido. Tenía varios pequeños cascos de

obús en la cabeza, pero su vida no corría peligro. El golpe fue
violento, la noticia nos llegó por la Cruz Roja. No gritamos,
casi no lloramos. Pasaron veinticuatro horas, todos estábamos serios, mamá dio su clase, nadie lo sabía. Miré a mi
madre, sentí una profunda admiración. Por lo general, me
ponía en primera fila de la clase, pero aquel día me senté en la
última para vigilar a todos los alumnos, decidido a intervenir
si uno de ellos hacía tonterías durante la clase. A las tres
y media mamá no podía más, lo presentí, porque nos correspondía tener «ciencias naturales». Salió del apuro escribiendo en la pizarra el enunciado de un problema de aritmética y diciendo:

—Tengo que salir por unos minutos, haced este problema
en vuestro cuaderno de aritmética.

Salí tras ella, se había apoyado contra la mimosa que estaba a la derecha de la puerta de entrada. Lloraba, se había
desmoronado. ¡Mi querida mamá! Mis hermanas no estaban
allí, se hallaban en la Escuela Superior de Aubenas, no vol-
verían a casa hasta las seis.

Permanecí junto a ella, pero sin llorar. Al contrario, intenté reconfortarla y mi corazón de chiquillo encontró esta
respuesta, cuando ella me dijo sollozando:

—Tu pobre papá está herido.

Como si yo no lo hubiera sabido.

—Tanto mejor, mamá, así la guerra se ha terminado para
él y estamos seguros de que volverá vivo.

De este modo, repentinamente, mamá se dio cuenta de
que tenía razón.

—¡Pero si es verdad! Tienes razón, querido, ¡papá volverá
vivo!

Un beso en mi frente, un beso en su mejilla y, cogidos
de la mano, volvimos a clase.

Se empezaba a divisar la costa de España, pude distinguir
manchas blancas que anunciaban casas. La costa se preci-
saba, como se precisaban en la memoria aquellas vacaciones
de 1917, pasadas en Saint-Chamas, donde papá estaba destinado a la vigilancia del polvorín. Nada grave en cuanto a
sus heridas, sólo algunos trastornos debidos a infinitamente
pequeños cascos de obús en la cabeza, que todavía no podían ser operados. Lo clasificaron como auxiliar; para él

se acabó ir al frente.

No había alojamientos debido a la superpoblación. Las gentes vivían en cuevas. Papá consiguió un milagro : la maestra de escuela de Saint-Chamas le cedió su apartamento durante todas las vacaciones de verano. ¡Dos meses enteros con papá! En el alojamiento de la escuela había todo lo necesario, incluso una olla noruega.

Estábamos todos reunidos, llenos de alegría, de salud, de felicidad. Mamá se mostraba radiante, habíamos salido bien de esa horrible guerra, pero continuaba para los demás, y mamá nos decía:

—No tenemos que ser egoístas, queridos, y no pensar más que en nosotros o en jugar. No tenemos que pasar nuestro tiempo corriendo, cogiendo azufaifas. Tenemos que dedicar tres horas al día a pensar en los demás.

Y acompañábamos a mamá al hospital a donde ella iba, todas las mañanas, a alentar y cuidar de los heridos. Cada uno de nosotros tenía que hacer algo útil: empujar la silla de ruedas de un herido grave, dar el brazo a un ciego, hacer hilas, ofrecer azufaifas que habíamos guardado para ellos, escribir cartas, escuchar las historias de los enfermos que guardaban cama, que hablaban de su familia y, sobre todo, de sus hijos.

Y al volver a casa, en tren, en Vogué, mamá se puso tan enferma que fuimos a casa de tía Antoinette, la hermana de mi padre, que era maestra de escuela, en Lanas, a treinta kilómetros de Aubenas.

Nos alejaron de mamá, porque el doctor había diagnosticado una enfermedad contagiosa desconocida, contraída sin duda al cuidar a los indochinos en Saint-Chamas.

Mis hermanas entraron internas en la Escuela Superior de Aubenas y yo interno en la Escuela Superior de chicos, también en Aubenas.

Parecía que mamá iba mejorando. A pesar de todo, yo estaba triste. Un domingo no quise ir de paseo con los demás. Mis hermanas habían venido a verme y después regresaron a su internado. Las acompañé hasta la puerta de la escuela. Estaba solo y tiré un cuchillo contra un plátano. Casi a cada golpe se hincaba en la corteza del árbol.

Así pasaba el tiempo, en la carretera, con el corazón entristecido, casi frente a la escuela. Aquella carretera venía de la estación del ferrocarril de Aubenas, que estaba aproximadamente a quinientos metros.

Oía silbar el tren, a su llegada o a su salida. No esperaba a nadie y, por tanto, no tenía por qué mirar carretera abajo, por donde aparecerían las personas que habían bajado del tren.

Y tiré y volví a tirar mi cuchillo, incansablemente. Eran las cinco en mi reloj de acero. El sol estaba bajo, me molestaba, y cambié de posición. Y entonces vi la muerte que avanzaba silenciosamente hacia mí.

A los mensajeros de la muerte, cabizbajos, los rostros ocultos bajo los velos de gasa negra que llegaban casi hasta el suelo, los reconocí muy bien a pesar de sus atavíos de funeral: mi tía Ontine, mi tía Antoinette, mi abuela paterna, y detrás de ellas, los hombres, como si se hubieran servido de ellas para ocultarse. Mi padre, literalmente doblado, y mis dos abuelos, iban todos vestidos de negro.

No me dirigí hacia ellos, no hice movimiento alguno, ¿cómo hubiese podido hacerlo? Me quedé sin sangre, mi corazón estaba inmovilizado, mis ojos tenían tantas ganas de llorar que, como parados, no dejaban salir lágrima alguna. El grupo se había detenido a unos diez metros de mí. No se atrevían, no, era otra cosa, les daba vergüenza, estaba seguro, lo presentía, hubiesen preferido estar muertos ellos mismos antes que afrontarme y decirme lo que yo sabía, puesto que aquel disfraz de bruja de desgracias habló y me dijo sin tener necesidad de proferir un sonido: «Tu mamá está muerta, ha muerto sola.» ¿Rodeada de quién? De nadie, puesto que yo, su mayor amor, no estaba allí. Muerta y enterrada sin haberla yo visto, muerta sin haberme dado un beso. Papá, como durante la guerra en las trincheras, pasó el primero. Casi había conseguido erguirse por entero. Su pobre rostro no era más que la imagen del sufrimiento más desesperado, las lágrimas corrían sin parar, yo no me movía, él no alargaba los brazos para recibirme, sabía bien que no podía hacer un movimiento. Al fin llegó hasta mí, me cogió en sus brazos sin decir palabra. Entonces, ¡al fin!, rompí en sollozos al oír: «Ha muerto pronunciando tu nombre.» Me desvanecí.

La casa, a la que había venido tía Antoinette a sustituir a mamá y también para dar las dos clases; la casa con mis ancianos abuelos maternos; la casa a donde me hicieron regresar por miedo a dejarme interno en la escuela; la casa donde un pobre viejo y dos mujeres intentaban darme ternura, porque papá seguía movilizado; la casa donde cada habitación era para mí un santuario, cada objeto una reliquia; la casa que, incluso inundada de sol en aquellos últimos días de verano, era lúgubre y triste, desesperante; donde el abuelo hablaba de que papá pronto iba a volver y que no venía nunca; la casa donde todo me irritaba, donde todo me hería, donde gestos, palabras, no podían tener sobre mí, incluso los más auténticos, más que un resultado contrario; la casa ya no era la casa.

«Mamá no me lo hubiese dicho así, y todavía hay más: ellas no tienen derecho a pensar que se pueda sustituir a una madre como la mía.» Llegué hasta no querer oír palabras dulces. Podía aceptar amabilidades, atenciones de tías, de abuelos, pero no palabras maternales. No quería ser mecido ni mimado por nadie. Se lo dije a aquellas dos excelentes mujeres, sin gritos, sin rebelión, casi como un ruego. Creo que me comprendieron.

—No quiero vivir más aquí. Ponedme interno, me sobrará tiempo que pasar en esta choza durante las vacaciones. No vale la pena que esté aquí cuando hay clase.

Vacaciones, ¿por qué vacaciones allí? No era posible, no podía admitirse, reír o jugar en aquella casa hubiera sido un sacrilegio. Durante las vacaciones iría a Fabras, a la casa de mi tía Ontine donde, guardando las cabras y las ovejas con mis amiguitos, iría al prado donde mi hermosa mamá *no estuvo nunca*.

La guerra terminó, y papá regresó. Un señor fue a verlo, comió queso y bebió algunos vasos de vino tinto. Hicieron el recuento de los muertos del país, luego el visitante pronunció esta frase desgraciada: «Nosotros hemos salido bien parados de esta guerra, ¿verdad, Monsieur Charrière? Y su cuñado de usted también. Si no hemos ganado nada, no hemos perdido nada.»

Salí antes que él. Era noche cerrada, esperé a que pasara y le tiré con mi honda una piedra que le dio en la cabeza, por detrás. Entró vociferando en casa de los vecinos para hacerse curar la herida que sangraba. No comprendía quién había podido tirarle aquella piedra, ni por qué. No sabía que había recibido aquel golpe por haber olvidado, en la lista de víctimas de aquella guerra, la más importante, aquella cuya pérdida era la más irreparable: mi mamá.

No, el balance de aquella desgraciada guerra había sido muy malo.

Y cada año, cuando la vuelta a las clases, iba a Crest, en el Drôme, como interno en la Escuela Superior, en la que preparaba el concurso de entrada en la Escuela de Artes y Oficios de Aix-en-Provence.

Y cada año huíamos de la casa con papá y mis hermanas para ir a pasar nuestras vacaciones en Fabras. Vacaciones formidables, a pesar de todo, porque papá tenía las palabras, los gestos y el calor humano de mamá.

En la escuela me volví violento. Jugaba al rugby, de medio de ataque. Marcaba sin contemplaciones a mis adversarios, no quería que me hicieran regalos, pero yo tampoco los hacía.

Llevaba seis años de interno en Crest, seis años en los que resulté un buen alumno, sobre todo en matemáticas, pero también, durante los seis años, tuve cero en comportamiento. Estaba metido en todas las travesuras. Regularmente, una o dos veces al mes, me peleaba con mis camaradas, siempre en jueves. El domingo iba a casa de la persona que me atendía en mis salidas del colegio, y allí jugaba al rugby.

Pero los jueves, día de visita de los padres, tenía necesidad de pelearme, al menos uno contra cuatro, algunas veces dos. No me era posible portarme de otro modo.

Las madres iban a ver a sus hijos, se los llevaban a comer fuera y, por la tarde, cuando hacía buen tiempo, no encontraban nada mejor que hacer que venir a pasearse con ellos en nuestro patio, bajo los castaños. Cada miércoles me esforzaba en prometerme que no contemplaría el espectáculo desde la ventana de la biblioteca. Era inútil, al día siguiente no podía resistir. Era preciso que me instalara en un lugar desde donde pudiera verlo todo. Y allí descubrí dos clases de mentalidades que, cada una a su modo, me sacaron de mis casillas.

Había quienes tenían madres con malos tipos o mal vestidas, o que tenían el aire de campesinas. De aquéllos hubiérase dicho que tenían vergüenza. Miré con los ojos muy abiertos. Y era verdad, ¡por Dios! ¡Sentían vergüenza! ¡Ah, los cobardes, los puercos, los asquerosos! Se veía en seguida. En lugar de dar la vuelta completa al patio, o idas y venidas completas, se instalaban en un banco, en un rincón, y no se movían de allí. No querían que viesen a su madre, la escondían, ya se habían dado cuenta, los cochinos, de lo que eran las personas instruidas y distinguidas, y antes de ser ingenieros de Artes y Oficios querían olvidar su origen. Eran tipos que serían capaces, más tarde, sorprendidos por la llegada imprevista de sus padres en plena reunión social, de hacerles entrar en la cocina y decir a sus invitados: «Perdonadnos, son unos lejanos parientes de provincias que han venido sin avisar.»

No era difícil desencadenar la pelea contra los de tal calaña. Cuando veía a uno de aquéllos despedir antes de la hora a su madre porque lo cohibía, y penetraba en la biblioteca donde yo estaba, el ataque se producía al instante:

—Dime, Pierrot, ¿por qué has hecho marchar tan pronto a tu madre?

—Tenía prisa.

—No es verdad. Eres un mentiroso, tu madre coge el tren para Gap a las siete. Voy a decirte por qué la has despedido, porque te avergüenzas de ella. ¡Atrévete a decirme que no es verdad, cochino!

Casi siempre salía victorioso de aquellas peleas. Me peleaba tan a menudo que era muy fuerte en la esgrima de los puños. Incluso cuando recibía más golpes que el adversario, me daba igual, casi era feliz. Pero no ataqué nunca a uno más débil que yo.

La otra especie que me exasperaba, aquella con que me peleaba con más rabia, era la especie que llamo de los fanfarrones. Eran los que tenían una bonita mamá, elegante, distinguida. Cuando se tienen dieciséis, diecisiete años, se exhibe con orgullo semejante madre. En el patio se pavoneaban cogidos de su brazo, haciendo unas monadas que me enfurecían.

Cada vez que, para mi gusto, uno de ellos había lanzado

demasiadas bravatas —casi una provocación—, o que su madre tenía un modo de andar que me recordaba la mía, que llevaba guantes, se los quitaba o tenía uno en la mano, como dejándolo caer, entonces no aguantaba más, me volvía como loco.

Apenas había regresado el culpable, embestía contra él:

—¡No hay de qué pavonearse, gran zopenco, por tener una madre vestida a la moda del año pasado! ¡La mía era un poco más bonita, más fina, mucho más distinguida que la tuya! Sus joyas eran auténticas, no bisutería como las de tu madre. Pacotilla de verdad. ¡Incluso un tipo que no entiende nada de ello se da cuenta en seguida!

Inútil decir que la mayoría de los jóvenes a quienes atacaba de semejante modo no esperaban que hubiera terminado para aplastarme su puño en los morros. A menudo el primer golpe me enloquecía completamente. Me peleaba como un golfo: testarazos, patadas, codazos en el cuerpo a cuerpo, una verdadera alegría bullía en mí. En el fondo deseaba aplastar a todas las madres que tenían la audacia de ser tan bonitas y elegantes como mamá.

De verdad, era algo superior a mí, no podía obrar de otro modo. Desde la muerte de mi madre, cuando tenía casi once años, había guardado en mí aquel hierro siempre candente de la injusticia que me había hecho el destino. A los once años no se comprende la muerte, no se acepta la muerte. Que mueran los muy viejos, bueno. Pero la madre de uno, ¡vamos! Un hada llena de juventud, de belleza, de salud, desbordante de amor para vosotros, ¿es posible que muera? Y no sólo eso, sino que la cosa innoble que es la muerte es preciso comprenderla y aceptarla. ¡No es posible, no, no es posible! Tendríais que haber escondido a todas las madres si hubieseis querido que no me rebelara. ¡Y ni así! Creo que hubiera sido capaz de estar celoso del cordero al lamerlo su madre para que cesaran sus balidos.

A causa de una de aquellas peleas, mi vida cambió completamente.

Verdaderamente, aquel chico no tenía derecho de ir a acostarse tranquilamente después de su comedia de la tarde. Presumido, orgulloso de sus diecinueve años, de sus éxitos en matemáticas, número uno de los candidatos al próximo concurso de entrada en Artes y Oficios. Alto, muy alto, nada deportivo porque empollaba sin descanso, pero muy fuerte. Un día, durante un paseo, levantó él solo un gran tronco de árbol para que pudiéramos llegar al agujero donde acababa de refugiarse un ratón.

¡Aquel jueves se dio una verdadera fiesta! Una madre tan esbelta, el talle casi tan fino, no, seamos francos, tan fino como el de mi madre, un vestido claro, blanco con lunares azules, mangas jamón. Si hubiese querido copiar un vestido de mamá no lo hubiese hecho mejor. Grandes ojos negros, un sombrerito precioso adornado con un velo trescuartos de tul blanco.

Y el futuro ingeniero se pavoneó con ella por el patio toda la tarde, a lo largo, a lo ancho, de través, dando la vuelta, en diagonal. Se besaron a menudo, parecían amantes. Yo hubiera debido estar en su lugar, era mi madre quien habría tenido que apoyarse en mi brazo, muy ligeramente, como una gacela, y yo también la hubiese besado en su mejilla tan dulce.

En cuanto se quedó solo, fui a su encuentro:

—¡Y bien, a ti te lo digo! ¡Eres tan buen artista de circo como ducho en matemáticas! No te creía tan...

—¿Qué te pasa, Henri?

—Me pasa que tengo que decirte la verdad: exhibes a tu madre como se exhibe un oso en un circo, para dejar asombrados a los compañeros. Y bien, sabes que a mí no me has asombrado. Porque tu madre no es nada de nada al lado de la mía, ¡todo es oropel estilo cortesana de lujo, como las he visto en Vals-les-Bains durante la temporada!

—Te voy a endilgar el puño en los morros, y tú sabes que doy fuerte. Retira lo que has dicho. Sabes que soy más fuerte que tú.

—¿Te rajas? Oye, sé que eres más fuerte que yo. Entonces, para equilibrar las fuerzas, nos batiremos en duelo, cada uno con un compás de puntas afiladas. Ve a buscar el tuyo, y yo voy a por el mío. Si no eres un mierda, si eres capaz de defenderte, a ti y a tu madre lechuguina, te espero detrás de los retretes dentro de cinco minutos.

—Allí estaré.

Unos minutos más tarde se derrumbaba, con la punta

de mi compás hundida profundamente justo debajo del corazón.

Vino papá. Era alto, como de un metro ochenta, un poco tosco, cosa propia del hijo de un maestro de escuela y de una campesina. Tenía la cara redonda, muy dulce, ojos castaño claro de oro pajizo, una mirada expresiva, casi infantil, puede que a causa de todos sus alumnos que se miraban en sus ojos como en un espejo. Seguro que sus ojos guardaron, de aquellas miradas, como por impregnación, algo muy puro, misterioso, que sólo el niño posee: la ingenuidad, lo natural.

Para él, la muerte de mi madre no fue más que una horrible pérdida. Aquella muerte no produjo en él un desgarro que poco a poco se cicatriza; conservaba la impresión de modo permanente, como el primer día. Su amor total, exclusivo, Lulú como él la llamaba, físicamente ya no estaba presente, pero, no pudiendo ya tenerla a su lado, se había refugiado moralmente en él las veinticuatro horas del día. Sin embargo, su frente continuaba serena. En ella no se habían marcado las arrugas del dolor o de la preocupación. Nada delataba el esfuerzo sobrehumano que hacía para seguir viviendo, para ocuparse de sus hijos y de los hijos de los demás. Sencillamente, ya no podía reír, ni cantar, ni canturrear tan sólo. Las arrugas estaban en su interior, en su corazón. A pesar de aquellas arrugas se obligaba a permanecer sereno y natural. Yo sabía que, como antes, seguía privándose de una partida de caza cuando uno de sus alumnos necesitaba ser un poco ayudado para pasar un examen. Y como en el pueblo y sus alrededores era sabido que le gustaban mucho los bastones, sólo había que ver, en el recibidor de nuestra casa, una enorme colección de bastones para comprender a cuantos pequeños, con paciencia, con dulzura y firmemente, había abierto las puertas del éxito.

Tenía diecisiete años cuando salimos del despacho del juez instructor encargado de mi asunto. Había aconsejado a mi padre que si quería detener la acción de la justicia, me hiciera firmar un compromiso en la Marina. En la gendarmería de Aubenas firmé por tres años.

Mi padre no me riñó verdaderamente por la cosa grave que acababa de cometer

—Si lo comprendo bien, y lo creo, Henri —me llamaba Henri cuando quería ser severo—, propusiste batiros con un arma porque tu adversario era más fuerte que tú.

—Sí, papá.

—Pues bien, obraste mal. Son los golfos quienes se pelean así. Y tú no eres un golfo, pequeño.

—No.

—Mira en qué historia te has metido y nos has metido a todos. Piensa en la pena que has debido causar a tu madre, donde esté.

—No creo haberle causado pena.

—¿Por qué, Henri?

—Me peleé por ella.

—¿Qué quieres decir?

—No soporto ver a camaradas provocándome con su madre.

—Voy a decirte, Henri, que esta pelea y todas las anteriores no se han producido por tu mamá. No ha sido por verdadero amor hacia ella. La razón está en que eres un egoísta, ¿comprendes? Quisieras, porque la fatalidad te quitó tu madre, que todos los demás chicos tampoco la tuvieran. No está bien, es injusto, y esto me asombra en ti. Yo también sufro cuando un colega viene a verme del brazo de su mujer. No puedo pensar en su felicidad, en esa felicidad que yo también debería poseer, más que la suya acaso, sin esta dramática injusticia de la suerte. Pero no les tengo envidia, al contrario, deseo que no les ocurra nada tan horrible como a mí. Si de verdad eres el reflejo del alma de tu madre, te alegrarás de la felicidad de los demás. Mira, para salir de esta situación es preciso que te alistes en la Marina. Al menos tres años. No serán fáciles. Y yo también sufriré el castigo, porque durante tres años mi hijo estará lejos de mí.

Y entonces me dijo una frase que me quedó grabada para siempre en lo más profundo de mí:

—Tienes que saber, querido, que no hay edad para ser huérfano. Acuérdate toda tu vida.

...La sirena del *Napoli* me dio un sobresalto y borró aquel pasado lejano, aquellas imágenes de mis diecisiete años cuando, con mi padre, salimos de la gendarmería donde acababa de firmar mi compromiso. Pero en seguida surgió ante mí, como el momento más desesperado, aquel en que vi a mi padre por última vez.

Era en uno de aquellos siniestros locutorios de la cárcel de la *Santé*, separados por un pasillo de un metro, cada uno detrás de una reja en una especie de celda. Me oprimía una vergüenza, un asco de lo que había sido mi vida y que llevó a mi padre allí, durante treinta minutos, a aquella jaula para bestias.

No vino a reprocharme de ser el sospechoso número uno en un sucio asunto del hampa. Estuvo allí con el mismo rostro descompuesto que tenía el día que me anunció la muerte de mi madre. Entró voluntariamente en aquella cárcel para ver a su pequeño durante media hora, no con la intención de reprocharle su mala conducta, de hacerle sentir las consecuencias de aquel caso para el honor y la paz de la familia. No me dijo: «Eres un mal hijo.» No, me pidió perdón por no haber sabido educarme.

No fue a decirme: «Te acuso de...» Al contrario, me dijo lo último que hubiese esperado, lo que mejor que todos los reproches del mundo podía llegar a lo más profundo de mi corazón:

—Si estás aquí, pequeño, creo que es por culpa mía. Perdóname, sí, perdóname por haberte mimado demasiado.

Y fue sobre el mismo mar Mediterráneo que surcaba el *Napoli* con tanta facilidad, fue en él donde, después de haber pasado algunas semanas en el 5.º Depósito de marinos de Tolón, embarqué a bordo del *Thionville*. Un buque-aviso fino y veloz, en el que todo había sido concebido en aras de la velocidad: no había la más mínima comodidad, pero sí inmensos pañoles para el carbón.

Nada podía ser más hostil que el clima de férrea disciplina en la Marina de 1923. Además, como que los marinos estaban clasificados de uno a seis con relación a su nivel de instrucción, yo estaba en el nivel más alto: seis. Y aquel joven de diecisiete años, que acababa de salir de las clases preparatorios en Artes y Oficios, aquel joven no comprendía, no podía hacerse suya aquella obediencia ciega, inmediata, a órdenes dadas por «distinguidos» cabos del más bajo nivel intelectual. Como máximo tenían un tres en instrucción general. Todos, o casi todos, eran bretones. No tengo nada contra los

bretones. Como buenos marinos, duros en el trabajo, no los
discuto. Pero en cuanto a la psicología, es otra cosa.

Me rebelé inmediatamente. No podía obedecer órdenes
sin pies ni cabeza. Me negué a seguir los cursos de especializa-
ción, lo que mis estudios hacían normal, y de forma auto-
mática quedé catalogado en el equipo de los *estrasses*, es
decir, de los indisciplinados, de los que no servían para nada,
los «sin especialidad», a los que se llamaba los *sin-espé*.

Los servicios más repelentes y los más asquerosos estaban
reservados para nosotros. «¿No servís para nada? Pues bien,
¡haremos que sirváis para todo!» Los montones de patatas
y de legumbres, los cobres y latones para bruñir, el «vals
de los confeti» (cargar a bordo el carbón en ladrillos de
cinco kilos que había que colocar en los inmensos pañoles,
como libros en una biblioteca), el lavado del puente, todo
aquello quedaba para nosotros.

—¿Qué demonios hacéis aquí, detrás de la chimenea?

—Mi cabo, es que hemos terminado de fregar el puente.

—¿Ah, sí? Pues bien, volved a empezar, pero esta vez
desde atrás hacia delante. ¡Y que quede un poco más relu-
ciente, de otro modo sabréis quién soy!

Aquel cretino llevaba quince años en la Marina. Nivel de
instrucción, dos, acaso. Decían que no era un bretón de la
costa, que era un *pluc*, un campesino del interior.

Era bonito ver un marino, con su borla, su blusa con un
gran cuello azul, su gorra un poco inclinada sobre la oreja,
su uniforme ajustado, de fantasía, como se decía. Pero nosotros, los que no servíamos para nada, no teníamos derecho
a cuidar nuestras prendas. Cuanto peor vestidos íbamos, y
más miserable teníamos el aire, más felices eran los *sacos*
(cabos). Entonces, como se dice hoy, se produjo la escalada.
Las cabezas perdidas no cesaban, en un clima semejante, de
inventar y cometer faltas lo suficiente graves. Así, cada vez
que llegábamos a un puerto, «arrojábamos la borda» y pasábamos la noche en la ciudad. ¿A dónde ir? A los burdeles,
claro. Yo, y uno o dos compañeros más, en seguida nos las
arreglamos. Rápidamente cada uno tenía una amiga prostituta con quien no sólo hacía el amor gratis, sino que le
daba uno o dos billetes para comer o beber un trago. No
éramos nosotros quienes las incitábamos, sino ellas quienes

lo hacían. Volvíamos por el arsenal, hacia las cuatro de la madrugada, hastiados de sexo y un poco achispados.

Volver a entrar no era difícil. Localizamos un centinela árabe.

—¿Quién va? ¡Responde o disparo! ¿La consigna? Si no la dices, no pasas.

—Eres tú, marica, quien no la sabe. ¡Con tan poco seso, ya la has olvidado!

—¿Yo, olvidarla? ¡Hoy es «Rochefort»!

—Tienes razón. Perfecto.

Pasábamos y llegábamos ante otro centinela.

—¿Quién va? ¡La consigna!

—¡Rochefort!

—Bueno. Entrad.

Los castigos se multiplicaban. Quince días de arresto, luego treinta. Para dar una lección a un ranchero que nos había negado un trozo de carne y un pedazo de pan después de haber pelado un montón de patatas, mientras éste permanecía de espaldas le robamos una pierna de cordero entera, muy bien cocida, por medio de una pica que introdujimos por una boca de ventilación que estaba encima de los hornos. La devoramos en los pañoles del carbón. Resultado, cuarenta y cinco días en la cárcel marítima, donde aprendí el famoso: «¡En cueros, completamente desnudos! ¿No sabéis cómo?» Y me vi desnudo en el patio de la cárcel, en pleno invierno, en Tolón, ante el lavadero de agua helada donde nos vimos obligados a echarnos.

Por una boina de marino que no valía ni diez francos, pasé ante un consejo disciplinario. Motivo: estropear efectos militares.

En la Marina, al menos en aquella época, todo el mundo deformaba sus gorras. No para destruirlas, sino por cuestión de elegancia. Se mojaba, y luego, entre varios, se la estiraba lo más posible a fin de que, muy ensanchada, una vez pasada una varilla en forma de círculo por el interior, cogiera la forma de una galleta. Como decían las rameras: «Un gorro-galleta es muy mono.» Sobre todo cuando se le añadía una bonita borla color zanahoria bien cortada con tijeras. Para las muchachas de la ciudad, de no importaba qué clase social, traía suerte tocarla a cambio de un amable beso.

El capitán de armas tenía preocupaciones con sus hijos, les era difícil aprobar el certificado de estudios. Según él, no era culpa de los chicos, sino de los maestros, que adrede les ponían, en el oral, preguntas sobre lo que no sabían. No ocurría lo mismo con sus propios hijos: entre ellos se ayudaban, se hacían favores. Y yo era hijo de maestro.

—A cada uno su turno, Charrière. Aquí, conmigo, no puedes esperar favores. ¡Al contrario!

Me convertí en la bestia negra de aquel bruto. No me dejaba, me perseguía sin descanso. Hasta el extremo de que, por tres veces, me escapé. Pero nunca más de cinco días y veintitrés horas, porque, a partir de seis días, te declaraban desertor. Estuve a punto de ser desertor en Niza. Había pasado la noche con una fulana tremenda y me desperté demasiado tarde. Una hora más, y hubiese sido desertor. Me vestí aprisa y salí corriendo en busca de un agente de Policía para hacerme detener. Vi a uno, me precipité hacia él, y le pedí que me detuviera. Era un sujeto bonachón, indulgente:

—¡Vamos, pequeño! ¡No hay que ponerse de ese modo! Vuelves a bordo y te explicas. ¡Todos hemos sido jóvenes!

Resultó inútil decirle que dentro de una hora iba a ser desertor, no quería comprender nada. Entonces cogí una piedra, me volví hacia un escaparate y dije al agente:

—¡Si no me detiene usted en seguida, le aseguro que hago añicos el escaparate!

—Pero, ¡qué furioso está el pequeño! ¡Vamos, al puesto de Policía!

Por haber deformado una gorra de marino, para hacerla más elegante, me enviaron a las secciones disciplinarias de Calvi, en Córcega. Nadie podía sospechar que era el primer paso hacia el penal.

Las secciones disciplinarias se llamaban la «camisa». Se lleva un uniforme especial. A la llegada, uno se veía acogido por un «comité de recepción» encargado de la clasificación: podías quedar como un auténtico «camisero», como un pobre diablo, o como un pederasta. Aquella pequeña ceremonia simpática se llamaba la «demostración». Era preciso demostrar que se era un hombre, y para ello había que pelearse sucesivamente contra dos o tres veteranos. Con el entrenamiento de la Escuela Superior de Crest, la cosa me fue bastante bien. Al segundo, labio partido, nariz aplastada, los veteranos detuvieron la «demostración». Quedé catalogado como auténtico «camisero».

La «camisa». Trabajé en las viñas de un senador corso. Desde el amanecer hasta la puesta de sol, sin descanso, sin alivio alguno. Era preciso domeñar las cabezas rebeldes. Ya no éramos marinos, pertenecíamos al Regimiento de Infantería n.º 173 de Bastia. Volví a ver la ciudadela de Calvi. Recorríamos cinco kilómetros de marcha hasta Calenzana, donde trabajábamos, con el pico o la pala al hombro. Después regresábamos a paso de cazador hasta la cárcel. Era inaguantable, inhumano. Nos rebelamos, y como yo estaba entre los cabecillas, me enviaron, con una docena más, a un campo disciplinario todavía más duro, Corté.

Una ciudadela en la cima de la montaña, seiscientos peldaños que había que subir y bajar dos veces al día para ir a trabajar cerca de la estación, en la instalación de un campo de deportes para los soldados del contingente.

En aquel infierno, en aquella colectividad de brutos, recibí una carta de Tolón que me hizo llegar a escondidas un paisano de Corté: «Querido mío, si quieres salir de esta galera, córtate el pulgar. La ley dice que la pérdida del pulgar, con o sin conservación del metacarpo, significa automáticamente la clasificación en auxiliares, pero que en el caso de que esta mutilación sea debida a un accidente en cumplimiento de un servicio, acarrea la incapacidad permanente en el servicio armado, por lo tanto, la excepción por inútil. Ley de 1831, instrucción de 23 de julio de 1883. Te espero, Clara.» Dirección: «Le Moulin Rouge», barrio Especial, Tolón.

No tuvo resultado. Nuestro trabajo consistía en arrancar de la montaña, cada día, unos dos metros cúbicos de tierra, que transportábamos en carretilla a cincuenta metros de allí, donde unos camiones se llevaban lo que no servía para la nivelación del terreno. Trabajábamos en equipos de dos. Para no ser acusado de mutilación voluntaria, lo que me hubiera costado un suplemento de cinco años de «camisa», no debía cortarme el pulgar con la ayuda de un instrumento cortante.

Con mi compañero corso, Franqui, atacamos la montaña

por la base, abriendo una buena cavidad. Un golpe más de pico, y todo lo que estaba encima se hundiría sobre mí. Los suboficiales que nos vigilaban eran duros. El sargento Albertini estaba constantemente a nuestra espalda, a dos o tres metros. Ello hacía que la maniobra fuera delicada, pero era interesante porque, si todo iba bien, sería un testigo imparcial.

Franqui colocó bajo el pequeño desplomo una gran piedra con la arista bastante cortante, puse mi pulgar encima y el pañuelo en la boca para no dejar escapar el menor grito. Nos quedarían cinco o seis segundos para que se viniera abajo la tierra sobre mí. Franqui me aplastaría el pulgar con otra piedra de unos diez kilos, la cosa no podía fallar. Se verían obligados a amputármelo, incluso si no quedaba cortado de raíz bajo el golpe.

El sargento estaba a tres metros de nosotros, quitándose la tierra de los zapatos. Franqui cogió la piedra, la levantó por encima de su cabeza y aplastó mi pulgar, que quedó hecho papilla. El ruido del golpe se había confundido con el de los demás picos, el sargento no había visto nada. Franqui le dio dos veces al pico y la tierra se volcó sobre mí. Me dejé enterrar. Alaridos, gritos de socorro, me liberaron, y al fin aparecí, manchado de tierra, con el pulgar completamente perdido. Sufrí como un condenado. De todos modos, conseguí decir al sargento:

—Verá usted cómo dirán que lo he hecho adrede.

—No, Charrière. He visto el accidente, yo soy testigo. Soy duro pero correcto. Diré lo que he visto, no temas nada.

Dos meses más tarde, exceptuado por inútil con pensión, con mi pulgar enterrado en Corté, fui destinado al 5.º Depósito de Tolón.

Fui a dar las gracias a Clara, en el «Moulin Rouge». Opinó que aquel pulgar ni se notaba en mi mano izquierda y que, con cuatro o con cinco dedos, acariciaba igual. Era lo esencial. ¡Adiós Marina, secciones disciplinarias y toda la pesca!

—Hay algo cambiado en ti, hijo. No sé bien qué. Espero que estos tres meses pasados entre chicos malos no habrán dejado demasiado rastro en ti.

Estaba con mi padre, en la casa de mi infancia, a donde volví en seguida después de mi licencia absoluta. ¿Habría un cambio profundo en mí?

—No puedo responderte, papá, no lo sé. Creo que soy más violento, menos inclinado a alinearme en las reglas de vida que me enseñaste de pequeño. Puede que tengas razón, algo ha cambiado en mí. Lo siento aquí, en esta casa donde hemos sido tan felices con mamá y mis hermanas. Me choca menos encontrarme aquí, a tu lado. He debido endurecerme.

—¿Qué vas a hacer?

—¿Qué me aconsejas?

—Buscarte un modo de vida lo antes posible. Ahora tienes veinte años, hijo mío.

Dos oposiciones. Una en Privas, para Correos, otra en Aviñón para un empleo civil en la administración militar. El abuelo Thierry me acompañó.

El escrito y el oral fueron muy bien. Si no quedé el primero, debí de estar entre los diez primeros. Y como había ciento diez empleos a cubrir, la cosa era segura. Entré en el juego, no vi inconveniente en seguir los consejos de mi padre: sería funcionario. Era sincero, les debía aquello a mi padre y a mi madre. Sería una vida digna y honesta. Pero hoy, cuando escribo estas líneas, no puedo dejar de preguntarme cuánto tiempo, a pesar de ser hijo de un maestro de escuela, hubiese durado como funcionario el pequeño Charrière, con todo lo que hervía en él.

Ante la lectura del resultado, recibido en el correo de la mañana, papá, completamente feliz, decidió dar una pequeña fiesta en mi honor. Tía Léontine, tío Dumarché, el abuelo Thierry, la abuela. Un enorme pastel, una botella de champaña auténtico, la hija de un colega de papá invitada a la ceremonia. «Sería una excelente esposa para mi hijo.»

Por primera vez después de diez años, se respiraba alegría en aquella casa. En un momento dado me lo reproché, y luego acepté que se riera allí por primera vez después de la muerte de mamá. Acepté, porque aquella decisión de vivir como habían vivido ellos, como personas honradas, se la ofrecía a ellos dos, a mi madre y a mi padre.

La confianza, la seguridad para el futuro.

—Ya lo tenemos, es seguro, Henri ha resultado tercero

en la oposición. ¡Antes de los veinte años tiene ya una buena carrera en perspectiva ante él!

Di la vuelta al jardín con la muchacha en quien papá soñaba como nuera, y que hubiera podido hacer la felicidad de su hijo. Era bonita, bien educada, casi distinguida y muy inteligente. Algo me atraía un poco en ella: su madre murió cuando la chica nació, por lo tanto era más rico que ella en amor maternal. No sería ingeniero de Artes y Oficios, pero tendría una buena situación.

Dos meses más tarde, ¡la bomba!

«En razón de que no ha podido usted presentar a nuestra administración un certificado de buena conducta en la Marina, sentimos participarle que no puede usted entrar en nuestros servicios.»

Papá no estaba allí aquella mañana, cuando el cartero me trajo un giro de los pensionistas, los atrasos de seis meses. Papá, después de aquella carta que había dado al traste con todas sus ilusiones, estaba triste y poco hablador. Sufría.

«¿Por qué continuar así? Venga, una maleta, algunas cosas, aprovechemos esta reunión de maestros en Aubenas para desaparecer.»

Mi abuela me sorprendió en la escalera:

—¿Adónde vas, Henri?

—Voy a donde no me pedirán un certificado de buena conducta en la Marina. Voy a encontrarme con uno de aquellos hombres que conocí en las secciones disciplinarias de Calvi. Él me enseñará a vivir al margen de esta sociedad en la que yo era todavía bastante bestia para creer, y de la que él sabe bien que no tengo nada que esperar. Me voy a París, a Montmartre, abuela.

—¿Qué vas a hacer?

—Todavía no lo sé, pero seguro que nada bueno. Adiós, abuela, abraza muy fuerte a papá en mi nombre.

La tierra estaba cada vez más cerca de nosotros, incluso se veían las ventanas de las casas.

Regresaba a ella después de un viaje largo, muy largo, para volver a encontrar a los míos, a quienes hacía veintisiete años que no había visto.

¿Cómo era mi familia? Ellos, durante más de veinte años, habían vivido esforzándose en olvidarme. Para ellos, yo estaba muerto; para sus hijos, no había existido nunca, no pronunciaban jamás mi nombre. O algunas raras veces en la intimidad, con papá, acaso. Sólo de cinco años para acá debieron, poco a poco, de fabricar para sus pequeños la imagen del tito Henri, que vivía en Venezuela.

Sí, debieron de hacerlo todo para borrar a su hermano, su sobrino, el tío de sus hijos, de la lista de las personas a quienes amar. Hacía cinco años que nos escribíamos. Ellos me enviaban unas cartas amables llenas de palabras afectuosas. Pero, de todos modos, estaban prisioneros del pasado, de su sociedad. Unas cartas es algo agradable, está muy bien, pero ¿no tendrían miedo del qué dirán, no sentirían cierta aprensión ante aquel encuentro con un hermano presidiario evadido, que los había citado en España?

No quería que acudiesen con sentimientos de deber, quería que se presentaran con el corazón lleno de verdaderos y buenos sentimientos hacia mí.

Sin embargo, si hubieran sabido...

Si hubieran sabido, mientras la costa se aproximaba tan lentamente, cuando se alejó tan aprisa hacía veintisiete años, ¡si hubieran sabido que durante aquellos trece años de presidio estuve constantemente con ellos!

¡Si mis hermanas hubiesen podido ver todos los filmes sobre nuestra infancia que me creé en los calabozos, en las celdas, en las jaulas para fieras de la Reclusión!

¡Si hubiesen sabido que me nutrí de ellas, de todos los que formaban nuestra familia, tomando de aquellos seres la fuerza de vencer lo invencible, de encontrar la paz en la desesperación, el olvido de estar prisionero, el negarme al suicidio! ¡Si hubiesen sabido que los meses, los días, las horas, los minutos, los segundos de años de completa soledad, de absoluto silencio, estuvieron llenos hasta rebosar de los más mínimos incidentes de nuestra maravillosa infancia!

La costa se acercaba más y más, veíamos Barcelona, íbamos a entrar en el puerto. ¡Uh! ¡Uh!, hizo la sirena. Y tenía unas ganas locas de poner las manos formando trompa ante mi boca y de gritar, lleno de la alegría de vivir: «¡Eh, vosotros, ya llego! ¡Venid corriendo!», como les gritaba, cuando niño, en los prados de Fabras, cuando encontraba muchas violetas. «¡Todo es mío!», gritaba Yvonne trazando con el dedo un círculo imaginario, indicando así que todas las violetas que allí había eran para ella. «Y yo, este trozo», decía la Nène, siempre generosa. Pero yo, que no señalaba hacia ningún sitio en particular, cogía aprisa la mayor cantidad de violetas posible, sin ocuparme de las propiedades particulares.

—¿Qué haces aquí, querido? Llevo una hora buscándote. Incluso he bajado hasta el coche.

Sin levantarme de la silla, cogí a Rita por el talle, ella se inclinó y me dio un beso en la mejilla. Sólo entonces me di cuenta de que si iba hacia mi familia con las preguntas que me planteaba, y con las preguntas que formularía a mi vez, allí tenía, rodeándola con mis brazos, mi propia familia, la que había fundado, la que me había hecho ir hasta allí. Y pareciéndome extraordinario los milagros que podía hacer el verdadero amor, dije:

—Miraba, querida, reviviendo el pasado, la tierra que se aproxima y donde están mis muertos y mis vivos.

Barcelona, el coche deslumbrante en el muelle, todas las maletas bien ordenadas en el maletero, atravesamos aquella gran ciudad, sin quedarnos a dormir allí, impacientes de correr hacia la frontera francesa en un día lleno de sol. Pero dos horas después, la emoción era tan fuerte que me vi obligado a detenerme, aparcando a un lado de la carretera, incapaz de seguir conduciendo.

Bajé, mis ojos estaban deslumbrados a fuerza de contemplar el paisaje, aquellas tierras labradas, aquellos plátanos gigantes, aquellas cañas que se estremecían, los techos de rastrojo o de tejas rojas de las masías y de las casuchas, los álamos que cantaban la canción del viento, los prados donde se hallaban todas las tonalidades del color verde, las vacas que pacían haciendo tintinear su cencerro, aquellas viñas, ¡ah!, aquellas viñas con sus hojas que no bastaban para esconder todos los racimos de uvas. Aquel trozo de Cataluña equivalía a todos mis jardines de Francia, todo aquello era mío, desde siempre, desde que nací. Entre aquellos mismos colores, la misma vegetación, los mismos cultivos me paseé dando la mano a mi abuelo; por entre aquellas mismas tierras labradas llevaba yo el morral de cazador de mi padre, los días de caza en que incitábamos a nuestra perra *Clara* a levantar un conejo o un vuelo de perdices. ¡Incluso las barreras que limitaban las propiedades eran las mismas que en nuestra tierra! Y los pequeños canales de riego por donde corría el agua con, de vez en cuando, una plancha de través para desviar el agua hacia tal o cual extremo de la propiedad. No necesitaba llegarme hasta ellos para saber que había ranas y que con un hilo terminado en un anzuelo y un pequeño trapo rojo podía pescarlas a placer, como hice tantas veces.

Y olvidé completamente que aquella extensa llanura estaba en España, tanto se parecía a una reproducción del valle del Ardèche o del Ródano.

Y la naturaleza que yo había olvidado, tan distinta de todas aquellas donde había vivido durante veintisiete años, y que había podido admirar, cada una en su tipo, aquella multitud de parcelas en las que se perdía la vista, cuidadas como jardines de curas o de maestros de escuela, aquella naturaleza tomó posesión de mí como una madre estrecha a su hijo contra el corazón. Por otra parte, era normal: ¿no era hijo de aquella tierra?

Y allí, en la carretera, entre Barcelona y Figueras, me puse a sollozar. Durante largo tiempo, hasta que Rita, dulcemente, muy dulcemente me acarició la nuca con su mano, y me dijo: «Demos gracias a Dios por habernos traído hasta aquí, tan cerca de tu Francia y a dos o tres días de volver a encontrar a los tuyos.»

Nos detuvimos en el hotel más cercano a la frontera francesa. Al día siguiente, Rita tomó el tren para ir a Saint-Peray a buscar a Tata Ju. Durante aquel viaje alquilaría una villa. Me hubiese gustado ir a Francia, pero para la Policía francesa seguía siendo un evadido de la Guayana. Encontré una villa muy bonita en Rosas, a la orilla del mar.

«Ten paciencia unos minutos más, *Papi*, y verás bajar del tren la persona que amó a tu padre, la que cultivó en su propio hogar la presencia y el alma de tu madre, la que te escribió aquellas cartas tan bonitas que reavivaron en ti

el recuerdo de los que te han amado tanto, y tú los amaste
a ellos.»

Rita bajó en primer lugar. Con atenciones de hija, ayudó
a una alta y buena mujer, corpulenta como una campesina,
a poner el pie en el andén. Luego siguió la maleta, que le
entregó un galante caballero.

Y sus dos grandes brazos me rodearon y me apretaron
contra su seno; aquellos dos grandes brazos me comunicaron
el calor de la vida y mil cosas que no se pueden expresar
con palabras. Aquellos brazos me dijeron: «¡Al fin! Veintisiete años después, aunque tu papá esté ausente para siempre, aunque tu mamá te dejara treinta y nueve años atrás,
alguien ha tomado el relevo, soy yo, y estoy aquí por los dos.
Sabes que están en mí, y no son mis brazos los que te estre-
chan, no son dos brazos, son seis brazos que vuelven a ti
para siempre, y que te dicen: pequeño, nunca hemos dejado
de amarte. Nunca el tiempo ha podido, ni ligeramente, ate-
nuar tu imagen, nunca creímos que fueras culpable, nunca
hemos borrado tu nombre de la lista de los seres queridos.
Sobre todo, Riri, nuestro hijo pródigo que vuelve a nosotros,
no digas, ni murmures, ni pienses que tienes que pedirnos
perdón, porque hace mucho tiempo que te perdonamos.»

Y teniendo a un lado a Rita, cogida del talle, y al otro
lado a mi segunda madre, salimos de la estación, olvidando
completamente que las maletas no seguían a sus propietarios
más que si alguien las llevaba.

Y Tata Ju gritaba como una muchacha, extasiándose ante
el soberbio coche de sus hijos. La mujer expresó asimismo
su asombro porque en momentos tan excepcionalmente emocionantes las maletas no participaran en el milagro que se
estaba produciendo, y no siguieran con sus propias piernas
a sus propietarios transfigurados de alegría. Y Tata Ju, mientras me decía que fuera a buscar aquella endiablada maleta
sin alma, continuaba hablando con su pequeño, nada an-
gustiada porque no me apresuré a ir a por ella. Como si hubiera dicho: «Te juro que si te has perdido para siempre
no se habrá perdido mucho y no lamentaré tu pérdida ni
así, si para recuperarte tengo que privarme de algunos minutos con el hijo que he vuelto a hallar.»

Rita y Tía Ju llegaron a las once de la mañana, y eran las

tres de la madrugada cuando, al fin, muerta de cansancio por el viaje, por la edad, las emociones y las dieciséis horas de intercambio de recuerdos sin interrupción, Tía Ju se durmió bajo mi brazo, con semblante infantil, en su habitación.

Me dejé caer en mi cama y me dormí en seguida, roto, molido, sin fuerzas, sin un soplo ni una brizna de alegría para quedar despierto. La explosión de una felicidad demasiado grande aniquila tanto como la mayor de los desgracias.

Mis dos mujeres se levantaron antes que yo, y fueron ellas quienes me sacaron de mi profundo sueño para decirme que eran las once de la mañana, que brillaba el sol, que el cielo era azul, que la arena estaba caliente, que el café y las rebanadas de pan con mantequilla me esperaban, y que era preciso desayunar a toda velocidad para ir a la frontera a recoger a mi hermana y su tribu, que tenían que llegar hacia las dos. «Puede que antes, ha dicho Tía Ju, porque tu cuñado se habrá visto obligado a ir a todo gas para evitar que la familia, impaciente por abrazaros, lo ponga de vuelta y media.»

Aparqué el «Lincoln» muy cerca del puesto de Aduana y de los policías españoles.

«¡Aquí están!»

Llegaron a pie, corriendo, tras abandonar a mi cuñado que hacía cola con su «D.S.» en la Aduana francesa.

En primer lugar corrió hacia mí, alargando los brazos, mi hermana Hélène. Franqueó corriendo el trozo de tierra de nadie, de un puesto a otro, de Francia a España. Avancé hacia ella, las tripas anudadas por la emoción. Nos detuvimos a cuatro metros uno de otro para mirarnos al fondo de los ojos. Era ella, la Nène de mi infancia; era él, Riri, mi hermanito de siempre, decían nuestras miradas anegadas en lágrimas. Y nos echamos en brazos uno de otro. ¡Qué extraño! Para mí, aquella hermana de cincuenta años era mi hermanita de siempre. No veía su rostro envejecido, no veía nada, sólo que la llama que animaba su mirada era la misma de siempre y que sus rasgos, para mí, no habían cambiado.

Nos olvidamos de todos y permanecimos largo tiempo uno en brazos del otro. Rita ya había besado a todos los niños. Oí: «¡Qué bonita eres, tía!» Entonces me vuelvo, dejé a mi Nène y empujé a Rita en sus brazos, diciéndole: «Quiérela mucho, porque ella me ha traído hasta vosotros.»

Mis tres sobrinas eran espléndidas, mi cuñado en plena forma, demostrando una verdadera emoción al verme. Sólo faltaba el mayor, Jacques, movilizado por la guerra de Argelia.

Y salimos hacia Rosas, el «Lincoln» por delante, mi hermanita a mi lado.

No olvidaré nunca esta primera comida alrededor de una mesa redonda. Por momentos mis piernas temblaban tanto bajo el mantel que me vi obligado a aguantarlas con las manos.

1929-1956. Tantas cosas han pasado, para ellos y para mí. ¡Cuánto camino recorrido, qué lucha para llegar hasta aquí, cuántos obstáculos que salvar! Durante la comida no hablé del penal. Pregunté sencillamente a mi cuñado si mi condena les causó muchas molestias y penas. Me tranquilizó amablemente, pero adiviné cuánto habían tenido que sufrir ellos también al tener un hermano o un cuñado presidiario: «No dudamos nunca de ti, y puedes estar seguro de que incluso, si hubieses sido culpable, te hubiésemos compadecido pero no renegado.»

No, no expliqué nada del penal, no expliqué nada de mi proceso. Para ellos y, lo creí sinceramente, mi vida empezó el día en que, gracias a Rita, enterré al viejo hombre, al aventurero, para resucitar a Henri Charrière, el pequeño Riri, hijo de unos maestros de escuela de Ardèche.

Mi hogar había aumentado, la familia se había vuelto a encontrar. Mis sobrinas estaban maravilladas al descubrir un tío caído del cielo con un coche americano extraordinario, un tío que contaba historias de indios y un montón de cosas sobre su vida en América del Sur. El verdadero tío de América. Nos adorábamos.

El mes de agosto pasó demasiado aprisa sobre la arena de la playa de Rosas.

Volví a encontrar los gestos de mi madre en mi hermana cuando llamaba a sus cachorros. Volví a encontrar los gritos de mi infancia, las risas sin motivo, los explosiones de alegría de mi juventud en la playa de Palavas, adonde íbamos con mis padres.

Un mes, treinta días, ¡qué tiempo más largo en un calabozo solo consigo mismo, cuán horriblemente corto con los suyos vueltos a encontrar! Estaba literalmente borracho de felicidad. No sólo volvía a tener a mi hermana y a mi cuñado, sino que también descubrí nuevos seres a quienes querer, mis sobrinas, ayer desconocidas y entonces casi mis hijas.

Estaba en la playa con mi Rita, radiante al verme tan feliz. Era un triunfo para ella, el mejor regalo que podía hacerles y hacerme: reunirnos al fin, al abrigo de la Policía francesa. Estaba en la playa medio acostado, era muy tarde, acaso medianoche. Rita estaba también estirada sobre la arena, con la cabeza apoyada sobre mis muslos. Le acaricié los cabellos:

—Mañana se marchan todos. ¡Qué aprisa ha pasado, es cierto, pero qué maravilloso ha sido! Es verdad, querida, no hay que pedir demasiado y, sin embargo, estoy triste al separarme de ellos. Vete a saber cuándo volveremos a verlos, ¡es tan caro un gran viaje!

—Ten confianza en el futuro, estoy seguro de que un día volveremos a verlos.

Los acompañamos hasta la frontera. Se llevaron con ellos a Tata Ju. Nos separamos a cerca de cien metros de la frontera francesa. No se derramaron lágrimas, porque les expliqué mi fe en el futuro: dentro de dos años pasaríamos no un mes, sino los dos meses de vacaciones juntos.

—¿Es verdad lo que dices, tío?

—Cierto, queridas, seguro.

El «D.S.» negro se alejó lentamente. Permanecía de pie en la carretera, con Rita apoyada en mi brazo. Todos sus ojos se habían vuelto hacia nosotros y nos hacíamos señales hasta que otro coche se pegó al suyo para presentarse en la Aduana francesa.

¡Hasta más ver a todos! A saber si volveríamos a vernos.

Una semana después, mi otra hermana desembarcó en el aeropuerto de Barcelona, sola. No había podido venir con su familia. Al bajar del avión, entre cuarenta pasajeros la reconocí en seguida, y ella, sin titubear, se dirigió hacia mí al salir de la Aduana.

Tres días y tres noches, porque teniendo en cuenta el poco tiempo que ella podía pasar con nosotros, no queríamos perdernos nada; durante tres días y tres noches casi enteras, nos volvimos a sumergir en el recuerdo. Se estableció inmediatamente una corriente afectuosa entre mi hermana y Rita. Así pudimos confiarnos uno a otro: ella, toda su vida; yo, lo que podía contarse.

«¡Has perdido la primera manga, fiscal, y también vosotros, jurados franceses, tan satisfechos de vosotros mismos cuando oísteis "perpetuidad", como resultado de vuestro muy equilibrado, muy sagaz, muy honesto y muy justo veredicto! Ni unos ni otros pudisteis prever que el hombre a quien enviasteis a la "guillotina seca", mucho tiempo después, es verdad, pero al menos un día, estaría a cien metros de la frontera francesa reuniéndose con los suyos.

»Y no está ahí oculto, detrás de un matorral, volviendo la cabeza para ver si lo persiguen. No ha venido a pedir ayuda o socorro a su familia, no está ahí como vencido, acorralado, mendigando migajas de amor, no. Está ahí como vencedor, vencedor de vuestro veredicto inhumano e injusto, vencedor de sí mismo, puesto que ha sentado la cabeza y ha aceptado vivir aproximadamente como todo el mundo; vencedor en la existencia, vencedor con éxito, a la vista de todos, y para demostrarlo ha venido con el coche más bonito del mundo, el más presuntuoso en su lujo insolente.»

Dos días después llegó de Tánger la madre de Rita. Con sus dos manos dulces y finas sobre cada una de mis mejillas, me abrazó incansablemente, diciéndome: «Hijo mío, soy feliz de que quieras a Rita y de que ella te quiera.» En la aureola de sus cabellos blancos, su rostro resplandecía con una belleza serena, llena de dulzura, cuyo reflejo había encontrado siempre en Rita.

Nos quedamos mucho tiempo en España. La felicidad ocultaba los días que pasaban. No podíamos regresar en barco, dieciséis días era demasiado tiempo; así, pues, volveríamos en avión (el «Lincoln» sería embarcado más tarde), porque nuestro negocio nos esperaba.

De todos modos, dimos una pequeña vuelta por España y, en los jardines de Granada, esa maravilla de la civilización árabe, al pie de la torre del «Mirador», leí, grabadas en la misma piedra, estas palabras de un poeta:

Dale limosna, mujer, que no hay en la vida nada como

la pena de ser ciego en Granada.

Sí, hay algo peor que ser ciego en Granada: es tener veinticuatro años, ser joven, rebosante de salud, de confianza en la vida, indisciplinado, sí, e incluso no muy honrado, pero no podrido de verdad, en todo caso no asesino, y ser condenado a perpetuidad por el crimen de otro; desaparecer para siempre sin remisión, sin esperanza, condenado a descomponerse en vida, moral y físicamente, sin tener una posibilidad sobre cien mil o un millón de levantar un día la cabeza y ser un hombre.

¡Cuántos hombres que una justicia implacable, que un sistema penitenciario inhumano han pulverizado y aniquilado poco a poco, hubiesen preferido ser ciegos en Granada! *Yo soy uno de éstos.*

Capítulo XIV

LOS BARES NOCTURNOS — LA REVOLUCIÓN

El avión que habíamos tomado en Madrid aterrizó suavemente en Maiquetía, el aeropuerto de Caracas. Unos amigos y nuestra hija nos esperaban. En veinte minutos llegamos a casa. Los perros nos hicieron caricias; nuestra buena india, que formaba parte de la familia, no cesaba de preguntar:

—¿Cómo va la familia de Henri, señora? ¿Y la «mama» de Rita, qué te ha parecido, Henri? Con tanta gente como os quiere, allá, tenía miedo de que no regresarais. Gracias sean dadas a Dios, de que estéis aquí «enteros».

Sí, gracias a Dios, estábamos «enteros», como decía María. Más que enteros, porque la comunión que se había establecido con los nuestros era muy importante para mí. No podía en modo alguno traicionar la confianza que tenían en mí, y con ningún pretexto me portaría mal en el futuro. Al menos, haría lo imposible.

Continuaba la lucha por la vida. Vendimos el restaurante, ya estaba harto de carne frita, del pato a la naranja y del gallo al vino. Compramos un bar nocturno, el «Caty-Bar».

Un bar nocturno, en Caracas, era un lugar donde la clientela estaba compuesta sólo de hombres, porque había chicas para hacerles compañía, hablar y, sobre todo, escucharlos, beber con ellos o, si no tenían demasiada sed, ayudarlos un poco. Era una vida completamente distinta de la diurna, mucho más intensa, nada tranquila. Sin embargo, cada noche, uno descubría algo nuevo e interesante: el segundo yo de cada personaje cliente del bar.

Senadores, diputados, banqueros, abogados, oficiales, altos funcionarios acudían de noche para dejar que se escapara el exceso de energías acumuladas durante el día, empleadas en disciplinarse para dar la imagen de una vida ejemplar, de una conducta sin tacha en sus distintas actividades. Y en el «Caty-Bar» cada uno se exhibía sin restricciones. Era la explosión, el rechazo de la hipocresía social a la que estaban sometidos, el olvido de sus preocupaciones de negocios o de familia, el grito de liberación de hombres de una clase burguesa que estaban hasta la coronilla de verse encadenados por las convenciones y el qué dirán.

Todos, sin excepción, volvían a sentirse jóvenes por unas horas. Con la ayuda del alcohol, se veían libres de sus cadenas sociales y vivían con la plena libertad de chillar, de discutir, de hacer el Don Juan con las chicas más bonitas del bar. En nuestro establecimiento la cosa no pasaba a mayores, porque Rita, que ejercía un severo control sobre el bar, no dejaba salir a ninguna mujer durante las horas de trabajo. Pero todos los hombres disfrutaban de la presencia de aquellas chicas, que habían tenido la amabilidad de escucharlos cuando narraban sus vidas (adoraban hacerlo) y de poblar aquellas horas de liberación sólo con su belleza y su juventud.

Vi a muchos, a quienes había sorprendido la aurora, solos (las chicas salían por otra puerta) y, sin embargo, contentos, aliviados. A uno de ellos, un importante hombre de negocios, puntual cada mañana en su despacho a las nueve, cliente fiel de mi establecimiento, lo acompañaba como a los demás hasta su coche. A menudo me ponía la mano sobre el hombro y, con un gran gesto con el otro brazo, como abarcando las montañas de Caracas, bien perfiladas en el día naciente, me decía:

—Se acabó la noche, Enrique, va a salir el sol detrás del Ávila. Esta noche ha terminado, no queda esperanza de continuarla en otra parte, todo está cerrado, y con el día la realidad de las cosas nos vuelve a enfrentar con nuestras responsabilidades. Me esperan el trabajo, el despacho, la vida, la esclavitud cotidiana. Pero, ¿podríamos continuar sin estas noches? Y, sin embargo, la noche se ha terminado, Enrique, las mujeres han volado hacia sus casas y nosotros nos quedamos solos como dos viejos indecentes.

A pesar de la desilusión de aquellos momentos penosos y encantadores, mis clientes volvían siempre a disfrutar del ensueño nocturno, sabiendo bien que el día iba a disiparlo sin contemplaciones.

Yo mismo me mezclaba con ellos y a menudo vivía momentos inolvidables, completamente fuera de la rutina que la vida normal nos imponía todos los días.

Rápidamente adquirí otro establecimiento, el «Madrigal»; luego, el tercero, el «Normandy».

Con un socialista, Gonzalo Durand, enemigo del régimen y dispuesto noche y día a defender los intereses de los propietarios de los clubs nocturnos, bares y restaurantes, creamos una asociación de defensa de los establecimientos de tal categoría en dos provincias, la Federal y Miranda. Algún tiempo después, me nombraron presidente de la asociación, y defendimos a nuestros afiliados contra los abusos de ciertos funcionarios.

Como siempre tenía ideas estupendas, transformé el «Madrigal» en cabaret ruso, el «Ninoska», y para dar más color local vestí de cosaco a un español de las Canarias y lo encaramé sobre un caballo bastante pacífico a causa de la edad. Ellos dos eran los porteros del cabaret. Pero los clientes empezaron a dar de beber al cosaco, que se *alumbraba* a las primeras de cambio, sin olvidar, lo que es poco recomendable, el caballo. Claro que la bestia no se tragaba vasos de whisky, pero adoraba el azúcar mojado en alcohol, en particular el *kummel*. Resultado: cuando el penco estaba borracho y el cosaco como una cuba, no era raro que mis dos porteros escaparan a galope por la avenida donde estaba mi establecimiento, la avenida Miranda, arteria muy importante con no menos importante circulación, galopando de acá para allá lanzando gritos bélicos. Es fácil imaginar el panorama: frenazos como para arrancar el asfalto, choques, exclamaciones de los chóferes, ventanas que se abrían para que la gente echara broncas a causa de alborotos que se producían a cualquier hora de la noche. Claro que me vi obligado a deshacerme de la pareja, pero también es cierto que nos divertimos mucho.

Para redondear el conjunto, si sólo tenía un músico, no era un músico cualquiera. Se trataba de un alemán, Kurt Lowendal, un organista con manos de boxeador, que interpretaba los *cha-cha-cha* con tal convicción que las ondas de su órgano hacían vibrar las paredes hasta el noveno piso del inmueble. Me costaba creerlo, pero el portero y el propietario me llevaron una noche con ellos para que pudiera comprobarlo. No era exagerado.

Mi otro cabaret, el «Normandy», estaba muy bien situado: exactamente frente a la Seguridad Nacional. De un lado, el terror y los malos tratos, y del otro, el placer de vivir. Por una vez estaba en el lado agradable. Lo que no impedía que me complicara la vida, porque hacía lo más peligroso para mí: servía de buzón clandestino a los detenidos, tanto los políticos como los de Derecho común.

1958. Desde hacía varios meses, se hablaba seriamente en Venezuela de que el régimen de Pérez Jiménez estaba herido de muerte. Incluso las clases privilegiadas se separaban de él. No tenía más que dos soportes: el Ejército y la Policía política, la Seguridad Nacional, que cada día detenía a más gente.

Durante aquel tiempo, los tres líderes políticos más importantes de Venezuela, todos exiliados, ultimaban juntos su plan de asalto al poder, en Nueva York. Se trataba de Rafael Caldera, Jovito Villalba y un hombre excepcional, Rómulo Betancourt. El líder del partido comunista, Machado, no estaba invitado. Sin embargo, ellos también habían dejado vidas en la lucha.

El 1.º de enero, un general del Aire, Castro León, intentó sublevar a sus hombres, y un pequeño grupo de aviadores dejó caer algunas bombas sobre Caracas, en particular sobre el palacio presidencial de Pérez Jiménez. La operación fracasó, y Castro León huyó a Colombia.

Pero el 23 de enero, a las dos de la madrugada, un avión voló sobre Caracas. Era Pérez Jiménez que huía con su familia, sus más próximos colaboradores y una parte de su fortuna. El cargamento era de tan gran valor en personas y en riquezas, que los venezolanos bautizaron aquel avión «la vaca sagrada». Pérez Jiménez sabía que había perdido la partida, que el Ejército lo abandonaba. Al cabo de diez años de dictadura, lo dejaron marchar. Su avión se dirigió directamente a la isla de Santo Domingo, donde otro dictador, el general Trujillo, no podía dejar de acoger a su camarada.

Caracas se despertó con una junta gubernamental dirigida por el almirante Wolfgang Larrazábal, quien cogió el timón de aquel barco abandonado por su capitán y su tripulación. Era la revolución. En aquella revolución, un joven desempeñó un papel importante: Fabricio Ojeda. Cuando, a consecuencia de aquellos hechos, fácilmente hubiese podido crearse una situación privilegiada y hacer fortuna, no tendría ninguna de tales debilidades, y más tarde se convertiría en uno de los más puros guerrilleros. Morirá «suicidado» en un calabozo de la Policía. Lo conocí, y quiero rendirle este homenaje. Puede que un día tenga su estatua.

Durante cerca de tres semanas, las calles se quedaron sin policías. Claro que se produjeron escenas de pillajes y de violencia, pero casi únicamente contra los «perezjimenistas». El pueblo explotó después de diez años de bozal. La sede de la Seguridad Nacional, frente al «Normandy», fue atacada, y resultaron muertos la mayor parte de sus policías.

Durante los tres días que siguieron a la marcha de Pérez Jiménez estuve a punto de perder todo el resultado de doce años de trabajo.

Me telefonearon desde sitios distintos para decirme que todos los bares, todos los clubs nocturnos, los restaurantes de lujo, lugares de cita de los privilegiados perezjimenistas, eran atacados y saqueados. No era demasiado grave para los que no tenían su vivienda en el mismo edificio. Pero nosotros vivíamos en el piso superior de nuestro bar, el «Caty-Bar». Era una pequeña villa al fondo de un callejón sin salida, el bar estaba en la planta baja, el apartamento encima, y una terraza.

Estaba decidido a defender mi casa, mi negocio y los míos. Preparé veinte botellas de gasolina y con ellas fabriqué «cócteles Molotov». Las coloqué, bien alineadas, en el antepecho de la terraza. Rita no quería dejarme, estaba a mi lado, con un encendedor en la mano. La gente llegó pronto.

Era una horda de saqueadores, más de cien personas. Al estar emplazado el «Caty-Bar» en un callejón, si aparecían por allí, es que venían a por él.

Se aproximaron hacia nosotros y oí sus gritos: «¡Esto era un lugar de reunión de los perezjimenistas! ¡A saquearlo!» Se abalanzaron blandiendo barras de hierro y palas. Encendí el mechero.

De pronto, la horda se detuvo. Cuatro hombres, con los brazos abiertos, cerraron la calle, detuvieron a los exaltados. Oí:

—También nosotros somos trabajadores del pueblo y también somos revolucionarios. Hace años que conocemos a estas gentes. El patrón, Enrique, es un francés amigo del pueblo, y nos lo ha probado muchas veces. Retiraos, ¡no tenéis nada que hacer aquí!

Y empezaron a discutir, pero con más calma, y escuché cómo aquellos hombres valientes explicaban por qué nos defendían. La cosa se prolongó durante veinte minutos. Rita y yo seguíamos en la terraza, con el mechero en la mano. Los cuatro hombres debieron de convencerlos, porque la horda se retiró sin gestos amenazadores.

Ninguno de ellos volvió.

Aquellos cuatro hombres del pueblo, nuestros defensores, eran empleados del Servicio de Aguas de Caracas. En efecto, la puerta de al lado del «Caty-Bar», al fondo del callejón que formaba como una pequeña plaza, era la entrada de un depósito del Servicio de Aguas, de donde entraban y salían camiones-cisterna que iban a abastecer los lugares donde faltaba agua por una razón u otra. Los empleados que trabajaban allí eran, en su mayoría, de izquierdas. En nuestro establecimiento les dábamos algo de comer; si venían a tomarse algún refresco no se lo cobrábamos; vivíamos como buenos vecinos, y ellos comprendían que para nosotros eran hombres merecedores de tanta estima como los demás. En razón de la dictadura, no hablaban casi nunca de política, pero algunas veces, después de haber bebido un trago, alguno de ellos dejaba escapar palabras imprudentes, que eran oídas y denunciadas. Entonces eran encarcelados o despedidos de su empleo.

A menudo, Rita y yo pudimos obtener, gracias a uno de nuestros clientes, que el culpable fuera puesto en libertad o reintegrado a su empleo. Por otra parte, entre los senadores, diputados o militares del régimen había muchos que eran muy serviciales y muy humanos. Era raro el que se negaba a hacer un favor.

Aquel día, los empleados del Servicio de Aguas pagaron con gran valor (porque no era cosa de broma) sus deudas para con nosotros. Y lo más extraordinario fue que el milagro se repitió en nuestros otros dos comercios. En el «Ninoska» no se rompió ni un solo cristal. En el «Normandy», justo enfrente de la terrible Seguridad Nacional, el lugar más caliente de la revolución, donde se ametrallaba en todos los sentidos, donde los revolucionarios quemaban y pillaban a derecha e izquierda todos los comercios de la avenida México, en el «Normandy» nada, absolutamente nada destruido ni robado. ¿En virtud de qué orden misteriosa? No lo sé, y nunca lo he sabido.

Con Pérez Jiménez la disciplina era obligada. Lo importante era, ante todo, trabajo y seguridad pública. Al cabo de diez años, nadie discutía, todo el mundo no hacía más que obedecer. La Prensa estaba amordazada.

Con Larrazábal, el marino, todo el mundo bailaba, cantaba, desobedecía a placer, declaraba o escribía todo lo que podía salir de la cabeza de intelectuales políticos y demagogos, completamente borrachos de alegría al poder desahogarse a pleno gas, con total libertad. Y aquello era muy simpático, se respiraba.

Por añadidura, el marino era poeta, tenía alma de artista, era sensible a la miseria y a la situación de millares de personas que, caído el dictador, se arrojaron, en oleadas sucesivas, de las cuatro esquinas de Venezuela sobre Caracas. Inventó el Plan de Urgencia, que distribuyó millones entre aquellos desdichados, millones sacados del Tesoro Nacional.

Prometió elecciones. Sumamente honesto, las preparó con gran lealtad y, aunque ganador en Caracas, fue Betancourt quien triunfó. Tuvo que hacer frente a una situación difícil; no pasaba día sin que se preparara un complot, ni un día sin tener que ganar una batalla contra la reacción.

Entonces compré el mayor café de Caracas, el «Gran Café»,

en Sabana Grande, más de cuatrocientas sillas. Era el café donde Julot Huignard, el hombre del martillo de la joyería «Lévy», me dio cita, en 1931, en los pasillos de la *Santé*: «Ánimo, *Papi*, quedamos citados en el "Gran Café" de Caracas.» Acudí por fin a la cita. Veintiocho años después, era verdad, pero allí estaba. Incluso era su propietario, pero faltaba Huignard.

Por lo tanto, al parecer, todo andaba bien para mí. Pero la situación política del país no hacía la tarea fácil para Betancourt. Un atentado monstruoso y cobarde contra él, vino a turbar aquella democracia tan joven y aún vacilante.

Un coche atestado de plástico estalló al paso del coche presidencial, que se dirigía a una ceremonia oficial. Resultó muerto el jefe de la Casa Militar; el chófer, herido de gravedad; el general López Henríquez, horriblemente quemado, así como su esposa, y el propio presidente sufrió graves quemaduras en los antebrazos. Veinticuatro horas después, con las manos vendadas, hablaba al pueblo venezolano. La cosa parecía tan increíble, que algunos llegaron a afirmar que el que hablaba era un doble.

Huelga decir que, en semejante atmósfera, aquel país bendito de los dioses empezaba, a su vez, a verse atacado por el virus de las pasiones políticas. Todo el mundo tenía el microbio, o casi; los polis estaban en todas partes; nacía una nueva raza, desconocida hasta entonces. Entre los funcionarios, algunos abusaron de su filiación política. Nació una frase horrible: «Nosotros mandamos.»

Funcionarios de distintas administraciones nos dieron la lata varias veces. Aparecieron inspectores de todas clases, para los licores, los impuestos municipales, esto y aquello. La mayoría de aquellos funcionarios no tenían preparación y no ocupaban su empleo más que porque pertenecían a determinado partido político.

Además, al conocer la Administración mis antecedentes, y como estaba inevitablemente en contacto con determinados tipos dudosos, aunque viviera honradamente y sin tener tratos con ellos, los polis se aprovechaban para hacerme una especie de chantaje; jugaban con mi pasado, ya que estaba asilado en Venezuela y no prescrito en Francia. Por ejemplo, sacaban a relucir el caso del asesinato de un francés, dos años atrás, crimen cuyo culpable no fue encontrado. ¿Sabía algo? ¿No sabía nada? ¿No tendría interés, a la vista de mi situación, en saber un poco?

Todo aquello se empezó a poner inaguantable. Comencé a estar harto de aquellos tíos. Por el momento la cosa no era demasiado grave, pero si continuaba y me metía en un jaleo, ¡cualquiera podía adivinar qué iba a suceder dentro de uno o dos años! No, nada de jaleos en el país que me había dado la oportunidad de volver a ser un hombre libre, de crear mi hogar.

No había que darle más vueltas, vendí el «Gran Café» y los demás negocios y, Rita y yo, nos fuimos a España. Acaso pudiera aclimatarme allí y organizar algo.

No conseguí instalarme. Verdaderamente, los países europeos están demasiado bien organizados. En Madrid, cuando había obtenido los trece primeros permisos para abrir un negocio, muy amablemente me dijeron que me faltaba el decimocuarto. Me pareció que aquél sobraba. Y Rita, viendo que yo no podía, literalmente, vivir lejos de Venezuela, que incluso encontraba a faltar a las personas que me mareaban, consintió en aras de nuestra felicidad, y aunque lo hubiéramos vendido todo, volver allá.

CAPÍTULO XV

LOS CAMARONES — EL COBRE

De nuevo en Caracas. Estábamos en 1961, habían pasado dieciséis años desde El Dorado. Éramos completamente felices, la vida nos resultaba alegre, sin problemas importantes. Las circunstancias no quisieron que me encontrara de nuevo con mi familia en España, pero las cartas que intercambiábamos regularmente nos tenían al corriente, a unos y a otros, de la vida de todos.

La vida nocturna había cambiado mucho en Caracas, y comprar un negocio tan saneado, bonito e importante como el que vendí, el «Gran Café», estaba, en primer término, por encima de nuestras posibilidades, imposible de encontrar y todavía más de crear. Por otra parte, una ley ridícula tendía a hacer de los patronos de bares, vendedores de bebidas alcohólicas, unos corruptores de la moral pública, lo que permitía toda clase de abusos y de explotación por parte de determinados funcionarios. No quise volver a meterme en semejante ambiente.

Era preciso hacer otra cosa. Descubrí, no una mina de diamantes, sino una mina de camarones muy grandes, y otros todavía mayores, llamados langostinos. Y esto de nuevo en Maracaibo.

Nos instalamos en un bonito apartamento, compré un trozo de playa y fundé una compañía, la «Capitán Chico», nombre del barrio donde estaba mi playa. Único accionista: Henri

Charrière. P. D. G.: Henri Charrière. Director de operaciones:
Henri Charrière. Principal colaborador: Rita.

Y nos metimos en una aventura extraordinaria. Compré
dieciocho embarcaciones de pesca. Se trataba de grandes barcas equipadas con un motor fuera borda, de cincuenta caballos y una red de doscientas cincuenta brazas. Cinco pescadores por barca. Como que una embarcación y su equipo
completo costaban doce mil quinientos bolívares, tener dieciocho representaba mucho dinero.

Vivimos intensamente. Crear vida a nuestro alrededor,
transformar pueblos, barrer la miseria, borrar la desgana del
trabajo porque uno está bien pagado, hacer desaparecer la
indolencia gracias a una nueva existencia: esto fue lo que
realicé muy rápidamente en pueblecitos de pescadores a orillas del lago, particularmente en San Francisco.

Aquellas pobres gentes no tenían nada suyo. Nosotros
dábamos, sin garantía, un juego de pesca por equipo de cinco. Pescaban libremente, y el único compromiso que tenían
era venderme los langostinos o camarones al precio del día
menos 0'50 bolívares, puesto que todo el material de pesca y
su mantenimiento estaban a mi cargo.

El negocio fue viento en popa. Me apasionó. Teníamos
tres camiones frigoríficos que no cesaban de recorrer las
playas para recoger lo que habían pescado mis barcas, y
también la pesca de otros pescadores que vendían a quien
daba más.

Hice construir sobre el lago un saliente de más de treinta
metros sobre pilones, y también una gran plataforma cubierta. Rita dirigía allí un equipo de ciento veinte a ciento
cuarenta mujeres que sacaban la parte del camarón o del
langostino donde estaba el aparato digestivo: la cabeza. Luego, lavados y vueltos a lavar con agua helada, eran clasificados por unidad de medida, la libra americana. Los había de
diez a quince por libra, de veinte a veinticinco, de veinticinco
a treinta. Cuanto mayores eran, más caros. Cada semana recibía de Estados Unidos una hoja verde, la *green sheet*, con la
cotización del camarón cada martes. Todos los días salía al
menos un avión «DC 8» para Miami, o sea, 24.800 libras, algunas veces dos, uno de ellos un «DC 4» con 12.400 libras.

Hubiese ganado mucho dinero si un día no hubiera hecho

la tontería de aceptar un socio yanqui. Tenía cara de luna, el aspecto bueno y honesto. No hablaba ni español ni francés, y como yo no hablaba inglés, no podíamos discutir.

Aquel yanqui no aportó capital alguno, pero había alquilado los frigoríficos de una marca conocida, que se vendía en todo Maracaibo y sus alrededores. En ellos, la congelación de camarones y langostinos era perfecta.

Yo tenía, pues, a mi cargo la pesca, la vigilancia de mis barcos, hacer dar entrada, o hacerlo yo mismo, al producto de la pesca del día en mis tres camiones frigoríficos y pagar directamente la mercancía a los pescadores. Por tanto, yo sólo aportaba sumas considerables. Algunos días salía para la playa con treinta mil bolívares en el bolsillo y volvía a casa sin un clavo.

Todo aquello estaba bien organizado, pero nada se hacía solo, y la lucha era constante tanto con mis propios pescadores como con los compradores piratas.

Los pescadores eran personas naturalmente honradas. Se habían convertido en buenos trabajadores por el cebo de la ganancia. Pero aquella ganancia no la empleaban muy bien y seguían viviendo en condiciones demasiado modestas. Acaso aquello fuera cuerdo, pero no experimentaban la necesidad de arreglar su casa, de tener muebles, una verdadera cocina, un verdadero dormitorio. Era inútil que me esforzara en explicarles con pasión todos los elementos en favor de aquellas transformaciones: quedaba un viejo fondo de indolencia contra el que nada podía. Lo sentí, ¡pero ello no me impidió ser padrino de no sé cuántos niños!

El drama eran los compradores piratas. Como he dicho, habíamos acordado con los pescadores que utilizaban mi material que les pagaría su pesca al precio del día menos 0'50 bolívares por kilo, lo que era justo. Los vendedores piratas no arriesgaban nada. No tienen barcos, sólo un frigorífico. Se presentaban en las playas y compraban el camarón a quien fuera. Cuando un barco tenía ochocientos kilos de camarones, 0'50 bolívares más por kilo representaba una diferencia de cuatrocientos bolívares para mis pescadores entre lo que yo daba y lo que daba el comprador pirata. Y cuatrocientos bolívares divididos por cinco, representan ochenta bolívares de más para cada pescador. Hubiera sido necesario ser un santo para resistir a la tentación. Así, cada vez que se les presentaba la ocasión mis pescadores aceptaban la oferta del pirata. Era preciso, pues, que yo defendiera mis intereses casi noche y día, pero aquella lucha me gustaba y disfrutaba intensamente viviéndola.

Cuando enviábamos camarones y langostinos a los Estados Unidos, el pago se hacía sobre carta de crédito, previa presentación al Banco de los documentos de expedición, con el certificado de control de la buena calidad del producto y de su perfecta congelación. El Banco pagaba el 85 % del valor total, el 15 % restante se cobraba setenta y dos horas más tarde, después de la buena recepción y control del envío a la llegada, según aviso de Miami a Maracaibo.

A menudo ocurría que, el sábado, cuando había dos aviones de camarones, mi socio iba con uno de ellos para acompañar la carga. Aquel día el flete costaba cinco centavos de dólar más por libra y, en Miami, los receptores de mercancías no trabajaban. Era preciso, pues, estar allí para hacer descargar la mercancía por equipos especiales, volverla a cargar en un remolque frigorífico y llevarla hasta el almacén del comprador, en el mismo Miami, en Tampa o en Jacksonville. Como que aquel día, sábado, los Bancos estaban cerrados, no había modo de utilizar la carta de crédito, y tampoco había seguros. Pero el lunes por la mañana, en los Estados Unidos, el producto se vendía de un diez a un quince por ciento más caro. La operación era buena.

Todo iba como sobre ruedas, y me felicitaba de los buenos negocios que hacía mi socio el sábado, al marcharse con los aviones. Hasta el día en que no volvió.

Por falta de mercancía, y esto ocurría durante los meses en que había pocos camarones en el lago, alquilé un gran barco en Punto Fijo, un puerto de mar, e hice un viaje a Los Roques para ir a recoger todo un cargamento de magníficas langostas. Regresé cargado a tope con un producto de primerísima calidad. Había hecho quitar las cabezas allí mismo. Llevaba, pues, un cargamento de gran valor: sólo colas de langostas de un kilo doscientos a un kilo trescientos, de lo mejor.

Y, un sábado, dos «DC 8» cargados de colas de langosta pagadas por mí, con los gastos de expedición y todo lo demás también pagado por mí, desaparecieron como por encanto.

El lunes sin noticias. Tampoco el martes. Fui al Banco; nada de Miami. No lo quería creer, pero ya lo sabía: me habían robado. Como que era mi socio quien manejaba las cartas de crédito y el sábado no había seguros, vendió todo el cargamento a la llegada y se largó con la pasta.

Me invadió una cólera terrible y salí a la busca de la cara de luna, a América, con un revólver en el cinto. Encontré sus huellas, no era difícil, pero en cada dirección topaba con una buena mujer que me decía ser su esposa legítima y que no sabía dónde estaba su marido. ¡Y aquello tres veces, en tres ciudades distintas! Nunca he vuelto a ver a mi simpático socio.

De nuevo estaba arruinado. Habíamos perdido ciento cincuenta mil dólares. Quedaban las embarcaciones, pero en bastante mal estado, así como los motores. Sin embargo, en aquel negocio era preciso disponer cada día de mucho dinero para trabajar. No pudimos resistir ni rehacernos. Casi arruinados, lo vendimos todo. Rita no se quejó y no me hizo reproche alguno por haber sido tan confiado. El capital, las economías de catorce años de trabajo, más dos años de sacrificios inútiles y de esfuerzos constantes, todo se había perdido, o casi.

Con lágrimas en los ojos, abandonamos aquella gran familia de pescadores y de empleados que habíamos creado. También ellos estaban consternados y nos manifestaron su pena al vernos marchar y su reconocimiento por haberles proporcionado, durante dos años, un bienestar que antes no habían conocido.

Vuelta a Caracas. Nos instalamos en un bonito apartamento, no lejos del «Gran Café», en plena Sabana Grande.

¿Qué podíamos hacer?

No teníamos capital para comprar un negocio. Era preciso encontrar algo.

Me enteré de que unos grupos extranjeros estaban interesados en la compra de todos los desperdicios de cobre electrolítico, en no importa qué cantidad. El negocio era delicado, porque aquel cobre estaba considerado como material estratégico. Estaba controlado en toda la América del Sur por los americanos, que vigilaban que no traspasara el Telón de Acero. En Venezuela, el organismo que se ocupaba de aquel control era el departamento logístico del Ejército. Según los compradores, había grandes cantidades sin empleo en Venezuela, porque Venezuela no poseía los medios industriales para tratarlo. Sabían que era casi imposible hacerlo salir del país, porque se precisaban licencias de exportación que no se podían obtener más que con la autorización del Ejército o, al menos, un documento que no se opusiera a la entrega de las licencias.

Así empezó la más loca historia de mi vida.

Me puse en contacto con los grupos compradores y les expliqué que yo era el hombre de la situación. Muy rápidamente, después de los primeros contactos, les hice abrir cartas de crédito para la operación, porque antes de empezar las gestiones, tenía que asegurarme de que, una vez la operación concluida, tendrían los millones de dólares que exigía el negocio. Y los dólares llegaron, a su nombre, claro está.

Entonces me lancé y empecé a establecer contactos. De todos lados me ofrecieron cantidades importantes de cobre de recuperación. Unos sabían dónde se encontraba un cable telefónico submarino retirado del servicio y almacenado en secreto, bien tan precioso que estaba guardado, según ellos, en un almacén bajo la vigilancia de guardias nacionales, que no sabían lo que había allí dentro. El vendedor me explicó que quien le había indicado el negocio incluso le había dado un precioso detalle: el cable había sido cortado en pequeños trozos y puesto en viejos toneles, en cuya superficie había hierro colado para hacerlo pasar, al exportarse, por chatarra, lo que era legal.

Un comerciante catalán muy respetable tenía a su yerno empleado en la «Sociedad de Electricidad». La compañía poseía kilómetros de viejos cables de alta tensión, de cobre, que fueron remplazados por cables de otro metal. Según él, estaban a mi disposición cuando quisiera, a un buen precio, pagaderos al contado. En los cuatro puntos cardinales de Venezuela se encontraban montones de cobre, celosamente guardados y escondidos, que esperaban comprador.

Cada vendedor guardaba el secreto de sus fuentes; a menudo él mismo no servía más que de intermediario de otro vendedor. Así, aunque casi siempre de buena fe, no me daba más que vagos detalles, no hablaba, y no decía nunca el nombre de su propio vendedor. Todo se desarrollaba a base de confianza. Había barreras de silencio.

Compré, vendí, compré, vendí, vendí. En mi pequeño apartamento ofrecí suntuosas comidas de gran cocina a mis futuros compradores y a mis vendedores. En la cocina, Rita se sobrepasó. Me creí el más astuto y el más hábil de los comerciantes. Era el eje del negocio, los compradores sólo me conocían a mí, los vendedores también.

Fui maquiavélico, compré conciencias a crédito (felizmente): unas para obtener en el momento preciso licencias de exportación, las otras para asegurarme, mediante comisiones, de que las reservas de las distintas compañías sólo me las venderían a mí.

Tuve que emplear en aquello toda mi inteligencia, todo mi tiempo, toda la pasta que me quedaba del desastre de la pesca. Se fue en desplazamientos, en alquileres, en vinos, whisky y manjares escogidos para tratar a todo el mundo como un gran hombre de negocios.

Organicé reuniones, en las que todos defendieron duramente los millones que les corresponderían. Las participaciones en los beneficios futuros eran tan importantes como variadas. Hubo comidas y reuniones secretas con los compradores que se impacientaban. Hubo comidas y reuniones todavía más secretas con los amigos de los amigos de los amigos que podían expedir las licencias de exportación del Ministerio. Un intermediario propuso un puerto de embarque donde, según él, hacía lo que quería: se cerrarían los ojos sobre la mercancía, el cobre se convertiría en plomo, fundición o chatarra. Se calcularon los precios de transporte, llegué a la conclusión de que necesitábamos un puerto por región. Para el oriente, Guanta; para el occidente, Maracaibo. En resumen: cuantas más cuentas hacíamos mis compradores y yo, cuanto más pagábamos más nos dábamos cuenta de que la cantidad de millones a repartir sería sensacional.

Estaba a punto de triunfar. Después de una de aquellas comidas memorables de Rita, de las que todavía hablan determinados honrados comercianes de Caracas, terminé de poner a punto, con mis principales vendedores, el detalle de la operación. Todo estaba determinado. Cada uno había anotado cuidadosamente los centenares de toneladas que estaba dispuesto a proporcionarme; había discutido su comisión. Quedaron fijadas las fechas de entrega, y bien detallados los embalajes.

Entonces, puesto que todo y por todas partes estaba ordenado como sobre papel pautado, sólo me restaba que un oficial venezolano me explicase qué debía hacer para obtener de los servicios competentes del Ejército que no opusieran a la entrega de las licencias por el Ministerio. Le comuniqué el informe con las cantidades, calidades y orígenes del cobre.

Al día siguiente, ¡la bomba! Me llamó por teléfono:

—Mi querido amigo, lamento tener que comunicarte que has vendido más cobre del que existe en toda la América Central y del Sur reunidas.

¿Qué había pasado? ¿Estaba loco? ¿Es que no quería ocuparse de aquel negocio? ¿Lo encontraba deshonesto, demasiado arriesgado? ¡El cobre existía! ¡No era posible que fuera de otro modo! ¡Tantas personas no podían haberme mentido! Pero, por la noche, vino a casa y, documentos en mano, me dio pruebas irrefutables. No podía dudar de la catastrófica realidad.

Yo había creído en mis vendedores, quienes, por su parte, habían creído en sus vendedores, a menudo ellos mismos intermediarios entre el precedente y el último eslabón de la cadena. Pero en el último eslabón, la mayor parte de las veces, el cobre no había existido más que en su imaginación. A menudo, había servido de cebo para tratar de otro negocio. De este modo se dejó atrapar el catalán, ¡y mira si son maliciosos los catalanes! Le hicieron comprar tres docenas de refrigeradores podridos, que nadie hubiese querido ni regalados, porque le habían hecho bailar ante los ojos un segundo negocio: la compra segura y cierta de treinta toneladas de cobre de recuperación. Otro de mis vendedores, un húngaro, y con la misma esperanza, llenó su apartamento de mangos de pico. A partir de aquel día, volvía la mirada a otro sitio cuando se encontraba con un peón caminero.

Conseguí que los vendedores pusieran las cartas sobre la

mesa, pero era demasiado tarde. Hubiera tenido que empezar
por eso. Volviendo hacia atrás, las toneladas se transformaban
en kilos, algunas veces en libras. Allí donde debía hallarse
un depósito fantástico, encontraba un pequeño montón de
casquillos de obús quemados por el Ejército en ejercicios de
tiro. Y nada más. El cable telefónico submarino no había
existido jamás, como tampoco las líneas de alta tensión, ni
menos las líneas reformadas de las compañías petrolíferas o
de lo que fuere.

La situación era grave, y yo caía desde muy alto, porque
durante un año había gastado casi todo el dinero que nos
quedaba, diciéndome que el futuro estaba más que asegurado.

En realidad, lo único que verdaderamente existía eran los
compradores. Y a ellos no podía ni rembolsarles los gastos
considerables que habían hecho para las transferencias de
fondos y las aperturas de cartas de crédito. No tuve demasiados problemas con ellos, porque yo había actuado de buena fe y no había cometido más que una falta: creer en aquellos hombres, todos honrados comerciantes.

No vale la pena describir en qué estado me encontraba.
En menos de dos años había sido burlado dos veces: por
el yanqui de cara de luna, y luego por los hombres de negocios burgueses, que creían servir para todo. ¡En realidad, no
servían para nada!

Estaba tan rabioso contra mí mismo, que me puse a gritar
en mi comedor:

—¡De ahora en adelante, basta de negocios con las personas honradas, son demasiado mentirosos y ladrones! ¡En el
futuro, no trataré más que con los auténticos truhanes! Al
menos, con ellos, uno sabe a qué atenerse.

Capítulo XVI

EL GORILA — PABLITO

Llamaron a la puerta (el timbre no funcionaba) y fui a abrir, deseando que se tratara de uno de mis numerosos vendedores de cobre, a fin de poder, al menos contra uno de ellos, desahogarme, exhibiendo todo mi repertorio e incluso, según su aptitud a dejarse abroncar, asestarle una buena paliza.

Era mi camarada, el coronel Bolagno. Desde siempre él y su familia me habían llamado *Papillon*; eran los únicos que lo hacían en Venezuela. Todo el mundo me llamaba Enrique o Don Enrique, según mi situación del momento. Para esto los venezolanos tienen antenas, saben en seguida si uno va viento en popa o tiene problemas.

—¿Y bien, *Papillon*? Hace más de tres años que no nos hemos visto.

—Sí, Francisco, tres años.

—¿Por qué no has venido a verme a la nueva casa que me he hecho construir?

—No me has invitado.

—No se invita a un amigo, viene cuando quiere, porque si su amigo tiene una casa, esa casa es suya. Invitarlo sería insultarlo y ponerlo en la categoría de los que no pueden venir sin que se les invite.

No repliqué, porque consideraba que tenía razón.

Bolagno abrazó a Rita. Tomó asiento, con los codos sobre la mesa, el aire preocupado. Se había quitado su gorra de coronel.

Rita le sirvió un café, y yo le pregunté:

—¿Cómo has sabido mi dirección?

—Esto es cosa mía. ¿Por qué no me la enviaste?

—Mucho trabajo y muchas preocupaciones.

—¿Tienes preocupaciones?

—Muchas.

—Entonces vengo en mal momento.

—¿Por qué?

—He venido a pedirte que me prestaras cinco mil bolívares. Estoy en apuros.

—Imposible, Francisco.

—Estamos arruinados —dijo Rita.

—¡Ah!, ¿vosotros estáis arruinados? ¿Estás arruinado, *Papillon*, de verdad estás arruinado? ¿Y tienes el valor de decírmelo? ¿Estás arruinado y te escondes de mí? ¿Y por eso no has ido a visitarme y contarme tus apuros?

—Sí.

—Pues bien, permite que te diga que eres un puerco. Porque cuando se tiene un amigo, es para contarle sus preocupaciones, y esperar de él que haga un gesto que os saque de una situación difícil. Y eres un puerco por no haber pensado en mí, tu amigo, para respaldarte y ayudarte. Porque, figúrate que tus desdichas las he sabido por otros, y por eso estoy aquí, para ayudarte.

Rita y yo no sabíamos a dónde mirar, y la emoción nos impedía hablar. Era verdad que no habíamos pedido nada a nadie. Pero varias personas a quienes había prestado grandes servicios y que incluso me debían su situación, sabían que estábamos arruinados y nadie se brindó a ofrecernos alguna ayuda. La mayoría eran franceses, gentes honradas, y también truhanes.

—¿Qué quieres que haga por ti, *Papillon*?

—Se necesita demasiado dinero para montar un comercio que nos permitiera ganarnos la vida. Si lo tienes, no debes de poder deshacerte de él. Pero no debes de tenerlo, es demasiado dinero.

—Vístete, Rita, vamos a comer los tres en el mejor restaurante francés de la ciudad.

Al terminar la comida, acordamos que buscaría un comercio y que le diría la suma necesaria para su compra. Y Bolagno concluyó:

—Si lo tengo, no hay problema, y si no tengo bastante, pediré prestado a mis hermanos y a mi cuñado. Pero te doy mi palabra que encontraré lo que te haga falta.

En todo el resto del día Rita y yo no cesamos de hablar de él, de su delicadeza.

—Me dio su único vestido de paisano, cuando era un simple cabo en el penal de El Dorado, para que pudiera salir decentemente vestido, y hoy acaba de ponernos el pie en el estribo para una nueva salida.

Pagamos los alquileres atrasados antes de levantar la casa para instalarnos en un agradable café-restaurante bien situado en la primera avenida de Las Delicias, también el barrio de Sabana Grande. Se llamaba «Bar-Restaurante Gab», y allí nos sorprendió la llegada del *Gran Charlot*.

Charles de Gaulle, entonces presidente de la República, vino en visita oficial, invitado por el presidente de Venezuela, Raúl Leoni.

Caracas y toda Venezuela estaban de fiesta. No sólo las clases vinculadas al Gobierno o las privilegiadas: he dicho toda Venezuela. El pueblo, el auténtico, el de las manos callosas, con sombrero de paja y alpargatas, todo aquel pueblo generoso, sin excepción, emocionado, esperaba a Charles de Gaulle para aclamarlo.

El «Gab» tenía una bonita terraza cubierta. Yo estaba tranquilamente sentado en una mesa, bebiendo pastís con un francés que me estaba explicando los misterios de la fabricación de la harina de pescado, pero que me hablaba en voz baja de un descubrimiento que acababa de poner a punto y que le daría millones, una vez homologado. Se trataba nada menos que del cine en relieve. Bajó la voz y entornó los párpados para darse un aire más confidencial y también para decirme qué cantidad de dinero podría yo poner en sus investigaciones. No era tonto aquel tío; se expresaba con palabras escogidas aprendidas en la Central, no en la central de Clairvaux o en otra, sino en la famosa Escuela Central de París, plantel de grandes ingenieros.

Siempre es divertido escuchar las historias de alguien que quiere timaros, y era tan divertida su palabrería que, sugestionado, no me di cuenta de que un vecino aguzaba el oído y se inclinaba para escucharnos. Hasta el momento en que desplegué un trozo de papel escrito por Rita, que estaba en la caja, y que me había pasado el mozo que servía en la terraza: «No sé lo que estás discutiendo con el tipo, pero es seguro que vuestro vecino parece muy interesado en captar vuestra conversación. Aspecto: poli desconocido.»

Para terminar con el inventor, le aconsejé vivamente que siguiera sus investigaciones y le dije que tenía tanta fe en su éxito que hubiese entrado inmediatamente en el negocio si dispusiera de economías, lo que, por desgracia, no era el caso. Se marchó, me levanté y, dando media vuelta sobre mí mismo, me encontré frente a la mesa de detrás.

Un tío estaba allí, bien instalado, demasiado bien instalado, también demasiado correctamente vestido, con corbata y todo, traje azul acero, teniendo ante sí, en la mesa, un pastís y un paquete de «Gauloises». No merecía la pena preguntarle su profesión, ni tampoco su nacionalidad.

—Perdone usted, ¿fuma cigarrillos franceses?

—Sí, soy francés.

—¡Vamos!, no lo conozco. Dígame, ¿no sería usted por casualidad un gorila del *Gran Charlot*?

El señor bien instalado se levantó y se presentó:

—Soy el comisario Belion, encargado de la seguridad del general.

—Encantado.

—¿Y usted, es francés?

—No disimule, comisario, sabe usted muy bien quién soy y no está usted por casualidad en la terraza de mi bar.

—Sin embargo...

—No insista. Una sola cosa en su favor: puso usted ostensiblemente los «Gauloises» sobre la mesa para que le interpelara. ¿Sí o no?

—Exacto.

—¿Otro pastís?

—De acuerdo. He venido a verlo en calidad de responsable de la seguridad del presidente. He pedido a la Embajada que me prepare una lista de las personas susceptibles de tener que marchar de Caracas cuando el general esté aquí. Esta lista será sometida al ministro del Interior, quien tomará las medidas necesarias.

—¿Estoy en la lista?

—Todavía no.

—¿Qué sabe usted de mí?

—Que tiene una familia, que vive honestamente.

—¿Qué más?

—Que su hermana se llama Madame X... y vive en tal sitio, de París, y que su otra hermana, Madame Y... está domiciliada en Grenoble.

—¿Y qué más?

—Que prescribe usted el año próximo, en junio de 1966.

—¿Quién se lo ha dicho?

—Lo sabía antes de salir de París, pero aquí ha sido comunicado al Consulado.

—¿Por qué no me lo ha hecho saber el cónsul?

—Oficialmente no sabe su dirección.

—La conoce lo suficiente para enviarme los franceses que están en dificultades para que los ayude.

—Esto corresponde a la «Alianza Francesa». No es lo mismo.

—Es posible. De todos modos, gracias por la buena noticia. ¿Puedo ir al Consulado a que me den la comunicación oficial?

—Cuando usted quiera.

—Pero, dígame, comisario, ¿por qué, esta mañana, está usted sentado en la terraza de mi restaurante? No creo que haya venido a darme noticias de mi prescripción, ni para hacerme saber que mis hermanas no han cambiado de dirección, ¿verdad?

—En efecto. He venido para verlo, para ver a *Papillon*.

—Usted no conoce más que a un solo *Papillon*, el hombre del fichero policíaco de París, un montón de mentiras, de exageraciones, de atestados malintencionados. Un expediente que no dibuja ni al hombre que yo era antes, y todavía menos al hombre en que me he convertido.

—Lo creo muy sinceramente, y lo felicito.

—Entonces, ahora que me ha visto usted, ¿me pone en la lista de personas a expulsar durante la estancia de De Gaulle?

—No.

—Pues bien, ¿quiere usted que le diga, comisario, por qué está usted aquí?

—Sería divertido.

—Porque usted se ha dicho: un aventurero es siempre alguien que busca conseguir pasta. Ahora bien, *Papillon*, aunque haya sentado la cabeza, es un aventurero. Rechazar una suma considerable para actuar él mismo contra De Gaulle, acaso; pero coger un buen paquete para colaborar sencillamente en la preparación de un atentado, es muy plausible.

—Continúe.

—Se equivoca usted mi querido comisario. En primer término, ni por una verdadera fortuna me metería en un atentado político, y todavía menos contra De Gaulle. Luego, ¿quién puede tener interés en cometer un atentado en Venezuela?

—La OAS.

—Bueno. No sólo es muy posible, sino que también es muy probable. Han fracasado tantas veces en Francia, que en un país como Venezuela es coser y cantar.

—¿Coser y cantar? ¿Por qué?

—Los de la OAS, con la organización que tienen, no necesitan entrar en Venezuela por las vías normales, puertos o aeropuertos, sin hablar de cerca de dos mil kilómetros de costas marítimas. Las fronteras terrestres son inmensas: Brasil, Colombia, Guayana inglesa. Pueden entrar como quieran, el día y la hora que quieran, sin que nadie tenga nada que ver ni hacer. Es el primer error que ha cometido usted, comisario. Pero hay otro.

—¿Cuál? —preguntó Belion, sonriendo.

—Los tipos de la OAS, si son tan astutos como dicen, se guardarán de entrar en contacto con los franceses domiciliados aquí. Porque, sabiendo que los polis irán directamente a los franceses, la primera precaución a tomar es no acercarse a *ningún francés*. No olvide tampoco que una persona con malas intenciones no va nunca a vivir al hotel. Hay aquí centenares de personas que alquilan una habitación a cualquiera sin declararlo. Así, pues, a las gentes implicadas en un posible atentado contra De Gaulle no merece la pena buscarlas entre los franceses que viven aquí, truhanes o no.

Me parece que, al oír aquello, Belion perdió algo de su sonrisa. Noté que estaba preocupado, se marchó diciéndome que fuera a verlo cuando pudiera volver a París. Me dio la dirección del Elíseo. Cuando fui me dijeron: «No lo conocemos.» ¡Qué lástima, hubiese sido divertido volver a ver a aquel comisario que tan bien se portó conmigo! Porque, en efecto, no fui expulsado de Caracas, como lo fueron otros franceses durante la estancia de De Gaulle. Estancia sin incidentes, dicho sea de paso.

Y fui a aplaudir a De Gaulle.

Y, como un tonto, derramé una lagrimita viendo al presidente de mi país.

Y, como un doble tonto, olvidé, sólo por la presencia de aquel gran jefe que salvó el honor de mi patria, que fue esta patria la que me envió al penal a perpetuidad.

Y, como un triple tonto, hubiese dado un dedo por estrecharle la mano o para asistir a la fiesta dada por la Embajada en su honor, fiesta a la que, claro, no fui invitado. Pero indirectamente el hampa pudo vengarse, porque en aquella fiesta se deslizaron algunas viejas rameras francesas retiradas, que, habiendo cambiado de situación gracias a un buen matrimonio, estaban allí, con los brazos cargados de flores para tía Yvonne.

Fui a ver al cónsul francés, quien me leyó la notificación de mi prescripción para el año próximo. Un año más, e iría a Francia.

Debo hacer constar que ni en los principios de mi vida libre en Venezuela, ni más tarde, ni en ninguna circunstancia, no fui molestado ni importunado por los embajadores o cónsules correspondientes. No puse nunca los pies, durante aquellos largos años, ni en la Embajada ni en el Consulado, pero, en cambio, en mis restaurantes tuve a menudo a miembros de uno o de otro.

Nuestra situación mejoró rápidamente, y volví a meterme en los bares nocturnos comprando el «Scotch Club», situado en Chacaíto, centro neurálgico del tráfico en Caracas. Fue una curiosa historia, porque entré en aquel negocio para ayudar a un pobre peluquero francés a quien gente turbia quería despojar. El gesto de enderezador de entuertos sería, a continuación, muy lucrativo para mí.

Durante varios años volví a vivir de noche. Noche caraqueña que cada día se vulgarizaba más, perdiendo aquel toque bohemio que constituía todo su encanto. Los juerguistas no eran los mismos, y a aquella nueva clientela le faltaba la cultura y la mundología de las clases privilegiadas.

Prácticamente vivía en la calle, permaneciendo lo menos posible en el bar, casi siempre paseando por los barrios cercanos. Aprendí a conocer a los maravillosos chiquillos de las calles de Caracas, lo más tirado, que pescaban toda la noche para ganar unas monedas; la fecunda imaginación de aquellos niños al margen de la vida normal, niños cuyos padres vivían en chozas de conejos. No siempre eran buenos padres, por otra parte, porque muchos, en su desamparo material, no dudaban en explotar a sus hijos.

Y aquellos chiquillos se lanzaban valientemente a través de la noche para llevar a su barraca la pequeña suma que exigían de ellos. Aquellas bandas de chavales tenían de cinco a doce años. Unos limpiaban zapatos; otros, a la puerta de los cabarets, se ofrecían para vigilar el coche del juerguista que se metía en el club; otros se las arreglaban para abrir la puerta del coche antes que el portero. Mil oficios, mil miserias, mil ingeniosidades, para reunir bolívar tras bolívar y conseguir tener una docena hacia las cinco o las seis de la madrugada y volver a casa.

Claro que tenía amigos entre ellos, muy dignos y conscientes de lo que era la amistad. No me pedían una ayuda directa más que cuando estaban a punto de reventar de cansancio, se acababa la noche y estaban desesperados por no haber recogido nada, o casi. Entonces acudían a mí.

Nuestra amistad y casi complicidad era emocionante. A menudo, cuando un cliente a quien conocía se disponía a subir a su gran coche, lo invitaba a ser generoso con ellos. Empleaba la frase clásica: «¡Vamos, haga usted un gesto! Piense en el dinero que ha gastado usted ahí dentro, mientras que una centésima parte de lo que ha tirado usted sería muy útil a esta pobre criatura.» Nueve veces sobre diez la cosa marchaba, y el juerguista generoso daba al chaval un billete de diez o veinte bolívares.

Mi mejor amigo se llamaba Pablito. Pequeño, flaco, valiente, se peleaba como un león contra los mayores que él. Porque en aquella lucha por la vida, los intereses se oponían, y si un cliente no había elegido especialmente a alguien para vigilar su coche, el más rápido, cuando salía, recibía la moneda. Por ello se originaban verdaderas batallas para defender y hacer respetar lo que le pertenecía o hubiese tenido que cobrar.

Mi pequeño camarada era inteligente; aprendió a leer en los periódicos, y algunas veces los vendía. Ninguno como él para adelantarse a sus rivales ante la portezuela del que aparcaba su coche a lo largo de la acera. También era el más rápido para hacer pequeños encargos: bocadillos, arepas, cigarrillos de marcas que no se encontraban en el bar.

Mi pequeño camarada Pablito luchaba, todas las noches, para ayudar a su abuela, una mujer muy vieja, que tenía, al parecer, los cabellos blancos, los ojos de un azul diluido; estaba aquejada de reumatismo, tanto, que le impedía absolutamente trabajar. Su mamá estaba en la cárcel por haber dado un botellazo a un vecino que le quería robar la radio. Su mamá era muy bonita, y él, Pablito, que tenía nueve años, era solo y único responsable de su familia. No quería que salieran a las calles de Caracas, ni de día ni de noche, la abuela, el hermanito y la hermanita. Él era el jefe, él tenía que velar y proteger a todos los suyos.

Así, ayudaba a Pablito cuando no había hecho una buena noche o en casos graves, que se repetían con bastante frecuencia: cuando le faltaba dinero para comprar los medicamentos de la abuela, o alquilar un taxi para llevarla al hospital de los pobres, para que la visitara un médico.

—Mi abuela también sufre crisis de asma, Enrique. ¿Te das cuenta, pues, de los gastos que ello supone?

Y todas las noches Pablito me daba el parte sanitario de su abuela. Un día pidió mucho, le faltaban cuarenta bolívares para comprar un colchón de segunda mano. A causa de su asma, la abuela no podía dormir en una hamaca: el médico había dicho que le comprimía el tórax.

Como que a menudo se instalaba en mi coche, un día, a un policía de guardia que charlaba con él, apoyado en la portezuela mientras jugaba con su revólver, se le disparó el arma, metiéndole una bala en el hombro, sin mala intención.

Pablito fue llevado urgentemente al hospital. Lo operaron; fui a verlo al día siguiente. Le pregunté dónde estaba su choza, y cómo se llegaba a ella. Me dijo que no era posible dar con ella sin que él me acompañara, y que el doctor no quería que se levantara en atención a su estado.

Por la noche, busqué a los compañeros de Pablito, confiando en que uno de ellos podría llevarme donde la abuela. Maravillosa solidaridad de los chicos de la calle: todos dijeron que ignoraban dónde vivía. No creí ni una palabra, porque cada día algunos se esperaban, al alba, para volver juntos a su barrio.

Estaba intrigado, y pedí a la enfermera que me llamara el día en que Pablito tuviera una visita, y que ella supiera que se trataba de su familia o de unos vecinos. Le di el número de teléfono de mi apartamento. Dos días después, me presenté en el hospital tras haberme telefoneado la enfermera.

—Bien, Pablito, ¿cómo va eso? Tienes aire de estar contrariado.

—No, Enrique. Es que me duele la espalda.

—Sin embargo, hace unos instantes se estaba riendo. —dijo la visitante.

—¿Es usted de su familia, señora?

—No, soy una vecina.

—¿Cómo están la abuela y los pequeños?

—¿Qué abuela?

—Pues, ¡la abuela de Pablito!

—¡Pero si Pablito no tiene abuela!

—¡Vamos!

Me llevé a la mujer aparte. Sí, tenía una hermanita y un hermanito, pero no tenía abuela; la mamá no estaba en la cárcel, la mamá era un pobre pingajo, medio idiota, nada peligrosa, pero irresponsable.

Admirable chiquillo de las calles de Caracas, que no quería que su amigo Enrique supiera que su mamá era medio idiota, que la prefería en la cárcel, pero hermosa, y que había inventado aquella maravillosa abuela llena de asma para que su camarada, el francés, al darle algún dinero aliviara la miseria y la desesperación de su pobre mamá.

Volví junto a la cama de mi pequeño camarada, que no se atrevía a mirarme a la cara. Dulcemente le levanté la barbilla; tenía los ojos cerrados y, cuando al fin los abrió, le dije:

—Pablito, *eres un tronco de hombre* (1).

Le di un billete de cien bolívares para su familia, y salí contento y orgulloso de tener semejante amigo.

¿Pablito, un pequeño vagabundo de las calles de Caracas? No, un alma excepcional, templada por la adversidad desde sus primeros pasos y que, a los nueve años, luchaba en las noches de Caracas para dar de comer a los suyos.

---

1. En español en el original: *tronco de hombre* por «hombre terrible», según la interpretación que da el autor. (*N. del T.*)

CAPÍTULO XVII

MONTMARTRE — MI PROCESO

1967: mi condena había prescrito. Me marché solo hacia Francia. Imposible confiar a nadie la dirección de nuestro negocio. Para mantenerlo en una atmósfera sana era preciso tener gran energía y valor, imponer respeto, y sólo Rita podía hacerlo bien. Me dijo:

—Ve a abrazar a los tuyos en su casa, ve junto a la tumba de tu padre, luego continúa hasta Israel a abrazar a mi madre, que es ya muy vieja.

Entré en Francia por Niza. A pesar de mi pasaporte venezolano, de mi visado del Consulado francés, tomé el avión Caracas-Madrid-Barcelona, luego Barcelona-Niza. ¿Por qué Niza?

Con mi visado francés, tenía el documento oficial que me había sido entregado por el cónsul de Francia en Caracas, significándome mi prescripción por la Audiencia Territorial de París. Pero, al entregarme el visado y aquel documento, el cónsul me dijo: «Espere a que pida instrucciones a Francia para saber en qué condiciones puede usted volver allí.» Era inútil que me dijera más. Si volvía a visitar al cónsul, y había recibido ya la respuesta de París, me notificaría la *prohibición de estancia a perpetuidad en el departamento del Sena.* De todos modos me había propuesto dar una vuelta por París.

Así, evité aquella notificación y, no habiéndola recibido

ni firmado, no cometí infracción. A menos que el cónsul, habiendo sabido mi marcha, pidiera a la Policía del aeropuerto de París que me la presentara a mi llegada. De ahí mis dos etapas: llegué a Niza como si hubiera procedido de España. 1930-1967. Habían pasado treinta y siete años.

Trece años de podredumbre, veinticuatro años de libertad, de los cuales veintidós con un hogar gracias al cual, reincorporado a la sociedad, vivía honradamente aunque sin ser completamente disciplinado.

En 1956, un mes con los míos en España, luego un lapso de once años durante los que, a pesar de todo, nuestras numerosas cartas habían mantenido el contacto viviente con mi familia.

1967. Los pude ver a todos.

Entré en sus casas, me senté a su mesa, tuve sobre mis rodillas a sus hijos, e incluso a sus nietos. Grenoble, Lyon, Cannes, Saint-Priest y, por fin, Saint-Peray donde encontré, en la casa de papá, a Tía Ju, siempre fiel en su guardia. Embalé cuidadosamente las grandes fotografías de mis padres), recibí con orgullo las medallas que mi padre ganó en la guerra del 14, guardé como un tesoro la libreta de la Caja de Ahorros, que había abierto a mi nombre un mes después de mi nacimiento. Allí leí: «diciembre 1906, Saint-Etienne de Ludgarès, Henri Charrière, 5 frs.» Había ingresos de 2, 3 francos, e incluso de 1 franco, símbolo de amor hacia su pequeño para quien, aunque no los hubiera retirado nunca, aquellos francos representaban millones en ternura.

Escuché cómo Tía Ju me contaba por qué razón papá había muerto todavía joven. Regaba su huerto y sostenía la regadera durante horas y horas, recorriendo una distancia de más de doscientos metros: «¡Te das cuenta, pequeño, a su edad! Podía haber comprado una manguera, ¡pero ca! Era testarudo como una mula, y como que el vecino no quería pagar la mitad del coste y él sabía que cuando lo tuviera se lo pediría prestado, pues bien, se obstinó hasta el fin, y un día con las regaderas en las manos, el corazón le falló.»

Me pareció ver a mi padre, lo vi muy bien acarreando las pesadas regaderas hasta los bancales de ensaladas, de tomates o de judías verdes. También me lo imaginé decidido a no comprar aquella famosa manguera a pesar de que su mujer,

Tía Ju, cada día le pedía que lo hiciera.

Vi asimismo a aquel maestro de escuela de provincias detenerse para tomar aliento y enjugarse la frente con su pañuelo o para dar un consejo a un vecino, y seguramente una lección de botánica a uno de sus nietos, convalecientes en su casa de una tosferina o unas paperas.

Y lo veía distribuir una parte de su cosecha a los que no tenían huerto, y hacer paquetes que enviaba a todos los rincones de Francia para ayudar a los suyos o a amigos, cuando las restricciones de la última guerra.

Antes de ir a visitar su tumba en el cementerio, pedí a Tía Ju que me acompañara a dar los paseos que él prefería.

Y nos fuimos, al mismo paso que él, por aquellos mismos caminos de piedras limitados por juncos, margaritas, amapolas a la espera del momento en que un mojón, unas abejas, el vuelo de un pájaro, recordara a Tía Ju un pequeño incidente del pasado que los hubiese emocionado. Y entonces, completamente feliz, me contaba la escena en que mi padre le explicaba cómo una avispa había picado a su nieto Michel: «Aquí, ¿te das cuenta, Henri? Fue exactamente aquí.»

Con la garganta seca, ansioso de saber más, siempre un poco más, hasta los menores detalles de la vida de mi padre, escuchaba maravillado su relato.

«¿Sabes, Ju? Cuando mi pequeño era muy niño, cinco o seis años a lo más, durante un paseo le picó una avispa, no una vez como a Michel, sino dos. Pues bien, no lloró y, para colmo, nos costó mucho no dejarlo que buscara el nido de avispas para destruirlo. ¡Ah, Riri era muy valiente!» No me adentré más por Ardèche, no fui más lejos de Saint-Peray.

Quería volver a mi pueblo acompañado por Rita. Acaso pudiéramos hacerlo dentro de dos o tres años.

Todavía embargado por el recuerdo de aquellos maravillosos momentos, me apeé en la estación de Lyon y dejé mis maletas en la consigna para no tener que llenar una ficha de hotel. Pisé de nuevo el asfalto de París, treinta y siete años después.

Pero aquel asfalto no podía ser *mi* asfalto más que si estaba en *mi* barrio, en Montmartre. Fui allí de noche, claro. El *Papillon* de los años treinta no conocía más sol que el de las lámparas eléctricas.

Y allí estaba, Montmartre, su plaza Pigalle, el café «Le Pierrot», el claro de luna, el pasaje *Elysée des Beaux-Arts*, los juerguistas, las risas, las prostitutas y los sujetos con aires de chulo que un iniciado reconocía en seguida con sólo verlos andar, y los bares atestados de gente, donde, en el mostrador, se hablaban unos a otros a tres metros de distancia. Pero aquélla fue mi primera impresión.

Habían pasado treinta y siete años, nadie me miraba. ¿Quién iba a poner atención en un hombre casi viejo (sesenta años)? Las prostitutas eran capaces de invitarme a ir con ellas, y acaso los jóvenes me faltaran lo suficiente al respeto como para desplazar mi vaso y empujarme con el codo a fin de ocupar mi sitio en la barra.

Un extranjero más, un posible cliente, un industrial de provincias: he aquí lo que era aquel señor bien vestido, con una buena corbata, un burgués cualquiera, uno más entre los extraviados en aquella hora avanzada en aquel bar equívoco. Por otra parte, se veía en seguida que no tenía el hábito de circular por aquellos sitios, se le veía incómodo.

Y sí, estaba incómodo, era comprensible. No eran las mismas personas, ni las mismas fachas; uno se daba cuenta en seguida de que entonces todo estaba confundido, mezclado. Pollitos, pelanduscas, falsos chulos, pederastas, ex presidiarios, gente hundida, negros y árabes; sólo algunos raros marselleses y corsos con acento meridional me recordaban los viejos tiempos. En resumen: era un mundo completamente distinto del que yo conocí.

Tampoco había, como siempre ocurría en mis tiempos, aquellas mesas de siete o diez poetas, pintores o artistas reunidos en grupo, con sus largos cabellos que apestaban a bohemia, el espíritu sublevado y la inteligencia de vanguardia. Por otra parte, cualquier tipejo va hoy con los cabellos largos.

Y, como un sonámbulo, fui de bar en bar, y subí escaleras para ver si todavía estaban en el primer piso los billares de mi juventud, y rechacé amablemente la oferta de un guía para darme a conocer Montmartre. Sin embargo, le pregunté:

—De 1930 para acá, ¿cree usted que Montmartre ha perdido el alma que poseía entonces?

Y sentí unas ganas terribles de abofetear a quien, con su respuesta, insultó a mi Montmartre:

—Pero, señor, ¡Montmartre es inmortal! Hace cuarenta años que vivo aquí, donde vine a los diez y, créame, plaza Pigalle, plaza Blanche, plaza Clichy, y todas las calles que salen de allí son y serán siempre, eternamente, las mismas, *con el mismo ambiente*.

Fui lo bastante idiota como para ir a pasear por el terraplén en medio de la avenida, bajo los árboles. Desde allí, sí, si no se distinguían las personas, si no se veían más que formas, desde allí, sí, Montmartre seguía siendo el mismo. Avancé lentamente hacia el lugar exacto donde, según dijeron, maté a Roland Legrand en la noche del 25 al 26 de marzo de 1930.

El banco, el mismo banco sin duda, vuelto a pintar cada año (un banco de avenida, de una madera tan dura puede vivir treinta y siete años), el banco estaba allí, y el farol también, así como el bar de enfrente y las piedras de las casas seguían siendo las mismas, y los postigos de la casa de enfrente, medio cerrados, seguían igual. «Pero, ¡habla, habla ya, materia de piedra, de madera, de árbol, de cristal! Vosotros visteis, vosotros, vosotros estabais aquí, puesto que estáis aquí todavía, vosotros sois los primeros, los únicos, los verdaderos testigos del drama y vosotros, vosotros sabéis bien que no fui yo quien disparó aquella noche. ¿Por qué no lo dijisteis?»

Pasaban las gentes, indiferentes, sin ver a aquel hombre de sesenta años, de pie, apoyado contra el árbol, el mismo árbol que estaba allí cuando se disparó el tiro.

El hombre acarició la corteza del árbol, tenía el aire de pedirle perdón por haberle reprochado, durante algunos segundos de locura, no haber hablado, él, tanto como los demás eternos mudos, eternos testigos de la vida de los hombres: las piedras, los árboles de Montmartre.

En 1930 yo tenía veinticuatro años y bajaba corriendo la *rue* Lepic, la calle que aún podía volver a subir con paso firme. Porque, felizmente, era fuerte y estaba con plena salud. Era joven, sí, era joven de cuerpo y de espíritu. Por eso en mi emoción, no reventé de una crisis cardíaca o no me volví loco poniéndome a gritar.

«El aparecido está aquí, a pesar de todos vosotros, ha levantado la losa de la tumba donde lo habíais enterrado vivo.

Deteneos, transeúntes miopes, ved un hombre inocente condenado por haber cometido un asesinato en estos mismos lugares, sobre esta misma tierra, ante estos mismos árboles y estas mismas piedras, deteneos, y preguntad a estos testigos mudos, pedidles que hoy hablen. Y si os inclináis lo bastante, si les pedís intensamente que hablen, les oiréis, como yo los oigo, deciros en un débil murmullo: "No, treinta y siete años atrás este hombre no estaba aquí en la noche del 25 al 26 de marzo, a las 3,30 de la madrugada."

»Y, ¿dónde estaba, entonces?, gritarán los escépticos. Muy sencillo: estaba en el "Iris Bar", a unos cien metros de allí, en el "Iris Bar," donde penetró bruscamente un honrado taxista diciendo: "Acaban de disparar, ahí fuera."»

«No es verdad», dijeron los polis: «No es verdad», dijeron el patrón y el mozo del «Iris», coaccionados por los polis.

Volví a ver la investigación, reviví el proceso, no quise rechazar aquel enfrentamiento con el pasado. «¿Quieres revivirlo, camarada? ¿Te interesa mucho? Hace casi cuarenta años de aquello, ¿y quieres vivir de nuevo aquella pesadilla? ¿No tienes miedo, no temes que esta vuelta al pasado alimente de nuevo tu sed de venganza, abandonada hace tanto tiempo? ¿Estás muy seguro de ti, estás seguro de que al volver a sumergirte en aquel lodo no esperarás a que se levante el día y que abran las tiendas para comprar un baúl y llenarlo de explosivos para lo que tú sabes, ojear el Bottin para encontrar el teléfono del fiscal, ver si Goldstein sigue con vida y si continúa con el negocio de pieles o el de las joyas? No, estoy absolutamente seguro: ni uno ni otros tienen nada que temer de mí, que revienten si no son ya pasto de los gusanos.

»Y bien, amiguito, no es difícil volver a ver esta comedia digna del Gran Guiñol de la que fuiste el héroe y la víctima. Siéntate, aquí, en este mismo banco verde, el que asistió al asesinato, frente a la *rue* Germain-Pilon, sobre este bulevar de Clichy, a la altura del bar estanco "Le Clichy" donde, según la investigación, empezó el drama. ¡Puesto que eres tozudo, viejo *Papi*, puesto que exiges que el *Papillon* de veinticuatro años lo reviva y te lo cuente, vas a quedar servido!»

Estamos en la noche del 25 al 26 de marzo, son las tres y media de la madrugada. Un hombre entró en «Le Clichy» y preguntó por Madame Nini.

—Soy yo —respondió una ramera.

—Su hombre acaba de recibir una bala en el vientre. Venga, está en un taxi.

Corriendo, Nini, acompañada por una amiga, siguió al desconocido. Subieron al taxi, donde Roland Legrand estaba sentado en el asiento trasero. Nini preguntó al desconocido quién fue a decirle que la acompañara. Contestó: «No puedo», y desapareció.

—¡Aprisa, al hospital «Lariboisière»!

Hasta al cabo de un rato de trayecto, el chófer, un ruso, no se enteró de que su pasajero estaba herido. Antes no se había dado cuenta.

Rápidamente, una vez hubo dejado a su cliente en el hospital, fue a declarar lo que sabía a la Policía: lo pararon dos hombres, que iban del brazo, ante el número 17 del bulevar Clichy: *sólo subió un hombre*, Roland Legrand. El otro hombre le dijo que fuera hasta el bar «Le Clichy» y siguió a pie. Entró en el bar y volvió a salir con dos mujeres. Luego desapareció. Las dos mujeres le dijeron que fuera al hospital «Lariboisière»: «Durante el trayecto advertí que el hombre estaba herido.»

La Policía anotó cuidadosamente todo aquello y, además, que Nini declaró que su amigo estuvo jugando a las cartas toda la noche en el mismo bar donde ella ejercía su oficio. Insistió en que jugó con *un desconocido.* Luego jugó a los dados y estuvo bebiendo en el mostrador con unos hombres, *todos desconocidos* (una vez más), y que Roland se marchó después que los demás, *solo*. En la declaración de Nini, nada indicaba que fueran a buscarlo. Salió solo, después que los desconocidos.

Un comisario y un poli, el comisario Gérardin y el inspector Grimaldi, interrogaron a Roland Legrand, agonizante, en presencia de su madre. Las enfermeras les habían dicho que su estado era desesperado. Cito su informe, y que no me digan que me lo invento, puesto que fue publicado en un libro hecho para hundirme, y prologado, y por lo tanto garantizado, por un comisario, Paul Romain. Helo aquí. Los dos polis interrogaron a Legrand:

«—Tiene usted a su lado al comisario de Policía y a su madre, lo más sagrado que hay en el mundo. Diga la verdad.

¿Quién disparó contra usted?

«—*Papillon* Roger —responde.

»—Le pedimos que jure haber dicho la verdad.

»—Sí, señor. He dicho la verdad.

»Nos retiramos dejando la madre al lado de su hijo.»

Por lo tanto, chico de veinticuatro años, en aquella noche del 25 de marzo de 1930 la cosa quedó clara y limpia: quien disparó fue *Papillon* Roger.

Roland Legrand era un salchichero y chulo que explotaba a su amiga Nini, con quien vivía en el número 4 de la *rue* Elysée des Beaux-Arts. No era auténticamente un hombre del hampa, pero, como todos los que frecuentaban Montmartre, como todos los hombres del hampa, conocía a varios *Papillon*. Y por miedo de que detuvieran a otro *Papillon* en lugar de a su asesino, lo que no le interesaba, precisó su nombre de pila. Porque pudo haber vivido como un alcahuete, pero, como todos los canallas, deseaba que la Policía castigara a su enemigo. En resumen: no dio sólo la marca del coche, sino que detalló el número de matrícula. Un *Papillon*, sí, pero *Papillon* Roger.

Y el pasado se dio cita en tropel en aquellos lugares malditos. Me había contado, puede que más de mil veces, aquel informe que me aprendí de memoria como una biblia, en mi celda, porque mis abogados me lo enviaron y tuve tiempo de grabármelo en la memoria antes del juicio.

Por lo tanto, declaración de Legrand antes de morir, declaración de su mujer, Nini. Ninguno de los dos me señalaba como el asesino.

Cuatro hombres entraron en escena. En la noche del caso fueron a «Lariboisière» para preguntar:

1. — si estaban seguros de que era Roland Legrand el herido;

2. — en qué estado se encontraba.

Prevenidos inmediatamente, los polis los hicieron buscar. Como que no se escondieron, pues no pertenecían al hampa, llegaron a pie y se marcharon del mismo modo. Los detuvieron cuando iban por la avenida Rochechouard, y los llevaron a la comisaría del distrito XVIII.

Se llamaban:

Goldstein, Georges. 24 años.

Dorin, Roger. 24 años.
Jourmar, Roger. 21 años.
Cape, Emile. 18 años.
Era absolutamente reciente, declaraciones hechas el mismo día del asesinato ante el comisario del distrito XVIII. Todo estaba claro y limpio.

Goldstein declaró haber sabido en un corro que un tal Legrand había resultado herido de tres disparos de revólver. Pensando que podía tratarse de su amigo Roland Legrand, que frecuentaba aquel lugar, fue a informarse al hospital, a pie. Por el camino, encontró a Dorin, y luego a los otros dos, y les pidió que lo acompañaran. Los demás ignoraban todo del asunto y no conocían a la víctima.

—¿Conoce usted a *Papillon*? —preguntó el comisario a Goldstein.

—Sí, un poco. Algunas veces me he encontrado con él. Conoce a Legrand. *Es todo lo que puedo decir*.

«¡Y qué! ¿Qué significaba *Papillon*? ¡Había cinco o seis *Papillon* en Montmartre! No te excites, *Papi*. Al revivir esto, sigo teniendo veinticuatro años y estoy leyendo mi expediente en la celda de la Conciergerie.»

Declaración de Dorin: Goldstein le pidió que lo acompañara a «Lariboisière» para saber noticias de un camarada *cuyo nombre no le dijo*. Entró en el hospital con él y Goldstein preguntó si el hospitalizado Legrand había resultado gravemente herido.

—¿Conoce usted a Legrand? ¿Se acuerda usted de *Papillon* Roger? —le preguntó el comisario.

—No conozco a Legrand, ni de vista ni de nombre. Conozco a un llamado *Papillon* por haber visto a este individuo en el bulevar. Es muy conocido y tiene fama de ser terrible. No he hablado nunca con él. No sé nada más.

Por ahí, tampoco nada de *Papillon* Roger.

El tercer interrogado, Jourmar, declaró que Goldstein, al salir del hospital, donde entró solo con Dorin, le dijo: Seguro que es mi camarada.

Por lo tanto, antes de entrar allí, *Papi*, no estaba seguro, ¿verdad?

El comisario:

—¿Conoce usted a *Papillon* Roger y a un tal Legrand?

—Conozco a un hombre llamado *Papillon*, que frecuenta Pigalle. Lo vi por última vez hace unos tres meses.

Con el cuarto sujeto pasó lo mismo: no conocía a Legrand. A un *Papillon* sí, pero sólo de vista.

La madre confirmó también su primera declaración: que su hijo mencionó a *Papillon* Roger.

Después de aquellas primeras declaraciones empezaría todo el lío. Hasta entonces todo estaba claro, neto y exacto. No había trucos, no había polis, todos los testigos principales declararon con entera libertad ante un comisario de barrio sin ser manipulados, amenazados, orientados.

Conclusión: en el «Bar Clichy», donde estaba Roland antes del drama, sólo hubo desconocidos. Serían jugadores de dados o de cartas, por lo tanto gente conocida de Roland, pero desconocidos. Lo curioso, aunque turbador, es que seguirían siéndolo hasta el fin.

Segundo punto: Roland Legrand, así lo declaró su mujer, salió del bar *el último, solo*. Nadie fue a buscarlo. Muy poco tiempo después de haber salido, fue herido por un desconocido a quien identificó muy concretamente en su lecho de muerte como *Papillon* Roger. El que fue a avisar a Nini era, también, un desconocido que, a su vez, seguiría siéndolo. Sin embargo, fue él quien ayudó a Legrand a subir al taxi inmediatamente después del disparo. Desconocido que no subió al coche, sino que se fue hasta el bar donde advertiría a Nini. Y aquel testigo capital seguirá siendo un desconocido, cuando todo lo que acababa de hacer probaba que pertenecía al hampa de Montmartre, por lo tanto era conocido de los polis. Curioso.

Tercer punto: Goldstein, que se convertiría en el principal testigo de cargo, *no sabía* quién estaba herido, y fue al hospital «Lariboisière» para saber si se trataba de su amigo Legrand. Únicos puntos de referencia para aquel *Papillon*: se llamaba Roger y pasaba por ser terrible.

¿Eras terrible, *Papi*, a los veintitrés años, peligroso? No, todavía no, pero acaso candidato a serlo. También es seguro que entonces eras un «mal chico, pero también es seguro que a los veintitrés años, *veintitrés* (que los que tienen, o han tenido, un hijo de esta edad piensen en ello), no podía yo haberme convertido ya en un tipo definido de hombre. Es seguro también que a aquella edad, sólo después de dos años de haber llegado a Montmartre, yo no podía ser ni un cabecilla ni el terror de Pigalle. Pero es seguro que constituía una molestia para el orden público, que sospechaban que estaba metido en golpes importantes sin haber podido probar nunca nada. Me habían interrogado varias veces y zarandeado de lo lindo en el número 36 del Quai des Orfèvres sin haber podido sacar nunca nada de mí, ni una confesión ni un nombre. También era cierto que después del drama de mi infancia, que después de aquella hermosa Marina, que después de la negativa de la Administración de incorporarme en una situación estable, había decidido vivir al margen de aquella sociedad de polichinelas, y de hacérselo saber. Seguro que cada vez que me golpeaban en el Quai des Orfèvres por un asunto serio en el que pensaban que yo estaba metido, insultaba a mis verdugos y los humillaba de todas las formas posibles, diciéndoles incluso, algunas veces, que un día yo estaría en su lugar y que ellos estarían en mis manos. Seguro, pues, que los polis, humillados en lo más profundo de sí mismos, podían decirse: «A este *Papillon* es preciso que no dejemos de cortarle las alas a la primera ocasión.»

Pero, a pesar de todo, ¡yo sólo tenía veintitrés años! Mi vida no consistía sólo en la rabia contra la sociedad, contra la autoridad que obedecía a reglas injustas, era también *la vida*, la chanza perpetua, lo que se movía, los fuegos artificiales. Cometíamos algunas faltas graves, aunque sin malicia. Por otra parte, cuando caí, en mi expediente policial sólo había una condena: cuatro meses de cárcel con prórroga, por encubrimiento. ¿Tenía que ser borrado del mundo sencillamente por haber humillado a los polis y porque podía ser peligroso? ¡No y no!

Si Venezuela hubiese reaccionado del mismo modo, nunca hubiera debido darme asilo, y mucho menos naturalizarme. Porque ellos recibían a un hombre de treinta y ocho años, por lo tanto en su plenitud con una tarjeta de visita muy sucia: condenado a presidio a perpetuidad a los veinticuatro años, por asesinato, evadido dos veces, peligroso.

Y todo empezó a partir de entonces, cuando la Policía Judicial se encargó del asunto. Fueron en busca de los *Papillon*.

«Porque tú, viejo, a los veinte años te llamabas *Papillon*. No abandonaste este apodo más que en Venezuela. Acaso vuelvas a adoptarlo, un día.»

El notición corrió por todo Montmartre: estaban buscando a todos los *Papillon. Papillon el Pequeño, Pussini Papillon, Papillon Engaña-la-Muerte, Papillon* Roger, etc.

Yo me llamaba *Papillon*, simplemente, si se quería precisar, *Papillon Pulgar Cortado*, aunque mis nombres propios fueran Henri Antoine. A pesar de ello, no quería entrar en relación con los polis; me di prisa, sí, es verdad, salí pitando.

«¿Y por qué te marchaste, *Papi*, puesto que no eras tú?

»¿Ahora te formulas la pregunta? ¿A los sesenta años te habrás vuelto idiota? ¿O has olvidado que a los veintitrés años ya te habían torturado varias veces? Nunca te gustaron los golpes ni ninguno de los inventos de torturas en aquellos tiempos. La cuba donde te metieron la cabeza en el agua hasta reventar de asfixia; donde no sabías dónde estabas; donde te daban cinco o seis vueltas a los testículos y te los dejaban tan hinchados que, durante semanas, andabas como un gaucho de la pampa argentina; la prensa de papel, donde te aplastaban las uñas hasta que brotaba la sangre y se desprendían de tus dedos; los rodillos de caucho, que te producen lesiones pulmonares, hasta el extremo que vomitabas sangre; las pesas de ochenta a cien kilos que te arrojaban contra el vientre, sirviéndose de tu caja torácica como trampolín... ¡No, aquello nunca! ¿Es la edad, o estás amnésico? No tenía una, sino cien, mil razones para escapar. Y claro que no sería una huida demasiado lejos, puesto que no era culpable. No necesitaba refugiarme en el extranjero; bastaría un pequeño escondrijo no muy lejos de París. Seguro que detendrían, o al menos identificarían, al *Papillon* Roger en cuestión y entonces, en un taxi, volverías a París, ¡y ya está! Pasó el peligro para tus testículos, tus uñas y todo lo demás.»

Sólo que el *Papillon* Roger no fue identificado nunca. No había culpable.

Y de pronto salió, como de una caja de sorpresas. ¿El *Papillon* Roger en cuestión? Muy fácil, se eliminaba el Roger y se descubría a *Papillon*, sencillamente, apodo de Henri Charrière, llamado *Papillon*. El juego de manos estaba hecho, y sólo faltaba acumular pruebas. No fue la busca de la verdad a través de una investigación honesta y desapasionada de cazadores que deseaban tener, a cualquier precio, una pieza más entre sus trofeos de caza, sino la fabricación con todas las piezas de *un culpable*.

«Es que nosotros, los policías, necesitamos, para merecer avanzar en nuestra muy noble y muy honesta carrera, *triunfar en un caso de asesinato*. Ahora bien, nuestro cliente tiene todo para gustarnos. En primer término, a nuestros jefes, que tienen confianza en nosotros, luego al juez de instrucción que lleva el asunto, y luego a los doce idiotas del jurado que le endilgarán diez años como máximo. Es joven, un poco alcahuete... De su amante haremos una prostituta. Ladrón, ha chocado varias veces con la Policía, pero salió un no-ha-lugar, o lo pusieron en libertad, porque una sola vez fue condenado por encubridor a cuatro meses con prórroga.

»Además, el tío es duro de pelar, nos envía a paseo cuando lo detenemos, se burla de nosotros, nos humilla, a su perrito lo llama *Chiappe* (entonces prefecto de Policía de París), y algunas veces dice a nuestros colegas: "Te conviene estar más suave con tus *grillings* si quieres llegar a la jubilación." Estas amenazas de castigarnos un día por nuestros procedimientos de interrogatorios "modernos" y "cuidados" no dejan de inquietarnos.

»Y dale, camarada, a fondo. Estamos cubiertos por todos lados.»

Éste es el triste punto de partida, *Papi*. Veintitrés años tenías cuando te saltaron encima, en Saint-Cloud, el 10 de abril, tres semanas después del asesinato, aquellos dos polis, mientras te estabas comiendo unos caracoles.

¡Ah, pusieron todo lo suyo de su parte! ¡Qué ímpetu, qué obstinación, qué perseverancia, qué pasión, qué maquiavelismo para conseguir un día llevarte a la Sala de lo criminal para propinarte el bofetón del que no te repondrías hasta trece años después!

¿Era el acoso del asesino de un hombre del hampa? No, era la fabricación del asesino de un banquero o de un muy honrado padre de familia.

No fue nada fácil convertirme en culpable. Pero entró en juego el inspector de la Policía Judicial, Mayzaud, encargado del caso, especialista de Montmartre, encarnizado contra mí hasta el extremo que se declararía la guerra abierta entre él y mis defensores incluso ante la Sala de lo criminal, como dieron testimonio los periódicos de la época, con insultos, quejas y golpes bajos. El funesto Mayzaud tenía en sus manos al pequeño y regordete Goldstein, hijo de un comerciante de paños, uno de aquellos tíos engañosos que lamían los pies del hampa con la esperanza de hacerse con la cabeza. ¡Qué dócil resultó Goldstein! Mayzaud (él mismo lo diría ante la Sala) lo encontró acaso cien veces *por casualidad* durante la instrucción del caso. Y aquel precioso testigo que había declarado *el día del asesinato* haber oído, en un corro, que un tal Roland había recibido tres balas en el vientre y que fue a preguntar al hospital sobre la identidad exacta de la víctima y el peligro que corría a causa de su herida, declaración corroborada por tres camaradas completamente fuera del golpe, aquel mismo Goldstein, más de tres semanas después, el 18 de abril, después de múltiples contactos con Mayzaud, declaró esto:

Que en la noche del 25 al 26 de marzo, antes del asesinato, encontró a *Papillon* (yo) acompañado por dos desconocidos (¿todavía?). *Papillon* le preguntó dónde estaba Legrand. Goldstein: «En el "Clichy".» *Papillon* lo dejó en seguida y se fue a avisar a Legrand. Mientras discutía con él, entró uno de los dos compañeros de *Papillon* y pidió a Legrand que saliera. Él también salió poco después y vio cómo *Papillon* y Legrand estaban discutiendo con calma, pero no se entretuvo. Más tarde, volviendo a la plaza Pigalle, encontró *de nuevo* a *Papillon*, quien le dijo que acababa de atentar contra Legrand y le pidió que fuera a ver al «Lariboisière» en qué estado se encontraba, si estaba con vida y, en tal caso, que cerrara el pico.

Porque, claro está, *Papi*, tú a quien en la Sala describieron como a un terrible, como a un tío del hampa tanto más peligroso cuanto que eras inteligente y astuto, tú, el cabecilla, en realidad eras tan idiota que después de haber disparado contra Legrand en pleno bulevar, no te moviste de las cercanías de la plaza Pigalle, *en el lugar del suceso*, esperando que Goldstein volviera a pasar por allí. ¡No, no te vas a respirar el aire de otros barrios o de un suburbio, no! Te quedas plantado allí como un mojón kilométrico de una carretera secundaria de Ardèche, para que los polis no tuvieran más que presentarse, cosa fácil en el lugar del suceso para darte los buenos días.

Él, Goldstein, que decía conocerme tan bien, fue menos idiota. Al día siguiente de su declaración fue a ocultarse en Inglaterra.

Durante aquel tiempo me defendí como un demonio: «¿Goldstein? No lo conozco. He podido verlo, es posible, incluso puedo haber cambiado algunas palabras con él, como ocurre con gentes que frecuentan el mismo barrio, sin saber de quién se trata.» De verdad, no conseguía poner cara a aquel nombre, hasta el punto de que no conseguí identificarlo hasta que no llegamos a una confrontación. Y quedé tan desconcertado a causa de que semejante mierda desconocido me acusara con tanta precisión, que me pregunté qué delito podía haber cometido para que los polis pudieran manejarlo hasta tal punto. Consideré, teniendo en cuenta su miserable aspecto, que no podía ser muy grave. Me lo sigo preguntando. ¿Costumbres o soplón?

Porque sin él, sin sus declaraciones sucesivas que, *cada vez*, proporcionaban nuevas piezas al edificio que estaban construyendo los polis, declaraciones que abrieron la puerta a todos los «dicen», sin él no se aguantaba nada. Nada.

Pero él dijo: «Oí decir a Madame Tal...», y fueron a visitar a Madame Tal, quien manifestó que podría ser que..., etcétera. Y todo el revoltillo de los «es posible» de todos aquellos a quienes hostigaron los polis, que llenarían la mayor parte del expediente.

Entonces apareció un elemento milagroso a primera vista pero que, luego, resultó ser excesivamente peligroso, fatal. Una maquinación policíaca maquiavélica, una trampa terrible en la que caí, con mis abogados. Creyendo salvarme, me perdí. Porque no había nada sólido en el expediente, los testimonios sucesivos de Goldstein eran inverosímiles. El informe era tan poco sólido que no faltaba a mi pretendido asesinato más que una cosa: el móvil. No habiendo razón alguna para odiar a la víctima, y no siendo loco, mi complicación en el caso era tan inoportuna como los cabellos en la sopa, y cualquier jurado, aun compuesto por personas completamente tontas, no hubiese dejado de darse cuenta.

Entonces la Policía inventó el móvil, y el que lo proporcionó fue un poli que *hacía* Montmartre desde diez años atrás, el inspector Mazillier.

Uno de mis abogados, Beffey, que frecuentaba Montmartre en sus horas libres, encontró a aquel poli, quien le dijo saber lo que realmente ocurrió en la noche del 25 al 26 de marzo, y que estaba dispuesto a prestar declaración, dando por descontado que sería en favor mío. Beffey y yo dijimos: «O bien actúa por honradez profesional o, lo que sería más verosímil, existe un pleito de rivalidad entre Mayzaud y él.»

Y *nosotros* pedimos su testimonio. *Nosotros.*

Pero lo que declaró Mazillier no fue, de ningún modo, lo que pensábamos. Declaró que me conocía bien, que yo le había prestado muchos servicios, y añadió: «Gracias a las informaciones proporcionadas por Charrière, pude proceder a varios arrestos. Las circunstancias que se refieren al asesinato, *las ignoro*. Sin embargo, oí decir [¡cuántas veces apechugaríamos con el "oí decir", en mi proceso!] que Charrière estaba en conflicto con lo que pensaban unos individuos desconocidos por mí [¡hombre, claro!] que le reprochaban sus relaciones con la Policía.»

¡Por fin teníamos la causa del asesinato! Maté a Roland Legrand en una discusión porque propalaba por todo Montmartre que yo era un confidente de la Policía.

Y, ¿cuándo se efectuó esta declaración del inspector Mazillier? El 14 de abril. Y, ¿de cuándo fue la declaración de Goldstein, contradiciendo la que hizo el día del asesinato, y que me metió de lleno en el fregado? Del 18 de abril, *cuatro días después de la de Mazillier.*

Pero, excepción hecha del juez de instrucción, Robbé, que los polis se metieron con facilidad en el bolsillo, los demás magistrados no se mostraron tan dóciles a las combinaciones de aquellos sujetos.

Tan poco dóciles, que al primer golpe estalló la tempestad.

El ministerio fiscal, ante aquellos testimonios falsos, aquel revoltillo de chismes, de mentiras, de testigos orientados, acaso impuestos, tuvo la sensación de que algo iba mal en aquel expediente. Porque, *Papi,* aunque a menudo metas en el mismo saco, como si todos fuesen iguales, magistrados,

justicia, polis, jurados y administración penitenciaria, tienes
que reconocer (y saludarlos con todo respeto), que hubo magistrados sumamente honestos.

Resultado: el ministerio fiscal *se negó* a enviarme ante
la Sala de lo criminal con aquel expediente tan turbio y volvió a enviar todos los documentos al juez de instrucción, exi-
giendo un *suplemento de información*.

La rabia de los polis no conoció límites, encontraron testigos en todas partes, en la cárcel, en vísperas de que salieran, al día siguiente de ser puestos en libertad. Se sucedie-
ron más «me han dicho», más «he oído decir», con los «al
parecer... o casi...» No se dieron descanso. Pero el suplemento de información no aportaba nada, absolutamente nada, ni
el menor indicio o base de una nueva prueba seria.

En fin, sin nada más que una especie de bullabesa mal
hecha, no con escorpina, sino con peces de río que se hacen
pasar por peces de roca del Mediterráneo, el expediente acabó por ser aceptado para su ulterior envío ante la Sala.

Y allí, segundo golpe de teatro. Ocurrió lo más raro que
se pueda ver en los ambientes judiciales: el acusador público, aquel cuyo papel y el propio interés residían en proteger
la sociedad y conseguir ascensos enviando al mayor número
posible de acusados al banquillo, el fiscal a quien se entregó
el expediente para proceder contra mí, lo cogió con la punta
de los dedos, como con pinzas, y lo devolvió a la mesa diciendo: «No acepto acusar en este asunto. Esto es equívoco
y prefabricado. Dadlo a otro.»

¡Qué radiante estaba aquel día el rostro del abogado Raymond Hubert, cuando me anunció aquella extraordinaria noticia en la Conciergerie!

—Figúrese usted, Charrière, que su expediente tiene tanta
endeblez que ha originado un incidente en la Cámara de
Relatoría. Siéntese: un fiscal no ha querido aceptar este
asunto y ha pedido que sea pasado a otro.

...Hacía fresco aquella noche, en aquel banco del bulevar
Clichy. Di algunos pasos bajo los árboles, no quería caminar
por una zona iluminada por miedo de interrumpir la linterna mágica que precipitaba hacia mí aquella oleada de imágenes que volvían directamente desde treinta y siete años
atrás. Levanté el cuello de mi abrigo. Me eché el sombrero un

poco para atrás para que me diera el aire en la cabeza, pues la intensidad de aquella evocación me había sofocado. Volví a sentarme, coloqué otra vez los faldones de mi abrigo sobre las piernas, y luego, situándome de espaldas a la avenida, puse mis piernas por encima del banco y me senté al revés, con los brazos apoyados en el respaldo, como si hubiera estado sobre la barandilla del banquillo de los acusados, en las primeras sesiones de mi proceso, en julio de 1931.

Porque yo no tuve sólo un juicio. *Tuve dos.*

Muy distintos uno de otro. Uno en julio, otro en octubre.

¡La cosa marchaba demasiado bien, *Papi*! La sala no era de color rojo de sangre. Con las oleadas de luz de aquel maravilloso día de julio, las tapicerías, las alfombras, los trajes de los magistrados, eran casi de color rosa pálido. Absolutamente nada recordaba a un matadero, parecía más bien un saloncito íntimo. Y en aquella sala, un presidente sonriente, buena persona, un poco escéptico, no muy convencido de lo que había leído en el expediente, hasta el punto que abrió los debates del modo siguiente:

—Charrière, Henri, no respondiendo el acta de acusación a lo que desearíamos poder encontrar en ella, exponga usted mismo al Tribunal y a los jurados su caso.

«Esto, formidable, sin precedentes, inesperado, que no ocurre más que una vez sobre mil, te ocurrió a ti, *Papi*. ¡Un presidente de la Sala de lo criminal que pide al acusado exponga su caso! ¿Te acuerdas de aquellas sesiones del mes de julio, llenas de sol y de magistrados maravillosos? Era demasiado hermoso, *Papi*. Aquellos jueces dirigían los debates con tanta imparcialidad, aquel presidente buscaba con calma y honradez la verdad, planteando preguntas desconcertantes a los polis, a los testigos, poniendo a Goldstein en un aprieto, lo que hacía resaltar sus contradicciones, permitiendo a mis abogados y a mí formular preguntas embarazosas, era demasiado bonito, era una justicia diáfana, te lo repito, *Papi*, una sesión de vacaciones en la que aquellos jueces estaban impresionados en favor tuyo por aquel fárrago de informes dudosos, elaborados por policías todavía más dudosos.

»Allí, podías luchar y defenderte, *Papi*. ¿Luchar contra quién? Los enemigos no faltaban, eran numerosos.»

Primer testigo capital ya condicionado por la casa «Poulagat y Cía.»: la madre. No creo que fuera por mala fe, de modo inconsciente, en verdad, hizo suyas las insinuaciones de los polis.

La madre no declaró lo que oyó con el comisario: «*Papillon* Roger», y que Legrand añadió (¿cuándo?) que uno de sus amigos, Goldstein, conocía bien a *Papillon*. Aquel día declaró haber oído: «Es *Papillon*. Goldstein lo conoce.» Olvidó Roger y añadió: «Goldstein lo conoce», palabras que no oyeron ni el comisario Gérardin ni el inspector Grimaldi. Es curioso que un comisario no se anote una cosa tan importante, ¿verdad?

El abogado Gautrat, de la parte civil, me rogó que pidiera perdón a la madre de la víctima. Le dije:

—Señora, no tengo que pedirle perdón porque no soy el asesino de su hijo. Me inclino ante su dolor, es todo lo que puedo hacer.

Pero el comisario Gérardin y el inspector Grimaldi no cambiaron nada a su primera declaración. Legrand dijo: «Es *Papillon* Roger», y esto fue todo.

Entonces apareció el testigo perpetuo, bueno para todas las salsas, Goldstein. Este testigo, verdadero disco registrado en el número 36 del Quai des Orfèvres, había hecho cinco o seis declaraciones, de las que destacaron tres. Cada vez sus declaraciones me acusaban un poco más, aunque se contradijeran, pero contribuían sin cesar al montaje de los policías con un nuevo trozo de madera. Lo podía ver como en aquellos días. Hablaba bajo, apenas si había levantado la mano para decir «Lo juro». Al terminar su declaración, el abogado Beffey lo atacó:

—Ante todo, Goldstein, ¿cuántas veces encontró usted «por casualidad» al inspector Mayzaud, quien declara que lo encontró a usted y le habló de este caso «por casualidad» múltiples veces? Es extraño, Goldstein. En su primera declaración dijo usted que no sabía nada del asunto, luego conoció usted a *Papillon*, a continuación declaró usted haberlo encontrado en la noche del crimen, antes del crimen, luego le encargó ir al «Lariboisière» a ver cómo seguía Legrand. ¿Cómo explica usted estas declaraciones distintas?

Por toda respuesta, Goldstein se limitó a repetir: «Tenía

miedo, porque *Papillon* era el terror de Montmartre.»

Protesté gesticulando y el presidente me dijo:

—Acusado, ¿tiene usted preguntas que formular al testigo?

—Sí, señor presidente.

Miré fijamente a los ojos de Goldstein.

—Goldstein, vuélvete hacia mí, mírame a los ojos. ¿Cuál es el motivo que te hace mentir y acusarme falsamente? ¿Cuál es el delito conocido de Mayzaud que pagas con tus falsas declaraciones?

El hombre, confuso y temblando, me miró a la cara, pero de todos modos consiguió pronunciar con claridad.

—Digo la verdad.

¡Vamos, lo digo francamente, hubiese matado a aquel cochino! Me volví hacia el Tribunal:

—Señores del Tribunal, señores jurados, el fiscal dice que soy un personaje astuto, inteligente y maligno; sin embargo, se deduce de las declaraciones del testigo que era un perfecto imbécil e iba a probarlo. Para hacer una confidencia tan grave a alguien, para decirle que uno acaba de matar a su amigo, si es inteligente lo hace porque le conoce bien, pero es un verdadero imbécil si confiesa una cosa semejante a un desconocido. Pues bien, para mí, Goldstein es un desconocido —y volviéndome hacia Goldstein continué—: Goldstein, cítame en París o en Francia una sola persona que pueda declarar habernos visto conversar una sola vez.

—No conozco a nadie que pudiera atestiguar.

—Bien. Cita en Montmartre, en París o en Francia, un bar, restaurante o taberna donde nos hayan visto beber o comer juntos una sola vez.

—No he bebido ni comido jamás con usted.

—Muy bien. Dice usted que la primera vez que me encontró en aquella noche extraña, iba yo acompañado por dos individuos. ¿Quiénes eran?

—No los conozco.

—Yo tampoco. Haga el favor de decir rápidamente, sin dudar, dónde lo cité para darme la respuesta al encargo que le hice de ir al hospital en mi nombre y si, aquel lugar, lo indicó usted a los que le acompañaban. Y si no se lo dijo, ¿por qué razón?

No obtuve respuesta.

—Responda, Goldstein. ¿Por qué no responde?

—No sabía dónde encontrarlo.

El abogado Raymond Hubert:

—Entonces, ¿mi cliente le envía para un recado tan importante como ver el estado en que se encontraba Roland Legrand y usted no sabía dónde darle la respuesta? ¡Es tan ridículo como inverosímil!

Sí, *Papi*, era muy inverosímil, pero fue mucho más lamentable que aceptaran construir toda la acusación sobre los testimonios sucesivos y cada vez agravados de aquel pobre tipo que no tenía suficiente inteligencia, aunque estaba cuidadosamente condicionado por los polis, para responder de inmediato en el sentido por ellos deseado.

El presidente:

—Charrière, la Policía pretende que habría usted dado muerte a Legrand porque le había tratado de confidente. ¿Qué puede usted responder?

—He tenido tratos seis veces con la Policía y cada vez me he salido con un no-ha-lugar o absuelto, aparte mi condena a cuatro meses con prórroga. Nunca he sido detenido junto con otro, nunca he hecho detener a nadie. Es inverosímil e imposible de admitir que cuando estoy en manos de la Policía no hable, y que en libertad denuncie a los amigos.

—Un inspector dice que usted es un confidente. Que entre el inspector Mazillier.

—Declaro que Charrière era un confidente, que me hizo detener a numerosos y peligrosos individuos y que este rumor corría por Montmartre. En cuanto al asunto Legrand, no sé nada.

—¿Qué tiene usted que alegar, Charrière?

—Siguiendo el consejo del abogado Beffey, quien me dijo que este inspector sabía la verdad sobre el asesinato de Legrand, pedí citarle en la instrucción. Y me doy cuenta de que mi abogado, como yo mismo, caímos en una horrible trampa. Al aconsejar al abogado Beffey que lo hiciera convocar, el inspector Mazillier le dijo que sabía todo del caso, y mi abogado lo creyó, como yo mismo lo creí. Supusimos que, o bien era un poli honrado, o bien existía una cuestión de rivalidad pendiente entre Mayzaud y él, lo que lo incitaba a declarar sobre el crimen. Pero, usted mismo puede verlo, este policía dice que no sabe nada sobre el drama.

En contrapartida era evidente que las declaraciones de aquel inspector daban a mi pretendido crimen el móvil que le faltaba. En efecto, saliendo de un policía, aquella declaración era providencial, salvaba el andamiaje de la acusación y daba alguna consistencia a un expediente falto de ella.

Porque es seguro que, sin el golpe de mano dado por Mazillier, a pesar de los esfuerzos desplegados por el inspector Mayzaud, el expediente de la acusación hubiese sido inexistente. La maniobra saltaba tanto a la vista que uno se asombraba que fuera tomada en consideración por la acusación.

Pero yo continué luchando y dije:

—Señores del Tribunal, señores del jurado, si hubiese sido un confidente de la Policía, de dos cosas una: o bien no hubiese asesinado a Raymond Legrand por señalarme como confidente, porque un individuo tan bajo como un confidente acepta semejante insulto sin pestañear; o bien si, por el insulto, hubiese disparado contra Legrand, estén seguros de que la Policía hubiese aceptado las reglas del juego y que se hubiese abstenido de hundirme con esta saña y esta torpeza, puesto que le era tan útil. Mejor que eso, por lo que podía pasar como un ajuste de cuentas entre pequeños tipos del hampa, hubiese cerrado los ojos o dispuesto un truco cualquiera para que pareciera que yo había procedido en legítima defensa. Se pueden citar numerosos precedentes de esta clase, pero, felizmente para mí, éste no es el caso. Señor presidente, ¿puedo hacer una pregunta al testigo?

—Sí.

Sabiendo lo que me proponía, el abogado Raymond Hubert pidió al Tribunal dispensara al inspector Mazillier del secreto profesional, sin lo cual no podría responderme.

El presidente:

—El Tribunal, por su poder discrecional, dispensa al inspector Mazillier del secreto profesional y le pide, en interés de la verdad y de la justicia, que responda a la pregunta que le formulará el acusado.

—Mazillier, haga el favor de citar en Francia, en las colonias o en el extranjero, a un solo hombre que haya usted detenido gracias a mis informaciones.

—No puedo responder.

—¡Es usted un mentiroso, inspector! ¡No puede usted responder porque eso es completamente falso!

—Charrière, modere usted sus expresiones —me dijo el presidente.

—Señor presidente, defiendo aquí dos cosas: mi vida y mi honor.

Pero el incidente no tuvo más consecuencias. Mazillier se retiró.

Y los demás testigos, ¡cómo desfilaron! Todos con el mismo traje cortado de la misma tela, cortado y cosido del mismo modo, fabricación «Poli y Cía.», dirección: número 36 del Quai des Orfèvres, París. La Policía Judicial de 1930. Aquello habrá cambiado desde entonces, camarada.

«¿Y tu última explicación, *Papi*, no te acuerdas, la más lógica? ¿Si me acuerdo? Todavía la estoy oyendo.»

—Señores, sean honestos conmigo, escuchen bien: Legrand no recibió más que un solo balazo, sólo dispararon una vez contra él, siguió en pie, marchó de allí vivo, dejaron que tranquilamente subiera a un taxi. Así, pues, el hombre que disparó sobre él no quería matarlo, de otro modo lo hubiese acribillado con cuatro, cinco o seis disparos de revólver, como se hace en el hampa. Cualquiera que frecuente Montmartre lo sabe. ¿Sí o no? Por lo tanto, si fui yo y confieso y declaro: «Señores, este hombre, por tal motivo, con razón o sin ella, discutió conmigo o me acusó de tal cosa, se puso la mano en el bolsillo, era un hombre del hampa como yo, tuve miedo y disparé para defenderme, una sola vez.» Si declaro esto, les doy al mismo tiempo la prueba de que no quería matarlo, porque se marchó por su propio pie, vivo. Podría concluir diciéndoles: «Puesto que un inspector dice que soy muy útil a la Policía, les pido que acepten lo que acabo de declarar como verdadero, mi confesión, y que se clasifique el caso como golpes y heridas que han producido la muerte sin intención de causarla.»

El tribunal escuchó en silencio, pensativo, me parece. Continué:

—Diez, cien veces, tanto el abogado Raymond Hubert como el abogado Beffey, me han hecho la misma pregunta: «¿Fue usted quien disparó? Si lo fue, dígalo. Como máximo tendrá usted una condena de cinco años, acaso menos, no pueden condenarlo a más. Tenía usted veintitrés años cuando lo detuvieron, por lo tanto saldrá usted muy joven todavía.» Pero, señores del Tribunal, señores jurados, no puedo seguir este camino, ni para salvarme de la guillotina o del penal, *porque soy inocente y víctima de una maquinación policíaca.*

Todo esto bajo el sol que inundaba aquella Sala de lo criminal, donde tenía la oportunidad de aducir razones. No, *Papi*, era demasiado bonito, todo iba demasiado bien, sentías que el Tribunal estaba turbado y que la victoria era posible. Pobre criatura ilusa, ¿no veías que todo era demasiado hermoso?

Entonces se produjo el incidente provocado por Mayzaud y que señaló, sin dejar lugar a dudas, su maquiavelismo. Dándose cuenta de que estaba perdiendo la partida y de que sus esfuerzos de quince meses podían quedar reducidos a cero, hizo algo prohibido. Aprovechando un descanso, fue a verme a la sala donde me encontraba, solo con los guardias republicanos, y donde no tenía derecho de entrar. Y allí, acercándose a mí, tuvo el valor de decirme: «¿Por qué no dices que fue Roger *el Corso*?» Completamente desconcertado, le respondí:

—¡Pero si no conozco a ningún Roger *el Corso*!

Discutió un minuto, salió rápidamente y se fue a ver al fiscal para decirle:

—*Papillon* acaba de confesarme que fue Roger *el Corso*.

Entonces se produjo lo que quería el funesto Mayzaud. Se suspendió el juicio a pesar de mis protestas. No obstante, todavía, me defendí, y expliqué:

—Hace dieciocho meses que el inspector Mayzaud dice que no hay más que un *Papillon* en el caso: yo; el inspector Mayzaud dice que no hay duda de que yo soy el asesino de Legrand; el inspector Mayzaud declara que no sólo afirma, sino que aporta testigos honrados, irrecusables, categóricos, que prueban, sin que se pueda tener la menor duda, mi culpabilidad. Puesto que los policías han encontrado todos los testigos y pruebas necesarias contra mí, ¿por qué razón se hunde todo su andamiaje? En este expediente, pues, ¿será todo mentira? ¿Y basta con un nombre nuevo sacado a la arena para que no se esté ya muy seguro de que sea *Papillon* el culpable? Puesto que dicen tener todas las pruebas de que yo soy culpable, ¿será bajo la simple suposición de un Roger *el Corso* fantasma, fabricado por Mayzaud si me creen, fabricado por mí si una vez más confían en él, cuando lo suspenden todo para volver a empezar? Esto no es posible. Pido que prosigan las sesiones, pido que se me juzgue. ¡Se lo suplico, señores jurados y señor presidente!

Habías ganado, *Papi*, casi habías ganado, y fue la honradez del abogado general la que te hizo perder. Porque éste, Cassagnau, se levantó para declarar:

—Señores jurados, señores del Tribunal, no puedo exigir... No sé ya... Es preciso zanjar este incidente. Pido al Tribunal que aplace el caso y ordene información adicional.

Sólo eso, *Papi*, sólo tres frases del fiscal Cassagnau, prueban que fuiste condenado basándose en un expediente podrido.

Porque si aquel magistrado honesto hubiese tenido en mano algo claro, preciso, indiscutible, si hubiese estado seguro de su expediente, no hubiese dicho: «Suspended las sesiones, no puedo proceder a la acusación.»

Hubiese dicho: «Otro invento de Charrière, el acusado quisiera confundirnos con su Roger *el Corso*. No creemos una palabra, señores, tengo en mis manos todo lo necesario para demostrar que Charrière es culpable, y no dejaré de hacerlo.»

Pero no lo dijo, no lo hizo, ¿por qué? Porque, en conciencia, no creía lo bastante en aquel expediente y debía de empezar a formularse muy claramente preguntas sobre la honradez de los polis que lo habían construido.

Y he aquí cómo, a ti, un muchacho de veinticuatro años, en el momento en que perdían vergonzosamente la partida, los polis te atraparon al fin, sabiendo muy bien que su Roger *el Corso* era una trápala. Esperaban que desde aquel momento hasta las siguientes sesiones habrían combinado otras maquinaciones. Y ciertamente contaban también, que con otro Tribunal, otro presidente, y otro fiscal, el claroscuro de la temporada que empieza en octubre, así como la atmósfera de las nuevas sesiones no me sería tan favorable y que el saloncito se transformaría en matadero.

Se suspendieron las sesiones y se ordenó otro suplemento de información, *el segundo del caso*.

Un periodista escribiría: «Ocurre raras veces sorprender semejante duda.»

Claro está que el suplemento de información no aportó *ningún hecho nuevo*. ¿Roger *el Corso*? No lo encontraron.

Durante aquel suplemento de información, los guardias republicanos fueron honrados, testimoniaron contra Mayzaud sobre el incidente de julio. Por otra parte, ¿cómo un hombre que gritaba su inocencia, que la demostraba lógicamente, que sentía el Tribunal favorablemente impresionado en su favor, cómo un hombre así podía prescindir de todo, diciendo de pronto: «Yo estaba allí, pero no fui yo quien disparó, fue Roger *el Corso*»?

«¿Y las otras sesiones, *Papi*? La otra sesión, la última, la definitiva, aquella en que la guillotina seca empezó a funcionar, allí donde tus veinticuatro años, tu juventud, tu fe en la vida recibieron el gran mazazo: perpetuidad. Mayzaud, al recuperar toda su seguridad, pidió perdón al fiscal y reconoció haber cometido una falta en julio, y tú entonces le gritaste: "¡Te arrancaré la máscara de hombre honrado, Mayzaud...!" ¿De verdad te interesa revivir aquello?

»¿Tanto te interesa volver a ver aquella sala, aquel día gris? Han pasado treinta y siete años, chico, ¿cuántas veces tendré que repetírtelo? ¿Quieres sentir de nuevo en tu mejilla el monstruoso bofetón que te obligó a luchar durante treinta y siete años para conseguir sentarte en este banco del bulevar Clichy en tu Montmartre? Sí, precisamente, para poder hacer mejor balance del camino recorrido, quiero volver a bajar uno a uno los primeros peldaños de la escalera que me llevó al fondo del pozo de la ignominia de los hombres.

»¿Te acuerdas? Cuando, buen mozo, chaqueta cruzada, impecable, con tu facha de chico de veinte años entraste en la Sala, ¡cuán distinta era de la otra! Y, sin embargo, era la misma.»

De entrada, el cielo estaba tan encapotado y lluvioso que tuvieron que encender las lámparas. Aquella vez, todo parecía cubierto de sangre, de un tono rojo sanguinolento. Alfombras, tapices, trajes de los magistrados, se diría que todo aquello había sido mojado en el cesto donde caían las cabezas de los guillotinados. Aquella vez los magistrados no saldrían de vacaciones, volvían de ellas, no era lo mismo que en julio. Y luego, en aquella apertura del año judicial, volver a encontrar el pequeño asunto de ajuste de cuentas entre jóvenes de Montmartre, acaso ya todo el mundo estaba harto de él, se arrastraba con aburrimiento. Había que pasar a los asuntos serios de verdad.

Y los viejos habituales de los palacios de justicia, abogados y magistrados, saben mejor que nadie que, a veces, pueden pesar en la balanza de la justicia imparcial el tiempo que hace, la época del año, la personalidad del presidente y el humor que tenga en el día, el del fiscal, el del jurado, la forma en que se encuentre el acusado, sus abogados, etc.

Aquella vez, el presidente no me hizo el obsequio de pedirme que explicara yo mismo mi asunto, se limitó a ordenar que el secretario procediera a la lectura monótona del acta de acusación.

Los doce tontos del jurado tenían el cerebro húmedo como el tiempo, se notaba en sus ojos glaucos de imbéciles. Absorbieron fácilmente el fárrago del acta de acusación.

El fiscal, principal abastecedor de la guillotina, no tenía absolutamente nada de humano. Se veía que no iba a decir, como Cassagnau: «No puedo acusar...»

Tan pronto entré, después de un vistazo rápido sobre el conjunto, me dije todo esto: «No la pifies, *Papillon*, ante una audiencia como ésta no podrás defenderte bien.» Y me equivoqué de tan poco que durante todos los debates, que durarían dos días, casi no me dejaron hablar. Aquéllas no se parecían a las sesiones de julio. Por otra parte, en julio era casi demasiado.

Y eran los mismos testigos, las mismas declaraciones, los mismos «se dice», los mismos «oí contar», etc., que en julio. Resultaría ocioso volver a los detalles. Era lo mismo, con la única diferencia de que si me indignaba, si a veces estallaba, me quitaban en seguida la palabra.

Lo único verdaderamente nuevo fue la presentación del testigo de mi coartada, Lellu Fernand, taxista, que no tuvo tiempo de declarar en julio, antes de la suspensión del proceso, el único testigo que los polis no habían encontrado, un mito según ellos.

Sin embargo, era un testigo capital para mí porque había declarado que, al penetrar en el «Iris Bar», diciendo: «acaban de disparar», yo estaba allí.

Curiosa historia, porque si durante la instrucción los polis no encontraron a Lellu, hallaron un testigo de este futuro testigo, un reincidente que estuvo condenado diez veces, invalidable, quien declaró que el testigo que un día se presentaría para declarar en favor mío era un testigo parcial.

Y el inspector Mayzaud, que, en un largo informe, negó la existencia de Lellu, él, que dijo que lo encontraba todo y que podía probarlo todo, no encontró nunca el testigo que nosotros habíamos reclamado. ¿Sabía que, puesto que no podía encontrarlo, aquel testigo estaba resuelto a presentarse por sí mismo? ¿Un testigo que el comisario de su barrio declaraba honrado y trabajador?

Lellu confirmó su testimonio y se le acusó de prestar un testimonio parcial. El abogado Raymond Hubert levantó los brazos al cielo:

—¡Después de esto, no le queda más que ir a pagar sus impuestos, Monsieur Lellu!

La rabia volvió a apoderarse de mí en aquel banco verde, no sentía ni el frío ni la lluvia fina que empezaba a caer.

Veo todavía al dueño del «Iris Bar» declarando ante el tribunal que yo no podía estar en su establecimiento cuando entró Lellu para decir que, fuera, acababan de disparar, porque hacía quince días que me había prohibido el acceso a su taberna.

Lo cual quería decir que yo era tan cretino que, en un asunto tan grave, en el que me estaba jugando mi libertad y acaso la vida, había dado como coartada, precisamente, el lugar donde no estaba autorizado a entrar. Y su empleado confirmó aquella declaración. Evidentemente, olvidaron añadir que el permiso de tener el establecimiento abierto hasta las cinco de la madrugada era un favor concedido por la Policía y que, diciendo la verdad, iban contra ella. De aquí que se considerase cerrado a las dos de la madrugada. El amo defendía su caja; el mozo, sus propinas.

El abogado Raymond Hubert hizo lo que pudo, y el abogado Beffey también. Beffey quedó tan asqueado que llegó a una guerra abierta con Mayzaud quien, en sus informes policíacos confidenciales (no tan confidenciales puesto que un tal Merdager los publicó bajo la garantía de un poli), intentaba perjudicar su dignidad de abogado contando historias de hábitos que no tenían nada que ver con el caso.

Era el fin. Hablé el último. ¿Qué decir? Era inocente, víctima de una maquinación policíaca. Era todo.

Jurados y tribunal se retiraron. Una hora después, volvieron, y yo me levanté mientras ellos volvían a sus sitios. Me senté de nuevo. Luego, a su vez, se levantó el presidente. Iba a leer la sentencia: «Acusado, levántese.»

Por un momento me creí tan de veras que estaba en la Sala, bajo los árboles del bulevar Clichy, que me levanté de pronto, olvidando que mis piernas estaban aprisionadas al revés en aquel banco, lo que hizo que cayera sobre el culo.

Y así, sentado, y no de pie como hubiera debido estar, escuché, en 1967, bajo los árboles del bulevar, la voz sin timbre del presidente que, en octubre de 1931, dejó caer la sentencia:

—Está usted condenado a trabajos forzados a perpetuidad. Guardias, llévense al condenado.

Estuve a punto de alargar los brazos, pero nadie me pondría las esposas, no había guardias republicanos a mi lado. Sólo había, en el otro extremo del banco, una pobre vieja que estaba acostada, encogida, y que se arreglaba unos periódicos sobre la cabeza para protegerse del frío y de la llovizna.

Liberé mis piernas. Al fin de pie, las desanquilosé, y luego, levantando los periódicos, puse un billete de cien francos en las manos de aquella mujer tan vieja, condenada a miseria perpetua.

Para mí, la miseria no duró más que trece años.

Y, siempre bajo los árboles del centro del bulevar Clichy, fui hasta la *place* Blanche, perseguido por la última imagen de aquellas sesiones donde, de pie, recibí el increíble bofetón que me borró de Montmartre, de mi Montmartre, durante cerca de cuarenta años.

Apenas estuve bajo la luz de aquella maravillosa plaza, se apagó la linterna mágica y no vi más que algunos vagabundos que, sentados en la salida del «Metro», dormían acurrucados sobre sus rodillas.

Me urgió encontrar un taxi. Nada me atraía, ni la sombra de los árboles que me ocultaban el resplandor de la luz artificial, ni el brillo deslumbrante de la plaza con su «Moulin Rouge» refulgente. Una me recordaba demasiado mi pasado, la otra me gritaba: «¡No eres ya de aquí!» Todo, sí, todo había cambiado. «Vete aprisa, si no quieres ver que están muertos y enterrados los recuerdos de tus veinte años.»

—¡Eh! ¡Taxi! A la estación de Lyon, por favor.

Y en el tren de cercanías que me llevaba a casa de mi sobrino, recordé todos aquellos artículos periodísticos que el abogado Raymond Hubert me dio a leer después de mi condena. Ninguno podía hacer más que realzar la duda que presidió todas las sesiones. Todos se expresaron igual: *La Dépêche*, *La France*, *Le Matin*, *L'Intransigeant*, *L'Humanité*, *Le Journal*, que puso este titular: «Caso oscuro.»

Busqué estos periódicos a mi vuelta a Francia. Algunas citas, a título de ejemplo:

La Dépêche del 27-10-31, pone en boca de mi abogado: «Tanto en la fiscalía como en la audiencia, tres suspensiones por suplemento de información, lo que probaría la fragilidad de los cargos.»

Le Matin del 27-10-31: «Son citados treinta testigos. Acaso con uno solo hubiese bastado: el desconocido que puso al herido en el coche, advirtió a su "mujer" y se eclipsó; pero este desconocido sigue siendo el desconocido que treinta declaraciones sucesivas probablemente no conseguirán poner bajo la luz.» ...Los guardias municipales: «El inspector Mayzaud se acerca a Charrière: "Sabes bien quién es", le dice.»

La France del 28-10-31: «El acusado responde con calma y firmeza... El acusado: "Es penoso oír esto. Este Goldstein no tiene razón alguna de tenerme ojeriza, pero está en poder del inspector Mayzaud, como tantos otros que, como él, no están tranquilos, he aquí la verdad." ...Se invita al inspector Mayzaud a comparecer ante el Tribunal. En seguida protesta: "Con diez años que 'hago Pigalle', sé que Goldstein no forma parte del hampa. Si lo fuese, nunca hubiese hablado *(sic)*."»

L'Humanité del 28 de octubre. El artículo merece ser reproducido por entero. Título: «Charrière-*Papillon* condenado a cadena perpetua.

»El jurado del Sena, a pesar de la duda que subsiste sobre la personalidad del verdadero *Papillon*, del que habría dado muerte en la Butte, y en una noche de marzo, a Roland Legrand, ha condenado a Charrière.

»Ayer, al dar comienzo la audiencia, se ha escuchado al testigo Goldstein, sobre cuyas declaraciones se basa toda la acusación. Este testigo, que ha estado constantemente en contacto con la Policía, y que el inspector Mayzaud afirma haber visto, después del drama, más de cien veces, ha hecho sus declaraciones en tres ocasiones distintas, agravándolas cada vez. Como se ve, este testigo es un abnegado auxiliar de la Policía judicial.

»Mientras formula sus acusaciones, Charrière lo escucha atentamente. Cuando termina, exclama:

»—No comprendo, no comprendo a ese Goldstein, a quien nunca he hecho daño alguno y que viene a ensartar aquí tamaños embustes cuyo único objetivo es el de hacerme enviar al penal.

»Llaman a declarar al inspector Mayzaud. Esta vez pretende que la declaración de Goldstein no fue inspirada. Pero se observan, aquí y allá, sonrisas escépticas.

»El fiscal Siramy, en una requisitoria amorfa, hace constar que hay muchos *Papillon* en Montmartre, e incluso en otros barrios. Sin embargo, reclama una condena, sin precisar la pena, remitiéndose al jurado.

»La parte civil, representada por el abogado Gautrat, después de haber demostrado cómicamente que el penal es una escuela de "mejora moral", pide que se envíe allí a Charrière, en su propio interés, para hacer de él un "hombre honrado".

»Los defensores, abogados Beffey y Raymond Hubert, defienden la inocencia. Bajo pretexto de no haber podido dar con Roger *el Corso*, llamado *Papillon*, no se deduce que Charrière, llamado *Papillon*, sea el culpable.

»Pero el jurado, después de larga deliberación, vuelve a entrar en la sala con un veredicto afirmativo y el Tribunal condena a Henri Charrière a trabajos forzados a perpetuidad, concediendo un franco por daños a la parte civil.»

Durante años y años me he planteado la pregunta: ¿por

qué la Policía se encarnizó contra un pequeño truhán de veintitrés años que *según ella misma* aseguraba, formaba parte de sus mejores colaboradores? No he encontrado más que una sola respuesta, la única lógica: la Policía encubría a alguien, *al verdadero confidente*, al culpable.

Al día siguiente, con sol, volví a Montmartre. Lo que encontré de nuevo fue, exactamente, mi barrio de la *rue* Tholozé y de la *rue* Durantin, así como el mercado de la *rue* Lepic, pero, ¿los rostros, dónde estaban los rostros?

Entré en el número 26 de la *rue* Tholozé para ver a la portera, simulando que buscaba a alguien. La mía era una buena y gorda mujer con un lunar lleno de pelos en una mejilla. Había desaparecido. La remplazaba una bretona, y me sentí tan contrariado que ni le pregunté si, al llegar aquí, vio el lunar y los pelos.

No habían robado el Montmartre de mi juventud, no, todo estaba allí, exactamente todo, pero todo estaba cambiado. La lechería se había convertido en una lavandería-exprés, el bar de la esquina, en una farmacia, el vendedor de frutos, en un autoservicio. ¡Bueno, habían exagerado un poco!

El «Bar Bandevez», en la esquina de la *rue* Tholozé y de la *rue* Durantin, el lugar de reunión de las empleadas de Correos de la *place* des Abesses, donde iban a tomar su aperitivo y a quienes, con la mayor seriedad, para hacerlas encolerizar, reprochábamos que echaran un trago mientras sus pobres maridos trabajaban duro, aquel bar existía aún, pero el mostrador estaba en otro lado, con dos condenadas mesas que de ningún modo estaban en su sitio. Para colmo, la dueña era una *pied-noir*, los clientes eran árabes, españoles o portugueses. ¿Dónde estaría el antiguo patrón, que era oriundo de Auvernia?

Subí las escaleras que, desde la *rue* Tholozé, conducían al Moulin de la Galette. Vi que la barandilla no había cambiado, seguía terminándose tan peligrosamente como antes. Allí, un día, recogí a un pobre viejecito que se había lesionado porque no veía lo bastante como para darse cuenta a tiempo de que la barandilla se interrumpía de repente. Acaricié aquella barandilla y volví a ver la escena, y oí cómo el viejecito me daba las gracias: «Joven, es usted muy amable y muy bien educado. Le felicito y le doy las gracias.» Aquella sencilla frase me turbó tanto que no sabía cómo proceder para recoger mi revólver que se me había caído al inclinarme hacia él, y no quería que se diera cuenta de que el buen joven acaso no era tan amable como él creía.

Sí, a pesar de todo, mi Montmartre estaba allí, no me lo habían robado. Sencillamente, habían robado las personas, los rostros amables, sonrientes, de los que me decían: «Buenos días, *Papillon*, ¿cómo andamos?» A éstos, sí, me los habían robado y sentía un terrible desconsuelo en mí.

Por la noche, entré en un bar de gente del barrio. Entre los clientes más antiguos escogí al más viejo y le pregunté:

—Perdón, ¿conoce a Fulano de Tal?

—Sí.

—¿Dónde está?

—Dentro.

—¿Y Fulano de Tal?

—Muerto.

—¿Y Fulano de Tal?

—No lo conozco. Pero, perdón, preguntas mucho. ¿Quién eres?

Había elevado el tono de voz adrede para llamar la atención de los demás. No falla. Hay que ver lo que quiere un desconocido que entra así en un bar de hombres sin presentarse ni ser acompañado.

—Me llamo Henri, soy de Aviñón y vengo de Colombia. Por eso no me conoce usted. Hasta otra.

No me entretuve y me apresuré a coger mi tren para irme a dormir fuera del departamento del Sena. Tomé aquellas precauciones porque no quería bajo ningún precio que me recordaran la prohibición de estancia.

¡Pero estaba en París, estás en París, compañero! Y fui a bailar a los bailes populares de la Bastilla. En «Boucastel», en «Bal-à-Jo», me eché el sombrero para atrás y me quité la corbata. Incluso tuve el atrevimiento de invitar a una jovencita, como lo hacía a los veinte años, y del mismo modo. Mientras bailábamos el vals, dando vueltas al revés, con la música de un acordeón casi tan bueno como el de Mimile Vacher en mi juventud, dije a la chica, que me preguntó a qué me dedicaba en la vida, que era propietario de un tugurio en provincias, lo que hizo que me mirara con un gran respeto.

Fui a comer a «La Coupole» y, como si hubiera vuelto de otro mundo, fui lo bastante ingenuo para preguntar a un mozo si todavía jugaban a la petanca en la terraza superior. El mozo llevaba veinticinco años en la casa y se quedó pasmado ante mi pregunta.

Y, en «La Rotonde», busqué en vano el rincón del pintor Fujita, y como mis ojos se aferraban, desesperados, en el mobiliario, en la disposición de las mesas del bar, para volver a hallar las cosas del pasado, asqueado al ver que lo habían trastornado todo, que habían destruido todo lo que conocí y amé, me marché de pronto, descuidando pagar la cuenta. El mozo me dio alcance, cogiéndome rudamente por el brazo en la entrada al «Metro» Vavin, al lado mismo, y como en Francia se ha perdido la cortesía, me gritó en pleno rostro el importe de la nota con orden de pagar en seguida si no quería que llamara a un agente. Claro está que pagué, pero le di una propina tan escasa que me la rechazó: «¡Guárdela para su suegra! ¡Ella necesitará su propina más que yo!»

Pero París es París. Como un hombre joven me paseé de arriba abajo, luego de abajo arriba por los Campos Elíseos, iluminados por millares de luces, la luz de París que conforta y comunica su maravilloso encanto, invitando a cantar. ¡Ah, qué dulce es vivir en París!

No había en mí excitación alguna, ningún deseo de violencia, cuando me encontré en la puerta Saint-Denis o en el *faubourg* Montmartre, frente al antiguo periódico *L'Auto* donde Rigoulot, entonces campeón del mundo, levantaba un enorme rollo de papel de periódico. Mi alma estaba tranquila cuando pasé frente al casino donde jugaba al bacará con Stawisky, y asistí solo, en paz, al espectáculo del «Lido». Y me mezclé tranquilamente durante algunas horas en el hervidero de las Halles, que aproximadamente estaban igual que antes.

Sólo en Montmartre me salieron del corazón palabras de amargura.

Estuve ocho días en París. Ocho veces volví a los lugares del famoso asesinato.

Ocho veces me senté en el banco, después de haber acariciado el árbol.

Ochos veces, con los ojos cerrados, reconstituí todo lo que sabía de la investigación y de las dos etapas de mi juicio.

Ocho veces volví a ver la facha de todos aquellos puercos artífices de mi condena.

Ocho veces murmuré: «De aquí salió todo, para arrancarte trece años de tu juventud.»

Ocho veces repetí: «Has renunciado a tu venganza, está bien, pero no podrás perdonar jamás.»

Ocho veces pedí a Dios que, en recompensa por el abandono de mi venganza, nunca más sucediera cosa semejante a otro.

Ocho veces pedí al banco que me dijera si el testigo falso y el poli dudoso tramaron allí la próxima declaración que tenían que prestar, sentados «por casualidad» en el mismo banco, en el curso de sus múltiples encuentros «por casualidad».

Ocho veces me alejé del banco menos encorvado, hasta que la última vez, con todo mi cuerpo erguido, tenso como un joven, murmuré para mí solo: «De todos modos has vencido, compañero, porque estás aquí, libre, con buena salud, amo y dueño de tu futuro. No quieras saber lo que ha sido de los demás, de todas aquellas figuras de tu pasado. Estás aquí; casi es un milagro. Dios no los hace todos los días. Puedes estar seguro de que, de todos, tú eres el más feliz.»

CAPÍTULO XVIII

ISRAEL — EL TEMBLOR DE TIERRA

Salí de París por el aeropuerto de Orly. Volé hacia Israel, donde tenía que ir a ver a la mamá de Rita. Sentía curiosidad, también, por conocer aquel país donde la raza perseguida desde siempre estaba haciendo maravillas, según la opinión mundial.

Sinceramente, era muy escéptico. Veía Israel como un pueblo de personas prisioneras de su religión, donde los rabinos y los santurrones imponían a la población sus conceptos y su modo de vivir.

El avión me dejó en Tel Aviv. Fui cerca de Haifa, a una aldehuela llamada Tel Hanam, donde vivía la madre de Rita.

Pues bien: en seguida me di cuenta de que no eran nada tontos los chicos y las muchachas de este pueblo.

Todos los taxistas hablaban al menos un idioma, a menudo dos, además del hebreo. El primero que se me acercó sólo hablaba inglés. No necesité más de tres minutos para dar con uno que hablara francés o español. Y corrí en un viejo taxi conducido por un joven que hablaba tan bien el francés como el español. Entablé conversación:

—¿De dónde eres?

—Nací en Casablanca y aprobé mi certificado de estudios. Soy sefardí.

—¿Qué significa eso?

—Los sefardíes somos los antiguos judíos españoles. Fui

educado a la francesa en la escuela, pero hablo español por mi padre y mi madre.

—¿Llevas mucho tiempo aquí?

—Diez años. Llegamos mi padre, mi madre, una abuela, dos hermanas y yo. Estamos bien, todos trabajamos, estamos en nuestro hogar, en nuestra tierra. Aprendimos el hebreo. ¿Por qué? Es preciso que tengamos una lengua común, porque Israel se compone de todos los judíos del mundo. Como que cada uno vino con su lengua, ¿cómo nos arreglaríamos si no tuviéramos una lengua para todos?

—¿Trabajas para ti? ¿El taxi es tuyo?

—No, no soy lo bastante rico para tener mi taxi.

—¿Es caro?

—Muy caro, cerca de 50.000 francos.

—Entonces aquí, como en todas partes, hay ricos y pobres.

—Aquí hay ricos, es verdad, pero no hay pobres, porque nadie tiene que mendigar ni trabajo ni dinero.

—¿Y los viejos?

—Se ocupan de ellos muy en serio. Reciben una buena pensión y una pequeña casa con un huerto.

—¿Tienes casa propia?

—Todavía no. Los jefes de la administración son *polaks* y existe una especie de segregación con respecto a los sefardíes.

—¡Lo que faltaba! ¡Vosotros deberíais ser los últimos en tener problemas raciales!

—Es verdad, pero es así. No siempre es divertido. Pero esto ya no existirá cuando la generación siguiente. Todos serán sabras.

—¿Y los sabras actuales no son racistas? ¿Los sabras son los nacidos en Israel, no?

—Sí. Pero ellos también son racistas. Se creen superiores y que tienen más derechos que los demás, por haber nacido en Israel.

—No todo es color de rosa en tu pueblo.

—No, pero lo olvidamos todo cuando actuamos como israelíes, es decir, cuando trabajamos para tener una agricultura y una economía prósperas basadas en nuestros propios esfuerzos.

—¿Recibís mucha pasta de los judíos del extranjero?

—Estas sumas no se derrochan ni se utilizan en nada que no sea hacer vivir a las gentes. Sirven para crear industrias, para irrigar el desierto, para plantar o construir todo lo que pueda ser útil a la colectividad.

—¿Quieres a tu país?

—Daría mi vida por él.

—¿Qué es lo más fuerte en ti: el fanatismo religioso?

—No. Soy judío, pero en casa apenas si seguimos los preceptos de la religión judía. Lo que se debe comprender, atienda usted, es que en ningún país del mundo éramos completamente iguales a los demás. Mi padre hizo la guerra con franceses y con tropas marroquíes. Pues bien, siempre había un imbécil, fuera francés fuera árabe, que lo insultaba tratándolo de puerco judío.

—De acuerdo, pero un hombre no representa una sociedad.

—Es verdad, pero cuando uno arriesga su vida y viste el uniforme del Ejército de una nación, debe ser respetado como igual a todos.

—Correcto.

Llegamos a Haifa; dentro de un cuarto de hora habríamos llegado a Tel Hanam.

—¿Conoces esta dirección?

—No, pero nos la dirán.

A las diez de la noche llegamos a Tel Hanam, gran suburbio de Haifa. Las calles estaban llenas de gente, muchachas y chicos en grupo, de todas las edades. Reían, cantaban, alborotaban, se besaban. Ver a chicos y chicas abrazados, sin complejo de empezar tan jóvenes el juego del amor ante todo el mundo, me dio de pronto la visión de algo muy nuevo para mí.

Pregunté la dirección.

—Es por ahí. Pero baje aquí, el taxi no puede llegar hasta la puerta del inmueble, hay que subir unas escaleras para llegar hasta allí.

Pagué el taxi, un joven se arrogó el derecho de coger mi maleta, tres muchachas y tres chicos nos acompañaron.

—¿Viene usted de lejos?

—De Venezuela. ¿Sabéis dónde está?

—Claro, está en América del Sur.

—¿Cómo hablas francés?

—Soy francés, éste también, el otro es tangerino y el otro marroquí.

—¿Y las muchachas?

—Las tres son *polaks*.

—Son bonitas. ¿Son vuestras novias?

—No, camaradas. Buenas camaradas.

—¿Y qué habláis unos con otros?

—Hebreo.

—¿Y cómo hacéis cuando todos no sabéis el hebreo?

—¡Oh!, ¿sabe usted?, para jugar, pasear juntos, besarse, no es necesario saber hebreo —me respondió, riendo, el que llevaba la maleta—. Por otra parte, ahora no somos ni franceses ni *polaks*, todos somos israelíes.

Llegados al inmueble, quisieron subir todos conmigo los tres pisos y no se separaron de mí hasta que se abrió la puerta y la mamá de Rita se echó en mis brazos.

¡Extraordinario Israel, extraordinario país a descubrir! Porque, claro está, a pesar de la emoción de volver a encontrar a la madre de Rita y todo lo que ella tenía que contarme y todo lo que yo tenía que contarle a ella, no pasaba todo el día en su compañía. Fui de un sitio a otro, pronto hice amigos, entre los jóvenes sobre todo, que me interesaban todavía más que los viejos.

Y descubrí los jóvenes de Israel. No eran más cuerdos que los demás, les gustaba la vida, las motos, las locas carreras, las chicas, divertirse y bailar. Pero lo que descubrí en la mayoría fue la convicción, que sus educadores habían sabido infundirles, de que es útil saber varios idiomas, aprender un buen oficio para ganarse bien la vida más tarde, pero sobre todo para ser un elemento positivo y útil a su país. Vi a muchos capaces de no importa qué sacrificios por el orgullo de desempeñar en la colectividad un papel que valiera la pena. No ambicionaban elevados puestos por el dinero o el lujo.

Hice otro descubrimiento: los judíos de Israel no sienten interés por el dinero. ¿Cómo es posible que esta raza tan emprendedora en todos los países del mundo, donde no parece vivir más que para ganar siempre más dinero, pueda cambiar tan radicalmente una vez se encuentra en su país?

Pero, de todos modos, para ver hasta dónde llega la firmeza de los sentimientos de uno de los jóvenes con quienes tropecé, le pregunté cuánto ganaba en su oficio de buen técnico. Me dijo una suma modesta, menos de doscientos dólares al mes.

—¿Sabes que, con tu profesión, en Venezuela ganarías cinco veces más?

Me replicó, riéndose, que en Francia le habían ofrecido cuatro veces más, pero que no le interesaba. Allí era libre, estaba muy bien y, sobre todo, estaba *en su país*.

Él tampoco seguía los ritos de su religión, más que los estrictamente necesarios. No le gustaban los viejos judíos con barba y sombrerito negro, en particular los rabinos *polaks*, demasiado sectarios y que pretendían atar a todo el mundo con las cadenas de la religión. Amaba su raza, pero la raza joven, deportiva, libre, abierta al sexo, sin complejo alguno. La vida en común, muchachas y chicos, le encantaba. Hacía suyo y se alegraba de cada éxito de su pueblo en no importa qué terreno, industrial o agrícola.

Es preciso decir que, por una razón idiomática, sólo pude hablar de verdad con jóvenes procedentes de Francia, del norte de África o de España. Uno de ellos me explicó que, políticamente, se inclinaba por el socialismo, como la mayoría de sus camaradas. Otro, marroquí, me dijo que no sentía odio contra los árabes y que sabía muy bien que eran la propaganda y los intereses creados lo que hacía de los árabes unos enemigos. Lo lamentaba, y habló con ternura de cuando, en Casablanca, conversaba y jugaba con los pequeños árabes en la calle, sin problema ni por una parte ni por la otra. Me dijo que se había planteado muchas preguntas y creía que los sentimientos actuales habían sido fabricados por otros, ajenos a los árabes y a los judíos.

—¿Por qué nos harán la guerra los árabes? —añadió—, porque los rumores de guerra, en los últimos días de mayo de 1967, empiezan a circular seriamente. ¿Para apoderarse de desiertos que nosotros hemos cultivado? ¿No tienen inmensas tierras incultas en su propio territorio? Hablan de la libertad del mundo árabe y de su independencia, pero para hacer esta guerra con la esperanza de ganarla se echan en brazos de los rusos. Ahora bien, un ruso es más distinto de un árabe que un judío, su primo hermano.

De todos modos, pude comprobar que tanto él como sus amigos eran terriblemente sionistas.

Yo había ido a ver a la madre de Rita, pero también para estudiar los *kibbutzs*, su forma de colectivismo, su administración. Esto me había interesado desde el principio, pero sobre todo después de la aventura de mi negocio de pesquería en Maracaibo, donde me dije a menudo que, si todo acababa bien, intentaría crear algo de semejante tipo para mis pescadores y los demás, lo que les daría por fuerza un nivel y un modo de vida muy superiores.

No sólo quedé inmediatamente sorprendido por los resultados que obtenían, sino también por el bienestar de aquellas pequeñas colectividades.

Fui a visitar algunas, de tipos distintos.

Me impresionaron aquellas comunidades en las que cada cual desempeñaba su tarea. Todo el mundo hacía algo. La comunidad era próspera, vendía sus productos si se trataba de un *kibbutz* agrícola, y todos disfrutaban por igual de los resultados. Pero lo que acaso me impresionó más fue ver a profesores, grandes médicos, abogados, ir a trabajar a la ciudad y volver por la noche. Entregaban sus ganancias a la caja común.

También hice turismo. Haifa es una ciudad importante, con puerto, tráfico, alegría en las calles. La noche era alegre. Fui a varios establecimientos e incluso descubrí bares con chicas. ¡Bueno, ante eso me descubrí! En primer lugar, todas ellas hablaban de tres a cinco idiomas, y por lo que se refiere a desplumar al cliente eran más diestras que las tanguistas de no importa qué país. Un vaso de menta valía cuatro dólares, y a la vista de la velocidad con que se lo bebían y pedían otro, uno tenía interés en marcharse en seguida, si quería conservar algunos dólares en el bolsillo.

Por lo tanto, lo que comprobé en Israel fue: no había disciplina impuesta, la vida era de verdad libre, cada cual se divertía o trabajaba haciendo lo que quería y como quería. No había mendigos en las calles. *Ni uno solo*, ni niño ni viejo.

Vi asimismo cosas chocantes. En la parada de autobuses esperaban unas veinte personas. ¿Y si llegaba primero el autobús del árabe subirían a él? Había judíos que no establecían diferencias, subían, pero otros creían que debían explicar a los que no subían que tenían una prisa enorme y que no podían esperar el autobús del judío.

El árabe, con su velo colgante, serio como un santón, cobraba el importe del viaje sin decir gracias, y en marcha.

Otra cosa pintoresca. En un país donde Jesús iba a la pesca, los judíos vendían a los cristianos botellas de agua marcadas con una cruz y acompañadas de un papel firmado por un obispo, donde se certificaba que aquella agua era la auténtica del Jordán donde pescaba Jesús. También vendían saquitos llenos de tierra bendita. Con su certificado de origen firmado por un obispo. Cada botella y cada saquito se vendían a dos dólares: era un buen negocio, porque la tierra no era cara y el Jordán llevaba siempre agua.

Ya llevaba quince días en Israel. Poseía una documentación completa sobre la administración de una granja colectiva.

Se anunciaba la guerra para aquella semana. No vi en absoluto la necesidad de mezclarme en el asunto o de resultar herido, pero cuando fui a «Air France» para sacar en seguida un billete, me dijeron que todos los aviones estaban reservados para las mujeres y los niños. Al fin, encontré un avión de «Sabena» que iba a Belgrado. Me marcharía al día siguiente por la noche.

Durante aquellos dos días, asistí a los preparativos de defensa contra posibles bombardeos aéreos. Vi vaciar los trasteros de las plantas bajas de todos los inmuebles de Tel Hanam, porque no había sótanos, pero a cada apartamento le correspondía un trastero. La gente no estaba asustada ni sombría. Hacían todo aquello con calma. Sólo la madre de Rita, en razón de su avanzada edad, daba muestras de enloquecimiento.

También se abrieron trincheras. Todos participaban en la tarea, mujeres y niños comprendidos.

Unos autobuses vinieron a recoger a los hombres del barrio.

Un sargento, con una lista en la mano, llamó a los que se tenían que marchar. Antes de salir volvieron a hacer la llamada y encontraron a siete u ocho hombres de más que se habían introducido en las filas sin que los hubieran llamado.

Aquello era buena señal, porque nadie quería camuflarse.

Salí para Belgrado, esperando que la guerra podría ser evitada en el último momento. Dos días más tarde, volé de Belgrado a Caracas.

Y en el avión, con la mente llena de todas las imágenes de aquel largo viaje, la que más me perseguía, la que dominaba sobre todas las demás, era la imagen de las estrechas calles de Tiberíades con sus asnos, sus árabes, sus moros, sus judíos, sus árabes cristianos, su zoco, sus vendedores de agua, sus calles donde, entre las mismas piedras de las casas, sobre los mismos pavimentos, con las mismas fuentes, los mismos gritos, las mismas riñas o los mismos cantos, Jesús andaba descalzo, camino del Jordán a bañarse o a pescar. ¡Cuán profunda fue aquella impresión para que a mí, ateo, se me impusiera con semejante fuerza!

El avión aterrizó con suavidad en el aeropuerto de Caracas donde me esperaba Rita, quien, al besarme, me dijo:

—¡La guerra hubiese podido sorprenderte!

—¿La guerra? ¿Por qué la guerra, Rita? Esperemos que no llegue a producirse.

—Ya ha estallado, Henri: ha empezado hace tres horas.

En seis días, la guerra que por poco me sorprende allí, había terminado. A la madre de Rita no le había ocurrido nada y empezamos el mes de julio, serenos.

Nuestros negocios marchaban bien, éramos felices juntos, y yo había regresado de Francia con tal cantidad de recuerdos que, eligiendo cada día uno de ellos, me encontraba en posesión de una mina inagotable de historias con las que podía soñar todo el resto de mi vida.

El futuro, sobre el que no dejaba de pensar en aquellos últimos años (porque era preciso pensar en los días de la vejez), lo consideraba sin angustia porque habíamos tomado precauciones que debían poner nuestra vejez al abrigo de necesidades si todo continuaba marchando normalmente.

28 de julio de 1967, el año del cuatrocientos aniversario de la fundación de Caracas.

Eran las ocho de la noche. Acababa de encender el neón del bar, que estaba exactamente frente al inmueble de ocho pisos donde teníamos un gran apartamento en el sexto. La puerta-ventana estaba abierta sobre el balcón, las dos arañas brillaban con todas sus lámparas, y Rita y yo, uno al lado de otro, sentados en un sofá, estábamos mirando un programa de televisión.

—Este mes que se acaba ha sido bueno, Henri, ¿verdad?

—Muy bueno, querida. También lo fue junio. ¿No estás demasiado cansada?

—No, hombre. ¡Ay, Dios mío...!

Un monstruo sacudió la casa como un camión loco saltando sobre un camino lleno de baches y de rodadas, una especie de dragón que balanceó el inmueble de derecha a izquierda, de delante para atrás. Las lámparas oscilaron como péndulos, el suelo se transformó en un tobogán, inclinándose de un lado y de otro hasta más de treinta grados, los perros, nuestros dos perritos que se deslizaban sobre las baldosas enceradas de una pared a otra de la habitación, los cuadros que se descolgaron, las paredes que se abrieron como una granada demasiado madura, la televisión que explotó, las mesas que, junto con las sillas, se pasearon como si hubieran estado sobre patines de ruedas, un estruendo metálico más fuerte que el ruido de chapas de las tempestades de teatro, crujidos que venían de todas partes, los gritos de terror de María, nuestra sirvienta, y los que procedían del exterior, y los dos, Rita y yo, abrazados, pegados uno a otro, mejilla contra mejilla, esperando que de un segundo a otro todo se hundiera sobre nosotros y nos arrastrara en su caída.

Aquello duró exactamente treinta y cinco segundos. Yo creía que los ocho minutos de la bomba contra Betancourt habían sido los más largos: no significaron nada al lado de aquellos segundos.

Apenas se hubo detenido todo lo que bailaba, todo lo que crujía, todo lo que corría, nos echamos escaleras abajo, cogidos de la mano. Bajamos los seis pisos en un instante; los perros y María llegaron a la calle al mismo tiempo que nosotros.

Encontramos allí a centenares de personas, vociferando de miedo y de alegría por haber salido vivos de aquel temblor de tierra de 6,7 grados Richter.

Y las personas que estaban ya en la calle al empezar el

seísmo y que se refugiaron en mitad de la calzada para no ser aplastados por los inmuebles que se balanceaban como cocoteros, nos estrechaban las manos y proclamaban ser un milagro que nuestro inmueble no se hubiera hundido como un castillo de naipes.

A las veinte horas cuarenta y un segundos se produjo la segunda sacudida, que duró diez segundos.

Nadie se atrevía a volver a su casa, y nosotros como los demás. Podían producirse otras sacudidas, y aquella vez todo podía hundirse.

Allí, sobre la tierra, pisando con firmeza, sin otro techo que el cielo encima de nosotros, tuvimos que quedarnos, instalarnos, comer, dormir y esperar.

De todos modos fuimos a nuestro bar, en la pequeña villa al otro lado de la calle, esperando un desastre. Nada. Media docena de botellas caídas de los estantes al suelo, era todo. La electricidad y el teléfono funcionaban. En vez de tener que bajar seis pisos, allí, en diez escalones, estábamos en la calle. Incluso se podía saltar por la ventana a las primeras sacudidas. Le dije a Rita:

—Nos quedaremos aquí, *Minouche*. Incluso podremos acoger a alguien que lo necesite.

Y vino la reacción:

—¡Qué suerte la nuestra, querida!

Y nos abrazamos, nos besamos, la sirvienta besó a los perros, abrazamos a la sirvienta, a los perros, a los vecinos, a nuestra hija, que llegó corriendo, pálida.

Volvimos a bajar a la calle, donde empezaban a circular las noticias. Se habían hundido unos inmuebles, ¿cuáles? Tal inmueble, tal otro, éste, aquél, uno muy grande, uno pequeño. Fuimos a ver montones de piedras enormes, todo lo que quedaba de edificios de doce y quince pisos. Los bomberos ya estaban desembarazando los escombros para ver si, por milagro, había supervivientes. Esto ocurrió en la gran plaza de Altamira, barrio de Caracas, ante un enorme inmueble que se había partido en dos. Una parte se hundió completamente, la otra estaba peligrosamente inclinada, podía hundirse de un momento a otro. Allí estaba la mujer de mi amigo Jean Mallet de la Trévanche, director de la agencia «France-Presse» en Caracas. Estaba sola en el apartamento, porque Jean se vio sorprendido en la calle por el temblor de tierra, al volante de su coche. Por milagro, salió viva de aquella mitad del inmueble en equilibrio.

Estaba a punto de acusar a Dios por aquella catástrofe, cuando vi ante el inmueble a dos hermanos, a dos camaradas, los Ducourneau. Me dirigí a ellos como de costumbre:

—¡Hola, *Duconneaux*!, ¡también habéis salido con vida! ¡Bravo!

Se aproximaron lentamente hacia mí, con rostro grave y los ojos llenos de lágrimas:

—Henri, Rita, ¿veis este montón de escombros? Debajo están mamá, papá, nuestra hermana, su hijita y la sirvienta.

Llorando, los estrechamos en nuestros brazos.

Nos fuimos de aquel lugar horrible. Le dije a Rita: «Demos gracias a Dios, porque con nosotros ha sido generoso.»

En efecto, al día siguiente, entre todas las historias atroces que nos contaban, supimos la de la familia Azerad, que vivía en el octavo piso del «Edificio Neveri».

El padre, la madre y los cuatro hijos estaban sentados alrededor de la mesa para cenar cuando, a la primera sacudida, el inmueble se hundió. Como aspirado por la tierra, se replegó sobre sí mismo y los Azerad se encontraron presos bajo los escombros, aproximadamente en la misma posición que tenían alrededor de la mesa: la madre y tres hijos separados del padre y del cuarto hijo por un bloque de hormigón que los aplastaba. No murieron de pronto, y el fin de la madre y de los tres hijos fue horrible.

El marido y la mujer estaban agonizando, pero no habían perdido el conocimiento. En la oscuridad podían hablarse, pero no se veían. Con el pecho aplastado, asistió a la muerte de los tres niños que estaban a su lado, uno de ellos de ocho meses. En un momento dado, dijo: «El pequeño acaba de morir», luego, algunas horas después: «Ahora ha muerto el otro.» Luego el silencio, no respondió ya a su marido. A su vez, acababa de morir.

El padre, Jean-Claude Azerad, treinta y ocho años, y el cuarto hijo, Rémy, fueron descubiertos, setenta y dos horas después, en estado de coma. Consiguieron sacarlos y reanimarlos. Al pequeño Rémy le amputaron una pierna. El padre tuvo que sufrir varias operaciones; padecía lesiones por todas partes y estaba particularmente muy afectado en los riñones. Se sometió a su primera operación en Caracas, donde el doctor Benaim le operó siguiendo por télex y por teléfono las instrucciones del profesor Hamburger, del hospital «Necker» de París, gran especialista de cirugía renal. Salió de la operación, pero no pensaba más que en morir, no reaccionando a los tratamientos. Se necesitaron semanas y semanas para hacerle admitir que se debía a su pequeño Rémy.

Durante más de una semana, las gentes durmieron en sus coches, en los parques, en los bancos, en las pequeñas plazas, pero siempre al descubierto. Todavía la tierra se estremecía de vez en cuando; luego, después de la tempestad, volvió la calma. Con la calma, la confianza, y todos volvieron a sus apartamentos. Nosotros hicimos como ellos.

Capítulo XIX

NACIMIENTO DE UN *PAPILLON*

Perdimos más de lo que pensábamos en el temblor de tierra y, sobre todo, los negocios se aminoraron. A últimos de agosto, la suma que habíamos podido ahorrar era de muy pocas cifras. No podía dejar de pensar en el futuro con cierta aprensión, porque ya casi tenía sesenta y un años.

Busqué, busqué algo que pudiera hacer, ¿pero qué?

Sacudí el polvo de la carpeta de un proyecto de pesquería de langostinos en las costas de Guayana, me documenté sobre la cría de la trucha, sobre la harina de pescado, sobre la pesca del tiburón. ¿Qué podía encontrar, inventar, no para ganarnos la vida, sino para asegurar nuestra vejez?

Tenía que encontrar algo, ¿pero qué?

Había olvidado completamente un incidente que se produjo antes del temblor de tierra.

11 de julio de 1967. Albertine Sarrazin acababa de morir a consecuencia de una operación. Como hacía años que no leía periódicos franceses, me enteré de que aquella joven era una autora de éxito, que narró una fuga y su vida de prisionera en dos novelas, entre ellas *El astrágalo*, que la hizo casi rica. La pobre muchacha no pudo disfrutar de aquel bienestar. Leí este artículo en *El Nacional*, importante y serio periódico venezolano.

«¿Y si yo escribiera mis aventuras?»

—¡Rita!

—¿Qué quieres?

—Voy a escribir mi vida.

—Hace quince años que me lo estás diciendo y que me repites que el día que publiques tus Memorias será una bomba. ¡Le cuesta estallar a esta bomba! Querido, ya no creo en ella.

Tenía razón mi pequeña Rita, porque cada vez que pasábamos una velada con un grupo de amigos, siempre alguien acababa diciéndome: «Henri, es preciso que escribas estas historias.» Y cada vez repetía lo mismo: «Un día las escribiré, y entonces será una bomba.»

—Ya lo verás, esta vez me pongo a trabajar en serio.

—No prometas nada. No lo harás.

Efectivamente, no lo hice.

¿Por qué? Ante todo, porque no me creía capaz, estaba convencido de que no sabía escribir. ¿Hablar? Sí. ¿Contar historias? Mejor que muchos, seguro. Pero ser un buen narrador es una cosa, saber escribir es otra. En resumen, lo dejé y no pensé más en ello.

Dos meses después del temblor de tierra, a últimos de setiembre, de un paquete de periódicos que se entregó a María, retiré un número atrasado de *El Nacional*. Los necesitaba para proteger el embaldosado de las manchas de pintura de los obreros que volvían a pintar las paredes después de haber taponado de nuevo las grietas producidas por el temblor de tierra. Y de nuevo, sobre aquel papel arrugado, apareció la noticia de la muerte de Albertine Sarrazin.

¡Más de dos meses, ya! Pobre chica, estaba mejor que ella, aunque no fuera rico.

«¡Y ni intentaste escribir tus Memorias, te rajaste en seguida! No está bien por tu parte. ¡Pero tengo tantas malas razones para hallar excusas! Aquí, casi nadie conoce mi pasado, hace siete años que mi hija trabaja en la Embajada británica, estamos considerados, mi mujer y yo, como comerciantes sin pasado, honrados. Exceptuando determinados jefes de la Policía, nadie sabe nada, ¿y sería preciso enfrentarse con todo esto? Y en Francia, ¿qué dirán mis hermanas, mis sobrinos, Tía Ju? Y luego, un éxito es muy difícil, casi imposible en literatura. No, no es serio, *Papi*. Para salir de esta situación actual, donde vives bien pero no ganas lo bastante, para asegurar seriamente el fin de nuestros días, es preciso encontrar algo. ¿Qué? No importa saber qué, es preciso salir de eso, y basta. Se ha convertido en una idea fija y voy a ocuparme de ello en serio.»

Unos días después pasaba por la calle del Acueducto. De nuevo había olvidado a Albertine, había olvidado que, en el espacio de una hora, yo también quise escribir un libro. Aquellas Memorias, como decía Rita, habrían tenido por destino ser una bomba que no peligraba explotar, ni tan sólo fallar, porque no habría sido fabricada nunca.

Y en aquella endiablada calle del Acueducto estaba la «Librería Francesa», y en su escaparate, ante el que tenía que pasar, un libro, y sobre aquel libro una faja roja: 123.000 ejemplares, y la maldita faja no me impedía ver el título, El astrágalo.

¡Mierda, 123.000 ejemplares vendidos! ¿Cuánto valía aquel libro? Treinta bolívares, casi treinta y tres francos. Y me saqué dinero del bolsillo para convertirme en propietario de aquel famoso libro.

Así, pues, sólo por aquel libro percibió un buen paquete, ¡vaya una Albertine! Y después de semejante cantidad de pasta, ¡no necesitó ya romper puertas con su Julien para hincharse!

Leí El astrágalo, y quedé maravillado por la obra. Pero, ¿por qué? ¿Por las aventuras, o la música de las palabras? En cuanto a aventuras, no pasaba nada, o casi. Se rompió la pata al evadirse, encontró a Julien, que la protegió y a quien ella amaba, y la chica falló en el momento en que todo se arreglaba entre ellos. Por tanto, no era eso. ¡Pero cómo estaba escrito! ¡No era una pintura cualquiera, era una obra maestra!

¿Quién lee las obras maestras?

¿Quién puede mecerse con palabras, con bonitas frases bien construidas?

¿Quién va a la Ópera? Muy poca gente.

Sí, aquel libro era una ópera. Y bien, no estaba mal que a 123.000 personas les gustara la ópera, al veinte por ciento del precio del billete para la pequeña del astrágalo pulverizado. Sólo con este inicio pudo abrirse una cuenta bancaria y comprarse una barraca al sol para protegerse de la lluvia... Porque le concedía el veinte por ciento, como si fuera yo el editor. Todavía no sabía nada del mundo editorial.

Dejé el libro, desconcertado al saber que había mujeres que aprobaban el bachillerato en chirona, que allí podían preparar licenciaturas en Letras y escribir palabras tan complicadas sin abrir un diccionario.

«Piensa, amigo, que tienes cien veces más aventuras que ella, mil cosas mucho más interesantes que contar, y que si conseguías poder escribirlas, no serían 123.000 los libros que tú venderías, sino diez veces más. Es seguro, pero lo que pasa es que hay que saber escribirlas, y éste no es tu caso. ¿Y si, en lugar de buscar bonitas frases, de mecer a mi lector con la música de lo bien escrito, yo lo transformara? ¿Y si en lugar de escribir para él, *le hablara*?»

¿Hablarle? ¿Por qué no? ¡Tenía ya una experiencia del efecto que esto causa en el gran público!

—¡Rita! ¿Guardaste la carta de *Europa N.° 1*? Oh, hace mucho tiempo, del 57 ó 58, creo, más de diez años.

—Sí, querido, la guardé, claro.

—¿Quieres dármela?

Un momento después me la trajo.

—¿Qué quieres hacer con ella?

—Leerla con atención para que me dé la fuerza de escribir mi famoso libro.

—¿La bomba? ¿Es que va a estallar, al fin?

La carta decía lo siguiente:

EUROPA N.° 1
Radio-Televisión

22 de enero de 1958
Monsieur Henri Papillon
Caracas
(Venezuela)

Querido señor:
Hace varias semanas que estaba decidido a enviarle estas pocas líneas de felicitación y de sincero agradecimiento. Y si

las muy numerosas ocupaciones de fin de año me lo han impedido, hoy no quiero demorarlo más, porque mi gran camarada Carlos Alamon, a quien acabo de encontrar en París con sumo placer, vuela mañana hacia Caracas y le llevará mi carta.

Aceptó usted la interviú que le propuso Pierre Robert Tranié, uno de los siete radio-globe-trotters que enviamos alrededor del mundo, y su personalidad dio tanto color e inspiración a aquella entrevista, emitida en la antena de Europa N.º 1, que apasionó a nuestros oyentes, que fue reconocido como el mejor de los reportajes difundidos aquella noche y mereció a Tranié el primer premio. Estoy absolutamente convencido de que es en primer término a usted a quien hay que decir «bravo». Nadie duda que su mensaje será escuchado, y formulo con usted la esperanza de que va a servir la causa de sus camaradas que, como usted mismo, han demostrado su capacidad para readaptarse a la vida civil.

Bravo, pues, y gracias por habernos ayudado a interesar y emocionar a nuestros oyentes.

Reciba, querido señor, mis más cordiales saludos.

Louis Merlin
Director de Europa N.º 1.

Por lo tanto, al narrar... no apasionaba sólo a mi mujer, a mis sobrinos, a mis sobrinas, a mis amigos, a un grupo de desconocidos en una reunión; apasionaba también a los oyentes invisibles de *Europa N.º 1.*

Siete trotamundos lanzados por esos caminos de Dios durante dos meses, a entrevista por semana, sumaban cincuenta y seis entrevistas, y tú, *Papillon,* quedaste situado en primer lugar. Sí, en serio; había una posibilidad.

¡Y adelante con la nueva aventura!

No había que romperse la cabeza, iba a escribir *como* hablaba.

Iba a hablar, pues, *antes* de escribir.

Y al día siguiente, en «Sears», el gran almacén de Caracas, compré a crédito, claro está, el mejor magnetófono que tenían, un aparato para profesionales.

Me costó quinientos dólares.

Y hablé, hablé. Seguí adelante, pues vi que la cosa marchaba. Había que tener confianza. No dejé el micro.

Y me dediqué a ello por la noche.

Y por la mañana.

Y por la tarde. Me entregué tanto, que me quedé afónico, hasta el extremo de que mi voz no quedaba registrada.

Obligado a detener la grabación empecé a transcribir la narración. Estaba entusiasmado, seguro de haber hecho algo extraordinario. Algunos pasajes que escuchó Rita la hicieron llorar como una Magdalena. Entonces no quedaba duda: el tío que contaba a su mujer unas historias que ella sabía de memoria y que todavía encontraba el modo de emocionarla, estaba seguro de haber triunfado.

¡Pues bien, no! Una vez pasado al papel, ¡una auténtica porquería!

No salía de mi asombro, no comprendía nada.

Releí aquellas cincuenta y dos páginas, pedí a Rita que las leyera, y cuando las hubimos leído una vez más juntos, decidimos que, sin duda, aquellas cincuenta y dos páginas eran una verdadera basura.

No duró mucho. Por la tarde ayudé a Clotilde a poner en el portaequipajes de su coche el famoso aparato de quinientos dólares, del que no quería oír hablar ni ver más. Precioso regalo para ella, verdadero alivio para mí.

Fue una suerte que mis cuerdas vocales hubiesen cedido, de otro modo hubiese estado dictando durante semanas por nada.

—No hablemos más, *Minouche*. Adiós bueyes, vacas, cochinos, incubadoras. Jean-Jacques Pauvert, el editor, puede dormir tranquilo, no tendrá rival para hacer bajar las ventas de *El astrágalo*.

Noviembre. Era inútil que me rompiera la cabeza buscando algo original para ganarme la jubilación. No se necesitaba nada.

Al tener amigos de todas clases, me hicieron proposiciones para los negocios más extravagantes. Un amigo que poseía una propiedad en la Guayana venezolana y que sabía que había un poco de oro por las cercanías, me dijo que acaso se podría «descubrir» una mina y que, después de haberla declarado, registrado y delimitado convenientemente, se podría

buscar un caballo blanco que la comprara. La operación era
sencilla. Bastaba con cargar cartuchos de fusil con polvo de
oro y algunas pepitas, y dispararlas por encima de la tierra
de modo que, cuando el geólogo del caballo blanco maravillado tomara muestras en los lugares que se le habrían suge-
rido, hiciera un informe muy positivo. Muy serio, le demostré
que tomando el precio de coste de cada cartucho cargado de
oro, la operación podía acarrear la ruina definitiva con sólo
un centenar de disparos. Porque, ¿y si no se presentaba comprador...?

En el despacho del «Scotch», nuestro bar, escribí los primeros cuadernos.

Desde hacía algún tiempo, ocurrían cosas nuevas en los
bares nocturnos de Caracas. Venían como clientes pequeñas
bandas de jóvenes que no sabían beber y buscaban complicaciones. Antes del temblor de tierra, nunca habían ido a mi
casa. Después de una o dos incursiones que originaron un
poco de escándalo, comprendí. Era preciso, para el buen orden
del negocio, que yo estuviera allí, pero sin estar en la sala.
Un pequeño despacho adyacente me permitía estar ausente
cuando todo andaba bien, y presentarme cuando fuera necesario. Me llevé periódicos y papeles de negocios para pasar
el rato.

Allí, con otros, había un cuaderno nuevo de escolar con
espirales. Aquellos cuadernos nos servían para anotar los
gastos diarios, las entregas de alcoholes, etc. Me lié.

Escribí el primer cuaderno de *Papillon* con la plena seguridad de que iba a perder el tiempo una vez más.

Cuando lo terminé, un domingo se lo leí a mi mujer, a
mi hija y a mi cuñado, que había venido a almorzar.

Estaban tan interesados que se olvidaron de mirar en la
tele el «5 y 6», un concurso con el que se podía ganar sobre
cinco o seis carreras, más de un millón de bolívares. Tal era
la esperanza que alimentaban trescientos mil jugadores, cada
domingo.

Animado por aquel resultado, en el que no confiaba demasiado, empecé el segundo cuaderno. Resultado positivo al
ciento por ciento. Todos lo creímos así. Luego me asaltó la

duda. ¿No serían indulgentes por tratarse de mi mujer, mi hija y mi cuñado? Sería idiota continuar sin tener la opinión, menos favorable de antemano, de personas muy distintas.

Una botella de whisky, otra de pastís, una garrafita de «chianti», todo estaba dispuesto para recibir, un sábado por la tarde, a algunas personas que me darían francamente su parecer. Un profesor que formaba parte del grupo me informó que aquella reunión de personalidades diferentes se llamaba en Francia un «comité de lectura».

Estaba nervioso. Tenían que venir a las seis, eran las cuatro. ¿No se burlarían de mí cuando salieran a la calle?

¡Mientras no fueran demasiado hipócritas! Sin embargo, los había escogido bien. En primer término, dos antiguos ladrones de coches y actualmente honrados comerciantes. Eran importantes por su experiencia en historias del hampa. Un ingeniero, economista distinguido, ex colaborador directo de Laval. Un peluquero que leía mucho, conocía toda la obra de Albertine Sarrazin y otros. Un profesor de francés. Un profesor de Letras en la Universidad de Caracas. Un judoka de Limoges, cinturón negro. Un lionés de la industria química. Un pastelero parisiense. Todos eran franceses.

El grupo llegó casi a la hora exacta. Sólo faltaba el profesor de francés, que se presentó cuando había leído ya veinte páginas.

Tenía la garganta seca por la angustia de leer, nadie había dicho nada; las caras no habían expresado nada. De verdad era la prueba del fuego. Alboroto cuando llegó el rezagado. Pidió perdón, se produjo el ruido de los cubitos de hielo al caer en su vaso, al fin tomó asiento.

—Continúo, señores.

—No —dijo el profesor de Letras—. Me interesa que Henri vuelva a leernos las páginas que ya ha leído. Son excelentes, y quiero que usted las oiga, lo que nos va a permitir disfrutar de ellas dos veces. ¿Estamos todos de acuerdo?

Todos estuvieron de acuerdo. Y entonces el sol entró en mi corazón. Leí durante varias horas. Y en todo aquel tiempo, no comieron y apenas bebieron. Señal inequívoca de que les interesaba.

Salimos tarde de casa. Los instalé en un restaurante frente al «Scotch» y, antes de empezar a comer con ellos, me llegué al «Scotch» para llevarme a Rita de la caja a mi despacho, la abracé y, besándola, le dije:

—*Minouche*, hemos ganado, seguro, lo presiento, es verdad. ¡La bomba va a estallar con un ruido de todos los demonios!

Y la dejé con lágrimas en los ojos para ir a reunirme con «el comité de lectura» antes de que nos trajeran la comida. Y, mientras comíamos una espléndida parrillada, fui pescando opiniones:

Los ex delincuentes:

—Camarada, no volvemos de nuestro asombro, de verdad.

El colaborador de Laval:

—Es vivo, rápido, fácil de leer.

El profesor de francés y el profesor de Letras:

—De verdad, está usted dotado.

El judoka, el pastelero y el químico estuvieron de acuerdo en que debía continuar, porque estaban seguros del éxito.

El peluquero:

—Si haces todo el libro como estos dos cuadernos, será formidable.

En dos meses y medio escribí todos los cuadernos.

Gracias a las disputas de los miembros del «comité de lectura» para ser cada uno de ellos el primero en poderse llevar y leer los cuadernos en su casa, uno después de otro, por cuarenta y ocho horas, supe que la cosa continuaba gustando.

Terminé en enero de 1968.

Releía los cuadernos tan a menudo que casi me los aprendí de memoria.

Sí, tenía los cuadernos sobre la mesa del despacho, en casa. ¿Y qué? Estaban allí y aquello era todo. ¿Qué hacer con ellos? No se podían enviar unos cuadernos manuscritos. ¿Y a quién? Y si no me guardaba una copia, cualquier canalla podía decir que no sabía quién los había escrito y quedarse toda la pasta para él, si es que había pasta.

¡No estaba mal la cosa! Había escrito mi libro, ¡y he aquí que no sabía qué hacer con él! Reflexioné. En primer término, había que mecanografiarlo por triplicado.

Y aquellas mecanógrafas yugoslava, rusa, alemana y la última martiniquesa, hicieron que Castelnau escribiera más tarde en el prólogo: «Este libro, pasado a máquina por entusiastas, cambiantes y no siempre muy francesas mecanógrafas...»

Sí, sí, no siempre muy francesas, pero siempre entusiastas, hasta el extremo de que un día, entrando sin hacer ruido en la habitación donde ella trabajaba, sorprendí a la martiniquesa de pie, gesticulando ante su máquina de escribir. Representaba, para ella sola, una página del libro.

El libro empezaba a costarme caro entre el magnetófono, la máquina de escribir, el whisky, las comidas dadas al «comité de lectura», los paquetes de hojas de papel y la paga de las mecanógrafas al menos bilingües (porque estábamos en Venezuela). Aquello iba cobrando importancia. El libro, una vez mecanografiado, dio seiscientas veinte páginas. A catorce folios por día, se necesitan ocho semanas para pasarlo a máquina. Coste total aproximado: tres mil quinientos dólares. Felizmente, pudimos hacerlo, y Rita, para tranquilizarme, me dijo que era dinero bien gastado porque, aunque no lo editaran, se convertiría en tres regalos extraordinarios de Navidad para personas de la familia.

—No —le dije—. Dos regalos. El tercero es para ti. Y luego, nunca se sabe, es mejor guardar uno.

Y entonces, ante aquellos tres montones de seiscientas veinte páginas, me sentí tan desanimado como antes. Acaso todavía más.

Los cuadernos eran míos, sólo míos. Estaban escritos con mi mano. Los escribí en una especie de «segundo estado». La escritura dibuja sobre el papel formas de letras que son vuestras. Nadie puede rehacer del mismo modo estas letras tan distintas de las de los demás. En tales garabatos, tú solo puedes descifrar, sin dudar un segundo, las frases que hablan de tu vida pasada, y al verterlas sobre el papel, yo volví a vivir con tal intensidad el pasado que no las escribía, estaba en ellas, las vivía.

Los cuadernos me pertenecían a mí solo. Pero cuando las mecanógrafas bilingües transcribieron mecanográficamente mis frases, mi estilo, entonces la cosa se puso muy grave y muy importante.

Las hojas ya no eran de uno. *Ya.* No eran de *uno solo*, era cierto. Las hojas podían ser juzgadas en un auténtico proceso cuyos jueces fueran los lectores, y tú no podrías defenderlas. Junto a cada lector no estaría tu abogado. Su veredicto sería sin apelación.

¿Cómo hacerse editar? Y, ante todo, ¿podía interesar semejante libro a un editor? ¿Cómo saberlo? Llegar hasta él. Reflexionemos. El libro había gustado a todos los miembros del famoso «comité de lectura», a toda mi familia, a mis amigos venezolanos que hablaban francés, a un ex embajador en Londres, Héctor Santaella, incluso a un sujeto tan autorizado y hastiado por semejante clase de asuntos como Jean Mallet de la Trévanche, y a un polemista comunista, Hernani Portocarrero. Todo esto, ¿qué significaba? En realidad, *nada*.

Lo que les gustaba era, acaso, las aventuras en sí. Aquello no significaba que al público le fuera a gustar *como libro*. Por tanto, era preciso no tener pretensiones, había que ofrecerlo diciendo. «Si no le gusta, ¿no podría usted hacerlo volver a escribir?» A menos que yo mismo lo hiciera volver a escribir antes. Pero aquello debía de costar muy caro, y tendría que invertir todavía más pasta en la aventura, sin saber tan sólo si sería editado.

Un camarada de paso por Caracas me trajo la solución. Esperó en mi casa a Joseph Carita, hermano de las hermanas Carita de París, las célebres peluqueras. Joseph se retrasaba, el camarada me pidió permiso para ojear las hojas mecanografiadas. No se había dado cuenta de que su espera había durado dos horas. Buena señal.

Se marchó a Francia con dos cuadernos, los tenía que ver un amigo suyo, y los volvería a pasar a máquina si era necesario.

Durante un mes esperé al cartero todas las mañanas. Tenía que traerme el veredicto de un escritor profesional y un capítulo del libro escrito de nuevo: el de la isla de los leprosos.

No supe qué hacer con la carta y el paquete que acababa de recibir. No supe si abrir primero la carta, o el paquete en el que los leprosos no serían ya «mis leprosos». Eran las once de la mañana, no toqué nada, no abrí nada, la carta y el paquete estaban sobre la mesa de mi despacho, intactos. Esperé a que estuviéramos todos reunidos para la comida.

La casualidad quiso que tuviéramos dos invitados, el profesor de francés y su mujer.

—Abre primero la carta.

El escritor francés me decía que mis páginas le habían interesado mucho, me prometió hacer un buen libro de mis Memorias, bien escrito, en *buen francés*. Un libro serio, de sólido valor literario. Las condiciones serían las siguientes: 50 % de mis derechos más una suma de 18.000 francos por el trabajo y los gastos: «Le adjunto el episodio de los leprosos. Espero que le guste.»

Silencio de muerte. Con un nudo en la garganta, empecé a leer «el episodio de los leprosos, en buen francés». Vi mi narración transformada, para que pudiera ser editada.

Terminé. ¿Eran aquéllos mis leprosos? ¡Pero no era posible, no eran ya *mis* leprosos! Había perdido.

—¡Pero no, Henri! Los formidables son sus leprosos, no éstos —afirmó el profesor de francés—. ¿Tiene usted el aire abatido, Henri?

—¡Bromea, profesor! No estoy sorprendido, desconcertado, esto sí. Me turba, al leer estas páginas, que mis leprosos no tengan ya su aspecto, el aspecto que yo les vi. Si el mundo de los editores es así, es peor que el penal, es preciso andar con tiento para que no se te coman crudo. Y el tío ataca sin cumplidos: ¡para corregir mi libro quiere el cincuenta por ciento, ni más ni menos! Por mí no va a quedar, profesor, a mí me gusta la lucha, esto empieza a ponerse apasionante, la aventura cobra importancia. Y en vez de jugar como un hombre franco, como creía que debía hacerse en este particular ambiente, voy a entrar en esta selva, y a adoptar una actitud según las personas y los momentos. Tenga confianza en mí: la jungla, los truhanes con corbata y condecorados, la habilidad en no descubrir mis cartas hasta el momento de anunciar que gano y que recojo... ¡Conozco el paño!

Iba a ser formidable, apasionante, no entregarse a nadie, *no tener confianza en nadie*. Primera actitud a adoptar: dar a entender que uno es un desgraciado, un pobre individuo fácil de engañar, el «*Papá*» *Goriot* de Balzac, balbucear al responder y hacerse el sordo para reflexionar el mayor tiempo posible, y a mi comodidad, la respuesta.

¡El reto estaba echado entre nosotros, mundo de la edición y de escritores a sueldo!

Era preciso hacer creer a todos que, en efecto, era indispensable que tu prosa, incluso si la creías mejor que la suya, tenía que ser corregida de estilo.

¿A quién solicitar primero? ¿«Hachette»? ¿«Plon»? Sólo conocía a estos dos. Debía de haber otros.

—¿Y por qué no el editor de Albertine Sarrazin? —preguntó Clotilde.

—¡Magnífica idea, chica!

Después de comer, Clotilde telefoneó a la «Librería Francesa» para saber la dirección de Pauvert. Cinco minutos más tarde, escribió a máquina una carta a Jean-Jacques Pauvert, número 8 de la *rue* de Nesle, París, 6.º, en la que decía que era un presidiario evadido hacía más de veinticinco años, que me arruiné con el terremoto, y que a los sesenta y un años era difícil rehacerse. Al haber editado *El astrágalo*, ¿por qué no ayudarme publicando mis Memorias, evidentemente mal escritas? Pero no era un escritor, y él fácilmente encontraría alguien para que con aquel material, hiciera un buen libro: «El viejo truhán confía en usted, algo me dice que he elegido bien. Es preciso confiar en los hombres, aceptaré las condiciones que juzgue usted honesto proponerme. Le adjunto algunos fragmentos que le pido lea.»

No fui tonto, no les envié el libro completo. ¡Vete a saber lo que podrían hacer con él!

La carta y los fragmentos salieron el 20 de agosto, por correo certificado.

Pauvert debió de tirar los fragmentos al cesto de los papeles, camarada. Porque estábamos a 20 de setiembre. Un mes sin respuesta. Un tipo interesado hubiese respondido en seguida.

Cabía la posibilidad de que estuviera de vacaciones. Es verdad, un editor podía permitirse, con el sudor de sus autores, tomarse unas largas y lujosas vacaciones. Si el 30 de setiembre no había nada, escribiría a otro sitio.

El 28 de setiembre, por la mañana, recibí un sobre amarillo. Lo abrí febrilmente. En el interior había una simple hoja, también amarilla. Mientras buscaba mis lentes me dije: «Ésta es una casa de locos.»

Rita estaba a mi lado.

—De todos modos, te han respondido.

—Veamos.

Y leí:

Apreciado señor:

De verdad nos han interesado mucho los fragmentos que nos ha enviado usted. Constituyen la base de una excelente narración.

Sería necesario, si no lo ha hecho ya, que redactara usted el conjunto exactamente como ha redactado lo que hemos leído. Es vivo, directo. Se trata de un proyecto que seguiremos con mucha atención.

Antes de hacerle proposiciones desearíamos leer el conjunto de lo que ha escrito usted.

Etc...

Firmado: Jean-Pierre Castelnau.

La leímos tres veces. Primero yo, después Rita, luego yo otra vez, cada frase, cada palabra, en voz alta, sopesando los matices, como si se hubiera tratado de la lectura, por un notario, de un testamento a unos herederos que debían comprender bien lo que aquello quería decir y el significado exacto de cada palabra.

—¡Olé, *Minouche*! ¡Olé! ¡La cosa está en marcha, ya lo está! ¿y el... cómo firma ese tío? Ah, sí... y Castelnau encontrará cosas vivas y directas en las historias de este libro, como ni siquiera puede sospechar.

—Poco a poco, querido. Es verdad que se trata de una buena noticia, pero de esto a ser editado es otra cosa.

—*Minouche*, estos tíos no pierden el tiempo escribiendo para nada. Si han respondido, es que les interesa. ¿Sí o no?

—Bueno, ¿y qué?

—Por otra parte, me piropean: «Es vivo, directo, constituye la base de una excelente narración.» ¿No te burlarías? ¡No irás a creer que esos truhanes de editores van a hacerte lisonjas gratuitas! Porque cuanto más te dicen que está bien, más caro les costará. Por tanto, deben pensarlo de verdad. Pero son astutos, y sólo dicen la mitad de lo que piensan. ¿Quieres que te diga, yo, un evadido, un escritor de la calle, quieres que te diga lo que significa decir «vivo, directo, base de una excelente narración, envíenos la totalidad»?

—Sí.

—Significa: hemos recibido tres formidables fragmentos de un libro. Si el conjunto tiene el mismo estilo, es un libro excepcional.

—¿Y les enviarás las seiscientas veinte páginas?

—¿Bromeas? *Voy a llevárselas yo mismo...*

—El viaje es caro.

—¡Es como un juego, chiquilla! Estamos jugando y, ¿quieres que te lo diga? Nos jugamos la choza, las cuatro perras que tenemos en el Banco, nuestro crédito en el mercado. Banco solo, ¿comprendes? Banco contra todo. Y escúchame bien. Esta vez, lo siento, estoy seguro de ello, el pueblo francés responderá: «9, pleno, recoge, *Papillon,* ¡al fin ganaste un banco en tu condenada vida!»

Capítulo XX

MIS EDITORES

Con una pequeña maleta conteniendo tres kilos y medio de hojas mecanografiadas cogí el avión Caracas-París. Viaje de ida y vuelta que habíamos pagado a crédito.

Tenía tanta prisa de entrar en contacto con este editor, que me hubiera enfrentado con la Policía de Orly. ¡Mientras no me detuvieran para notificarme y hacerme firmar mi interdicción de residencia de por vida en París! Entonces me vería obligado a mendigar un permiso de estancia en un despacho miserable. Sería deprimente. Al cabo de treinta y ocho años debía de haber desaparecido de la relación de las personas a vigilar.

Número 8, *rue* de Nesle, «Editions Jean-Jacques Pauvert». Para mí, que llegaba de Caracas, ciudad de grandes avenidas modernas, era una pequeña calle estrecha, sucia, un edificio deteriorado. El patio era tan asqueroso como la calle. Grandes adoquines, los adoquines de las calles de París de cien años atrás, una puerta cochera por donde debían entrar, mucho tiempo atrás, fiacres o calesas. Y para salir de allí los cocheros tenían que calcular muy justo. Tuve que subir a un piso muy alto, por una escalera con elevados y fatigosos peldaños, sin alfombra. Era glacial (corría el mes de octubre), los peldaños estaban gastados, parecía la entrada a los calabozos de la central de Caen. ¡Bueno! La «Editorial Pauvert» no tenía un aspecto demasiado tranquilizador.

Me esforcé en decirme que aquél era uno de los más viejos barrios de París, y que un montón de tíos con muchos conocimientos artísticos se dejarían matar, o, preferiblemente, alguien que no fueran ellos, para que no tocaran ni una de aquellas piedras. Pero, para un idiota que llegaba de América del Sur con una bomba de esperanza bajo el brazo, aquello no parecía presagiar grandes negocios.

Sin embargo, en el primero, la puerta era bonita, bien encerada, una inmensa puerta de notario de provincias. Encima, en letras de cobre brillantes se leía: Jean-Jacques Pauvert, editor.

La puerta se abría tocando un botón. ¡En aquel antro no tenían miedo a los ladrones! En realidad sólo había papel. Sin embargo, que la puerta se abriera por sí misma, inspiraba cierta confianza.

A pesar de todo, me había anunciado por teléfono:

—¡Oiga! ¿Monsieur Castelnau? Aquí Charrière.

—¡Hombre! ¿Me telefonea usted desde Caracas?

—No, estoy en París.

—¡No me diga!

No salía de su asombro, y me dijo que pasara a última hora de la tarde.

En el vestíbulo, dos personas esperaban con manuscritos sobre las rodillas. Cuando la secretaria me invitó a sentarme, una vieja dama se inclinó hacia mí y me dijo: «Espero que no tenga usted prisa, porque yo hace un buen rato que espero.»

—No, no tengo prisa.

Un minuto después:

—¡Es increíble verlo aquí, Monsieur Charrière!

Un hombre de unos cuarenta años, todavía joven de aspecto, el rostro simpático, delgado como un clavo. Me pareció que flotaba en un traje que debía de tener varias temporadas.

Se presentó:

—Jean-Pierre Castelnau. —Riendo, añadió—: Francamente, ¡es increíble! ¡Lo esperaba todo menos verlo a usted aquí!

Me introdujo gentilmente, con mucha amabilidad, en su despacho. Despacho con calefacción, serio, aunque alegrado por una biblioteca atestada de libros y por toda clase de dibujos y de carteles en las paredes.

—No salgo de mi asombro de verle aquí. Perdone, pero después de mi carta esperaba los demás cuadernos, pero no a usted, de verdad.

—Está asombrado de que un hombre arruinado venga de Caracas impulsado por una sencilla carta que no le compromete a nada, ¿verdad?

—Pues bien, sí —contestó riendo—, lo confieso.

—Mire, estoy sin blanca, es verdad, pero de todos modos todavía pago el alquiler y el teléfono.

—Lo importante es que esté usted aquí. Jean-Jacques estará contento. ¿Tiene usted el manuscrito? ¿Está todo redactado?

—Tengo el manuscrito. Está terminado y completo.

—¿Lo trae usted?

—No, se lo traeré mañana. Hoy he venido para una sencilla toma de contacto.

Hacía un rato que estábamos charlando cuando entró un hombre joven, alto, de ojos claros y una sonrisa simpática.

—Le presento a Jean Castelli —dijo Castelnau.

—Encantado. Henri Charrière. Lleva usted el mismo nombre que uno de los presidiarios de mi libro. ¿Le molesta?

—De ningún modo —dijo riendo—. He leído sus fragmentos y me han parecido muy buenos. Le felicito.

Se marchó. Seguimos charlando todavía un momento y luego me levanté:

—Hasta mañana.

—¿Cómo, no quiere que cenemos juntos?

—Gracias. Mañana.

—Bueno, hasta mañana. Con los cuadernos.

—Con todos los cuadernos.

Volví a casa de mi sobrino Jacques, en las afueras. Conocía París como la palma de su mano, y tenía una opinión bastante exacta de los ambientes literarios, porque trabajaba en *Paris-Match*. Además era artista. Me esperaba con su encantadora mujer, Jacqueline, decoradora, y sus dos hijas en su villa, muy agradable, rodeada de un jardín.

—¿Y bien, tío? —preguntó Jacques, al abrir la puerta.

—Pues mira... —y le conté que Castelnau me había parecido bastante simpático, etc.

—¿Y Pauvert?

—No lo he visto.

—¿No lo has visto?

—Pues no.

—A tu parecer, ¿es buen o mal signo?

—Creo que quien dirige las contrataciones de los manuscritos y toma las primeras decisiones debe de ser Castelnau. El gran patrón trabajará según el estilo de los hombres de negocios americanos.

—¿Qué quieres decir?

—Como en todo negocio, cualquier proposición pasa por la criba de los colaboradores, quienes explican las razones por las que recomiendan esto o aquello, ya sea un libro, o un nuevo modelo de grifería. Y luego, en el último momento, interviene el gran jefe. Como que no ha tenido ningún contacto conmigo, ni hemos comido juntos, ni bebido un whisky, ni, en fin, simpatizado, como que no ha dejado escapar ninguna palabra de elogio o de entusiasmo, cuando él interviene es a la guillotina: te corta la cabeza o te salva. Y empieza su regateo: «Comprenda usted, no es tan bueno como dicen mis colaboradores; en seguida se embalan; no son ellos quienes pagan, quienes arriesgan, pero en cuanto a mí no es lo mismo. Ahora acaso podríamos ver, probar, si usted acepta, claro está, trabajar con nosotros bajo condiciones más modestas.» Pues bien, Pauvert debe de ser un tío por este estilo.

—¡Estás desilusionado, tío!

—Al contrario, soy muy psicólogo, hijo mío. Porque voy a decírtelo: cuando un don nadie como yo regresa del infierno en las condiciones en que viví, y ha hecho doce mil kilómetros en avión para traerte las páginas de su calvario, si tienes un poco de buenos sentimientos en el vientre, de humanidad, incluso si estás ocupado, vienes a decirle buenos días, una sola vez, pero vienes. No ha venido; por tanto, no merece la pena hacer su radiografía; está hecha de antemano: como para determinados *businessmen* americanos su corazón no debe de latir más que al ritmo y al son de la moneda. Puedes estar seguro de ello.

Ante aquellas explicaciones, Jacques y Jacquotte se troncharon de risa.

Me levanté temprano para estar en París a las diez en punto.

Llevé conmigo las seiscientas veinte páginas del manuscrito mecanografiado. El taxi me dejó en la esquina de la *rue* de Nesle y de la *rue* Dauphine, y allí, en la acera, frente al bar que hace esquina, estaba Jean-Pierre Castelnau.

Llevaba abrigo. Tenía razón, porque hacía fresco y, delgaducho como era, no le protegería su grasa. Se dirigió hacia mí:

—¡Ah, ya está aquí! ¿Vamos a tomar un café?

¿Me esperaba en la acera por casualidad? ¡Vete a saber!

—¿Todo marcha desde ayer, Monsieur Castelnau?

—Todo marcha, gracias. ¿La maletita, contiene el manuscrito?

—Sí.

Nos trajeron los dos cafés.

—¿Me permite que le eche un vistazo?

—Sí.

El sujeto tenía prisa, aquello le interesaba.

La maletita de tela estaba sobre la mesa del bar; en seguida corrí la cremallera.

Y el jovial, el amable, el simpático Castelnau dejó que el café se le enfriara, recorriendo con una ojeada rápida de profesional varias hojas aquí y allá. Miré su rostro, concentrado, los ojos un poco cerrados, tensos. Se había olvidado de mí. Buena señal.

—Y bien, mi querido Charrière, hoy es jueves, leeré este apretado manuscrito durante el fin de semana. Venga a verme el lunes y le diré lo que podemos proyectar. No merece la pena subir a mi despacho, nos hemos dicho lo esencial. ¿De acuerdo?

—Muy bien.

—Entonces, hasta el lunes.

Todo aquello lo dijo con perfecta naturalidad, con una amable sonrisa, una mirada franca y jovial, mientras cerraba la cremallera de la maletita de tela, apoderándose de ella, demostrando que tenía prisa, mucha prisa de quedarse solo con el manuscrito.

—Hasta el lunes, Monsieur Castelnau.

El amable hombre se fue por la *rue* Nesle y yo volví a

subir por la *rue* Dauphine hacia el «Metro» Odeón.

Lloviznaba, no sentía frío porque llevaba abrigo y grasa suficiente para envolver mi osamenta.

Cogí un taxi, era mejor que el «Metro». Cuando estuve en el tren de cercanías volví a pensar en lo que acababa de ocurrir. La vida de las calles de París, vista desde el taxi, había ocupado toda mi atención.

¿No hubiese tenido que darme un recibo? ¿Por qué, *Papi*? Tu libro no era un tesoro, pero podían copiarlo, todo o en parte. Parece, mi sobrino me lo dijo, que antes de dar un manuscrito a quien sea hay que tomar la precaución de depositarlo en la «Société des Gens de Lettres». ¡Pero yo no era un autor! Y, además, nadie podía sustituir a *Papillon*, enviado al penal a perpetuidad por doce jurados idiotas. No era lo mismo que un verdadero escritor.

«Vamos a ver, ¿por qué no ha querido que subieras? ¿Acaso tenía una razón? ¡Vamos, *Papi*, hay que ser desconfiado, de acuerdo, pero no hasta este extremo! Te has dado perfecta cuenta de su aspecto simpático de hombre honrado, amable, alegre. Lo he observado bien, sí, pero el yanqui de los langostinos, con su facha de luna llena y su aire bonachón ¡también él tenía un endiablado aspecto de hombre honrado! No, quiso evitarte subir las escaleras. Esperémoslo. De todos modos, espera sólo cuatro días y sabrás a qué atenerte. Y, cosa formidable, el mandamás principal de la casa "Pauvert" leerá tu libro durante el fin de semana. ¿Cuántos manuscritos tienen esta suerte, sobre todo procediendo de un desconocido? Más todavía, ¿de un antiguo truhán? Serán eternos estos cuatro días. ¿Y si fueras a ver a tu sobrina, en Saint-Priest?»

Al día siguiente por la mañana cogí un «Caravelle» de «Air Inter», para Lyon. El avión estaba atestado de gente. Mal sentado, fumaba. A mi lado una buena mujer leía el *France-Soir*. Como que no había querido el periódico que me ofrecía la azafata, leí por el rabillo del ojo los titulares del de mi vecina, quien, amablemente, lo desplegaba para mí.

¡Por el amor de Dios! ¡No era posible! En titulares enormes, leí bajo el nombre de «Edgard Schneider»:

«¿ES PAUVERT DE UTILIDAD PÚBLICA?»

No pude leer más que el título, porque no tenía los lentes: estaban en mi abrigo, en la redecilla sobre mi cabeza. Como estaba situado contra la ventanilla, hubiera tenido que molestar a dos personas para, desde el pasillo, recuperarlos. Era desagradable para todos y demasiado complicado.

Por otra parte, aquel Pauvert acaso no era el mío, eran unos titulares muy grandes para hablar de un editor, ¿se trataría acaso de un ministro?

De todos modos, no resistí más.

—Señora, perdone, ¿quiere decirme quién es ese Pauvert?

—¿Quiere usted el periódico?

—No, gracias, no tengo mis lentes. Por favor, léame el texto.

Y mi amable vecina leyó con voz neutra:

«Jean Jacques Pauvert (no hay duda) podría muy bien ser salvado de la quiebra por sus propios acreedores.

»Lo que el editor menos conformista de París llama un *incidente del trayecto*, se traduce, en realidad, por un descubierto de 5.270.000 francos fuertes, etc.»

—Gracias, señora, muchas gracias. Aceptaría de buena gana el periódico cuando usted lo haya leído, porque deseo conservar este artículo. Me interesa.

—¿Conoce usted a Jean-Jacques Pauvert?

—No, peor todavía, iba a conocerlo el lunes.

Vi la sorpresa en su cara, y el «Caravelle» continuó corriendo muy suavemente por entre las nubes algodonosas de aquel mes de octubre.

Tanto peor si molestaba a mis vecinos; la emoción me había dado ganas de orinar.

—Perdón, señora. Perdón, señor.

En lugar de miccionar de pie, me senté en el retrete. Estando solo, podía reflexionar mejor. Alguien forcejeó con el pestillo de la puerta; no me inmuté; que fueran a hacerlo a otra parte.

Y bien, camarada, estabas, de verdad, en pleno desastre. Casi ya tenías editor, como si lo hubieras tenido en el bolsillo, cuando en realidad el hombre estaba hundido.

La quiebra, vamos, para hablar en términos correctos.

Y, por si fuera poco, mi manuscrito estaba en su poder.

Por eso el sujeto de la sonrisa encantadora te esperaba frente al bar y no quiso que subieras.

¡Pardiez!, ¡tenías que haber presentido el desastre! Acaso

arriba había un alguacil efectuando el embargo de los muebles y de las máquinas.

Los del *France-Soir* ofrecían noticias frescas. ¡Y no eran moco de pavo!

¿Qué hacer? Pedí a la buena mujer el periódico y decidí volver a París inmediatamente.

A las diez de la mañana el avión aterrizó en Lyon.

A las 10,20 retiré mi maleta de los equipajes.

A las 10,30 la registré para el vuelo Lyon-París.

A las tres de la tarde irrumpí en la recepción de las ediciones «Pauvert».

A las tres y un minuto penetré, sin ser anunciado y sin haber pedido permiso, en el despacho de Castelnau, a quien encontré ojeando mi manuscrito y discutiendo de él con Jean Castelli.

A las tres y seis minutos, coloqué tranquilamente el manuscrito en la maletita de tela, después de haber comprobado que estaban las seiscientas veinte páginas.

A las tres y seis minutos volví a bajar las escaleras seguido por Castelnau, quien no comprendía lo que pasaba, porque no había dado explicación alguna.

A las tres y diez, Castelnau me explicó ante un café que, aunque Jean-Jacques Pauvert se encontrara con grandes dificultades en la firma que llevaba su nombre, podía editarme en una de las filiales que, por su parte, estaban saneadas.

A las tres y cuarto declaré rotundamente a Castelnau que no quería saber nada con aquel hombre de negocios demasiado hábil.

Y a las tres y veinte decidimos cenar juntos en «La Coupole» aquella misma noche, a las ocho.

Y allí descubrí al hombre más noble, más generoso y más franco que haya conocido jamás.

Con el whisky, me enteré de que él, Castelnau, se ocupó muy de cerca del asunto Albertine Sarrazin, desde el principio.

Con las ostras, que estaba arruinado y que dejaba la casa «Pauvert», porque éste no podía pagarle, y que mucho más tarde cobraría algún dinero.

Con el lenguado, que Pauvert era amigo suyo y que le concedía por nada el uso de una pequeña habitación en el patio, un poco deteriorada, pero que él arreglaría como despacho, para poder desenvolverse y hacer frente al futuro.

Con el bistec, que para acabar de arreglar las cosas poseía cinco maravillosos hijos, cuatro chicas y un chico, y una mujer muy bonita.

Con el queso, que, de todos modos, era un hombre afortunado porque todos eran buenos y se querían mucho.

Con los postres, que tenía algunas pequeñas deudas, pero que no era grave porque la escuela de los niños estaba pagada y estaban vestidos para el invierno.

Con el café, que si no quería oír hablar más de Pauvert, podía confiarle a él, a Castelnau, mi manuscrito.

Con el coñac, que estaba seguro de que dentro de seis meses podría hacer publicar mi libro en muy buenas condiciones.

—¿Qué garantías puedes darme?

—Materialmente, *ninguna*. Todo estriba en que me otorgues absoluta confianza. No tendrás que lamentarlo.

«Bueno, camarada, ¡éste me la da! O es el más maquiavélico de los truhanes, o...»

—¿Puedo ir a verte *a tu casa* mañana? Y, en caso afirmativo, ¿a qué hora?

—Ven a comer a la una. ¿De acuerdo?

—Muy bien.

Juntos nos metimos en algunos bares. Bebía bien, siempre era el mismo, amable y alegre, se tragaba los whiskies como persona entendida y acostumbrada.

—Hasta mañana, Jean-Pierre.

—Hasta mañana, Henri.

No sé lo que pasó entonces: estallamos en risas mientras nos dábamos la mano.

A la una de la madrugada llegué a casa de mis sobrinos. Los niños dormían.

—¿Eres tú, tío? Te creía en Lyon. ¿Qué ocurre? ¿Todo anda bien?

—Sí, todo va lo mejor posible. Mi editor, o mejor dicho, el que iba a serlo, está en quiebra, o algo por el estilo.

Y todos prorrumpimos en carcajadas.

—De verdad, tío, no tendrás nunca una vida como todo el mundo. ¡Siempre te sucede algo inesperado!

—Es verdad. ¡Buenas noches a todos!

Y muy pronto, en mi habitación, me dormí, *sin preocupación alguna por el futuro de mi libro.*

No podría explicar por qué, era algo que presentía.

Veríamos al día siguiente. La noche había sido muy tranquila.

A la una, el sábado, subí los dos pisos en un inmueble limpio, en el distrito sexto. Las escaleras eran fáciles de subir, lo que para mí tenía mucha importancia desde que me rompí las dos piernas en Barranquilla; había una alfombra decente, sin más, lo que ayudaba a subir sin caerse. Fuera seguía lloviendo.

Jean-Pierre tenía una tribu, una verdadera tribu de indios.

Dos hermosas muchachas, Olivia y Florence, dieciocho y dieciséis años, luego una larga parada en la «fabricación Marianne», porque su mujer se llamaba Marianne. Observé su sonrisa dulce y sus ojos que brillaban cuando miraba a los pequeños, que empezaron a llegar seis años después de Florence, «cuando no los esperaban», dije riendo.

Un apartamento amplio, bien cuidado y bastante lujoso, algunos muebles antiguos que indicaban que uno u otro, o los dos, tuvieron abuelas de una clase social privilegiada. Mientras charlábamos, registré todos los detalles.

Durante la comida, observé dos cosas muy importantes:

—en el campamento de Jean-Pierre todos se comportaban muy bien en la mesa; los niños comían tan bien como los mayores y mejor que *Papillon*, candidato a autor de éxito.

—la mesa era redonda, todos nos veíamos bien. Como chicas bien educadas, las mayores, discretamente, ayudaban al servicio, una iba a buscar algo, la otra se llevaba lo que fuera. Los tres pequeños visiblemente adoraban a su padre y no hablaban más que cuando él les daba la palabra, lo que era raro. Porque Jean-Pierre charlaba tanto como yo, lo que no era poco, y no dejaba muchas posibilidades a los demás para meter baza.

Y Jean-Pierre charló: la historia del descubrimiento de Albertine Sarrazin, de su éxito, el cómo y las posibilidades del lanzamiento de un autor, las relaciones con la Prensa, la Radio, los críticos. Brotaban tan fácilmente de los labios de mi futuro editor todos los nombres de los críticos, con referencias, árbol genealógico comprendido, que me quedé muy impresionado.

La choza era confortable, su propietario tenía el aire de conocer su oficio, lo que decía era lógico, hablaba sin exagerar. En su salón concluimos el pacto:

—Te confío mi libro y mis intereses. Sabes que lo he escrito para ganar dinero, no por otra cosa. Y sabes por qué.

Esbozó una pequeña sonrisa:

—Uno no sabe nunca, exactamente, por qué ha escrito un libro.

—Es posible, pero yo lo sé.

—Puedes contar conmigo.

—Hasta otra.

—Hasta pronto.

—Esperémoslo.

En el tren de cercanías que me devolvía a casa de mis sobrinos, no me quedaba ya ninguna duda, ninguna desconfianza. En casa de Jean-Pierre todo era sano, claro, no se podía tener una familia semejante cuando uno era un hombre dudoso. Hábil por encima de todo, puesto que «ultraarruinado», se las arreglaba para que su casa respirara la seguridad del mañana y la vida sin problemas de un hogar acomodado.

Catorce horas de vuelo, y ya estaba en Caracas.

—¡*Minouche*! ¡Regreso vencedor!

—¿Lo conseguiste? ¿Te editan?

—Mejor que eso, me preparan un éxito clamoroso.

Octubre, noviembre, diciembre, empezó un intercambio de cartas entre Castelnau y yo. Me dijo todo el respeto que tenía al manuscrito, por lo que había sentido a través de él. Lo había captado bien: «Al regresar a Caracas, has debido de preguntarte si todo no era un sueño, una farsa, etc. Ni hablar de volver a escribir tu libro, sólo hay que corregir las faltas de francés, de ortografía o de puntuación... Tu libro tiene una voz, esto es raro, seguirá intacto, será *tu* libro, no te inquietes. Etc.»

30 de enero de 1969, un telegrama: «Victoria. Contrato firmado con gran editor Robert Laffont entusiasmado *stop* Seguiré personalmente lanzamiento libro mayo-junio *stop* Sigue carta — Jean Pierre.»

Y el sol volvió a entrar en mi casa con aquel telegrama de mi camarada.

Y el sol volvió a entrar en nuestros corazones ante el anuncio de que iban a editar, ¡seguro!, mi libro.

Y el sol hizo que se dibujara un arco iris de esperanza, puesto que, según decían, sería editado por un *gran* editor, Robert Laffont.

El telegrama llegó cuando Rita y yo estábamos solos en casa. Como que dormíamos cuando el repartidor nos despertó a las diez de la mañana (nos habíamos acostado a las seis, después del cierre del «Scotch»), volvimos a acostarnos con el telegrama. Antes de dormirnos de nuevo lo releímos una vez más; luego:

—Espera, *Minouche*. Un segundo.

Llamé a nuestra hija a la Embajada para darle la extraordinaria noticia. Gritó de alegría:

—¿Quién es el editor?

Ella leía mucho.

—Robert Laffont. ¿Lo conoces?

La alegría desapareció de la voz, que me respondió:

—No conozco a este editor. No debe de ser muy importante, porque, francamente, no conozco en absoluto este nombre.

Volví a colgar un poco decepcionado porque mi hija no conocía a *mi gran editor*.

Las cuatro de la tarde. Clotilde acababa de llegar a casa, Rita estaba en la peluquería. Leía y releía el telegrama.

—¿Robert Laffont un gran editor? Te aseguro que exagera, Henri, porque no le conozco.

—¡Sin embargo, Castelnau es una persona seria!

—No es posible. En la Embajada se lo he preguntado a una compañera. Lee todavía más que yo y es persona seria: no conoce a Laffont. Y ella es francesa, parisiense, además.

Es raro.

¡Ring, ring, ring! El teléfono.

—¿Henri? Soy yo, Rita. Es verdad, ¡es un gran editor!

—¿Qué? ¿Qué dices?

—Aquí, en la peluquería, hay una vieja revista con la foto de tu editor. Ampliada.

—¡Ven en seguida!

—Todavía no estoy peinada.

—¡Vuelve corriendo, chica, sé buena, te peinarán mañana!

Un cuarto de hora después se confirmó en todos sus extremos que Castelnau no exageró al decir «gran editor».

Venía en la revista *Jours de France*.

En un despacho lujoso, dos hombres: Robert Laffont y el novelista Bernard Clavel. Grandes fotografías. Estaban alegres, y había razones para ello: Bernard Clavel, autor de Laffont, acababa de ganar el 63.º premio Goncourt. Un premio que, según el periódico, daría una fortuna al editor (tanto mejor, así tendría parné para editar el mío) y para el autor un conjunto de derechos que se aproximaban al millón de francos.

También me informé de que aquel simpático Laffont (en la foto parecía un galán de cine) fundó su casa en 1941. ¡Era algo serio, vamos!

También me enteré de que aquel premio Goncourt, Bernard Clavel, conoció las decepciones que causan las «negativas de los editores» o las «muecas de los críticos» ante sus primeros libros.

¡Pero yo tenía una suerte loca, vamos! No había tenido «negativas de editores», había encontrado a uno, excepcional. Faltaba saber cómo sería la forma de la boca de los críticos cuando hicieran la mueca ante mi libro. Esperé que no fuera fea.

Definitivamente, Rita y yo clasificamos a Clotilde y a su compañera en la categoría de subintelectuales, tan ignorantes que no conocían a un editor tan importante, tan grande como Robert Laffont, *mi editor*. Clotilde, riendo, estuvo de acuerdo e inmediatamente encuadró las dos páginas en un plástico que colgó en la pared de mi despacho.

¡Ah, qué hermoso día! ¡Bien venido telegrama de Jean-Pierre y bendita revista que nos había informado de todo lo que necesitábamos saber para ser completamente felices!

Y así entré por la puerta grande de un mundo desconocido para mí.

Una carta de Castelnau me pedía que fuera a pasar quince días en París. Quería, de acuerdo con Laffont, que deseaba mucho conocerme, que yo mismo hiciera, si estaba de acuerdo, determinados cortes en el manuscrito, demasiado largo, y que arreglara uno o dos pasajes que no había redactado tan bien como el resto, a su parecer.

Llegué ocho días después, a primeros de marzo.

En Orly me esperaba Castelnau. Mientras comimos en una taberna, me explicó lo que esperaba de mí: quitar *por entero* determinadas historias muy interesantes que oí contar en el presidio.

—¿Por qué?

—Porque, Henri, durante diez o veinte páginas, alguna vez explicas la historia de otro tipo, y durante estas veinte páginas, sobre todo si son atrayentes, cortas la narración de quien se sigue paso a paso, con la garganta seca: *Papillon*.

—Comprendo: sólo *Papillon*. Muy bien.

Decididamente, todos los días se aprende algo nuevo. Porque yo, cuando escribí *Papillon*, me dije: «*Papillon*, más *Papillon*, siempre *Papillon*, esto, a la larga, acaso les fatigue. Mientras que la historia de esto o de aquello, de éste o de aquél, añadirá diversidad y será todavía más interesante.» Pero puesto que Castelnau y el editor estaban de acuerdo para que suprimiera, no había problema, convine en ello.

Conocí a Laffont en su despacho y en seguida se estableció una franca amistad entre nosotros.

Era un hombre apuesto, de unos cuarenta años, majestuoso. Un hombre reposado, tranquilo, modos de diplomático, pero en quien se sentía que la pasión podía arder por dentro, sin que por ello se exteriorizara fácilmente en fuegos artificiales. Un gran señor, vaya, que recibía al antiguo presidiario verdaderamente como amigo y que, para demostrárselo muy sutilmente, lo invitó a almorzar para el día siguiente, un sábado, no en un restaurante, sino en su hogar muy burgués.

No olvidaré nunca aquella comida, la primera verdaderamente excepcional para mí, en un suntuoso apartamento en la linde del Bois de Boulogne. En toda mi vida no había conocido más que sencillos ambientes de maestros o restaurantes de lujo. Pero no había penetrado nunca en un marco y un ambiente tan refinados.

No es que me quedara pasmado, con la boca abierta, maravillado. No, necesitaba más que aquello, pero sí estaba muy emocionado por aquella atención que, ya al día siguiente de nuestro primer encuentro, tuvieron para mí Robert Laffont y su esposa.

En la mesa, Robert y su familia, un banquero, Castelnau y su mujer.

Robert habló del libro. Me explicó que le había entusiasmado, hasta el extremo de que, habiéndolo empezado a primera hora de la tarde un sábado, no pudo dejarlo antes de la noche del domingo. Su mujer lo encareció, diciéndome que durante aquellos dos días no había abierto la boca y que nadie había podido acercársele.

Y lo que descubrí en aquella comida en casa del editor fue que era un hombre leal, de una gran nobleza de corazón, generoso. Exactamente lo contrario del hombre de negocios ladino que sólo busca hacer un buen negocio.

No puedo describirte muy bien, lector, toda la belleza, la comunión de espíritu, lo emocionante de aquellos momentos. Pero tú mismo podrás imaginar la intensidad de lo que sentí al descubrir otro mundo, una sociedad tan distinta de la que había conocido y, por añadidura, viviendo un cambio tan inesperado en mi vida: de verdad estaba borracho de felicidad.

Decir a un hombre que tiene un pasado como el mío: «Vales tanto como no importa qué hombre, mereces las atenciones debidas a los seres fuera de lo común, aquí estás en tu sitio, con mi familia, en mi casa, no desentonas, estoy contento de tenerte en mi casa.» Todo esto sin pronunciarlo, haciéndolo sentir, sin uno solo de aquellos cumplidos fáciles que asquean más que halagan, nada, absolutamente nada puede llegar al corazón de este hombre con semejante intensidad.

Y, cosa inesperada para Laffont y Castelnau, he aquí que, en mi conversación, el futuro y el éxito esperado para mi libro quedaron relegados a un segundo término. Mi libro me había proporcionado un mundo de emociones tan hermosas que ya me sentía pagado por mis esfuerzos para escribirlo. Hasta el punto de que me dirigí al banquero amigo de Robert para convencerlo con pasión de que organizara en Venezuela un negocio de langostinos conmigo.

Conocí también, entre otros, a la gran y calurosa Françoise Lebert, agregada de Prensa en la «Editorial Laffont». No había tenido tiempo de leer el manuscrito, que había sido enviado rápidamente al impresor. Nos citamos para las siete en «La Coupole» con Castelnau, para conocernos, y allí ella tuvo la desgracia de decir: «Dígame por encima lo que hay en su libro.» Nos levantamos de la mesa a la una y media de la madrugada. Al día siguiente, Françoise telefoneaba a Castelnau: «Nunca había pasado una velada tan formidable, estoy segura del éxito.» Buena señal.

Salí para Caracas engreído a reventar.

Hasta el extremo de que, sumergido en mis reflexiones sobre todo lo que acababa de vivir, no oí la llamada para mi avión que salió sin mí. Tuve que esperar dieciséis horas. Telegrama a Rita.

Dieciséis horas durante las que, en la cafetería, luego en el bar, y después en el restaurante de Orly, pasé revista a aquellas extraordinarias y demasiado cortas tres semanas en París.

Después de la comida en casa de Laffont, un almuerzo en casa de un gran intelectual francés, Jean-François Revel. Una de las más importantes cabezas de París, según me dijo Castelnau. Era un destacado escritor y filósofo, a quien Laffont dio a leer mi manuscrito y que, a su vez, se entusiasmó. Hasta el punto de que pensaba escribir algo sobre el libro.

Me impresionó ir a verlo, como me impresionaron su apartamento y su familia. Un apartamento sobre los muelles del Sena, claro, alegre, armonioso, atestado de libros, y algo en el aire que hacía que uno percibiera en seguida que en aquella casa sólo tenían derecho de ciudadanía los sentimientos elevados.

Jean-François Revel y su mujer me recibieron sin que advirtiera en ellos el menor espíritu de superioridad. No me daban asilo en su mesa, me recibían como a uno de los suyos, de igual a igual.

Varias veces, durante la comida, hablé de mi «regeneración» de mi «rehabilitación», y Jean-François Revel es el hombre que me habrá hecho comprender mejor que cualquiera, mejor que yo mismo, que no tenía que hablar como lo hacía, de mi «rehabilitación», de mi «regeneración». Me explicó que no eran los demás, ni tan sólo los tipos terribles que yo hubiera podido encontrar, los que fabricaron el fondo de mí mismo, que ya existía, *antes*.

¿Rehabilitado? ¿Regenerado? ¿Con relación a quién? ¿Con relación a qué? Lo que hubiera en mí, cualesquiera que sean la importancia y el valor, lo que tuviera como fuerza anímica, de carácter, de inteligencia, de gusto por la aventura, de espíritu de justicia, de corazón, de alegría, todo aquello estuvo siempre en mí. Existía al principio, mucho antes de Montmartre y del penal, de otro modo no hubiese podido hacer todo lo que había hecho para salirme del «camino de la podredumbre», y no lo hubiese hecho nunca *como* lo había hecho.

Y continuó diciéndome que determinados hombres superiores pueden llevaros a ver determinadas cosas de modo distinto de como uno las veía, pero que no pueden hacer que uno sea capaz de vivirlas, de triunfar sobre ellas, de dominarlas. Nadie me había «regenerado», porque incluso si determinadas circunstancias de mi juventud echaron un velo sobre quién era el joven Henri Charrière, si le hicieron llevar durante un determinado período una vida que daba de él una imagen muy distinta, lo que yo llevaba en mí y que luego se expresó plenamente en mi lucha para escapar al horror del presidio, todo aquello estaba ya allí antes. La pérdida de mi madre tuvo una influencia determinante sobre mi vida, estalló como un volcán en mi carne de chiquillo de once años, yo no podía admitir aquella monstruosidad, una injusticia tan total, yo, un chico violento, hipersensible, imaginativo. Nada indicaba, nadie tenía derecho de decir que, sin aquel drama, teniendo a mi lado hasta la edad de convertirme en hombre aquella presencia apaciguadora, aquel amor capital para mí, yo no me hubiese convertido en alguien distinto aun siendo el mismo. Una especie de creador, acaso un inventor de conjuntos modernos revolucionarios como había soñado tantas veces, un aventurero, sí, un conquistador, es posible, pero *dentro de la sociedad.*

No se regenera lo que ya existía, pero se le puede dar, tarde o temprano, la ocasión de expresarse por completo. Los venezolanos no me fabricaron como soy, pero me dieron la oportunidad, la libertad, la confianza para escoger otro modo de vivir, en el que todo lo que tenía en mí y que la justicia francesa negó y condenó a desaparecer, podría convertirse en positivo en una sociedad normal. Sólo por eso les debo reconocimiento eterno.

Y me dijo que, por tanto, no tenía que tener complejo de inferioridad moral en relación a las gentes de la sociedad a la que volvía con mi libro, incluso si provocaba escándalo, sin por eso creerme un ser superior. Sí, hice tonterías; sí, fui castigado, ¿pero lo que hice para salir de aquello, hubiesen podido hacerlo todas aquellas personas honradas, hubiesen podido tener la fuerza interior suficiente, suficiente fe?

No hay que pensar que, a causa de todo lo que sufrí, todas estas gentes de Francia valgan menos que yo, puesto que me enviaron allá, pero tampoco hay que pensar que, a causa de mi pasado, todo el mundo tendría derecho a dudar de mí, de menospreciarme y decirme: «Cállate, no eres nada, acuérdate de dónde vienes.»

Todas aquellas ideas bastante me las había dicho a mí mismo, pero saliendo de donde yo venía, de con quién estaba, después de todos aquellos años en que, primero en la sala de justicia, y luego por todas partes, me habían dicho y repetido que yo no era más que la hez de la tierra, no estaba tranquilo, estaba turbado, de verdad no me atrevía a creerlo. Han sido necesarios unos Castelnau, unos Laffont, unos Revel, para que, al fin, pueda mirarme a la cara en un espejo, y ver en él, sin turbarme, a un hombre, lleno de defectos y de imperfecciones, es cierto, pero un hombre al fin, un hombre digno de los demás.

Al ir a su casa era como si me acercara a una butaca sin saber si tenía derecho a sentarme en ella. Y ellos me dijeron: «Siéntate, éste es tu sitio.»

Todo esto quedó al fin claro para mí durante la espera en Orly, donde me dije que cuando volviera a París para la salida de mi libro vería ciertamente a otros hombres de valor real.

No sólo los aventureros pueden ser hombres. Cada hombre, cada mujer tiene su historia, pero de donde sea que vengan, de cualquier región de la sociedad o del mundo, se reconoce muy bien a quienes no aceptaron doblegarse ante la moral corriente cuando, habiéndola analizado, no la encontraron justa.

Capítulo XXI

ANTES DE PARÍS

Al fin, el aeropuerto de Caracas, donde me esperaba mi familia rodeada de amigos a quienes Rita había dado las noticias que, cada día, le fui enviando.

—¡Lo tenemos, *Minouche*, está a punto de dispararse! ¡Terrible!

Y besos, y más besos todavía.

—El libro saldrá el 19 de mayo. Primera tirada, 25.000 ejemplares. Laffont me lo ha prometido.

El profesor de francés estaba allí con casi todo el «comité de lectura».

—Hoy no ha venido ninguna personalidad oficial a esperarte —me dijo—, la próxima vez estará la Televisión.

—No exageremos —dijo Rita, siempre sosegada.

Me reí, y al llegar a casa, mientras degustaba el whisky de la llegada, continué:

—Pues bien, ¿queréis que os diga de verdad lo que pienso?

—Venga.

—Creo sinceramente que cuando vuelva a Caracas después del lanzamiento del libro, la Televisión estará allí esperándome.

—¡Estás completamente loco, querido! —exclamó Rita.

—¡No es que lo crea, estoy absolutamente seguro!

Y todos estallamos en risas, convencidos de que iba demasiado lejos.

Abril del 69, otro pequeño milagro. La cubierta de mi propio sobrino, Jacques Bourgeas, venció sobre los demás proyectos presentados. Nadie, en la «Editorial Laffont», sabía que aquel concursante era mi sobrino. Este chico, hijo de mi hermana Hélène, no había nacido cuando empezaron mis aventuras. Durante veinte años ignoró mi existencia y sólo me conocía desde hacía dos años, en 1967.

¡Y fue él a quien la providencia escogió para ilustrar la cubierta de mi libro, el libro de su tío que, durante tantos años, no existió para él! Sí, muchas circunstancias extrañas rodearon el nacimiento de mi libro.

Y continuó la maravillosa aventura.

Una carta de Castelnau, el 8 de abril, me informó:

—que los representantes de Laffont, con Mermet en cabeza, habían leído las pruebas y estaban dispuestos a apoyar el libro a fondo;

—que unos tipos de «Radio Luxemburgo», a quienes había hablado largamente del libro, estaban muy excitados;

—que una muchacha formidable, Paule Neuvéglise, estudiaba la posibilidad de una prepublicación de tres días en *France-Soir*.

En las calles de Caracas, por la noche, en uno o dos cafés a donde fui a estrechar las manos de conocidos que estaban allí, tengo el pecho henchido como por un sol interior que irradiaba una luz fuerte y dulce. Sentía ganas de reír, de ser bueno, amable. Estaba un poco apesadumbrado por aquellos a quienes estrechaba la mano y no sabían, no sentían como yo, que se estaba preparando algo enorme. Era seguro. Eran los mismos, los mismos rostros de otras veces. También yo, sin embargo. Pero en aquellos momentos, cuando aparecía por el horizonte una enorme esperanza, todo era igual y nada lo era, uno ya no sabía dónde estaba, uno era a la vez feliz, inquieto, agitado y sereno.

El 22 de abril, Jean-Pierre me envió el texto del epílogo que había escrito «uno de los espíritus más cultos de nuestro tiempo», Jean-François Revel.

Me emocionó leerlo, pero también, lo confieso, me quedé un poco desconcertado. Porque vi en seguida que aquello era gran literatura, aludiendo al pasado y todo, y estuve conforme en ser el primo de un obispo muerto hacía trescientos años, Gregorio de Tours, pero, ¿no era un honor excesivo para mí? En fin, si Castelnau decía que acaso fuera el texto más perspicaz que, desde el punto de vista literario, se escribiría jamás sobre mi libro, no tenía más que dejarme llevar por la impresión de belleza que había dejado en mí.

Incluso si después de aquel día mi familia y mis amigos íntimos me llamaban el camarada de Grégoire de Tours.

Sí, en cuanto a aventura era una verdadera aventura, hermosa como no lo creía posible, y ya no creía, después de tantas como había vivido, que unas páginas emborronadas pudiesen disparar en la vida de un hombre tantos resortes inesperados, sorprendentes, desconcertantes, emocionantes, extraordinarios y, en cualquier caso, todos a cuál más *vivo*.

—¡Vivir, vivir, vivir, *Minouche*! Vivimos intensamente, ¿no es verdad, querida? No sé si se venderán bastantes libros para recuperar los gastos que hemos hecho por él, pero, la verdad, ¿merece la pena, sí o no, vivir todo esto?

—Sí, Henri, merece la pena. Lo siento en lo más profundo de mí. No sé encontrar palabras para decirte lo feliz que soy, por ti en primer término, por nosotros a continuación.

—Gracias. Y a últimos de mayo verás, los franceses lo dirán: «¡Corto al nueve, Monsieur *Papillon*! Recoja. Por una vez, usted ha ganado.»

Fui a mi sastre a que me hiciera un traje. A crédito, no se podía saber nunca. Cosa poco creíble, insistió en hacerme dos, uno para durante el día, y el otro para la noche: «Estoy seguro de que los derechos de autor bastarán para pagar la factura.» Él también creía en el éxito del libro.

De Gaulle había provocado su caída. Resultado, mi libro saldría en plena batalla de las elecciones presidenciales, a últimos de mayo. Si no me presentaba en París en aquel momento, ¿quién dispondría de tiempo para ocuparse de un *Papillon* desconocido? Tal vez sería más oportuno atacar antes. En el momento en que me dispuse a llamarlo, Castelnau me telefoneó: había tenido la misma idea que yo. Estaba decidido, llegaría a París a primeros de mayo.

Se me esperaba, me había dicho, *en todos los sentidos de la palabra.* Ya tenía prevenidos a varios periodistas de Prensa y de Radio.

Por tanto, dentro de quince días estaría en París, mi libro saldría unos días después.

«Sí, pocos días más y tú mismo, en persona, entrarás en contacto con los periodistas, los críticos literarios, la Radio, acaso la tele, y esta Prensa, esta Radio, esta tele son las de un pueblo de más de cincuenta millones de personas.

»¿Qué acogida dispensarán a tu libro, y a ti, cómo te acogerán?

»Porque tu libro es tu historia, sí, pero no son sólo tus aventuras. En él pones en el banquillo a la justicia, al sistema penitenciario y sobre todo a la Policía de un país como Francia.

»¿Sólo de Francia? Acaso más que esto: de todos los países del mundo. De todos los países que, a través de tu libro, se verán obligados a establecer la comparación con su propia justicia, con su propia Policía y con su modo de tratar a los hombres en sus cárceles.

»Porque está seguro de que, o bien tu libro será ávidamente devorado por una Francia sedienta de conocer la verdad, de descubrir cosas que ignora, a través de tus aventuras, de saber el precio que hay que pagar para salvaguardar la tranquilidad pública, o bien Francia le volverá la espalda, no queriendo saber la verdad, esta verdad demasiado molesta.

»Pues bien, ¡no! Estoy convencido de que los franceses, pueblo generoso, con ganas de poseer una verdadera justicia y una Policía aceptable, que rechaza con asco todo sistema penitenciario que se parezca de cerca o de lejos a la guillotina seca, estoy convencido de que todos los franceses leerán atentamente y hasta el fin *Papillon,* porque es una raza que no tiene miedo a la verdad. Todavía existe la Comuna en su subconsciente, y los que pensaron y escribieron la carta de los Derechos Humanos y del Ciudadano se sublevarán al ver que no se aplican, ni del modo más mínimo, en la represión de los hombres culpables.

»Y si los franceses, como estoy seguro, aceptan, discuten y analizan el acta de acusación que es también mi libro, todos los países se interesarán, en primer término, por lo que pasa en nuestro país, para interrogarse a continuación sobre lo que pasa en sus propios países.

»Sé muy bien que estamos en 1969 y que en mi libro hablo de cosas que ocurrieron casi cuarenta años antes. Sé bien que el penal ya no existe, *felizmente*, porque ya en 1930 era una vergüenza de Francia para los *rosbifs*, los holandeses, los yanquis y todos los países que lo conocían.

»Sé bien que, por un razonamiento lógico, *puesto que Cayena ya no existe*, puesto que fui condenado en *1931*, podrán decirme: "Monsieur *Papillon*, ¡nos habla usted de los tiempos antiguos, de Vercingetorix, de las legiones romanas! Después de aquello hubo Carlomagno, la Revolución del 89 y un montón de otras cosas. Todo ha cambiado: ¡justicia, Policía, cárceles!"

»¿Todo ha cambiado, de verdad? ¿La Policía, la justicia, las cárceles?

»¿Y el caso Gabrielle Russier? ¿Y el caso Devaux?

»¿De verdad ha cambiado tanto?

»¿Porque un jurado esté compuesto por nueve idiotas en vez de doce ha cambiado todo?

»¿No es en las mismas Salas de lo criminal, cuidadosamente conservadas, con los mismos tapices, las mismas alfombras, los mismos colores, la misma disposición de los jueces, del fiscal, del acusado, los mismos gendarmes y el mismo público, donde se juega todos los días con la vida de jóvenes, de más viejos, de verdaderamente viejos? ¿Y según la época del año, el tiempo que hace fuera, la forma o el humor de todos los presentes?

»¿Es que, a partir de 1968, no ha habido guindillas suspendidos, condenados, muertes sospechosas?

»No, *Papi*, ¿bromeas? Todo el mundo comprenderá, a menos que prefieran por encima de todo la tranquilidad de su buena conciencia burguesa a la verdad, todo el mundo comprenderá que lo que atacas en la narración de acontecimientos pasados sigue existiendo, incluso si es menos visible.

»¿Menos visible? Tendrás que leer con atención todos los periódicos franceses. Sin fijarte demasiado, con los grandes titulares bastará.

»Porque siempre habrá gentes como Mayzaud.

»Porque siempre habrá gentes como Goldstein, esos auténticos discos grabados.

»Porque siempre habrá polis podridos, sádicos, prebostes caraduras.

»Porque siempre habrá jurados idiotas que, sin haber visto nada, sin haber vivido nada, ni comprendido nada en toda su vida, dirán, sin competencia alguna: "Este señor es responsable de todo lo que se le acusa, merece cadena perpetua."

»Por otra parte, *los hay siempre*. Lo sé por amistades que tengo. La misma historia, la misma canción. Cuando esos sujetos, jóvenes o viejos, me cuentan lo que han vivido o lo que acaban de vivir, a menudo me da la impresión de que soy yo quien lo ha vivido. Incluso algunas veces les digo:

»—¿Te dijeron, o hicieron, tal cosa, o tal otra?

»—¿Cómo lo sabes?

»Y me divierte una ingenuidad tan maravillosa.

»*Papi*, al escribir tu libro no te dabas verdadera cuenta de lo que ponías sobre la mesa. Lo escribiste para dar un golpe, para amasar pasta, para tu vejez y la de Rita, sólo por eso, al menos así lo creías. Incluso si al revivir en un "segundo estado" aquellos trece horribles años de calabozos, tu horrible historia que fue la de tantos otros, incluso si haciéndolo gritabas para que se supiera y que, a fin de cuentas, se hiciera justicia. No, francamente, no te dabas perfecta cuenta.

»Ahora es demasiado tarde, con pasta o sin ella, no tienes más que un deber, meterte por entero en la pelea, incluso si en ello arriesgas tu tranquilidad, tu libertad e incluso tu vida.

»La sociedad de 1930 consentía que un ex presidiario, al regresar de Cayena como un espectro mortuorio, se hundiera en el olvido, la miseria y la vergüenza, pero no hubiese tolerado jamás que se convirtiera en un señor respetable y respetado.

»Pero estamos en 1969. Todos los hombres aman la libertad, la verdadera libertad. Todos los hombres están hartos de ser uno entre millares de ruedas de una inmensa *máquina*. Todos, sin excepción, de los yanquis a los *rosbifs*, de los escandinavos a los eslavos, de los alemanes a los mediterráneos, quieren sentir la vida, beber en ella un buen trago de emociones en las aventuras, estar en completa comunión con la naturaleza.

»Los veo aquí, en Venezuela, a los jóvenes alemanes, los jóvenes escandinavos, los españoles, los ingleses, los americanos, los israelíes. Les veo todos los días, tengo decenas de camaradas entre ellos, sin distinción de raza, de nacionalidad o de religión, y todos, todos sin excepción, rechazan el conformismo, son rebeldes a las leyes y sólo piden a la providencia una cosa: comer, beber, hacer el amor cuando les venga en gana y no cuando alguien les diga que lo hagan.

»Sí, esta acta de acusación que representa mi libro *Papillon*, no es sólo un desafío al pueblo francés, es un desafío al mundo entero.

«¡Oh, que lo comprendan, que sientan que estoy con ellos, que sientan que los amo a todos, tanto como a los rebeldes, a los contestatarios del mundo.

»Horizontes sin fin, el hechizo de la estepa, las inmensas llanuras donde se puede cabalgar caballos locos, salvajes, que se disparan en no importa qué dirección; la busca de una tribu de indios con los que uno podrá vivir algún tiempo del mismo modo que ellos; subir a una avioneta y aterrizar en la proximidad de las más hermosas cascadas del mundo, todavía mayores que las del Niágara, las cascadas de Canaima; ir a las cascadas de la Llovizna, donde los pocos que allí viven no tienen otra música que el ruido de los saltos de agua, el canto de los pájaros, los gritos de los monos, de los loros y de las cotorras multicolores; embarcarse, llegar en alta mar, después de noventa millas de travesía, al inmenso lago constituido por los centenares de islitas de coral de Los Roques; pasar allí horas, días y semanas, nutriéndose de los peces que uno ha pescado, de las langostas que se cogen con la mano; estar horas admirando el fondo de aquel lago, tan límpido, en el que se distinguen a quince metros de profundidad las langostas y los pulpos que se desplazan; de allí pasar a las islas de Las Aves, con sus millares de animales tan poco desconfiados, ignorantes de la maldad de los hombres, que se os acercan y se os suben encima cuando uno está acostado en la arena, al sol.

»¿Qué pasa? ¿Van a reprocharme amar todo esto? ¿Quién?

»Me negarán el derecho de hablar de esto y de decir que un día, encontrándome en una de aquellas islas, pasé más de una semana con cuatro parejas de yanquis venidos en un barcucho, entre ellos una pareja de negros, locamente felices porque su motor se averió precisamente allí, y viviendo con ellos en una comunión lo más maravillosamente natural y completa.

»La pareja de negros americanos, hermosos como estatuas de ébano, inteligentes, buenos, abiertos, cariñosos, sin ningún complejo para darse y vivir en común con sus cuerpos espléndidos, aquellas muchachas rubias que lamentaban que la comunidad fuera tan reducida, todo aquello que viví, ¿quisieran que lo cambiara por qué? ¿Por unos antecedentes penales vírgenes? ¿Por un empleo en un Banco o en una industria cualquiera donde, en lugar de ser *Papillon* sería Henri Charrière, ciudadano domesticado, respetuoso con las leyes hechas por otros hombres que las aplican *a los demás*, mientras ellos están muy contentos de desobedecerlas, puesto que forman parte de las clases privilegiadas? ¿Se necesita mucho dinero para ser feliz toda la vida, cuando uno goza de buena salud?

»Más que una gran cuenta en el Banco es mejor una llama en el corazón, cuenta que no se extingue jamás, si te da el deseo de vivir, vivir, vivir siempre y aún más, intensamente.

»Sí, se acerca la hora H del enfrentamiento, las maletas están ya preparadas, tengo un nuevo visado de tres meses para Francia. Volveré a desembarcar en Orly, pero esta vez no será fácil llegar de forma inadvertida. Castelnau me ha dicho que uno o dos periodistas estarían allí.

»Mientras no sea ésta la ocasión de comunicarme mi interdicción de estancia en París.»

No quise que me acompañaran, en aquel 9 de mayo de 1969 cuando volé hacia París. Sólo Rita estaba a mi lado. En la terraza del aeropuerto bebimos un té. Ella me cogió de la mano y me la apretó levemente para que mi mirada no dejara la suya. No hablamos, ella sabía en lo que estaba pensando: a partir del día siguiente a las once de la mañana, un *croupier* sacaría una a una las cartas del cacharro. Porque si había hecho banco sobre el 19 de mayo para la publicación de mi libro, la partida empezaba el 10 de mayo a las once de la mañana. Un nuevo pequeño apretón con los dedos, la miré y le sonreí con toda mi confianza.

Ésta es la vida cuando dos seres se quieren de verdad: no necesitan hablarse para decirse las mil cosas que piensan, cada uno se convierte en el otro y en lo que éste piensa. Si existe una duda, basta con mirarse para estar seguros de que los dos están en la misma longitud de onda.

En un momento dado, su sonrisa y su mirada fueron un poco burlonas. Comprendí lo que quería decir: «Te excediste un poco con el italiano, hace un momento. ¿De verdad piensas lo que dijiste, o te burlabas de ti y de él?» «No, lo decía en serio, lo he hecho sin malicia, no sé por qué me ha salido así», le respondieron mis ojos.

Se trataba de un empresario italiano que, hacía media hora, había venido a desearme buen viaje y que, queriendo hablarme de un negocio, me había pedido que le comunicara la fecha de mi vuelta a Caracas. Él me dio su número de teléfono.

Sin premeditación alguna, le respondí:

—Mario, sabrás mi regreso por los periódicos.

—¿Y por qué van a anunciar los periódicos tu regreso?

—Porque cuando vuelva a Caracas seré célebre.

Mario, un buen chico, prorrumpió en carcajadas. Le bastó aquella respuesta sin preguntar el porqué, convencido de que se trataba de una ocurrencia. Y, sin embargo, sí, pensé lo que dije.

Los altavoces anunciaron: «Vuelo "Air-France" para París, embarque inmediato.»

Algunos besos, pero sobre todo aquellos brazos alrededor de mi cuello como el más precioso collar y, al oído, en voz muy baja para que sólo yo pudiera oírlo: «Piensa en mí noche y día, como yo, a mi vez, estaré contigo noche y día. Escribe en seguida, al llegar, si tienes tiempo, si no, telegrafía.»

En seguida me instalé en una buena butaca de primera clase. Rita había adquirido los billetes, y me dio aquella sorpresa para que viajara más cómodamente. El avión empezó a correr. La pude ver durante dos minutos, con el brazo en alto, agitando un pañuelo.

La acción, afrontar una situación desconocida y difícil, es siempre apasionante. Lo más intenso no es el mismo momento de la lucha, es antes, es *la espera*. La cosa bulle en la cabeza, uno se dice: «¿Cómo ocurrirá todo? ¿Quién me espera? Diré esto, diré aquello, haré lo otro o lo de más allá.» Y nada ocurre como uno había previsto. Uno se encuentra sumergido de pronto en la batalla y es entonces, y sólo entonces, cuando necesita encontrar el punto que neutralice al adversario, lo convenza o lo elimine. Uno no tiene más que decirse una cosa: «Tengo que pasar, salvaré el obstáculo, tanto da si soy más o menos fuerte que los que quieren impedírmelo.»

Pensándolo bien, todo estaba en contra de la publicación de mi libro en aquella fecha. Francia estaría en plena batalla política para las elecciones presidenciales. Era un momento importantísimo para la masa de franceses. ¿Y pretendía que, por encima de la lucha política, se ocuparan del libro de un desconocido? No era imposible en los momentos serenos, de calma. ¡Vete a saber!

Sólo había elementos negativos para la publicación en aquella fecha. Era el aniversario de las barricadas de mayo de 1968.

En París, lejos o cerca de París, en toda Francia, cada uno de sus ciudadanos, estaba enfrente, detrás o junto a las barricadas.

Aquellas barricadas con las que los contestatarios querían hacer salir de su torre de marfil a una determinada clase de personas para obligarlas al diálogo.

Aquellas barricadas, cerrando las calles, los bulevares, manifestaron que ya no era posible obedecer sin comprender ni discutir los «porqué», las decenas de «por qué», los centenares de «por qué», los millares de «por qué».

Algunos coches quemados, algunos centenares de porrazos, heridos de una parte y de otra, y los que no tenían ni orejas ni lengua salieron de su torre de marfil, y al fin, en la medida de sus posibilidades, respondieron a los «porqué», e incluso esperaron una respuesta a su pregunta: «¿Por qué habéis construido las barricadas y quemado coches?»

Mayo de 1969, aniversario de la sangre ardiente de los

jóvenes estudiantes franceses, aniversario de la explosión del gas acumulado hasta reventar y contenido durante demasiados años. Aniversario del gran hachazo contra el árbol tabú donde estaba colgado el druida, aniversario de los días en que, al fin, se vieron obligados a escuchar a las personas que estaban condenadas al silencio a perpetuidad.

Por ello, aquel momento me pertenecía; aquélla era una fecha predestinada para que, yo también, condenado al silencio a perpetuidad, dijera lo que tenía que decir y me prestaran un poco de atención.

—¿Un poco más de champaña?

—No, gracias. Pero si tuviera usted un poco de camembert y vino tinto... ¿Es posible?

—¡Claro que sí! Es fácil.

—Gracias, señorita «Air-France».

—¿Va usted a París?

—Sí.

—¿Es usted venezolano?

—Sí y no.

Se va y vuelve en seguida.

—Tenga, un buen camembert y beaujolais. Entonces, ¿es usted de origen francés y naturalizado venezolano?

—Sí, pequeña.

—¿No le parece raro volver a Francia ahora que tiene usted otra nacionalidad?

—Un poco, pero esto es la aventura.

—¿Ha tenido usted muchas aventuras?

—Bastantes, y muy movidas.

—Si gusta, ahora que ha terminado mi servicio, cuénteme un poco.

—Sería demasiado largo, pequeña, pero dentro de pocos días podrás leerlas en un libro.

—¿Es usted escritor?

—No. Pero he escrito mis aventuras.

—¿Cómo se titulará el libro?

—*Papillon*.

—¿Por qué *Papillon*? ¿Es su nombre?

—No, mi apodo.

—¿De qué trata su libro?

—Bueno, pequeña, eres muy curiosa. Si me das otro pedazo de camembert, te lo diré.

No se hizo esperar. Un minuto después:

—Aquí lo tiene. Ahora deberá usted contarme. Y bien, ¿quiere que se lo diga con franqueza?

—Dime.

—Tengo la costumbre de adivinar casi siempre lo que hace, la posición social de un pasajero de primera clase. Pues bien, con usted no lo he encontrado. Desde que entró usted, me estoy preguntando quién puede ser este señor.

—¿Y no has encontrado nada?

—Nada. He eliminado una a una todas las profesiones que pueden pegar a su personaje, y ni por ésas, no lo he encontrado.

—Pues bien, voy a satisfacer tu curiosidad. Mi profesión es... *aventurero*.

—¡Oh, vaya!

La jovencita se levantó y fue a dar una revista a una pasajera. Me dije que había un test por hacer. Una desconocida, una muchacha que por profesión viajaba mucho, que debía de leer bastante, era un termómetro maravilloso. Me dispuse a tomar la temperatura de *Papillon*.

—Bueno, pequeña, voy a decírtelo: imagínate un joven, veintitrés años, buen mozo, un poco mala persona también, pero que tiene sus razones, o cree tenerlas, para decir mierda a todo lo que representa orden y disciplina. ¿Ves el joven?

—Sí, muy bien.

—Este joven es llevado ante la Sala de lo criminal del Sena por un asesinato, en el hampa, que no cometió. Lo condenan a perpetuidad.

—¡No es posible!

—Sí. Lo condenan a pudrirse poco a poco, hasta su muerte, en el lugar más podrido del mundo, en el penal de Cayena. Aquel joven salió en 1933 para la Guayana, encerrado en una jaula de grandes barrotes en las bodegas de un barco construido al efecto. No lo acepta. Se evade dos veces. Fracasa en dos o tres fugas. Al fin, después de trece años, llega a Venezuela, libre. Allí vuelve a ser un hombre, se hace un sitio en la vida, se casa, casi se equilibra. Treinta y nueve años después, él, un antiguo presidiario, vuelve a París con un libro en el que cuenta su vida, su calvario, sus celdas, sus eva-

siones, sus luchas, aquellos tres años y medio durante los
que, en dos veces, fue echado, solo, en una fosa para los
osos con rejas encima, sin tener derecho a pronunciar una
sola palabra, en una semioscuridad, y donde andaba de arriba abajo como una bestia para no perder la razón y para,
una vez hubiera salido, tener la cabeza dispuesta para preparar una nueva evasión. He aquí mi libro, ni más ni menos.
La vida de un hombre en el penal.

La azafata me miró, muy abiertos sus grandes ojos negros,
no pronunció ni una palabra, pero sentí que intentaba descubrir en mi rostro cincelado otras cosas que presentía, interesantes de conocer.

—¿Y ha tenido usted el valor de decirlo todo en su libro?
¿Absolutamente todo?

—Todo.

—¿Y no tiene usted miedo de afrontar a la opinión pública, usted, un...?

—Puedes decirlo: usted, un antiguo presidiario.

La pobre no se atrevía a responder, asintió con la cabeza. Sí, exactamente eso. Yo, un antiguo presidiario, un condenado a perpetuidad por asesinato, un evadido siempre de
contrabando a pesar de su prescripción, volvía a París con
mi alma al desnudo sobre una bandeja, y dentro de pocas
horas presentaría la bandeja al pueblo francés.

De nuevo los grandes ojos negros intentaron penetrar los
míos. La muchacha se estremeció, sus ojos parecieron decirme: «Pero, ¿no te das cuenta de la enormidad de lo que estás
haciendo? ¡De todo lo que vas a trastornar!»

—¿Qué piensas, pequeña? ¿Es tener valor o suicidarse?

—Sin necesidad de hurgar más, creo que esta historia
va a hacer algo de ruido. Sobre todo con usted.

—¿Por qué?

—Porque tan pronto como se le ve, se siente que hay algo
particular en usted.

—¿De verdad tienes la impresión de que esa historia pueda
interesar? ¿Incluso en esta Francia inquieta a la busca de
un sustituto al *Gran Charlot*?

—Estoy segura de ello, y me gustaría estar a su lado para
vivir un poco lo que va usted a vivir. Porque no es posible
que en Francia el público permanezca indiferente a lo que

cuenta usted, si lo ha escrito todo como me lo acaba de contar. Perdone que lo deje, pero tengo que ir al puesto de guardia. Preferiría quedarme, créalo. Hasta mañana, buenas noches.

Amablemente se inclinó hacia mí, y mirándome a los ojos, me dijo: «Va usted hacia una gran victoria, estoy segura, se lo deseo de todo corazón.»

El test había resultado positivo. Sólo con decirle algunas frases acerca de una muy pequeña parte del tema, aquella joven se había mostrado muy interesada. Saldrían muchas como ella. Esperémoslo.

Extiendo mi butaca, no puedo dormir. Cubría mis piernas con una manta que había cogido yo mismo de la redecilla. No quise molestar a los grandes ojos negros. Preferí estar solo.

Porque, a aquella hora, ya estaba disparado el mecanismo. En la noche, mi «Boeing» corría a 900 kilómetros por hora sobre el Atlántico. El momento era capital.

Yo sabía el cómo y el porqué de mi libro, pero para ellos, allá abajo, ¿quién llegaba? Nadie, un desconocido.

Entonces, sólo quedaba un procedimiento: ir al grano.

—Me presento, soy *Papillon*.

—¿Su profesión antes de escribir este libro?

—Primero presidiario.

—¿Después?

—Presidiario fugado; luego, presidiario prescrito.

—¿Nacionalidad?

—Venezolano del Ardèche.

Sí, un presidiario evadido estaba a punto de llegar a Orly. Un hombre a quien la justicia francesa envió muy legalmente por el «camino de la podredumbre» a perpetuidad. Aunque la prescripción estuviera en vigor y no pudieran hacerme nada legalmente, mi situación con respecto a la justicia y a los polis no había cambiado. Con prescripción o sin ella seguía siendo un evadido del penal. No volvía arrimándome a las paredes, buscando un caserío donde acabar mi vida en silencio, muy humildemente, oculto tras los muros del huerto, lo más altos posible, a fin de que no pudieran verme por encima de la tapia y que no pudiera oír reflexiones desagradables.

No, me presentaba con un libro, en el que había escrito: «Franceses, he aquí el horror que habéis mantenido durante ochenta años.» Y en este libro atacaba el sistema penitenciario, a los polis e incluso a la justicia de un país de más de cincuenta millones de habitantes. Atacaba a las tres administraciones sobre las que descansaba la tranquilidad pública.

«¡Y bien, camarada, no tienes pelos en la lengua! No la pifies. Además, tu libro no aparecerá discretamente en las librerías el 19 de mayo. Llegas el 10 a París (donde no tienes derecho a poner los pies, puesto que tienes prohibido residir aquí) y el 12, según te han escrito, *France-Soir* empieza una prepublicación de tu libro. Es decir, que el 12, en los 1.200.000 ejemplares de *France-Soir*, Francia entera sabrá tu existencia. Un periódico es leído por tres personas; por lo tanto, camarada, serán 3.600.000 personas las que, durante ocho días, conocerán la existencia de un tal Henri Charrière llamado *Papillon*, presidiario evadido de Cayena después de una condena a perpetuidad, prescrito, y quien, como si fuera completamente natural, viene a decir: "En 1931, una docena de los vuestros me borraron de la lista de los vivos. Vuestros magistrados representan vuestra justicia y vuestra seguridad, y en 1931 se enfrentaron con un joven llamado *Papillon*. Aquellos magistrados creyeron lo que decía la Policía, sus interrogatorios y sus investigaciones. Por tanto, aquellos magistrados y doce idiotas permitieron aquella monstruosidad: suprimir a un joven de 24 años. Creyeron tener que hacerlo, se dejaron burlar como tontos por un policía podrido. Y luego lo echaron en manos de la administración penitenciaria, lo abandonaron a sus prácticas medievales, en las que el hombre era peor tratado que la peor de las inmundicias. Por milagro, pudo resucitar. Y aquí está el joven, aquí está con sus sesenta y tres años, para deciros: "¿Estabais de acuerdo? ¿Estabais al corriente? ¿Erais cómplices? Porque ni Albert Londres, ni tantos otros eminentes periodistas, ni el comandante Péan del Ejército de Salvación, habían podido llegar a vuestras almas con fuerza bastante para que exigierais que se suprimiera inmediatamente este 'camino de la podredumbre', ¡esta guillotina seca!"

»Sí, voy a decirles todo esto. Sí, van a leerlo. Es preciso

que, contigo, cuenten los "uno, dos, tres, cuatro, cinco", de tus celdas y de tus calabozos.

»Porque, después de la prepublicación en *France-Soir*, *Papi*, espéralo todo. Serás interrogado por la Prensa, la Radio, la tele, y todo eso no van a aceptarlo de golpe.

»Así, pues, en primer término, había que decir:

»¿Creen ustedes que tengo derecho a emitir una opinión?

»¿Admitís que se puede haber sido presidiario y convertirse en un caballero?

»¿Habéis rechazado, barrido, las viejas ideas de vuestros abuelos?

»Decid, ¿puedo respirar libremente en esta Francia de 1969?

»¿Dónde debo pedir permiso? ¿Y a quién?

»Porque es imposible que no salte a los ojos que el castigo no estaba en relación con la falta de la que te acusaban, incluso si hubieses sido culpable. Si a pesar de las elecciones se interesan por ti, créeme, compañero, no será una perita en dulce.

»¿Por qué? Porque un montón de gentes se van a poner enfermos al pensar que eres un presidiario evadido, siempre de matute a los ojos de la ley, quien se permite hablar de todo esto en el mismo país que lo condenó. Esto es más que normal. Habrá rechinar de dientes entre una determinada clase de franceses. ¿Cuántos? Acaso no lleguen al millón, pero ese millón armará barullo. Todos esos conservadores privilegiados, que creen que en nuestro mundo todo está bien como está, todos los revanchistas, los fosilizados, todos los que no pueden admitir que las otras clases se modifiquen y evolucionen. ¡Como los colonialistas!

»Son los individuos de Argelia o de Marruecos que se indignan porque ya no tienen derecho a hacer "sudar el albornoz" a los árabes, y que tratan de comunistas, o de utopistas, o de traidores a la Francia imperialista a todos los que piensan que los árabes son hombres iguales a nosotros. Es la raza de hombres que suprimen de un modo o de otro a todos los que turban su tranquilidad. Los inventores de la semilla de cárcel, de correccional, cuyo término es el penal. ¿Culpable o no? Lo mismo les da. ¿Es un sistema odioso e infrahumano? ¡Que no les vengan con historias! No hubiesen hecho esto o aquello.

»"No hubiesen hecho...", es el gran *leitmotiv* de los que aceptan ser peores que el delincuente en la aplicación que hacen de su castigo. De los que añoran las galeras, los tiempos en que se podía condenar a un hombre sencillamente porque era "capaz del hecho". Sí, tendrás que habértelas con esta clase de personas.»

De todos modos, habían pasado cuarenta años. Felizmente. Durante la guerra, millares de personas honradas conocieron la cárcel, la Policía, en algunos casos la justicia y, sobre todo, cómo lo tratan a uno cuando no es más que un número.

Había que esperar que muchas cosas hubieran cambiado, pero lo seguro es que si me entrevistaban para los periódicos, para la Radio y para la tele, no tenía derecho a rajarme, *tenía que decir la verdad*. Sin importar las consecuencias.

Sería exaltante, pero no color de rosa. ¡Adelante! Era preciso embestir de frente, incluso si repercutía en la venta del libro. ¡Bah! Incluso por ser demasiado exacto, demasiado franco, demasiado apasionado en defender la verdad tuviera que echar a perder el éxito financiero de mi libro, lo haría de todos modos, debía hacerlo, era preciso que oyeran lo que debía decir, era preciso que escucharan lo que vi. Incluso si en lugar de poder comprar la choza de la jubilación no me quedaba más que lo justo para poder alquilar dos habitaciones junto al Ardèche, en un lugar soleado.

Apuntaba el día a través de las ventanillas y hasta aquel momento no pude, al fin, abandonarme al sueño, en paz conmigo mismo después de haber tomado aquella decisión.

—¿Un poco de café, señor aventurero?

Los grandes ojos negros me sonrieron amablemente. Leí en ellos interés y simpatía hacia mí.

—Gracias, pequeña. Pero, dime, ¿ya es de día?

—Sí, pronto llegaremos. Sólo una hora. Dígame, ¿han suprimido el penal?

—¡Felizmente! Hace cerca de veinte años.

—Entonces, mire, por el solo hecho de haberlo suprimido, esto significa que los franceses de hoy le dan la razón por adelantado.

—Tienes razón, pequeña, yo no lo veía así.

—Créame, señor, lo escucharán, lo comprenderán, y, mejor todavía, muchos lo querrán.

—Lo deseo de todo corazón. Gracias, pequeña.

«Sírvanse abrocharse los cinturones. Empezamos el descenso sobre Orly, dentro de veinte minutos aterrizaremos, la temperatura es de 19 grados, el tiempo, claro.»

El tiempo era claro para todos, pero para mí, el presidiario que llegaba, y a quien unos esperaban prestos a abrirle los brazos (había que esperarlo), los otros, con piedras, ¿cómo era el cielo que me esperaba en París?

¡Basta de preguntas! ¡No me serían de ninguna utilidad! Durante toda mi vida había jugado, aquel día continuaba. Una bonita partida en perspectiva. A través de todos los poros de la piel iba a sentir intensamente la lucha con aquellos que, mejor preparados que yo por su profesión y su cultura, estaban dispuestos a analizar lo que yo había puesto al desnudo, o, mejor dicho, intentar vestir a su modo el esqueleto de lo que yo representaba, uno entre tantos centenares de forzados que escaparon de los tiburones.

Tenía a mi favor mi calvario y la verdad.

Negro o no, mi cielo de París tenía un pequeño claro, porque a la salida del control de Policía vi a Castelnau con una gran sonrisa, emocionado. En el momento de abrazarme me alargó *mi libro*, el primer ejemplar de *Papillon*.

—Gracias, Jean-Pierre. Espérame aquí, voy a poner dos palabras para Rita.

—De acuerdo. Pero date prisa. Nos están esperando.

—¿Dónde?

—En mi casa. Dos periodistas importantes. Te contaré.

En el momento de separarnos, dos *flashes* me sorprendieron. Mis dos primeros *flashes* de fotógrafos de Prensa.

—Para *France-Soir*. ¡Bien venido a París, Monsieur Charrière!

—Y bien, Jean-Pierre, ¡cuando se dispara, explota en seguida en París la información!

Envié el libro. Vi a Jean-Pierre con el aire un poco inquieto.

—Bueno, Henri, ¿todo marcha? ¿No estarás un poco angustiado por lo que se prepara?

—No, estoy tranquilo. Necesito algo más para turbarme.

—Porque, ¿sabes?, París, el periodismo, los críticos, acaso no sea exactamente lo que esperas. Algunas veces la pluma es más dañina que el revólver.

—No te inquietes, hijo. Estoy en la plenitud de mis facultades. Ten confianza.

—De acuerdo. Pero te lo advierto: será duro, difícil, agotador. Y dentro de una hora empieza la batalla.

—Me gusta esto, y tengo a mi favor dos cosas: la verdad y el gusto de vencer los obstáculos cuando el derecho está de mi parte.

—Tanto mejor. ¡A casa!

Capítulo XXII

¡BANCO!

Y los dos primeros francotiradores salieron de su trinchera: en el presente caso, de dos butacas del salón de Castelnau. El que sostenía la metralleta era, ni más ni menos, Jacques-Laurent Bost, y su camarada, el alto con un gran rifle de mira telescópica, Serge Lafaurie.

Presentaciones. Tenía sólo tiempo para dejar mi maleta en el vestíbulo, y pasamos a la mesa para un almuerzo rápido, durante el que me enteré de que aquellos dos señores simpáticos y abiertos eran los enviados del *Nouvel Observateur* de quienes me había hablado Castelnau.

Primer pequeño complejo que no dejé traslucir: no sabía la importancia del *Nouvel Observateur*, sólo lo que Jean-Pierre me había explicado en el trayecto, que era una revista muy importante.

Aquellos dos francotiradores que se apoderaron de mí a la llegada de un viaje de catorce horas, en el que casi no había dormido, después de un cambio completo de hora, de clima, de todo, ¿habían premeditado cogerme cansado? Era muy posible, porque Bost llenaba generosamente mi vaso diciendo que necesitaba algo que me reconfortara después de un viaje tan largo. Cuando hubimos tragado el último bocado, pasamos al salón. Café, whisky. El ataque fue rápido.

Me conquistaron gracias a la simpatía. Porque en cuanto a simpáticamente trapaceros, peligrosos, superfisgones, superescépticos, no había nada mejor. El fuego cruzado duró siete horas, exactamente. Tres botellas de whisky no dieron más que un resultado: hacer que Bost y Lafaurie atacaran más a fondo: «¿Es verdad esto? ¿No lo es? ¿Un poco? ¿Un poquitín? ¿Mucho? ¿No mucho?» Aquellos dos seres, que me hicieron sufrir aquel tormento digno del «Federal Bureau», trastocaban maquiavélicamente las preguntas para que, siendo las mismas, parecieran distintas. ¡Me descubrí! Eran auténticos malabaristas en su modo de analizar definidamente a alguien.

Al terminarse el interrogatorio, sudando, en mangas de camisa, llevaba veintitrés horas levantado y de ellas siete respondiendo a sus preguntas.

¡Vaya, aquello empezaba bien! Exceptuando los golpes, la simpatía y el whisky, me creí trasladado a cuarenta años antes, en el número 36 del Quai des Orfèvres.

Tuve la satisfacción de acompañarles hasta su coche, con la impresión de que estaban más cansados que yo. ¿Sería porque resistían menos que yo el whisky?

Nos separamos contentos. Jean-Pierre me dijo:

—Vámonos a dormir. Debes de estar muerto.

Se reía con su risa de niño bueno cuando le dije:

—Ni hablar. Para rehacernos de ésta, vamos a beber algo a un bar de por ahí.

En medio del alboroto de la música, se inclinó hacia mí y me dijo:

—Papi, creo que hemos ganado, lo presiento.

A las tres de la madrugada estábamos en su casa. Dormiría allí, en la habitación de Jean, su hijo. Lo cogió en sus brazos completamente dormido, y lo colocó en el canapé del salón, con una almohada y una manta.

Me estiré cuan largo era sobre la ropas todavía tibias del calor de aquel chico de once años. Me dormí en seguida en un torbellino nebuloso, en el que el tipo de la metralleta y su compinche con el fusil telescópico bailaban a mi alrededor una danza endiablada de sioux, cuyos gritos eran preguntas que crepitaban como ráfagas de armas automáticas.

—¡Levántate, Papi!

La orden fue dada amablemente y apoyada por una sacudida en el hombro. Castelnau estaba allí, de pie, vestido y con su corbata.

—¿Qué hora es?

—Las nueve.

—¿De la noche?

—No, de la mañana.

—¡Estás completamente loco, amigo! ¡Qué irresponsable! ¿Te expones así, tranquilamente, al peligro que representa despertarme a las nueve de la mañana? ¡Esfúmate y rápido!

Y hundí la cabeza en la almohada, ajustando los extremos sobre mis orejas. Mi inconsciente amigo me sacudió de nuevo, aquella vez en las costillas. Como un diablo salido de la caja, ya estaba sentado, dispuesto a dar otro salto para echar a aquel loco fuera de la habitación. Seguía sonriendo:

—Es espantoso, ¿verdad?, pero nosotros lo hemos querido. La culpa es tanto tuya como mía. No podemos retroceder. Un montón de personas te está esperando.

¡Mierda! Me vi arrastrado por un auténtico tifón de los mares tropicales. ¿París, un cielo? No, un monstruo que, acabando de descubrir al hombre de la actualidad, quería devorarlo crudo. Françoise Lebert, Castelnau y yo en el mismo barco, corrimos, fuimos, vinimos, contestamos al teléfono, aceptamos, rechazamos. «¿Por qué hemos aceptado, por qué hemos rechazado? ¡Pero dejadme respirar!»

—¿Cree que respiramos, nosotros, los periodistas, corriendo detrás de usted?

—¡Pero yo no tengo la culpa!

—¡Sí, usted es el culpable! Estábamos muy tranquilos con nuestros artículos sobre los candidatos a la Presidencia, podíamos comer sin prisas con un autor consagrado y reposado. Y llega usted. ¿Vete a saber de dónde? De acuerdo, ya lo sabemos, del penal después de un alto en Venezuela. Y no sólo llega usted, sino que llega desafiando a nuestras instituciones más tabúes. En resumen, viene usted a liarnos, ¿y tiene usted el valor de pedir que lo dejemos tranquilo? ¡Pero es usted un inconsciente! ¡No sabe usted nada de nada, querido, usted que llega de su tranquila capital de Venezuela! Éste es otro mundo. Usted nos pertenece noche y día, usted es la actualidad del momento, el plato fuerte de esta comida, todos tenemos que tragarlo, para después darlo a conocer al público siempre hambriento que espera su pitanza de cada día. Usted es la actualidad en la actualidad con todos sus matices, sus puntos de vista, las conclusiones, la aceptación o el rechazo de los que lo interrogan. No irá usted a creer que un reportero, cuando lo coge por la chaqueta en una escalera, cuando le impide poner el coche en marcha, cuando lo espera a la salida de la editorial, cuando está de plantón ante la puerta de los lavabos, cuando se informa de dónde va usted a comerse un bistec aprisa y corriendo, que lo persigue en el ascensor, que le ataca como un cazador la caza, que cuando lo sigue por la calle sueña que entra usted en la peluquería para aprovechar que está usted inmovilizado durante veinte minutos para formularle preguntas... ¡no y mil veces no! ¡No irá usted a creer que nosotros, todos los que trabajamos en la información, hacemos todo esto por nuestro personal disfrute o por los hermosos ojos de usted!

—¿Por qué entonces?

—Por amor a la profesión. Para escribir un artículo más largo que los de los demás sobre cosas todavía desconocidas de usted. Para demostrar que uno no es más bestia que los pícaros que lo pescaron a usted al salir el sol, por conciencia profesional, para no hacerse amonestar por el dueño, para no oírle decir con su voz mordiente: «Todos mis colegas han podido publicar una inteviú, ¿y usted no trae nada? ¿Es usted un imbécil? ¿O un incapaz?» «Perdón, jefe. He querido respetar su descanso demasiado breve. Lo vi muy agotado.» Reventado, chupado hasta la medula, vacilándole las piernas, ¿ha respetado usted a ese hombre en su vida privada? ¡Está usted loco, completamente loco! No tiene derecho a dormir cuando quiera, ni a comer cuando quiera, durante el tiempo que quiera, ni donde quiera. En primer término, nos pertenece a nosotros, los informadores, para luego nutrir la curiosidad de nuestro público. Constituyendo la actualidad, a él le toca estar a nuestra disposición para presentar esta actualidad bajo todos los aspectos que nos plazcan.

No pude hacer ninguna comida sin periodista, uno o varios. Tampoco hubo comida sin personaje. De hecho, algunas de aquellas comidas resultaron llenas de encantos. Por ejemplo, Paule Neuvéglise (*France Soir*) que desembarcó de Nouéma y que, sin pasar siquiera por su apartamento, se presentó con un magnetófono. Fue en *La Cafetière, rue* Manzarine. La personalidad, la finura, la inteligencia, la tonalidad de su voz dulce, el magnetófono que no funcionaba, pero aquella mirada clara y firme que me bañaba con una auténtica simpatía, me despertaron por completo y consiguieron restituir mis energías. Y yo hablé y hablé, con alegría, con sinceridad. Descargar mi alma en una sensibilidad tan auténtica me descansaba y me cautivaba.

Mientras hacía una comida, un tipo limpio, delgado, franco, abierto, se acercó a mí y me alargó la mano: «Auguste Lebreton.» Y hablamos y hablamos, y salí corriendo hacia el despacho de mi editor para firmar una parte de los trescientos ejemplares que enviaba para el servicio de Prensa, y escuché la lista de las personas que habían podido verme y a quienes tenía que ver, y saludé en las oficinas a todas aquellas simpáticas personas de «Laffont» que llevaban dos meses trabajando en preparar la salida de mi libro.

Fumé y fumé, firmé y firmé, hablé sin parar, escuché las preguntas, respondí y volví a responder, sin mirar a quien me interrogaba, y eso durante días, días y noches, en un despacho, en la calle, en un café, en un restaurante, en un banco de Pigalle, en un banco de los Campos Elíseos, y los fotógrafos silenciosos que acompañaban a cada periodista, y el whisky..., firmé en el ángulo de un mostrador, entre dos tragos, medio ahogado porque me había bebido uno demasiado aprisa, respondí:

—¡Pero, sí, compréndalo, me hicieron sufrir un suplicio digno de la Edad Media!

—¡No es posible! Estamos en Francia, vaya.

—Precisamente, porque estábamos en Francia, el pueblo de los Derechos Humanos y del Ciudadano, ¡era más monstruoso aquí que en otras partes!

¿Molido? ¿Cansado? ¿Afónico? No, pulverizado es la palabra, pulverizado espiritual y físicamente. A no importaba qué hora de la noche me dejaba caer sobre la pequeña cama de Jean, el hijo de Castelnau, que se lo cargó al hombro para ir a acostarlo en el salón, teniendo la fuerza justa de quitarme la corbata y los zapatos para hundirme en un sueño de plomo.

Y en medio de aquella tempestad, de aquel tifón que me

llevaba como una brizna de paja, en el momento en que debía mirar y responder a izquierda, a derecha, arriba, abajo, a hombres, a mujeres, a periódicos, a revistas, cuando me veía obligado a hablar por la radio, a registrar secuencias de diez minutos que pasarían cada día durante diez o quince; cuando tenía la mirada opaca, la lengua colgante y estaba casi afónico hasta el punto de entrar en las farmacias para encontrar un remedio para garganta de tenor, en el momento en que intenté comprender dónde estaba y me preguntaba si siempre debía responder «presente» a no importaba qué situación, o si debía huir de las llamas de aquel volcán que me proyectaba con su lava y sus humos sobre las ondas de la información internacional, me entregaron una carta en la que me enteré de que Nénette, la Nénette de mis veinte años, vivía. Y salí como un loco en el cacharro de Julien Sarrazin, el marido de Albertine, para ir a verla a Limeil-Brévannes donde estaba hospitalizada.

Lloré de emoción al volver a ver a la mujer a quien abandoné cuarenta años atrás, sin ningún contacto posterior con ella. Estaba envejecida, enferma, aminorada por un accidente, pero en sus ojos seguía brillando la llama de la valerosa y correcta muchacha que fue. Ella también lloraba. Vacié mis bolsillos de lo poco que tenían y volví a marcharme corriendo al encuentro de la jauría que me esperaba, después de haber prometido a Nénette que volvería y que jamás la abandonaría, promesa que he podido mantener.

Y como después de toda buena sorpresa viene una mala, se me invitó a ir a la Policía, Quai de l'Horloge, para comunicarme mi prohibición de estancia. Como por casualidad, fue en el mismo despacho de la *Conciergerie* donde, tres años atrás, Castelnau acompañaba a Albertine Sarrazin, ella también con prohibición de estancia en París, para que no le dieran un plantón demasiado largo.

En aquella montería en la que yo era el ciervo, hubo muy pocos momentos de calma. Un almuerzo inolvidable con Claude Lanzman, un beso de la maravillosa Judith Magre. Pero «Radio Luxemburgo» me secuestró con Pierre Dumayer. Luego otro secuestro. Después por la noche una reunión en casa del gran Daniel Mermet, jefe de ventas de la «Editorial Laffont», quien quiso presentarme a su dinámico equipo de representantes que recorrían toda Francia. Estaban entusiasmados: «Adelante, *Papillon*, todo el mundo lo sigue.» Con un equipo como aquél, si no se conseguía vender algunos ejemplares, era para desesperar de todo.

Me encontraba en Combs-la-Ville, en casa de mis sobrinos. 18 de mayo. Todo aquello lo había vivido en ocho días. Todos los días habían aparecido pasajes de mi libro en *France-Soir*, con mi fotografía. Así, Francia entera, en tan pocos días, no sólo conocía algunas aventuras de *Papillon*, sino también su facha. Era domingo, todo había sido tan rápido, tan grandioso, tan inesperado, que necesité diez horas de sueño para recuperarme un poco. Fui a pasar una maravillosa jornada de descanso en casa de mis sobrinos, con sus dos hijitas, que miraban con curiosidad a aquel tiíto de quien tanto se hablaba en los periódicos y cuya voz se escuchaba en la radio.

—¿Un pastís, tío?

—Sí, un «Ricard». Esto me hará bien en este oasis de veinticuatro horas. ¡Cuando pienso que mañana volverá a empezar!

—Espera cosas peores de las que has conocido.

—¡Estás loco! ¡No puede ser peor!

—Ya verás, será más que peor, será insostenible.

¡Ring, ring, ring! El timbre del teléfono no me turbó, no podía ser para mí. Luego llamaría a Rita, en Caracas, para decirle que la bomba del libro había estallado con más fuerza de lo que habíamos soñado.

—Sí, aquí está —dijo la voz de Jacques—. Se lo paso. ¡Tío! Es Castelnau, de parte de Laffont.

—Muy amable por haberme llamado. Sí, todo marcha, me recupero un poco. Espléndido domingo de primavera, ¿verdad? ¿Qué tal el fin de semana?

—Prepárate para aparecer en la Televisión dentro de tres horas. Eres invitado por Gaston Bonheur en la emisión «El invitado del domingo». El invitado es él, pero él te invita a su lado, junto con otras personalidades. Es un gran honor para ti, y muy importante para tu libro. ¿Vamos a recogerte o vienes por tus propios medios?

—Voy en seguida.

Colgué.

—¿Qué ocurre? —preguntó Jacques.

—Estoy invitado en «El invitado del domingo» por Gaston Bonheur. ¿Esto te dice algo?

—¡Es fantástico, tío, de una suerte increíble!

—¿Entonces debo ir?

—¡Corriendo, tío, corriendo!

—¿Saldrás en la Televisión? —gritaron las chiquillas.

—Sí, me veréis dentro de pocas horas en vuestra pantalla. Televisión francesa, Televisión del Estado. Yo, presidiario evadido, iba a poder hablar con plena libertad ante aquella Televisión oficial, igual que cualquier otro ciudadano. ¡Era increíble y, sin embargo, verdad! ¡Y así era la Francia actual! La misma Francia que, en 1931, me echó a un pozo sin fondo para que me pudriese. Aquella misma Francia en aquel momento deseaba saber la verdad, aceptaba el enfrentamiento conmigo. ¡Había que quitarse el sombrero!

Emisión extraordinaria para mí. Quien me había invitado era un intelectual francés muy conocido, autor de éxito, hombre muy fino y de corazón, como yo hijo de maestros de escuela. Con una generosidad poco común, me presentó a Francia diciendo: «Los dos somos hijos de maestros de escuela de provincias venidos a París. Dos destinos muy distintos. Yo, Gaston Bonheur, entro en los ambientes intelectuales y del periodismo, y hago carrera en ellos. Él, Henri Charrière, llamado *Papillon*, pasa brevemente por este mismo París y toma el camino del penal, condenado a perpetuidad. Este antiguo forzado vuelto a ser un hombre como los demás va a contaros un poco de su extraordinaria historia.»

Después de la interviú, que me hizo brillantemente Jacques Ertaud, con lágrimas en los ojos estreché las manos de Gaston Bonheur y me retiré de la escena.

En la taberna, ante un whisky, todos los que me habían acompañado me confesaron su nerviosismo cuando entré en escena: no estaba acostumbrado, aquello pudo paralizarle, etcétera. Pues bien, no, con toda franqueza, me había sentido a mis anchas. Estaba convencido, y ellos también, de haber pasado un examen difícil para la continuación y el éxito de la aventura.

Me lo habían dicho y repetido, pero no imaginaba que aquella emisión tuviera repercusiones tan explosivas. Al día siguiente, lunes, el tifón me atrapó de nuevo, con el doble de fuerza. Las radios y los periódicos, todos sin excepción, elegían, publicaban interviús, volvieron a pedirlas, intervinieron las revistas, la Televisión, *Paris-Match*, me hicieron correr para todos lados, de día y de noche, a Pigalle, a la Bastilla, incluso a una escuela primaria, donde di clase a chicos de once años sobre la libertad, lo que produjo tal escándalo en la dirección de la tele, que aquella secuencia fue cortada con indignación. «¿Cómo? ¿Pero quién se cree ser este tío? ¿Un presidiario huido da un cursillo sobre la libertad a nuestros propios hijos? ¿Estamos todos locos, o qué?»

En aquella vida loca, chiflada, en la que dormía como máximo cuatro horas cada noche, había horas excepcionales. Un té, a última hora de la mañana, en casa de Simone de Beauvoir. Me sentí profundamente emocionado e impresionado de estar sentado a su lado. Respiré la elevación espiritual de aquella mujer. Y en aquel gabinete amueblado con tal delicadeza, donde el menor detalle era para mí un poema, al lado de aquel ser que, quedamente, me decía cosas amables, me preguntaba con interés y dulzura, de pronto me di cuenta, sin haberlo pensado, de dónde estaba, con quién, y de dónde venía. Y se me apareció de pronto aquel calabozo infame de la Reclusión de San José, vigilado por tipos sádicos, se me apareció con precisión alucinante exactamente sobre el piano, detrás de una delicada danzarina de porcelana de Bohemia, luego se borró lentamente para dejar paso al día presente, a aquel instante privilegiado en el que acogía la gracia de una estatuilla en aquella casa, sonriéndome exactamente como me sonrió Simone de Beauvoir, que me dijo: «El camino recorrido ha sido muy largo y espinoso, ¿verdad? Pero ha llegado usted a buen puerto, y esto es lo esencial. Descanse usted tranquilo, está en casa de una amiga.» Mi garganta estaba tan optimista por la emoción que, en lugar de dar las gracias, me puse a fumar y me tragué el humo con dificultad. Llegó Claude Lanzman y los tres nos fuimos a comer en una buena taberna de París.

Todo volvió a empezar: *L'Express, Minute,* Yvan Audouard y su *Canard Enchainé, Elle, Le Figaro Littéraire,* y una vez más *Europa N.º 1,* y otra vez *Luxemburgo,* y aquellos que no recordaba porque no les veía, no les veía más. El tifón crecía, crecía, estaba en su tromba, le pertenecía, pertenecía a los demás, iba a donde me llamaban, me sentaba donde me decían y era inútil que explotara y dijera mierda, que echara fuera lo que tenía en el corazón, de nuevo estaba prisionero, pero esta vez prisionero de mi famoso libro.

Pude telegrafiar a Rita: «Todo va maravillosamente bien, gran éxito, besos.» Al día siguiente recibí un telegrama: «Prensa Caracas me ha dado noticias del éxito. Bravo.» Y pensé, riendo, en Mario, mi italiano del aeropuerto. El más sorprendido debía de ser él.

Cada día veo los periódicos, las revistas. El *Nouvel Observateur* publicó siete páginas a todo meter con el material de dos francotiradores. En *Elle*, un maravilloso artículo de Lanzman. Hasta François Mauriac, de la Académie Française, en *Le Figaro Littéraire*, escribió: «Este nuevo cofrade es un maestro.»

Dije a Castelnau, riendo:

—Bueno, vamos a ver, ¿no irán a meterme en la *Académie Française* cualquier día?

—Otras se han visto —respondió con gran seriedad.

Veintiséis días de locura, veintiséis días en que el desconocido que era yo se había convertido en un hombre célebre, adoptado, mimado, *vedette*, en el mismo país, en el mismo pueblo, en el mismo París que me condenó a que reventara como otros, a millares, en Guayana. Resultaba pesado hacer de estrella.

Y los libros se vendían a razón de 3, 4, 5.000 ejemplares al día.

Sí, conocí a muchas estrellas del teatro, del cine, del espectáculo. Sí, hospitalizado en el «Hospital Americano» de París, un hombre de la talla de Peter Towsend fue a saludarme. Sí, en casa de mis amigos Armel y Sophie Issartel comí con personas mundialmente célebres. Sí, un pintor millonario, Vincent Roux, amigo del joven y brillante abogado Paul Lombard, puso su apartamento a mi disposición, uno de los más elegantes de París. Sí, todas aquellas personas privilegiadas se pelearon para tenerme a su mesa.

Pero todas aquellas cosas no me hicieron una mella demasiado profunda. Había visto demasiadas cosas en mi vida, de lo peor y de lo mejor, para no pensar que aquel mundo brillante entonces era amable conmigo porque era un personaje del momento. Pero después, ¿cuando, por la corriente normal de las cosas, la actualidad tuviera otro signo?

Lo que seguía siendo importante para mí, lo emocionante, era cuando la modistilla, el *hippy* simpático, el obrero con la camisa empapada en sudor se acercaba a estrecharme la mano, a decirme bravo, y a pedirme mi autógrafo en un libro o en un pedazo de papel.

El 6 de junio, rápido regreso a Caracas, agotado pero feliz dejando detrás de mí a un Castelnau y a una Françoise Lebert agotados, casi lelos. A la llegada, la tele estaba en el aeropuerto.

¡Cuánto camino, después de mis primeros pasos de hombre libre en esta tierra, cuando salí del penal de El Dorado!

Venezuela, donde Rafael Caldera, presidente de la República, me recibió en privado, así como el arzobispo de Caracas, cardenal Quintero, a quien me presentó gentilmente el dinámico monseñor Hernández, director de *La Religión*; donde todos los periodistas, en *El Universal*, y toda la «Cadena Capriles» elogiaron mi libro; en *La Verdad*, donde el embajador en Madrid, Carlos Capriles, organizó una gran fiesta en mi honor; donde intelectuales como Uslar Pietri hablaron bien de mi libro, sobre todo Otero Silva, escritor distinguido y propietario de uno de los más importantes periódicos de América del Sur. Otero Silva y su mujer fueron allí los verdaderos padrinos de mi libro, que lo ofrecieron a Pablo Neruda, quien me dispensó el honor de felicitarme personalmente. Sin hablar de la Radio y de la tele, donde un presentador tan prestigioso como Renny Ottolina me presentó en términos simpatiquísimos.

¿Tranquilo en Caracas? ¿Descanso en Caracas? ¡Que te crees tú eso! Sólo después de diez días de estar allí, cuando unos reporteros de *Paris-Match* venidos especialmente de París, me arrastraron a una peregrinación a Guayana, a las Islas y por los lugares de mis hazañas. Y en Trinidad volví a encontrar a Master Bowen, el abogado que me acogió en mi primera fuga; en Georgetown encontré a *Pierrot-el-Loco* y *el Relojero* de cabellos blancos; y en el penal de El Dorado no sólo vi a antiguos compañeros salidos y vueltos a caer, sino fotografías en el registro de entrada, mi nombre, mi fecha de llegada, mi fecha de salida.

Regresé a Francia a primeros de agosto, y la cosa continuaba.

La cosa duró ocho meses, sin descanso.

Ocho meses durante los cuales pasé del fenómeno de la actualidad a la categoría de escritores distintos al resto, luego a la peligrosa categoría de estrella.

Y en ocho meses se habían vendido más de 800.000 ejemplares.

Entonces empezaron los viajes a los países donde aparecieron traducciones de mi libro: Italia, España, Alemania, Inglaterra, Estados Unidos, Grecia. Y en todas partes la Radio, la tele, los periódicos. Yo hablé y hablé. Y en todas partes, también, la misma amabilidad en la acogida. Unos días a señalar con diamante.

¿Y cómo olvidar Ginebra, donde la Televisión de la Suiza francesa me sorprendió llevándome al escenario, en una emisión en directo, junto a quien instaló a Cristo en el penal, el comandante Péan quien, lealmente, dijo que lo que yo había escrito sobre el penal era, no tan sólo verdad, sino desgraciadamente por debajo de la verdad? ¿Cómo olvidar una visita de varias horas en casa de Charlie Chaplin, en Vevey, y la velada con su hija? ¿Y el filme rodado por la Televisión belga con un Georges Simenon? ¿Cómo olvidar la amistad constante, que no ha variado nunca, con un poeta como Jacques Prévert, quien no sólo me dio todos sus libros, sino que en cada uno de ellos me puso dibujos extraordinarios y maravillosos?

En Grecia recibí la noticia de unos «anti-*Papillon*», dos libros destinados a destruirme. Era terriblemente excitante tener enemigos gratuitos, a quien uno no había hecho nada, a quienes ni tan sólo conocía.

Tuve la horrible franqueza de responder varias veces a interviús sobre la justicia actual en Francia. En particular durante el curso de una emisión de *R. T. L.*, el «Periódico Inesperado» del sábado al mediodía, en la cual quien dirige el periódico es una personalidad a quien ellos han invitado, personaje de actualidad por una razón u otra. Aquel sábado, redactor jefe del periódico: *Papillon*. A mi derecha, el enérgico Jean-Pierre Farkas; a mi izquierda, Jean Carlier. En cuanto a la actualidad del día, había la suficiente. Por una parte, el asunto de una joven profesora a quien habían inducido al suicidio, Gabrielle Russier; por otra, el caso de un oficinista acusado de un horrible asesinato, Devaux.

—*Papillon*, ¿qué piensa usted de estos dos casos?

En seguida vi el peligro. Si no respondía, si daba vueltas a las preguntas, dirían: «A *Papillon* el éxito se le ha subido a la cabeza, se ha vuelto engreído, olvida de dónde viene. No quiere ayudar a los informadores, quienes contribuyeron tanto a darlo a conocer. Es un egoísta desagradecido.» Y si decía sí, si respondía lo que pensaba, a todas las preguntas, dirían: «*Papillon*, ahora, es el "Señor Sabelotodo", tiene respuestas para todo, da consejos sobre cualquier cosa, incluso recetas de cocina, y, mejor todavía, se cree, él, que es un antiguo presidiario, con derecho a darnos lecciones sobre lo que tenemos que hacer o dejar de hacer. Esto no puede continuar.»

Así, pues, como tanto por un lado como por otro me tenían cogido, fui directo al grano, dije claramente lo que pensaba, tanto más que me es casi imposible obrar de otro modo cuando me apasiono por algo.

Y, claro, hubo periodistas que pensaron: «Éste no puede continuar. Le dieron vida, hicieron de él un héroe, pues bien, ahora vamos a destruirlo. Será divertido y, además, lucrativo. *Antes* hicieron negocio, *durante* hicieron negocio, pues bien, vamos a hacer negocio *después*.»

Aquella emisión de la *R. T. L.* sobre el asunto Russier y el asunto Devaux, de la que Edgard Schneider escribió: «*Papillon* ha estremecido las antenas de «Radio Luxemburgo», que todavía tiemblan de indignación», aquella emisión sería una de las dos gotas que hicieron desbordar el vaso.

La otra, fue haber sido invitado personalmente, en calidad de «usuario de la justicia», por hombres que hacían las leyes, que se apasionaban por la justicia y por los que la sufrían. Fue bajo la muy respetable cúpula de la Facultad de Derecho de París. Que un presidiario se sentara al lado del abogado Jean Lemaire, decano del Colegio de Abogados de París; que fuera invitado a decir lo que pensaba, por hombres tan prestigiosos como el profesor Baruk, el decano Brunois, el profesor Levasseur, el consejero Sacotte, el abogado Stancier, secretario general de la «Sociedad Internacional de Profilaxia Criminal»; aquello no podía admitirse, no se podía soportar por más tiempo, era preciso hacer callar a *Papillon*, al menos desacreditarlo.

Y algunos polis dieron con un periodista, «verdadero guindilla literario», como escribiría el periódico *La Suisse*, quien, con la protección de un comisario, publicó un libro contra mí.

En la vida hay situaciones completamente opuestas unas a otras, situadas en extremos muy alejados entre sí. E incluso excesivas en su extremismo.

—¿Conoció usted un cielo?

¿Fue usted al cielo, donde para usted todas las personas eran amables, le saludaban, ensalzaban sus cualidades?

¿Fue usted al cielo, donde la música, compuesta especialmente para usted se difundía en el aire y lo envolvía suavemente en una melodía fina y festoneada?

¿Fue usted al cielo, donde unos ángeles graciosos acudieron con sus trocitos de papel a pedirle les diera su firma, tan preciosa?

Usted fue al cielo, donde todo lo que usted dijo e hizo fue loado.

¿Fue usted al cielo, donde le pidieron recetas para todo, y donde las aprobaban todas?

¿Fue usted al cielo, donde los hijos de las personas que lo maltrataron le pidieron para ellos y condenaron aquellos procedimientos?

¿Fue usted al cielo, donde los profesores lo escucharon en lugar de hablar?

¿Fue usted al cielo, donde grandes espíritus de la literatura lo acogieron y le aplaudieron?

Pero, saliendo de aquel cielo donde las sobras de sus demasiado maravillosas fiestas cayeron en las cloacas:

¿Fue usted a las cloacas, donde los ratones se disputaban las migajas de lo que usted echó?

¿Fue usted a las cloacas, precipitado allí por la jauría de celosos, de envidiosos, de rapaces, de larvas que vivían allí a sus anchas, como en su casa, en aquellas aguas podridas, creciendo y multiplicándose?

¿Fue usted a las cloacas, donde los vencidos de la vida, las viejas pieles de orugas abandonadas por el mariposón al emprender el vuelo, terminaban su existencia quebrada, reventando de amargura y de odio, chapoteando durante años en la oscuridad del anonimato?

¿Cayó usted en semejantes cloacas, tirado, empujado, arrastrado hacia aquellos seres enfermos de rabia, que no buscaban más que poder morderle para inocular en su sangre de usted su horrible enfermedad, no pudiendo perdonarle su éxito?

Sí o no, ¿conoció usted aquel cielo y aquellas cloacas?

Sí o no, ¿conoció usted estos dos París?

¿Acaso no conoció usted ni uno ni otro?

Pues bien, yo he conocido los dos.

Y lo que me queda de todo esto son estos millares de cartas y de testimonios, de todos los países, donde he escuchado cómo mis lectores me gritaban:

—¡Corta el nueve, *Papillon*! ¡Por una vez, en tu condenada vida, ganaste el banco! ¡Recoge, camarada! Estamos contentos por ti.

Regresé a Caracas, que también tiene su cielo y sus cloacas.

Y en nuestro apartamento, el mismo de antes, el del temblor de tierra, en nuestro barrio a medias popular de Chacaíto, sobre la mesa donde escribí *Papillon* acaricié los tesoros que reuní en aquella maravillosa aventura.

Allí abrí las cartas, los centenares, los millares de cartas, las cartas que me han obligado a escribir este libro, cartas del mundo entero, cartas en las que unas almas se abren, cuentan lo más íntimo de sí mismas, cartas que os dicen: «Gracias a usted, gracias a su libro no me suicidé, dejé pasar la hora de hacerlo, volví a encontrar la fe en la vida, cambié de vida, dominé una situación que creía imposible vencer», aquellas cartas en las que jóvenes, viejos, muchachas, chicos del mundo, me explican que mi libro les dio el tono que les faltaba para amar y gozar de la vida.

Esta vida de aventura que adoro, en la que se juega todo, y cuando se pierde se vuelve a empezar, esta vida generosa que da siempre algo nuevo a los que gustan del riesgo, esta vida en la que se vibra intensamente hasta lo más profundo de las fibras de su ser, esta vida que palpita en nosotros desde que uno se mueve, desde que se salta por la ventana para entrar en la aventura, esta vida que está al alcance de todos, incluso en el rellano de su casa, si se desea intensamente, esta vida en la que nunca serás vencido, puesto que en el momento en que acabas de perder un golpe, ya preparas otro con la esperanza de ganar aquella vez, esta sed de vivir que uno no debe calmar jamás, y que, a no importa qué edad, en no importa qué situación, uno debe sentirse siempre joven para vivir, vivir, vivir, en plena libertad, sin barreras de ninguna clase que puedan marcarte en no importa qué parte, en qué colectividad.

Y por eso, después del banco de mi libro, en lugar de quedarme tranquilo y comprar la barraca de la jubilación, hice un filme en el que me jugué mucho, y perdí mucho, *Popsy-Pop*.

Autor, guionista, actor. Fue una vez más por el placer de ganar o de perder, de experimentar sensaciones intensas. Las sensaciones las tuve, pero esta vez todo se fue abajo. Perdí el banco.

Felizmente, tengo otros bancos por jugar. Seguro que un día me repondré de un solo golpe. ¿Cuál? Poco importa, ¡la vida es tan maravillosa!

Hasta otra.

Fuengirola, agosto 1971

Caracas, febrero 1972

EN ESTA MISMA COLECCION

PAPILLON

Henri Charrière

He aquí una de las más extraordinarias epopeyas de nuestro tiempo. Cuarenta y tres días después de su llegada a presidio, *Papillon* se fuga: 2.500 km. por mar, la isla de Trinidad, los ingleses (*fair-play*), Colombia y sus calabozos submarinos, los indios guajiros, las fugas de Barranquilla, el regreso al presidio, la Reclusión (dos años en jaula de fieras), las nuevas tentativas de fuga, la vida traficante del presidio, la Reclusión (¡otra vez!) y, por fin, al cabo de trece años, la gran fuga, la última, la lograda. Pero, ¡a qué precio! El Océano en un bote y un nuevo presidio en Venezuela. Cuesta creer que, esta vez, *Papillon* se saldrá con la suya.

Extraordinario filme de aventuras, extraordinario documento sobre la vida de los forzados en el Infierno Verde, extraordinaria lección de valor y de virilidad, este libro se lee de un tirón; resulta imposible escapar a su continuo suspense y al rudo atractivo del protagonista.

PAPILLON es un magnífico y valioso ejemplo de literatura oral. Henri Charrière no escribe, habla. O, mejor aún, escribe como habla. Y el resultado es maravilloso.

EN NOMBRE DE TODOS LOS MÍOS

Martin Gray

Las cámaras de gas de Treblinka le arrebataron a su madre y a sus hermanos. Las llamas de un incendio forestal, a su esposa y a sus cuatro hijos. Pero, hombre de temple poco común, Martin Gray decidió seguir viviendo, «vivir hasta el fin. Y, si un día es necesario, dar de nuevo la vida para hacer mi muerte, la muerte de los míos, imposible; para que siempre, mientras existan hombres, haya uno de ellos que hable y testimonie». «En nombre de todos los míos.» Una lección de esperanza ante las adversidades de la vida.

(Ed. ilustrada)

PANCHO VILLA

Mariano Tudela

En una prosa de honda raigambre popular, el autor dibuja la silueta de una de las figuras contemporáneas más difíciles y contradictorias: Doroteo Arango, «Pancho Villa», símbolo de la revolución mexicana, con toda su inevitable secuela de sangrientas vivencias y heroísmo anónimo, encrucijada político-social de un pueblo sumido en el desconcierto y la miseria. Una biografía palpitante, a través de cuyas páginas se presienten las posibilidades de un malogrado gran hombre.

POR CUENTA PROPIA

Juan Arcocha

Corresponsal de Prensa en la Unión Soviética, Juan Arcocha narra sus experiencias en los días de la «desestalinización»: la contraposición entre ideales y realidad, la vida intelectual y social en Moscú, las relaciones sexuales... Y como telón de fondo, los acontecimientos en Cuba, desde el triunfo de Fidel Castro, hasta la invasión de la Bahía de Cochinos; desde el establecimiento de las bases de cohetes, hasta su retirada.

HOMBRES, PLANTAS Y SALUD

Maurice Mességué

Nacido en un ambiente rural, habituado desde la infancia a reconocer y amar las flores y las plantas, Maurice Mességué ha heredado de su padre el arte de curar mediante el empleo de hierbas. En la cumbre de su fama, el autor —que cuenta entre sus clientes a Papas, reyes, artistas y políticos— nos revela su experiencia en el arte de sanar, en un libro que es, al mismo tiempo, el relato de una maravillosa aventura humana, coronada por el éxito, aunque llena, también, de luchas y dificultades.

UN NIÑO DIFÍCIL

Dorothy W. Baruch

La verdadera historia de lo que un psicólogo aprendió sobre la oculta vida emocional de un niño de ocho años, Kenneth, y acerca de sus padres. Al revelar el mundo secreto de este niño, la autora revela la vida interior de todos los niños, porque todos y cada uno de ellos tienen que pasar por parte de la experiencia personal de Kenneth. Un libro que ayudará a los padres a comprender y proteger a sus hijos.

DIARIO DE GUERRA Y DE OCUPACIÓN

Ernst Jünger

Un friso incomparable de lo que fueron los años de guerra y de ocupación, con toda su secuela de grandeza, miserias y tragedias, por el más grande escritor contemporáneo. A través de un penetrante análisis de los sucesos de que fue testigo y de los personajes que conoció —acompañado todo ello de lúcidas observaciones, juicios literarios y comentarios de arte—, Jünger ha logrado en este DIARIO un apasionante testimonio de las reacciones de un gran escritor presente en un trascendental período de la Historia.

Este libro se imprimió en los talleres
de GRÁFICAS GUADA, S. A.
Virgen de Guadalupe, 33
Esplugas de Llobregat.
Barcelona